Aspekte der Goethezeit

Aspekte der Goethezeit

Herausgegeben von

Stanley A. Corngold, Michael Curschmann
und Theodore J. Ziolkowski

Vandenhoeck & Ruprecht in Göttingen

CIP-Kurztitelaufnahme der Deutschen Bibliothek

Aspekte der Goethezeit / hrsg. von Stanley A. Corngold... –
1. Aufl. – Göttingen: Vandenhoeck und Ruprecht, 1977.

ISBN 3-525-20743-3

NE: Corngold, Stanley A. [Hrsg.]

© Vandenhoeck & Ruprecht, Göttingen 1977. – Printed in Germany.
– Satz: Fotosatz Tutte, Salzweg-Passau; Druck und Einband:
Hubert & Co., Göttingen

Victor Lange
in Freundschaft und Hochachtung
zugeeignet

Inhalt

Vorwort

Victor Lange, dem zu Ehren wir die folgenden Studien zur Goethezeit versammelt haben, tritt in diesem Frühsommer in den Stand des Professor Emeritus. Daß daraus ein „Ruhestand" werden könnte, wird niemand glauben, der ihn kennt, und insofern ist dem Vielbeschäftigten selbst die Zäsur wohl gar nicht so bewußt wie uns, den akademischen Hausgenossen. Wir aber wollten den Augenblick festhalten und wir glauben, damit zugleich stellvertretend für die Zunft insgesamt zu handeln, um die sich dieser Forscher, Lehrer und Staatsmann der Wissenschaft in so mannigfaltiger Weise verdient gemacht hat.

Die Trias „Freunde, Schüler und Kollegen" repräsentativ in einer Festschrift zu Wort kommen zu lassen, – daran war freilich nicht zu denken. Wo hätte man da die Grenzen ziehen sollen bei einem Mann, der an so vielen Orten so vieler Länder gerade auch persönlich so nachhaltig gewirkt hat? So lag eher der Gedanke nahe, den Anlaß mehr noch in Dienst der Sache zu stellen und eine möglichst weitgehende, an Victor Langes eigenen Interessen orientierte Konzentration der Thematik anzustreben. Weniger selbstverständlich mag auf den ersten Blick die Wahl des Themas als solche scheinen, wenn man die Vielzahl der Möglichkeiten in Betracht zieht.

Nicht zuletzt wäre an eine primär angelsächsische Ausrichtung zu denken gewesen – schließlich hat der Germanist Lange mit einer geschmacksgeschichtlichen Untersuchung englischer Lyrik des 17. und 18. Jahrhunderts begonnen, als erster Eliots *Sweeney Agonistes* in Canada aufgeführt und die New Yorkerin Edith Wharton übersetzt. Auf der anderen Seite hat immer wieder sein besonderes Interesse den literarischen Tendenzen und Erscheinungen der jüngeren und jüngsten deutschen Vergangenheit gegolten, und zwar schon zu einer Zeit, als das noch alles andere als germanistenüblich war. Vor allem damit ist der gelehrte Interpret in einem entscheidenden Moment zugleich ein wesentlicher Vermittler deutschen Schrifttums an die amerikanische Wahlheimat geworden. Man vergegenwärtige sich weiterhin die Reihe der zum Teil grundlegenden Aufsätze, die dem Roman verschiedener Jahrhunderte und Länder gelten und von fortwährender intensiver Beschäftigung mit einem wieder ganz anderen Fragenbereich zeugen: der Poetik der Erzählprosa in ihrem geschichtlichen Wandel. Von dem aus profunder Bildung und sensibler Weltklugheit erwachsenen kulturgeschichtlichen und kulturpolitischen Engagement ganz zu schweigen.

Dennoch: Goethe und die Zeit Goethes in ihren europäischen Zusammenhängen, das schien uns am besten zu passen. Hier drängen sich nicht nur bedeutsam erhellende Einzelstudien und Einführungen zusammen – zu Goethe selbst, zu Schiller, Friedrich Schlegel, J. K. Wezel und anderen. Von hier aus ist der Umgang mit dem Phänomen und dem Begriff Weltliteratur wesentlich mit bestimmt, der das Werk des Komparatisten Lange kennzeichnet. Und vor allem: dorthin führt eine ganz eigene, zwar ironisch gebrochene, aber doch unverkennbare Wahlverwandtschaft der Persönlichkeit.

In diesem Sinn haben wir eine weit verzweigte, und doch homogene Gruppe von Kennern angeregt, sich über die gemeinsame freundschaftliche Verbundenheit mit Victor Lange zu einem Buch zusammenzufinden, das mit dem Gruß und dem Dank an den Goetheforscher einen konkreten Beitrag zum Verständnis wie zur Wertung jener Zeit und ihrer Geistigkeit verbinden sollte. Vor allem in ihrem Namen überreichen wir diese Ehrengabe. Was wir selbst – sammelnd, sichtend und bündelnd – dazu beigetragen haben, ist Ausdruck der Freude und Genugtuung über lange Jahre gemeinsamer fruchtbarer Arbeit und ein Zeichen ganz persönlicher Freundschaft.

Die Herausgeber

Roger Bauer

Die Komödientheorie von Jakob Michael Reinhold Lenz, die älteren Plautus-Kommentare und das Problem der „dritten" Gattung

> „Plautus noster et Atticorum antiqua Co-
> moedia".
>
> Cicero, *De officiis*

> „Ich [. . .] will bloß die Grundsätze meiner
> Kunst, die ich mir von den berühmtesten
> alten Künstlern abgezogen, und lange mit
> ganz warmer teilnehmender Seele durch-
> dacht habe, dem Publikum vorlegen".
>
> Lenz, *Rezension des Neuen Menoza*

Lenz nennt alle seine Stücke Komödien. (Von den wenigen unbedeutenden Ausnahmen kann hier abgesehen werden). Es ist deshalb recht erstaunlich, daß unsere zeitgenössischen Literarhistoriker große Lust zeigen, den Dichter zu korrigieren und seine Stücke umzuordnen. Das betrifft vor allem die typischen: den *Hofmeister* und die *Soldaten*. H. O. Burger und Walter Höllerer[1] sprechen von „bürgerlichem Trauerspiel", Karl Guthke[2] und René Girard[3] nennen sie „Tragikomödien". Wenn aber in Ausnahmefällen dem Autor der von ihm gewählte Gattungsbegriff zugestanden wird, so geschieht dies völlig unhistorisch, ohne Rücksicht auf die Veränderung des Gattungsbegriffs Komödie im Laufe von 200 Jahren: so bei Hans Mayer z. B., der Lenz einen Vorläufer Dürrenmatts nennt[4] (wenn er auch dieses apodiktische Urteil später abschwächt).

Es ist zuzugeben: der Dichter lockt mit seinen eigenen Angaben in die Irre. In den Briefen an Freund Salzmann vom 28. Juni und vom Oktober 1772 spricht Lenz vom *Hofmeister* als von einem „Trauerspiel".[5] In einer erhaltenen handschriftlichen Kopie steht – allerdings wieder durchstrichen – der Untertitel: *Lust- und Trauerspiel.*[6] Erst spät setzt sich der endgültige Gattungsbegriff Komödie durch. Dies bestätigen ein Antwortbrief Lavaters an Lenz vom 10. Mai 1774 und die Druckfassung. Nicht minder umständlich kommt es zu einer endgültigen Einordnung bei den *Soldaten*. In einem Brief an Herder vom 29. September 1775 nennt Lenz sein „Stück"[7] eine „Komödie". Diese Bezeichnung trägt ebenfalls die auf Vermittlung Herders erfolgte Erstausgabe vom Frühjahr 1776. Aber fast zur selben Zeit bittet Lenz seinen Verleger um eine Änderung, wohl aus Bedenken, man könne ihm, dem Ausländer, in der Straßburger Garnison die Kritik des Soldatenlebens verübeln: »Ich habe vergessen (!), Sie neulich zu bitten, den barokken (!) Titel Komödie, der in einigen individuellen Grillen (!) seinen Grund hatte, von den Soldaten wegstreichen zu lassen und statt dessen darauf zu setzen: ,Ein Schauspiel von Steenmark aus Amsterdam'." (Brief an J. G. Zimmermann von Anfang März 1776). Auffallend ist die beiläufige Formel „Ich habe vergessen". Lenz will dem Verleger gegenüber seinen Wunsch nach Anonymität herunterspielen; er weiß genau, der Untertitel *Komödie* allein würde schon auf ihn hinweisen. (Eine zur selben Zeit entstandene Abschrift trägt den Titel: *Die Soldaten. Ein Schauspiel*).[8] Aber das sind Zufälligkeiten. Lavater gegenüber nennt sich Lenz schlicht einen „Komödienschreiber", einen „verunglückten" allerdings (29. Juli 1773). Zwei Jahre später, Juli 1775, steht in einem devoten Brief an Sophie von La Roche: „Sehen Sie da den ganzen Plan meines Lebens, meines Daseyns, meines Comödienschreibens, vielleicht einst meines Todes". Und in einem Brief an Gotter, vom 10. Mai des gleichen Jahres, empört er sich über Wieland, der den *Neuen Menoza* nicht als Komödie gelten lassen will, sondern ihn abwertend ein „Mischspiel" nennt.

Die Komödien von Lenz sind extravagant, „barock", wie er selbst sagt: gegen den Zeitgeschmack, gegen die herrschenden Regeln, pour épater le bourgeois. Sie sind originell und eigenwillig in der Konzeption, aber sie gehören immer noch zu der florierenden „dritten Gattung".[9] Wichtig ist nur, daß Lenz sehr bewußt mit der Tradition der gehobenen Terenzianischen Komödie bricht (von der sich sogar Diderot nicht lösen wollte!) und daß er um seine provokante Glorifizierung der Komödie zu stützen, auf andere Traditionen aus der Antike zurückgreift. Was Lenz Komödie nennt, ist nämlich das Ur- und Pandrama vor dem Auseinanderfallen der klassischen Einzelgattung: eine Komödie für das „ganze" Volk, eine Komödie zum Lachen und zum Weinen; diese Erneuerung aber kann er sich nur als Wiederaufnahme der älteren (Plautinischen eher als Aristophanischen) Komödie vorstellen. Dies geht u. a. aus folgenden Aussagen hervor, die nicht zufällig an exponierten Stellen stehen: am Anfang und am Ende der *Anmerkungen übers Theater* und am Ende der *Rezension des Neuen Menoza*.

Bewundernd sagt Lenz von der antiken, der attischen und frührömischen Komödie, daß sie sich an das ganze Volk, an die Nation wandte: Das „Parterre" des Römischen Theaters bestand, „will's Gott aus nichts weniger als der Nation . . ." Die von den neueren Aristotelesinterpreten dekretierten drei Einheiten möchte er durch „hundert Einheiten" ersetzt sehen, „die alle immer die *eine* bleiben. Einheit der Nation, Einheit der Sprache, Einheit der Religion, Einheit der Sitten". In den *Anmerkungen übers Theater* (1771, 1772?), aus denen diese Sätze stammen, ist weiterhin die Rede vom „Volksgeschmack der Vorzeit und unsers Vaterlandes . . . der noch heut zu Tage Volksgeschmack bleibt und bleiben wird".[10] Drei Jahre später heißt es dann, in der *Rezension des Neuen Menoza* (1775): „Die Komödien [der Griechen] . . . waren für das Volk": für die „Gebildeten" und für den „Pöbel".[11]

In Briefen aus derselben Zeit (Mai und Juli 1775) ist nachzulesen, wie Lenz sich dieser Forderung unterwerfen will: „*Mein* Theater . . . ist unter freyem Himmel vor der ganzen . . . Nation, in der *mir* die untern Stände mit den obern gleich gelten, die pedites wie die equites ehrenwürdig sind". Oder: „doch bitte ich . . . , zu bedenken . . . , daß *mein* Publikum das ganze Volk ist; daß *ich* den Pöbel so wenig ausschließen kann, als Personen von Geschmack und Erziehung".[12]

Nicht weniger konstant ist die Forderung nach der lustig-traurigen Dramenform, die gleichwohl den Namen Komödie behalten soll. 1771 (oder etwas später) ist in den *Anmerkungen* gegen Ende die Rede von Shakespeares *Love's Labour's Lost*, von einer „Komödie" also, die Lenz ein „Volksstück" nennt und dies so begründet: in diesem Stück dürfen Könige und Königinnen wie „der niedrigste Pöbel", „warmes Blut im schlagenden Herzen . . . fühlen", und zugleich „kützelnder Galle in schalkhaftem Scherzen Luft . . . machen".[13] In der *Rezension des Neuen Menoza* steht der Satz: „Ich nenne durchaus Komödie nicht eine Vorstellung die bloß Lachen erregt, sondern eine Vorstellung die für jedermann ist. Tragödie ist nur für den ernsthaftern Teil des Publikums . . . Die Komödien [der „älteren Nationen"] aber waren für das Volk, und der Unterscheid von Lachen und Weinen war nur eine Erfindung späterer Kunstrichter".[14]

In der folgenden Studie sollen der Ursprung und die Wandlung einiger Topoi untersucht werden, ohne die die Lenz'sche Komödientheorie unverständlich bliebe. In einer der rhapsodischen Schreibart zuneigenden Zeit wollte auch Lenz kein eigentliches System entwerfen, und begnügte sich mit der Impression, der Gesamtvision des Augenblicks (mit „Gesichten", wie es ihm Wieland vorwarf.)[15] Die Grundprinzipien jedoch, die überall zu erkennen sind, entstammen den ebenfalls rhapsodisch angelegten und nicht immer miteinander harmonisierenden Kommentaren der alten Klassikerausgaben.

Der Beweis, daß Lenz mit ihnen vertraut war, wird relativ leicht zu führen sein. Es muß nur zunächst an damalige Lesegewohnheiten und -möglichkeiten erinnert werden.

Die noch um die Mitte des 18. Jahrhunderts gebräuchlichen klassischen Ausgaben enthielten umfangreiche Begleittexte und Kommentare. (Eine Ausnahme bildeten die kleinen Duodezausgaben: die Taschenbücher der Zeit). Im Falle des Plautus gehören zu dem von der Tradition geheiligten Corpus von „Prolegomena" (so die entsprechende Rubrik in der *Editio in usum Delphini*):

- verschiedene „vitae": sie wiederholen und überschneiden sich, aber alle Autoritäten sollten ja gehört werden!
- eine im Wesentlichen seit der Renaissance unveränderte Sammlung von „de Plauto et ejus scriptis testimonia veterum" und sogar „recentiorum auctorum".[16] In diesen Ausgaben sind somit alle wichtigen „dicta" (Aussagen) über Plautus leicht nachzuschlagen: sie werden unter den Namen der in alphabetischer Ordnung angeführten Autoren wiedergegeben. Die Kenntnis dieser „testimonia" oder „dicta" ist aber unerläßlich zum richtigen Verständnis der genannten „vitae"; dasselbe gilt für die
- „observationes" zu Einzelpunkten, die sich an die „testimonia" anschließen. „Vitae" wie „observationes" dürfen nämlich selbst als Versuche angesehen werden, die als kanonisch geltenden „testimonia" untereinander, mit dem Plautinischen Grundtext, sowie mit dem zeitgenössischen Weltbild in Einklang zu bringen.

In unseren Untersuchungen werden wir uns vor allem an folgende Texte halten:

- die Viten von Petrus Crinitus (auch Riccius genannt; lebte am Ende des 15. und am Anfang des 16. Jahrhunderts in Florenz), Lilius Gregorius Gyraldus (1479 in Ferrara geboren, † 1552), Johannes Philippus Paraeus (recte Waengler, 1576 in Hemsbach bei Worms geboren, † 1648).
- verschiedene Traktate des Joachim Camerarius (recte Joachim Kammerherr, 1500 in Bamberg geboren, † 1574), „in primis magnus" nach dem Urteil des Johann Friedrich Gronovius (recte Gronov, 1611 in Hamburg geboren, † 1671). Camerarius, in Wittenberg zu den Vertrauten Melanchthons gehörend, besorgte auf Grund der „Codices Palatini" eine kritische Plautusausgabe, auf die sich noch die heutigen Editoren beziehen.[17]
- die Vorreden zu verschiedenen Plautusausgaben, z. B. denen von Camerarius, Operarius (*Editio in usum Delphini*), sowie zu den Plau-

tus- und Terenzausgaben von Madame Dacier, geborene Anne Le
Fevre (1651–1720).
– die damals in allen Terenzausgaben abgedruckte *Ad Horatii de
Plauto et Terentio judicium, dissertatio* (1618) des Daniel Heinsius
(oder Heins, 1580–1655).

Im September 1772 zählt Lenz in einem Brief an seinen Straßburger
Freund Johann Daniel Salzmann die Bücher auf, die ihm in dem lang-
weiligen und provinziellen Landau zur Verfügung stehen: „Eine große
Nürnbergerbibel ..., ein dicker Plautus, mit Anmerkungen ... und
mein getreuster Homer". In diesem Brief eines Herderianers an einen
anderen Herderianer werden somit die Komödien des Plautus neben der
Bibel und die Homerischen Epen, d. h. in die Reihe der großen Urdich-
tungen gestellt.

Eben so wichtig für uns ist die Erwähnung des „dicken" Plautus, „mit
Anmerkungen ...". Daß zu diesen „Anmerkungen" u. a. die des Camerarius gehörten, geht aus der Nachrede hervor, die Lenz für seine erste
Übersetzung des *Trukulentus* (sic) verfaßte. Nicht nur, daß dort Camerarius genannt wird: eine längere Passage ist, wie Lenz selbst angibt, aus
dem *Pseudolus-* und dem *Truculentus*-Kommentar von Kammerherr
entnommen.[18] Sehr wahrscheinlich (einige Stichproben erhärteten
diese Vermutung)[19] würde sogar ein konsequent durchgeführter Vergleich der Lenz'schen Plautusübertragung und -bearbeitung mit den
damals gebräuchlichen Plautusausgaben erkennen lassen, daß an vielen Stellen dieser Kommentar mitübersetzt wurde, bzw. die Verdeut-
schung beeinflußte.

Selbst noch in dem wahrscheinlich 1775 vor der Straßburger „Philo-
sophisch-literarischen Sozietät" (ursprünglich: „Société de philosophie
et de belles lettres") gehaltenen Vortrag *Über Ovid* erinnert sich Lenz
an die früher benutzten Plautusausgaben. Es ist nämlich kaum glaubhaft, daß er selbst in den *Noctes Atticae* nach der von ihm wenigstens
zweimal wiedergegebenen Anekdote gesucht hat: der Geschichte des
armen, von Hunger und Elend geplagten Plautus, der sich einem Müller
verdingen muß, „in pistrino" Mühlsteine wälzt und nebenbei seine
Komödien verfaßt.[20] Diese Stelle aus der Schrift des Aulus Gellius (dessen Name von Lenz nicht genannt wird) steht nämlich in allen „dicken" Plautusausgaben unter den „Testimonia veterum auctorum".
Außerdem wurde sie von den Biographen und Kommentatoren weiter-
erzählt und glossiert.[21] Interessanterweise steht eine ähnliche Anekdote – die des dichtenden Sklaven Terenz – am Beginn aller klassischen,

Terenz gewidmeten Viten und Eulogien: von der *Vita Terentii* Suetons
(man schrieb sie lange Donat zu!) bis zum *Eloge de Térence* Diderots.[22]
Wichtiger als solche offenkundige sind jedoch die verborgenen,
schwer aufspürbaren Hinweise auf die früheren Plautus- und Terenzausgaben und -kommentare. Denn gerade die Selbstverständlichkeit,
mit der von dort stammende Ideen und Denkschemata übernommen
werden, interessiert den Historiker. Außerdem vermag nur diese un-
eingeschränkte Traditionsverbundenheit die souveräne Unbeküm-
mertheit erklären, mit der Lenz über die übernommenen Topoi verfügt.

Pii et severi

In dem vermutlich 1774 als Vorrede zu den Plautus-Verdeutschun-
gen konzipierten Aufsatz *Lustspiele des Plautus*, „erfrecht" sich Lenz –
so seine eigenen Worte – diesen, den „blinden Heiden selig zu preisen".
Er tut dies, wie er hinzufügt, allen „erleuchteten und unerleuchteten
Gottesgelehrten" zum Trotz, auf deren obsolete Argumente „pro et
contra" er sich nicht einlassen will, angesichts „der ganzen honetten
Welt", auf deren Zuspruch es nur noch ankommt. Wichtig allein ist,
daß „der ehrliche Mann" – Plautus – „in seinem ganzen Leben nichts
gesucht, als seinen Mitbürgern viele Freude zu machen",[23] indem er
eben „Komödien" schrieb. Trotz alledem kann man sich aber nicht
ganz des Eindrucks erwehren, daß es dem Pfarrersohn Jakob Michael
Reinhold Lenz nie gelang, die mit Disinvoltura beiseite geschobenen
„Gottesgelehrten" – Melanchthon und seine Nachbeter[24] – ganz zu
vergessen. Nur so lassen sich die steten und offenkundigen Anspielungen auf den uralten, niemals geschlichteten Streit über die Plautinische
(und Aristophanische) „obscoenitas" erklären und deuten.
Wie viele seiner Zeitgenossen – es ist vor allem an Melanchthon zu
denken – stellte sich der fromme Camerarius die Frage, ob die neuedier-
ten, unzensierten Plautustexte nicht „mentes teneras et ingenia sim-
plicia et proba" schockieren und sogar „entweihen" („profanescere")
müßten. Gegen diese Gefahr empfiehlt er den Pädagogen, nur ausgewählte und expurgierte Texte zu benutzen. Gegen die „a piis et severis"
geäußerten Bedenken macht er aber zugleich geltend, daß Plautus sich
an die Gesetze der Gattung hat halten müssen. Übrigens ergötzte sich
selbst der heilige Kirchenvater Hieronymus an den Plautinischen Komödien. Endgültig gerechtfertigt werden dann die Komödien mit dem
Argument, daß sie, indem sie dem Leser „summam turpitudinem tem-

porum illorum" vor Augen führen, ihn zur Einkehr und zum Gebet an den Herrn ermahnen, „ut a nobis tantam atrocitatem poenae, id est, caecitatis ... benigne avertat, et ... animos nostros [molliat], commoveatque ... per sanctum spiritum ad poenitentiam delictorum et erigat ad spem salutis in fide Jesu Christi salvatoris nostri, Amen."[25]

Für Lenz kommt eine solche christliche Rechtfertigung der Komödie nicht mehr in Frage. Spöttisch spricht er von den nun als „erleuchtete ... und unerleuchtete Gottesgelehrten" apostrophierten „pii et severi". Aber gerade die betonte Distanz von dem „Frommen", läßt an der Sicherheit seiner Überzeugung zweifeln. Auf jeden Fall kehren die „pii" wieder in einem Brief an Herder (vom 28. August 1775), in dem Lenz bereut, die Schlußszene seines *Neuen Menoza* in der Manier der „alten" Komödie geschrieben zu haben: „Auch Fromme wenden ihr Antlitz von mir, dacht' ich. Ich verabscheue die Scene nach der Hochzeitsnacht. Wie konnt' ich Schwein sie auch malen". Einige Zeilen vorher stand aber das Stoßgebet: „Daß Aristophanes' Seele nicht vergeblich in mich gefahren sei, der ein Schwein und doch bieder war".

Ludi religionis causa instituti

Eine andere und besser in das neue, unfromme Zeitalter passende Rechtfertigung der Komödie betont deren hohe Herkunft: wie die Tragödie ist auch sie aus dem volkstümlichen Dionysoskult entstanden, und aus diesem gemeinsamen Ursprung ergibt sich die prinzipielle – moralische wie ästhetische – Ebenbürtigkeit beider Gattungen.

Schon Donat[26] berichtet von der Verwurzelung aller drei attischen Dramenformen – Tragödie, Komödie und Satyrspiel – im ländlichen Dionysoskult. Seine Angaben kehren wieder, mehr oder weniger glücklich ausgeschmückt, bei den späteren Kommentatoren: Gyraldus, Scaliger[27] und sogar noch Anne Le Fevre.[28]

Das Religiöse gelangt jedoch allmählich in den Hintergrund. Schon die zeitgemäße Latinisierung trägt bei zu diesem Effekt: mit dem Namen Bacchus verbinden sich ganz andere Vorstellungen als mit „Dionysos". Auch bei Lenz wird vom geopferten Ziegenbock „Libero patri" (wie es bei Diomedes hieß) nur noch ein Lobgesang auf „Vater Bacchus" übrig bleiben.[29]

Eine vergleichbare Entmythisierung findet statt, wenn Gyraldus – ausgehend von einer Donatstelle – die Würde des römischen Theaters mit dem Argument zu retten versucht, daß die „ludi" „apud Latinos religionis non voluptatis causa" eingerichtet wurden. Genaues über diese Religion erfahren wir nämlich nicht.[30]

Das dem religiösen zuerst untergeordnete und kaum davon unterschiedene soziale Ideal eines Theaters für das ganze Volk löst sich also aus dieser Verbindung. Anne Le Fevre spricht nur noch von „Bauern", die – wie die Alten berichten – die Tragödie *und* die Komödie erfanden: „Les anciens ont écrit que la Tragédie et la Comédie ont été inventées par des Païsans". (Einige Zeilen vorher hat sie die „Festes à l'honneur des Dieux" – nicht mehr allein zu Ehren des Dionysos – zu einem harmlosen Dankgottesdienst nach der Weinernte umstylisiert).[31]

Ohne Dionysos und sogar ohne Bacchus kam aber schon Heinsius aus. Als überzeugter Horazianer bewies er die prinzipielle Gleichwertigkeit von Tragödie und Komödie damit, daß beide Gattungen dieselbe Forderung erfüllen – zu ergötzen und zu belehren: „Delectare enim ac docere est Comoediae: neque minus Comici didaskaloi et comodidaskaloi quam Tragici a Graecis dicuntur".[32]

Plebeis et eruditis scripta comoedia

Von antikem Kult und antiker Religion ist also bei Lenz kaum mehr die Rede, dafür aber sehr viel von „Volk", „Volksgeschmack", „Vorzeit", „Vaterland", „Nation". Den Vorrang der Komödie vor der Tragödie erklärt er damit, daß in frühester Zeit der „größere Teil des Volkes geneigter zum Lachen als zum Weinen" war. Auch die „wahre" Komödie der Zukunft sollte beiden Neigungen entsprechen, um sowohl dem „Pöbel" wie „Personen von Geschmack und Erziehung" zu gefallen.

Uralt ist ebenfalls die Vorstellung von einer Komödie, die die „ganze" Nation gleichermaßen ansprechen soll.

Selbst Horaz – ein notorischer Terenzianer – erinnert sich des Vergnügens, das die Plautinischen Rhythmen und Späße den „Vorfahren", den Römern früherer Zeit bereiteten: „At vestri proavi Plautinos et numeros et / laudavere sales...".[33] Sich auf dieses und andere „dicta" stützend, loben auch die späteren Glossatoren – Camerarius, Vossius,[34] Operarius et ceteri – die volkstümliche und natürliche Sprache des Plautus. Sie begründen so seinen großen Erfolg bei „Plebeiern" *und* Gebildeten. Für Anne Le Fevre ist Molière das beste Beispiel des perfekten Stückeschreibers, der wie Plautus und Aristophanes, sowohl für den „Pöbel" („le Peuple"), wie für den Hof („la Cour") zu schreiben wußte, ohne ein drittes, nicht minder bedeutendes Publikum vernachlässigt zu

haben: die Gebildeten der Stadt („la Ville").[35] Ähnlich argumentiert
Lenz, wenn er behauptet, daß Aristophanes – weil er dem Urzustand
noch nahe war, in dem der größere Teil des Volkes lieber lachte als
weinte – „komischer" dichten mußte, als Menander: wie Plautus komischer dichtete als Terenz, und Molière komischer als Destouches
oder Beaumarchais.

Der vorige Passus aus der *Rezension des Neuen Menoza* widerspricht
also der damals – wenigstens seit der *Querelle des anciens et des mo-
dernes* – geläufigen Vorstellung einer allmählichen, quasi gesetzmäßi-
gen Vervollkommnung der Poesie. D. h. der alte, immer wieder vari-
ierte Topos vom eleganten, kultivierten Terenz, der wegen dieser Vorzüge dem robusten, volkstümlichen Plautus vorzuziehen sei, wird hier
von Lenz in sein Gegenteil verkehrt.

Auch in diesem Punkt folgt er früheren Interpreten, und eine gewisse
Abhängigkeit von diesen Quellen läßt sich sogar durch die Wiederkehr
gleichbleibender Begriffe und Bilder beweisen.

Daniel Heinsius, der in seiner *dissertatio* das negative Urteil des Horaz rechtfertigen will, tadelt die gewagten Späße des Plautus: sie mögen
vielleicht dem Pöbel gefallen, den Gelehrten und Gebildeten müssen
sie fremd bleiben: „Joci ... qui ut plebi forte, ita doctis placere ac sa-
pientibus non possunt".[36] Heinsius spricht noch von pöbelhaften Ge-
mütern („animos plebeios"), die besonders empfänglich sind für Un-
züchtiges, Karikaturales („detorta ... aut depravata").[37] Lenz wertet das
von Heinsius kritisierte genau umgekehrt, also positiv! Er verlangt eine
Komik, die den Pöbel amüsiert, trotzdem aber auch „Personen von Geschmack und Erziehung" gefallen kann. Wer die Komödie nur dem niederen Geschmack zuordnet, sei lächerlich und dumm, hieß es aber
schon bei Heinsius: „Ridiculi enim ac inepti sunt, qui plebeiis tantum
scribi Comoediam existimant, cum non minus eruditis scribatur".[38]

Nicht minder bestimmt heißt es an anderer Stelle bei Heinsius: „Nec
movere risum sane constituit comoediam":[39] Lachen machen allein ist
noch keine Komödie! Und Lenz folgert weiter (nur der ihm eigene bur-
schikose Ton ist neu), Plautus habe „höhere Endzwecke" gehabt, als
nur „sentinam populi Romani ... lachen zu machen"; deswegen wäre
es falsch, ihn „mit Possenreißern in eine Klasse zu werfen".[40] Um dieses Urteil zu bekräftigen, beruft sich Lenz sogar auf den alten Camerarius...[41]

Der vorigen Definition der Komödie von ihrer Wirkung her entspricht eine andere, ältere, die von der komischen Materie selbst ausgeht. So ist z. B. Gyraldus der Meinung, daß die Komödie nicht in erster

Linie „imitatio improbioris" ist, d. h. keine Nachahmung des „Gemeinen" (τοῦ αἰσχροῦ , wie es bei Aristoteles heißt). Die eigentliche Aufgabe der Komödie ist, wie Cicero und Donat schon sagten, ein Spiegel
des Alltäglichen und ein Bild der Wahrheit zu sein („speculum consue-
tudinis, imaginem veritatis").[42] Gyraldus tritt also ein für die Komödie,
die die ganze Wirklichkeit, nicht nur die groteske, lächerliche, darstellen soll. (Für Aristoteles war aber τὸ γελοῖον ... τοῦ αἰσχροῦ ... μόριον :
das Lächerliche ein Teil des Gemeinen, des Häßlichen).[43] Gyraldus
spielt also die bis zur Entdeckung der Poetik – um 1500 – dominierende
Tradition der lateinischen Klassiker und Grammatiker gegen die neue
Doktrin aus.

Möglicherweise steht hinter all diesen Spekulationen noch ein anderer klassischer Text: die Stelle aus dem De Officiis, mit der alle Testi-
monienlisten beginnen. Hier wird Plautus zum Vorbild wegen seiner
eleganten, urbanen, witzigen Art zu scherzen („genus jocandi"): Da
aber Cicero diesen „genus" mit dem ihm konträren und komplementä-
ren – dem groben, unzüchtigen – konfrontiert, und da gegen Plautus seit
alters her der Vorwurf der Obszoenität erhoben wurde, kann die Stelle
auch so gelesen und verstanden werden: die Größe des Plautus – „unseres Plautus" – läßt sich daran messen, daß es ihm gelang, jene niederen
Absichten der lustigen Gattung zu transzendieren, zu veredeln:

> „Duplex omnino est jocandi genus: unum illiberale, petulans, flagitiosum, obscoe-
> num; alterum elegans, urbanum, ingeniosum, facetum: quo genere non modo Plautus no-
> ster et Atticorum antiqua Comoedia sed etiam Philosophorum Socraticorum libri sunt
> referti" (De Officiis, I, 29, 104; in der Übersetzung von Karl Atzert: „Zweierlei Arten des
> Witzes unterscheiden wir: die gemeine, freche, schändliche, schamlose Zote, den feinen,
> wohlgewählten, geistreichen, humorvollen Einfall, wie er uns vielfach nicht nur bei Plau-
> tus und in der alten attischen Komödie . . . sondern auch in den Schriften der Sokratischen
> Philosophen . . . häufig begegnet").

Vigente populi autoritate

Nicht zu übersehen sind die politischen Implikationen des „erneuerten" Volksstücks.

In der Verteidigung der Verteidigung des Übersetzers der Lustspiele
begründet Lenz die satirische Verve und Kühnheit des Plautus damit,
daß er um die Zeit des „zweiten Punischen Krieges" lebte und dichtete:
„in den freiesten wildesten und ungebundensten Zeiten Roms".[44] Eine
Stelle der Noctes Atticae spielt aber schon auf diese chronologische Koinzidenz an und rückt sogar Plautus in die Nähe des Republikaners

kat'exochen, des älteren Cato: „bellum adversus Poenos sumptum est, atque non nimium longe M. Cato Orator in Civitate et Plautus in Scena floruerunt". (Auch dieses „testimonium" ist natürlich in allen Plautusausgaben der Zeit abgedruckt).

Traditionell und klassisch ist ebenfalls die Vorstellung, daß die komische (oder satirische) Gattung nur in „freien", frühen: „republikanischen" Zeiten gedeihen konnte: „zu den Zeiten der Kaiser" – so heißt es ebenfalls in der *Verteidigung der Verteidigung* – würde Plautus die Verspottung der „milites gloriosos … verflucht … versalzen worden sein".[45]

Ein Motiv aus der Aristotelischen Poetik aufgreifend, erinnert Gyraldus daran, daß das Dorische Megara „democratia" war, als dort die ersten Komödien entstanden.[46]

Fast republikanisch tönt das Lob der Plautinischen Sprache bei Camerarius: sie sei die Sprache des Volkes, „populi oratio"; sie beweise die Fähigkeit des Dichters, die allgemeinen, üblichen Redeweisen in sich aufzunehmen, sie zu „erhalten", poetisch zu fixieren: „Hic igitur sermo, id est communis locutionis facultas, et conservata forma consuetae et omnino urbanae orationis". (Dies alles richtet sich gegen Horaz, der der Plautinischen Sprache vorwarf, sie ermangele der fremdländischen Überformung und Politur: „quia non redoleat peregrinam culturam et expolitionem").[47]

Noch ausdrücklicher weist Operarius auf die Tatsache hin, daß Plautus „vigente populi authoritate apud Romanos" seine Komödien schrieb, während die des jüngeren Terenz erst entstanden, „diffluente populi potentia, et ad nobiles demigrante". Beide Poeten miteinander vergleichen, heißt somit auch beide Republiken (d. h. „Verfassungen") vergleichen, unter denen sie lebten: „populum cum nobilibus".[48] Schon die Wahl der Worte zeigt, welche dieser Republiken dem Jacobus Operarius, recte Jacques de l'Oeuvre, Weltpriester im Normannischen Coutances und Herausgeber des Plautus „in usum serenissimi Delphini", „jussu Regis Christianissimi", die sympathischere war!

Primum enim mores

Der Gebrauch des Wortes Komödie für das erneuerte, ungeteilte Urdrama, kommt einem Herabsetzen jener Gattung gleich, die bisher als die erste und höchste galt: der Tragödie. Für Lenz ist die Tragödie überholt, weil sie auf dem Glauben an das Fatum beruht, d. h. auf einer heidnischen, vorchristlichen, für das zeitgenössische Publikum nicht mehr annehmbaren Vorstellung. Kein „eisernes Schicksal" darf mehr auf der heutigen Bühne „die Handlungen bestimmen und regieren". In den Mittelpunkt des modernen Dramas sollen die „individuelle ... Seele" und lebendige „Charaktere" rücken, „sich ihre Begebenheiten erschaffen und unveränderlich die ganze große Maschine drehen". (Mit „Begebenheiten" übersetzt Lenz das Aristotelische πράγματα). Das hier aufgestellte Ideal eines Dramas, in dem der große Einzelne, die „Person" allein der „Schlüsel zu seinen Schicksalen" wäre, ist auch als Konzession an eine zeitgenössische Mode zu verstehen: diese Konzeption hat Lenz nie für seine eigenen Stücke verwendet! Die absolute Freiheit des großen Einzelnen – später einer der Kardinal-Gedanken der deutschen Klassik – ist für ihn eine Größe zweiter Ordnung; die „Freiheit" unterwirft sich, v. a. in der neuen Hauptgattung „Komödie", erneut einem überpersönlichen Geschehen, das nichts mehr gemein hat mit dem Fatum und mit der Vorsehung von einst.[49]

Intuitionen dieser Art gehören zum gemeinsamen Gedankengut der Zeit. Die Lenz'sche These von dem aus dem Schicksal entlassenen Helden ist eine persönliche Ausprägung der damals florierenden Genieideologie; die Vorstellung einer weltimmanenten Determiniertheit ist verwandt mit der aufkommenden Vorstellung einer sich aus sich selber entwickelnden Geschichte. Die Idee einer dramatischen Handlung jedoch, die so abläuft, daß weder der freie (moralische) Wille des Einzelnen, noch eine höhere, transzendente Macht einzugreifen vermöchte, ist keineswegs neu in der Theorie des komischen Gedichts. Auffallend sind v. a. die Berührungspunkte der Ideen von Lenz mit denen der Anne Le Fevre-Dacier.

Der Klarheit halber müssen wir etwas zurückgreifen. Im Hintergrund der ganzen Diskussion „de Comoediae essentia" (so Heinsius),[50] steht natürlich die Aristotelische Definition der Tragödie: „Nachahmung einer Handlung, einer guten, vollkommenen und großen Handlung" (so die Lenz'sche Übersetzung).[51]

Aristotelisch ist ebenfalls die Unterscheidung von der aus überlieferten Mythen stammenden Handlung der Tragödie und der frei erfundenen und somit aktuelleren, lebensnahen Intrige der Komödie: Heinsius drückt diesen Gedanken so aus: „raro invenisse argumentum Tragicus poeta dicitur ... contra autem Comici".[52]

Aufschlußreich sind auch die Wandlungen des Vokabulars: was Aristoteles πρᾶξις, πράγματα, πραγμάτων σύστασις oder selbst μῦθος nannte, heißt nun – bei Heinsius z. B. – nur noch „dispositio" (ohne erklärenden Zusatz wie bei πραγμάτων σύστασις), oder einfach „argumentum".

Diese Sinnverschiebungen lassen sich damit erklären, daß die auf Aristoteles zurückgehende Polarität von Handlung und Charakter (ursprünglich von μῦθος und ἤθη) mit einem anderen Begriffspaar kontaminiert und amalgamiert wird, das von einem „dictum" des M. Terentius Varro abgeleitet wurde: „In argumento Caecilius poscit palmam, in ethesin Terentius, in sermonibus Plautus".

Für die späteren Glossatoren, Heinsius z. B., ist dieses „dictum" v. a. wichtig in Bezug auf Terenz und Plautus, deren „Vergleichung" eine beliebte Schulübung war. Die Komödien des Caecilius scheinen nämlich schon sehr früh in Vergessenheit geraten und verschollen zu sein, so daß die ihm von Varro zugeschriebene Meisterschaft im Handlungsaufbau sich mit keinen konkreten Vorstellungen verbindet. Infolge einer komplizierten Entwicklung, die eine eigene Untersuchung verdiente, kann so Plautus in die einst von Caecilius besetzte Position nachrücken: Er wird nun zum Meister „in argumento".

So schrumpft auch die Dreierreihe argumentum, ἤθη, sermones zu einer Zweierreihe zusammen, argumentum / ἤθη bzw. mores.

Für die Anhänger des Terenz bedeutet dies, daß sie die Aristotelische Regel – μῦθος vor ἦθος – umkehren, d. h. die „mores" oder ἤθη vor das „argumentum" stellen müssen. Andere Kommentatoren, darunter Plautianer wie Lenz, neigen dazu, die von Aristoteles nur für die Tragödie aufgestellte Regel konsequent auf die Komödie auszudehnen. Nur auf den Hintergrund dieser Exegesen lassen sich gewisse Ausführungen von Lenz und von Madame Dacier deuten.

Heinsius, der sich eng an den Wortlaut der Klassiker halten möchte, glaubt auf diese Weise allen – damals schon offenkundigen – Interpretationsschwierigkeiten aus dem Wege gehen zu können. Den Aristotelischen Satz: Ἀρχὴ μὲν οὖν καὶ οἷον ψυχὴ ὁ μῦθος τῆς τραγῳδίας, δεύτερον δε τὰ ἤθη, gibt er – vereinfachend – so wieder: „Pars Tragoediae praecipua est argumentum... Pars secunda est τό ἦθος", usw.[53] Genau dasselbe Vokabular aber benutzt er in seiner, ebenfalls simplifizierenden Kommentierung des Varronischen dictums: „Argumentum est Fabula. Haec laus prima est. Secundum sunt mores. Haec secunda est. Postremum est sermo. Haec postrema est."[54]

Eine Vereinfachung ähnlicher Art liegt noch dann vor, wenn Heinsius – Madame Dacier wird es ihm vorwerfen – die Aristotelische Regel ausdrücklich auf die Komödie ausdehnt: „Primum in Comoedia Tragoediaque (!) est dispositio. Neque dubitandum, quin cum Aristoteles de dispositione disputat Tragoediae, etiam Comoediae ex iis convenire pleraque existimaverit".[55]

Zu solchen Schlußfolgerungen mußte ihn seine Textgläubigkeit führen: in seiner Perspektive können sich Aristoteles und Varro nicht widersprechen: „Aristotelem expressit [Varro]"[56]: ein Schulbeispiel naiver Textkontamination!

In der „préface", die Madame Dacier ihrem französischen Terenz vorausschickt, wird Plautus die Meisterschaft „in argumentis" voll zuerkannt: seine Handlungsführungen sind klar und gekonnt; wie die Tragiker wußte er „dresser sa fable", „constituer son sujet". Zugleich beschränkt aber Madame Dacier die Gültigkeit des von Aristoteles aufgestellten und von Heinsius (u. a.) auf alle Dramenformen übertragenen Prinzips des Handlungsvorrangs wieder und ausschließlich auf die Tragödie: „. . . dans la Tragédie, la Fable, c'est-à-dire le sujet, ou la composition des choses, est le principal, les moeurs ne tiennent que le second rang: mais je suis persuadée que c'est tout le contraire dans la Comédie, les moeurs sont ce qu'il y a de plus important".[57]

Lenz widerspricht ausdrücklich dieser Argumentation, wenn er schreibt: „Die Hauptempfindung in der Komödie ist immer die Begebenheit, die Hauptempfindung in der Tragödie ist die Person, die Schöpfer (sic!) ihrer Begebenheiten. Also ganz und gar wider Madame Dacier, . . ., der ich bei dieser Gelegenheit höflichst die Hände küsse."[58] (Der seit mehr als fünfzig Jahren toten Dame!).

Dieser Widerspruch betrifft aber nicht die „ganze" Madame Dacier, denn Lenz hat sicher auch die frühere „préface" zum französischen Plautus gekannt. Und dort setzte sie sich ganz entschieden für Plautus ein und für die Handlungskomödie: „Plaute fait plus agir que parler; et c'est le véritable caractère de la Comedie, qui est beaucoup plus dans l'action, que dans le discours".[59] Aber selbst noch in der zweiten „préface" heißt es, wenn auch beiläufig, wie es sich in einer Laudatio des Terenz gehört: „Plaute . . . etoit au dessus [de Térence] par la vivacité de l'action, et par le noeud des intrigues".[60]

Paradoxerweise behauptet also Lenz genau dasselbe wie die frühere Madame Dacier, wenn er sagt: „Die Hauptempfindung in der Komödie ist immer die Begebenheit". D. h. Lenz denkt, wie vor ihm Heinsius, in Kategorien, die auf alle dramatischen Gattungen anwendbar sind. Er sieht aber nicht mehr, wie Aristoteles (und selbst noch Heinsius), die Haupt- und Referenzgattung in der Tragödie. Daraus ergibt sich – nun im Gegensatz zu Heinsius – daß die Komödie als paradigmatische Gattung die Tragödie ablösen kann: eine Rochade mehr im komplizierten Spiel mit gleichen Figuren.

Selbst noch in den Formulierungen scheinen die erwähnten Klassiker nachzuwirken. Die beiden Sätze von Lenz: „Bei der Komödie aber ist's ein anders" und – an anderer Stelle – „ganz anders ist's mit der Komödie" heißen – wie schon zitiert – bei Madame Dacier: „c'est tout le contraire dans la comédie" (eine Formel, die selbst dem „contra enim Comici" des Heinsius sichtlich nachgebildet ist).[61]

Lenz hatte viele und gute Gründe, Madame Dacier die Hände zu küssen!

In ethesin Terentius, in sermonibus Plautus

In den vorigen Erörterungen über das Varronische dictum mußten die Aussagen der älteren Glossatoren zum dritten Glied des Satzes – „in sermonibus Plautus" – unberücksichtigt bleiben. Auch von dort aus führt aber eine direkte Linie zu Lenz und seinen theoretischen Schriften!

Der als Schulmann um ein lebendiges, authentisches Latein besorgte Camerarius fühlte sich von der Varronischen Formel zu der Frage angeregt: „qui est sermo?"[62] Nach seiner Meinung kann Varro, von dem man weiß, daß er sich für die nationalen Altertümer interessierte und einsetzte, nichts anderes im Sinn gehabt haben, als die von Plautus registrierte und wiedergegebene „populi oratio": die reine Sprache des Volkes, des Alltags.[63] Dies bedeutet aber zugleich, daß es Plautus gerade wegen dieser Sprachtreue gelingen mußte, ein authentisches Bild der Menschen und Zustände seiner Zeit an die Nachgeborenen zu vermitteln. Es deutet sich somit schon hier die Entwicklung an, die dann aus dem Meister „in sermonibus" zugleich den Meister der wahren, lebendigen Handlung machen wird, im Gegensatz zu Terenz, der als „nimis artificiosus": zu verfeinert, zu gekünstelt, vom selben Camerarius abgelehnt wird.[64]

Auch anderen Glossatoren genügte die Plautus traditionell zuerkannte sprachliche Kraft, um ihm – Varro und v. a. Horaz zum Trotz – den Vorrang vor seinen Konkurrenten zuzuerkennen: „Plautus decima Musa" lautet ein „testimonium" von Justus Lipsius,[65] von dem Paraeus noch folgenden Spruch notierte: „Terentium ipsum amo; admiror, sed Plautum magis: uterque adolescentibus in sinu, in manu, in oculis sit. Conferantur etiam, si placet, inter se: tantum Plauto Terentius ne praeferatur".[66]

Eine konsequente Umkehrung der Ansichten des Heinsius ist bei Operarius festzustellen. Auch er vergleicht, wie es die Tradition gebietet, Plautus mit Terenz, stuft sie aber – antiken Anspielungen folgend – als Meister und Schüler ein: „Superest, ut magistrum cum discipulo, Plautum cum Terentio conferamus". Von den anderen, nur dem Namen nach bekannten lateinischen Komödienschreibern, also auch von Caecilius, spricht er nicht. Den „Terentiani" pflichtet er bei, wenn sie den reineren und urbaneren Stil ihres Idols rühmen: „et castigatior vide-[tur] et liberalior [stilus]". Zugleich wirft er ihnen aber vor, daß sie in ihrem Enthusiasmus die historischen Konstellationen übersahen, unter denen beide Dichter ihre Werke schufen. Plautus schrieb eben – wir erinnerten bereits daran – in der frühen, unverdorbenen republikanischen Zeit, während Terenz sich dem Geschmack seiner aristokratischen Gönner anpassen mußte und deren konventionelle, gekünstelte Sprache „usurpierte".[67] Das der Komödie als Gattung Eigene geriet aus ihrem Blickfeld, nämlich die Notwendigkeit und die Fähigkeit, aus dem alltäglichen Leben zu schöpfen: „Id enim habet per sese Comoedia, ut imaginem contineat vitae communis expressam". Anschließend stellt dann der im Auftrage Ludwigs XIV. schreibende Gelehrte noch die rhetorische Frage: „quo quid utilius esse potest, Principi ac Regio heredi?"[68]

Sich der alten topoi erinnernd, argumentiert Lenz ganz ähnlich, wenn er seinerseits die Komödie definiert als „Gemälde der menschlichen Gesellschaft" (auf lateinisch etwa: „conservata forma consuetae orationis" oder „imago vitae communis"), und wenn er in Plautus einen Dichter von vor der „totalen Verderbnis der Sitten der Nation" sieht, einen Dichter also, der noch frei war von aristokratischer Bevormundung und kosmopolitischer Schöngeisterei. Deswegen konnte er „komischer" schreiben als der bereits von seiner Zeit verdorbene Terenz.[69]

Un autre Plaute, et un demy Aristophane

Wie aus den vorigen Texten hervorgeht, heißt, Plautus mit Terenz zu vergleichen, zugleich die „alte" Komödie der „neuen" gegenüberstellen. In Zeiten einer sich konsolidierenden Klassik wird Terenz, der „andere Menander", Plautus vorgezogen: von Julius Caesar, von Horaz, später von Boileau, La Fontaine, La Bruyère.[70] Aber im Zeitalter der französischen Klassik konnte zugleich Madame Dacier – ihr Gatte war „secrétaire perpétuel" der Académie française, – den von ihr vergötterten Molière als neuen Plautus feiern. Und umgekehrt dachte der Anti-klassiker Diderot kaum anders über Terenz als Horaz oder Boileau: Un-sere vorige Deutung ist im besten Fall eine partielle und approximative!

Tiefere Aspirationen waren (und sind) im Spiel, sowohl bei den No-stalgikern des heilen Ursprungs wie bei den Parteigängern des ge-schichtlichen Fortschritts „in litteris".

In der *Verteidigung der Verteidigung des Übersetzers der Lustspiele* heißt es, dithyrambisch, von Plautus: „Er wär ein Aristophanes gewor-den, wenn ihn nicht ein hartnäckiges Publikum gezwungen, Menander zu sein". Die Erklärung dieses Unvermögens, bzw. seine Entschuldi-gung mit dem Argument der Abhängigkeit vom Zeitgeschmack weicht gleich darauf einer anderen Exkulpierung. Lenz schreibt: „Wo steht ... das Publikum des Plautus? Im zweiten Punischen Kriege? In den freie-sten, wildesten und ungebundensten Zeiten Roms? ...": in jenen frei-en, ungebändigten Zeiten – „vigente populi potentia" könnte man, mit Operarius, hinzufügen – habe sich Plautus noch nicht (wie der jüngere Terenz), „potentia ... ad nobiles demigrante", voll und ganz der Mode der „neuen" Komödie anschließen müssen. Wenn er es dennoch maß-voll tat, d. h. sich nicht ausschließlich an das Modell der alten, Aristo-phanischen Komödie hielt, so war dies der Grund dafür:

... sein Genie war nicht aristophanisch, durchaus nicht. Er hatte zuviel Güte, zuviel Sanftes, zuviel Zärtlichkeit und warmes Gefühl in seinem Charakter als daß er herum-beißen konnte wie der Grieche. Lachen konnt er eben so gut als er, aber seine Brust hatte den Tränen nicht den Weg zu den Augen auf immer verschlossen.[71]

In einem andern, kaum später – 1775 – entstandenen Text, *Über die Bearbeitung der deutschen Sprache im Elsaß, Breisgau und den be-nachbarten Gegenden* wird (dies verlangt die Mode des Tages und legt zugleich die Plautinische Tradition nahe) der gesunde, intakte, kräftige – es fällt sogar das Wort „republikanische" – „Sprachgebrauch" der ein-fachen Landleute demjenigen der Gebildeten – hier der „Philosophen" – gegenübergestellt. War aber nicht bereits die „griechische Sprache bis auf die Zeiten von Sokrates stark wie ein Löwe?" Die Anspielung auf die Sokrates-Satire des Aristophanes ist evident, zumal anschließend Sokrates vorgeworfen wird, er habe „die komischen Dichter" verach-tet. Es folgt dann sogar noch, unmittelbar, ein enthusiastisches Lob des Plautus, der somit hier stellvertretend steht für Aristophanes und für die ganze „alte" Komödie: „Welch Feuer herrscht in den Plautinischen Stücken! Horaz, mehr Philosoph als Dichter, fand sie platt".[72] (An der ominösen, von unzähligen Glossatoren kommentierten Stelle der *Ars*

Poetica, auf die Lenz hier anspielt, stand ein nicht minder despektierliches „inurbanum").

Einträchtig stehen dann wieder beide Namen – Plautus und Aristophanes – nebeneinander im *Pandämonium Germanicum*. Lenz stellt sich selber auf die Bühne, bzw. läßt sein ad hoc erfundenes Double folgende Worte an die „Journalisten" richten, auf deren Gunst nun die Poeten angewiesen sind: „Glücklicher Aristophanes, glücklicher Plautus, der noch Leser und Zuschauer fand."[73] Daß trotz des doppelten Subjektes Relativpronomen und Verbum im Singular stehen, zeigt, wie total die Bewunderung für die großen Ahnen und v. a. wie stark die Sehnsucht nach einem wahren Volkstheater war.

Plautus ein anderer Aristophanes, oder wenigstens ein Bewunderer der „alten" Komödie: auch dieser topos ist uralt. Seine langwährende Geltung, allen widersprechenden historischen Fakten zum Trotz, hängt zusammen mit der Dürftigkeit der von Donat, Diomedes und einigen sporadischen Aussagen der Klassiker vermittelten Nachrichten über die attische Komödie und deren Geschichte. Denn gerade diese Dürftigkeit begünstigte eine freie Benutzung dieser Quellen und erlaubte die verwegensten Kombinationen von willkürlich herausgelesenen Details. Auch hierin unterscheidet sich Lenz nur wenig oder gar nicht von den früheren Glossatoren.

Sehr wahrscheinlich geht seine negative Charakterisierung des Aristophanes als „um sich beißender Grieche" auf Donat zurück, der den alten „comici" vorwarf, sie hätten allzuoft ihren Griffel „licentius" gebraucht und sich verleiten lassen, „laedere ex libidine ... bonos".[74] Nach Donat bzw. Evanthius wäre somit die Entstehung der späteren, mittleren und neuen Komödie (sowie des Satyrspiels) als Reaktion auf solche Exzesse zu deuten. Ähnlich lobt Lenz Plautus dafür, daß er eben kein bloßer Nachahmer des Aristophanes war, d. h. dessen ursprüngliche Härte nicht ohne weiteres übernahm.

Abermals fallen – auch in diesem Kontext – die Ähnlichkeiten mit früheren Plautuskommentaren auf, u. a. mit jenen der „Frommen", die die berüchtigte Plautinische „obscoenitas" zu erklären und zu entschuldigen versuchten.

Von Donat ausgehend, hebt Camerarius die „intolerabilem licentiam" der „alten" Komödie hervor, erwähnt aber gleichzeitig – als ein Positivum – deren ländlichen Ursprung: „de pagis appellata [comoedia]". Beide Themen variieren dann auf ihre rhetorisch-pedantische Weise Gyraldus und Paraeus.[75] Selbst noch Heinsius urteilt eher milde über die Plautinischen Gewagtheiten: gerade weil er der „alten" Ko-

mödie noch nahe stand und sie sogar liebte („veterem comoediam ama-
vit Plautus, ut ad eam saepe flectat"), war für ihn die Versuchung groß,
allzu sklavisch diesem Modell zu folgen; es gereicht ihm denn auch zur
Ehre, daß er von den schlimmsten Indezenzen Abstand nahm ... Dafür
sorgten indessen die strengeren römischen Gesetze: „Alteri [dem Ari-
stophanes] enim omnia, alteri [dem Plautus] pauca per leges licebant"
... „Aristophanis virtutes hac mercede expressit Plautus, ut nec omnes
posset (quod et linguae diversitas, et Romanorum leges, et tempora, ac
Rerumpublicarum ratio vetabat ...")[76]

In diesem Punkt widerspricht abermals Anne Le Fevre ihrem illu-
stren Vorgänger und stellt seine, von ihr umgemünzte Argumente in
den Dienst einer neuen und originellen Konzeption. Die Verwandtschaft mit Aristophanes ist für sie kein Makel mehr. Gerade die Treue,
mit der Plautus den älteren, volkstümlichen Formen der Attischen „alten" Komödie wie der römischen Ursatire anhing, macht seine Größe
aus und erklärt seinen Erfolg: „Pour faire donc ... reussir ses Pieces,
Plaute estoit obligé d'y conserver une partie de ces railleries [sc. der sati-
rischen], et cela estoit d'autant plus supportable, qu'en le faisant il ne
s'éloignoit point de l'idée de la vieille Comedie qu'il avoit entrepris
d'imiter" ... „il avait pour le Peuple de Rome la mesme complaisance
qu'Aristophane avait eüe pour celui d'Athènes."[77] Von Molière behauptet sie sogar, er habe, „ayant connu le fort de la vieille Comédie, et
le foible de la nouvelle ... plus suivy Aristophane et Plaute, que Terence". Eine Formulierung Julius Caesars variierend, der den von ihm bewunderten Terenz mit „Dimidiate Menander" (zweite Hälfte des Menander) apostrophierte, nennt sie sogar Molière „un autre Plaute, et un
demy Aristophane, comme Cesar appelloit Terence un demy Menand-
re".[78] Lenz übernahm den Topos, als er von Plautus behauptete: „Er
wäre ein Aristophanes geworden, wenn ..." Aber dann stellte er gleich
und mit Genugtuung fest, daß Plautus eben doch kein zweiter Aristophanes wurde und nicht einmal einer werden wollte ... Während einst,
bei den älteren Kommentatoren, die Abhängigkeit von der „alten" Komödie die von dort kommenden „Obszönitäten" erklären oder entschuldigen sollte, wurde später – von Heinsius z. B. – diese Verwandtschaft selbst als ein Makel angesehen. Anders als Madame Dacier,
hängt noch Lenz dieser Idee an, und in einem relativ späten Text sagt er,
„der Aristophanische Spleen" müsse endgültig geheilt werden.[79] Auch
deshalb, weil er an der Aristophanischen „Krankheit" selber zu leiden
glaubte, galt seine Bewunderung und Vorliebe einem nur „halben" Aristophanes!

Die Stellen der Briefe wurden bereits zitiert, aus denen hervorgeht, daß sich Lenz geradezu fürchtete, Aristophanes zu ähnlich, ein „Schwein" zu sein. Gleichwohl fühlte er sich auch weiterhin vom ihm angezogen. Noch relativ spät, 1776–1777, entstehen, angeregt durch die *Wolken* und die *Frösche*, unvollendete und in sich brüchige Dichtungen. Sie illustrieren abermals die Ambivalenz dieses Verhältnisses. Eine unbelastete, herzliche Identifikation wie mit Plautus wurde nie erreicht.[80]

An anderer Stelle – 1776 – wird Aristophanes in die Nähe von Shakespeare gerückt. Beiden wird das Verdienst zugesprochen, eine gründliche „Veränderung der Szene" bewirkt zu haben[81] Determiniert durch ihre Umwelt und gerade deswegen fähig, spätere ähnliche (theatralische eher als literarische) Wandlungen paradigmatisch vorwegzunehmen, haben sie neue Perspektiven eröffnet und die Voraussetzungen geschaffen für das totale, Lachen und Weinen verbindende, sich jeweils im Augenblick der Realisation erfüllende Theater der Zukunft: für ein „Schauspiel der Sinne, nicht des Gedächtnisses, der Einbildungskraft": ein ekstatisches Kultspiel![82]

Die Liste der Reminiszenzen, Überschneidungen, versteckten Zitate und Halbzitate ließe sich beliebig verlängern. Wir glauben es dennoch bei nur einigen Beispielen aus den „dicken" Plautusausgaben und verwandten Werken belassen zu dürfen. Nicht die Registrierung aller Koinzidenzen, oder deren Masse schien uns – im aktuellen Stadium der Forschung – von Bedeutung, sondern die bemerkenswerte Konstanz in der Benutzung antiker und humanistischer Themen und Motive.

Wie sein Zeitgenosse Diderot las auch Lenz die Klassiker in kommentierten Ausgaben, und wie Diderot war er vertraut mit den dort geläufigen Topoi. Er spielte mit diesen Topoi, verfügte frei über sie, auf rhapsodische Weise, nach der Manier der älteren Glossatoren.

Damit ist nichts ausgesagt über seine Absichten, bzw. über seine Modernität oder Originalität: auch revolutionäre „Gesichte" sind angewiesen auf vorgegebene Wörter und Metaphern. Neu sind nur die Kombination und der Stellenwert.

Ein Anachronismus ist es, wenn die Komödien von Lenz undifferenziert neben andere, angeblich verwandte Stücke derselben Zeit gestellt werden. Sicherlich gehören auch diese Komödien zu der damals in ganz Europa aufblühenden „dritten" Gattung. Wichtiger jedoch als diese nicht zu leugnende Verwandtschaft ist die spezifische Eigenart.

Lenz schrieb nicht, wie sogar noch Diderot, sentimentalisierte, erbauliche und ernste Terenzianische Komödien; er wollte keine „häuslichen" Tragödien schreiben wie Lessing, der Autor der „anderen Medea" (eigentlich einer „anderen" Kreusa): *Miss Sara Sampson*, und einer „anderen", neuzeitlichen Virginia: *Emilia Galotti.*

Lenz wollte wieder „alte" Komödien schreiben:
Auf seiner komischen Idealbühne ist weder Platz für Terenzianische Nobelkomödien noch für Harlekinaden oder Hanswurstiaden, und schon gar nicht für „weinerliche" oder gar „sächsische" Komödien. Die Plautinische und zum Teil Aristophanische Komödie, die Urkomödie, die er erneuern wollte, stellte er sich nur zum Teil nach dem Modell der alten Meisterwerke vor: noch anregender waren, zumal für den Theoretiker Lenz, die Phantasien und Spekulationen, die Generationen von Glossatoren daran geknüpft hatten.

Bibliographischer Nachtrag

Es erwies sich als unmöglich, *den* „dicken Plautus" zu identifizieren, dessen sich Lenz bedient hat. Neben dem von Lenz selbst angegebenen Camerarius-Kommentar dürfte er aber sicher die anderen damals üblichen Begleittexte einer Plautusausgabe enthalten haben.

Von der alten, 1870 abgebrannten Straßburger Stadtbibliothek sind keine verläßlichen Kataloge erhalten. Wir wissen also nicht, welche Bücher von Lenz dort ausgeliehen wurden (cf. seine Korrespondenz mit Roederer).

Die folgenden bibliographischen Angaben und v. a. die Inhaltsangaben von einigen „klassischen" Plautus-Ausgaben sollen nach Möglichkeit diese Lücke schließen und die konkreten Voraussetzungen einer eingehenden Plautuslektüre um die Mitte des 18. Jahrhunderts veranschaulichen.

Die Abkürzungen oder Stichworte, die vor dem kompletten Titel der angeführten Editionen stehen, werden in den laufenden Anmerkungen benutzt.

CAMERARIUS:	M. Accii Plauti Comoediae XX. Diligente cura, et singulari studio Joachimi Camerarii Pabeperg (sic) emendatius nunc quam ante unquam ab ullo editae./ Adjectis etiam eiusdem ad singulas Comoedias Argumentis et Annotationibus. Basileae, Per Joannem Heruagium, (1552 ?).
enthält:	
Prooemium:	De editione et emendatione . . . Prooemium, ibid p. 3–15.
Epistola nuncupatoria:	De fabulis Plautinis, ad illustriss. pueros Francis. Othonem et Fridericum fratres, Ernesti FF. Principes Brunsvic. et Luneburg p. 16–33.
De carminibus:	De carminibus comicis p. 34–57. (Es folgen dann die kommentierten Texte der einzelnen Komödien).
EPISCOPIUS:	Eruditorum aliquot virorum de comoedia et comicis versibus commentationes: itemcumque in Plautum annotationes: et alia, quibus totus fere Plautus explicatur. (NB! ohne Text der Komödien!) Basileae, Ex officina Heruagiana, per Eusebium Episcopium, Anno MDLXVIII.
enthält:	

Gyraldus:	De comoedia eiusque apparatu omni et partibus, ex Lilio Gregorio Gyraldo, de Poetis, ibid p. 3–31.
Scaliger I:	Julii Caesaris Scaligeri de Comoediae origine, tum quid sit comoedia, ex eius de Poetica libris, ibid p. 32–35.
Scaliger II:	Julii Caesaris Scaligeri liber de Versibus comicis, ad Sylvium Caesarem filium, p. 36–71.
Alciatus:	Andreae Alciati Mediolanensis, de Plautinorum Carminum ratione libellus. Eiusdem Lexicon, quo totus Plautus explicatur, p. 71–125.
Camerarius:	De comicis versibus et in Plauti comoedias XX annotationes, ab autore ipso correctae atque auctae (supra: De carminibus comicis ... und „annotationes" zu den Komödien), p. 126–300.
Langius:	Antiquae lectiones Caroli Langii ex Plauti tribus exemplaribus manuscrip., p. 301–332.
kurze Auszüge aus:	Adrianus Turnebus, Hadrianus Junius, Coelius S. Curio, etc., p. 333–364.
OPERARIUS:	M. Accii Plauti Sarsinatis Comoediae viginti et Fragmenta. Argumentis fabularum omnium, actum et scenarum, novis, interpretatione, notis, et indice vocabulorum omnium, eorumque usus illustravit, Jacobus Operarius Constantiensis Presbyter, Domus de Charitate B. Mariae Provisor. Jussu Christianissimi Regis in Usum serenissimi Delphini, 2 vol. Parisiis 1679.
enthält:	Nach einer Epistel *Serenissimo Delphino* gez. Jac. de l'Oeuvre, und einer *Praefatio* desselben, eine Reihe von *Prolegomena Plautina*. Dieser Teil des Werkes ist nicht paginiert. Die Quarthefte von je 8 Seiten sind markiert: a/ē/ī/ō/ū/§/a/b/c/d/e/f/g/h/i/k/. Die Paginierung beginnt anschließend mit dem Text des *Amphitruo* plus Kommentar.
Praefatio:	0 1–§7.
Prolegomena:	
Vitae	a Petro Crinito: a 1–a 2; a Lilio Gregorio Gyraldo: a 2–a 4; e Joanne Philippo Paraeo: a 4–b 8.
Veterum auctorum testimonia:	b8–c5.
Auctorum recentiorum testimonia:	c5–c7.
J. C. Bulingerus:	Descriptio theatri romani et graeci, c7 – d1.
L. Gr. Gyraldus:	De scena, d1–d4.
L. Gr. Gyraldus:	De ludorum generibus, d4–d7.
Nonnulla	de Comoedia et Tragoedia ex Hephaestione, Terentiano, Donato, Diomede et L. Victore Fausto scitu necessaria, d7–f1.
J. P. Valla:	De Comoedia, f1–f4.
J. Camerarius:	De fabulis (=Epistola nuncupatoria), f5–g7.
J. Camerarius:	Francisco Crammio Sagano, g7–h4.
J. Camerarius:	De carminibus comicis, h4–k4.
BOXHORNIUS:	M. Acci Plauti. Comoediae. Accedit Commentarius ex variorum notis ac observationibus, quarum plurimae nunc primum eduntur Ex Museo Maci Zverii Boxhornii Ludg. Batavorum. Apud Franciscum Hackium 1645.
enthält:	Marci Zverii Boxhornii Praefatio ad Lectorem, *2–*5. De Plauto et eius scriptis veterum auctorum testimonia, *6 ss. Es folgt der Text der Komödien mit zahlreichen Anmerkungen.

ERNESTI: M. Acci Plauti quae supersunt Comoediae cum commentario. Ex
                    variorum notis et observationibus. Ex recensione Joh. Frederici
                    Gronovi ... cum praefatione Jo. Augusti Ernesti, 2 vol. Lipsiae
                    1760.
enthält: Praefatio J. A. Ernesti, Lectori erudito, p. III–XII. Joh. Fred. Gro-
                    novii Praefatio (datiert: 1669), p. XIII–XVII. De Plauto et eius
                    scriptis veterum auctorum testimonia, p. XVIII–XXIV. NB! den
                    kommentierten Stücken wird jeweils das *Argumentum* des Ca-
                    merarius vorausgeschickt!

ERNOUT: Plaute (tome I–IV), Texte établi et traduit par Alfred Ernout, Paris,
                    Belles Lettres 1959.

HEINSIUS: in: Pub. Terentii Comoediae sex, ex recensione Heinsiana,
                    Amsterdam 1661. Im nicht paginierten Einführungsteil, 2 Hefte a
                    12 Doppelseiten mit * und ** gekennzeichnet.
enthält:
Dissertatio: Danielis Heinsii, Ad Horatii de Plauto et Terentio judicium, dis-
                    sertatio [von 1618] *4 v –**5 v.
De constitutione: De Constitutione Tragoediae; ubi de morato agitur sermone
                    5v–6r.

ANNE LE FEVRE: Comédie de Plaute. Traduite en françois avec des remarques et un
                    examen, selon les regles du Théâtre. 2 vol. Paris 1683.
enthält: in Bd. 1, unpaginiert, einige Bogen a 8 Doppelseiten, bezeichnet
                    a, e (nur 4 Doppelseiten), i, o.
Epître: A Mgr. Colbert, Marquis de Seignelay a3–a6.
Préface: Préface a6–o2.

MADAME DACIER: Les Comédies de Térence avec la traduction et les remarques de. . .
                    3 Vol., Rotterdam 1717.
enthält:
Préface: Préface vol. I, S. V–LVI.

LENZ wird nach folgenden Ausgaben und unter folgenden Stichwörtern zitiert:
L-Werke: Jakob Michael Reinhold Lenz, *Werke und Schriften*, hrsg. B. Titel
                    und H. Haug, 2 Bd. Stuttgart 1966/67.
L-Briefe: *Briefe von und an J.M.R. Lenz*, gesammelt und herausgegeben von
                    Karl Freye und Wolfgang Stammler, 2 Bd. Leipzig 1918.
                    (Wenn im Text Datum und Adressat angegeben sind, entfällt jeder
                    andere Verweis).
L-Schriften: J.M.R. Lenz, *Ges. Schriften*, hrsg. von Franz Blei, 5 Bd. München-
                    Leipzig 1909–1913.
Von der neuesten Ausgabe der *Gesammelten Werke* („mit Anmerkungen", besorgt von
Richard Daunicht) ist bisher nur ein Band *Dramen I* erschienen (München 1967).

Anmerkungen

[1] Cf. die von beiden redigierte „Einführung" zum Bd. V der Nationalausgabe von Schillers Werken (= *Kabale und Liebe. Kleine Dramen*) Weimar 1957, 176: „bürgerliche . . .
Trauerspiele, wie *Der Hofmeister . . .*".

² Karl S. Guthke, *Geschichte und Poetik der deutschen Tragikomödie*, 1961, v. a. 22, 59–69.

³ René Girard, *Lenz (1751–1792)*. *Genèse d'une dramaturgie du Tragi-comique*, Paris 1968. NB! Titel wie „comédie larmoyante", „domestic tragedy", „tragédie bourgeoise et domestique", „bürgerliches Drama", „Drame", „Schauspiel" usw. bezeichnen verschiedene Spezies der im 18. Jhdt. unter einer günstigen Konstellation erneut florierenden „dritten" Gattung. Bemerkenswerterweise wird der Titel „Tragikomödie" von den Zeitgenossen als obsolet empfunden: er erinnert zu sehr an die „eigentlichen" und außer Mode gekommenen Tragikomödien der Spanier und Italiener früherer Zeit: „modèles . . . très imparfaits" (L. Riccoboni, 1738). „mauvais genre" (S. Mercier, 1773). Cf. hierzu R. Bauer: „Die wiedergefundene dritte Gattung, oder: Wie bürgerlich war das bürgerliche Drama?", in: *Revue d'Allemagne*, V (1973), 475–496.

⁴ In dem Nachwort zu L-Werke, II, 807. H. Mayer fügt jedoch hinzu: „Dennoch wird man gut tun, den Komödienbegriff dieses Dramatikers weniger aus der Tradition [nämlich der des deutschen Theaters] und auch nicht so sehr als Vorwegnahme künftiger dramatischer Gattungen zu verstehen, sondern im Zusammenhang mit den eigenen theoretischen Überlegungen von Lenz . . . zu interpretieren".

⁵ L-Briefe, I, 25, 58–60, 63.

⁶ L-Werke, II, 717–718.

⁷ So in den Briefen an Herder vom 23. Julius und 20. November 1775.

⁸ L-Werke, II, 735–736. NB! diese Ausgabe gibt den Text dieser „Reinschrift" wieder, da sie „dem Erstdruck vorzuziehen" sei.

⁹ Ibid. II, 738, cf. supra 1, 2, u. 3.

¹⁰ L-Werke, I, 330, 344, 359.

¹¹ Ibid. I, 419.

¹² L-Briefe, I, 105 (an Gotter, 10. Mai 1775); 115 (an Sophie von la Roche, [Straßburg Juli 1775]).

¹³ L-Werke, I, 362.

¹⁴ Ibid. I, 418–419.

¹⁵ Wieland im *Teutschen Merkur*, Januar 1775. (= L-Werke, I, 649: „Sein Ton ist nicht der Ton der *Welt*; es ist auch nicht der Ton der *Untersuchung*; *Schulton* ist's auch nicht; *Kenner* haben sonst auch noch nie so gesprochen. Was ist's denn? Es ist der Ton eines Sehers, der Gesichte sieht . . .").

¹⁶ In anderen Ausgaben fehlen die „recentiores", bzw. sind sie unter die „veteres" aufgenommen. Im Plautus von Ernesti, 1760, steht ein langer Passus aus der *Inst. Orat.* des Gerhard Vossius unmittelbar nach Testimonien aus Sidonius Apollinaris und Servius Honoratus!

¹⁷ Cf. z. B. Ernout, I, XXVII ff.

¹⁸ L-Schriften, II, 452 ff. Dieser Text entspricht Wort für Wort dem der *Annotationes in Pseudolum* und in *Truculentum*, wie er z. B. bei Episcopius nachzulesen ist: 267, 297 ff.

¹⁹ Der Text des Lenz'schen *Trukulentus* scheint sich an mancher Stelle eher an die laufende Prosaumschreibung des Camerarius als an die Plautinischen Verse zu halten: es ist anzunehmen, daß bei der Übersetzungsarbeit dieser Kommentar – er steht direkt unter dem Text – einfach „mitgelesen" wurde.

²⁰ L-Werke, I, 479: „Plautus in der Stampfmühle, und der gute Mann, statt sich zu beklagen, schreibt Komödien". Cf. ibid. 427 (in: *Verteidigung des Herrn W*[ieland] *gegen die Wolken*): „Und was kann wohl erbärmlicher sein, als einen Dichter, der doch, wenn er echt sein will, durch so vieles gegangen sein muß, am Ende seines Lebens einen Karren ziehen, oder ein Mühlrad umdrehen zu sehen wie Plautus". Erzählt wird die Geschichte bei A. Gellius, *Noct. Att.*, lib. III, cap. 3.

²¹ Die Geschichte wird wiederaufgenommen (z. B. in der *Editio in usum Delphini*: ā 8 (Dedicationsepistel des Jacques de l'Oeuvre), ō 7–8, ū 1 [*Praefatio* desselben mit Angabe der Quelle); a 1 (*Vita* des Petrus Crinitus); a 3 (*Vita* des Gyraldus); a 6 (*Vita* des Paraeus).

[22] Cf. R. Bauer, „Diderot, lecteur de Térence .. et de Donat," in: *Arcadia*, IV (1969) 117–137, insbesondere 122. Zu ähnlichen hagiographischen Anekdoten (auch den Dichter Naevius betreffend), cf. Friedrich Leo, *Plautinische Forschungen. Zur Kritik und Geschichte der Komödie*, Berlin 1912, 74 ff. NB! Diderot fand seinen „drame sérieux" in der Hekyra des Terenz vorgeprägt, allerdings in einer mit der Brille des Donat gelesenen Hekyra! („Diderot lecteur . . . ," 123 ff.)

[23] L-Werke, II, 783.

[24] Zur „protestantischen" Beurteilung des Plautus cf. Karl von Reinhardstoettner, *Plautus. Spätere Bearbeitungen Plautinischer Lustspiele* . . . Leipzig 1886, 24 ff. und Karl Otto Conrady," Zu den deutschen Plautusübertragungen," in: *Euphorion*, XLVIII (1954), 373–396, v. a. 377 ff.

[25] Das letzte Zitat aus Episcopius, 168 (= *Ioachimi Camerarii in Asinariam*). NB! Das *Väterchen* ist eine Adaptation dieser Komödie. Ähnliche Aussagen: Camerarius, 6 (in: *Prooemium*). Zur Entschuldigung der Plautinischen „obscoenitas" und Widerlegung der „pii et severi", cf. Camerarius, 22 (in: *Epistola nuncupatoria*). In der Folge (24 ff.) rät Camerarius von einer unkontrollierten Plautuslektüre in den Schulen ab: „[magistri et explicatores] si erunt prudentes et viri boni, non modo a sensibus et cogitationibus puerorum omnem iniuriam propulsabunt commoditate interpretationis",. etc. Ähnliche Argumentation bei Paraeus (b 5). Cf. ebenfalls Operarius ū 6 (in *Praefatio* von de l'Oeuvre).

[26] *Aeli Donati . . . Commentum Terenti, recensuit Paulus Wessner*, 2 Bd. Leipzig 1902, (Nachdr. 1962), I, 11 ff.: Evanthius, *De Fabula-Excerpta de comoedia*; Diomedes, *Artis grammaticae libri III*, in: *Grammatici Latini, ex recensione Henrici Keilii*, Leipzig 1857, v. a. I, 482 ff: *De poematibus*, 491: Lob der „satyrica" und des „Mimus", die den geregelteren „fabulae"-Tragoedie und Komödie gegenüber gestellt werden.

[27] Lilius Gregorius Gyraldus, *De comoedia, eiusque apparatu* (= Episcopius 9 ff., 29 ff.). Scaliger (ibid. 32 ff.): „Comoedia ab agrestibus cantionibus orta est . . .". (κωμάζειν, „quod est per vicos vagari animi gratia"); 35: „Aristoteles non dixit prius inventam Tragoediam, sed prius excultam. Sero enim Comoediam expolitam. Tragoediae vero et Comoediae genus unum commune, commune unum nomen, Fabula".

[28] Cf. infra 31.

[29] L-Werke I, 330: „Lobgesang auf den Vater Bacchus"; I, 357: „Die Schauspiele der Alten waren alle sehr religiös, und war dies wohl ein Wunder, da ihr Ursprung Gottesdienst war". Hierauf folgt die Demonstration, daß der alte Schicksalsglaube nun jede Aktualität verloren hat . . .

[30] Episcopius 27: „Donatus duas in scena fieri aras ait: dextram, quae Libero Patri dicata erat: et sinistram, quae illi deo in cuius laudem ludi fiebant". Auf jeden Fall jedoch: „in primis vos scire oportet, ludos apud Latinos, religionis, non voluptatis causa fuisse institutos: quod Livius et Valerius ostendunt, et post hos Aurelius Augustinus . . .".

[31] Anne Le Fevre, a 6: „Ce qu'ils chantoient . . . à la louange des Dieux, estoit apellé proprement *Tragédie* ou *Tragodie*, c'est-à-dire, *chanson de vandanges*. Et comme dans ces occasions les esprits estoient échauffez par le vin et par la débauche, cette *Tragédie* estoit ordinairement accompagnée de mots libres, de railleries grossieres, et de danses deshonestes; c'est pourquoy dans [a 7] ces commencemens la Comedie fut aussi comprise sous le nom de *Tragedie*, et de là vient que les Anciens ont écrit que la Tragedie et la Comedie ont esté inventées par des Païsans". Die darauf folgende „Erhöhung" der Komödie ist also nur eine Wiederherstellung – auf einem anderen Niveau – des ursprünglichen Zustande. Cf. ibid I, 3.

[32] Heinsius * 5r.

[33] Horaz, *Ars poetica*, V 270 ff.: „At vestri proavi Plautinos et numeros et / laudavere sales, nimium patienter utrumque / ne dicam stulte, mirati, si modo ego et vos / scimus inurbanum lepido seponere dicto/ legitimumque sonum digitis callemus et aure". Auch Montaigne (*Essais* II, 10) stellt Terenz („cettuy sent bien mieux son gentilhomme") über Plautus, u. a. weil Horaz – „le premier juge des poètes Romains" – so urteilte!

[34] Zitiert im Plautus von Ernesti, XXII–XXIII.

[35] Anne Le Fevre, i 5 v – i 6 r: „Comme [Aristophane et Plaute, Molière] a voulu attirer le Peuple, en travaillant pour la Cour, il n'a pas oublié la ville, et avec le revenu des loges il a voulu fonder celui de parterre".

[35] Heinsius, * 6 r.

[37] Heinsius, * 5 v.

[38] Heinsius, ** 4 v.

[39] Heinsius, * 5 r.

[40] L-Schriften, II, 453.

[41] Cf. supra 18.

[42] Episcopius, 3: „Aliam tamen definitionem affert Aristoteles, quae et alium habet finem: ita enim ait: Comedia est imitatio improbioris".

[43] Poetik 1449 a.

[44] L-Werke, I, 411.

[45] Ibid.

[46] Episcopius, 5. Die Quelle ist Aristoteles, Poetik 1448 a.

[47] Camerarius, 21 (in: Epistola nuncupatoria); cf. ibid. 7 (in Prooemium): „[comoediae] in quibus communis familiarisque, et pura inest oratio".

[48] Operarius ū 8. Die Idee wurde bald zum Topos: auch Gerhard Vossius – zitiert bei Ernesti, S. XII – lobt die Ursprünglichkeit und Volkstümlichkeit der Plautinischen Sprache. Anne Le Fevre (a 4 r) erklärt in ihrer Epistel an Colbert, daß Plautus, indem er „Les moeurs des Romains de son temps", d. h. zur Zeit der „guerres des Carthaginois" schilderte, zugleich die Sitten aller Zeiten und Völkern beschrieb.

[49] L-Werke, I, 341 ff., 357 ff.

[50] Heinsius * 12 r („Quae est de Comoediae, quemadmodum in scholis loquimur, essentia".)

[51] Cf. Poetik 1449 b.

[52] Heinsius * 9 r. Cf. Poetik 1451 b.

[53] Heinsius * 12 v. Cf. Poetik 1450 a.

[54] Heinsius ** 5 v. NB! in De constitutione Tragoediae. Varros Vorliebe für die Plautinische Sprache erklärt Heinsius damit, daß Varro schon bei seinen Zeitgenossen als „sermonis prisci amator" galt.

[55] Heinsius * 8 v-9 r. („dispositio" gibt in der Sprache der lateinischen Rhetorik σύστασις wieder: Zusammenstellung der Handlungsmomente).

[56] Heinsius * 12 v.

[57] Madame Dacier, XII–XIII.

[58] L-Werke, I, 359.

[59] Anne Le Fevre, i 1 v.

[60] Madame Dacier, VI.

[61] L-Werke, I, 359, 361. Cf. Heinsius ** 9 r, und Madame Dacier XIII (cf. supra 57).

[62] Camerarius, 21 (in: Epistola nuncupatoria).

[63] Ibid.

[64] Ibid.: Terenz überragt seine Konkurrenten Caecilius und Plautus „arte et affectibus exprimendis": ἦ θη wird hier gedeutet als Äußerung der Affekte.

[65] Operarius, c 6 (in: De Plauto et eius scriptis auctorum recentiorum testimonia).

[66] Ibid. b 2 (in: Paraeus, Dissertatio de vita et scriptis M. Acci Plauti).

[67] Ibid. ū 7–8 (in: Praefatio).

[68] Ibid. ū 4.

[69] L-Werke, I, 419 (in: Rezension des Neuen Menoza).

[70] Cf. Wolfgang Schmid, „Terenz als Menander Latinus," Rhein. Museum N.F. 1952, 229 ff.; Erich Segal, Roman Laughter. The Comedy of Plautus, Harvard Univ. Press 1968, und unser bereits zitierter Aufsatz „Diderot, lecteur de Diderot ... et de Donat".

[71] L-Werke, I, 411.

[72] Ibid. 454–455.

[73] Ibid. II, 260.

[74] Aeli Donati, *Commentum Terenti*, ed. Wessner . . . 16–17, in: Evanthius, *De Fabula* . . .

[75] Camerarius, 36 (in: *De carminibus comicis*). Cf. Episcopius, 7 (in: Lilius Greg. Gyraldus, *De comoedia*); Operarius b 5–6 (in: Paraeus, *Dissertatio de vita* . . .).

[76] Heinsius *6 v, *8 r.

[77] Anne Le Fevre, i 4 r, i 5 r. Cf. e 4 r: „Terence s'est plus éloigné de la vieille Comedie que Plaute . . .".

[78] Ibid. i 5 v.

[79] L-Werke, I, 421 (in: *Verteidigung des Herrn W. gegen die Wolken*).

[80] Cf. L-Werke, I, 421 ff. (*Verteidigung des Herrn W[ieland]* . . . , 1776) und ibid. 168 mit 614: *Fragment aus einer Farce, die Höllenrichter genannt, einer Nachahmung der βατραχοι des Aristophanes* (1778). Cf. ebenfalls zu diesem Punkt den Brief an Boie vom 2. Oktober 1775: L. bittet Boie, ihm zu helfen „einen Jungen in die Welt bringen . . . Er heißt die Wolken, aus dem Griechischen des Aristophanes. Lerm macht er das ist gewiß, denn ich habe keine Feuer an ihm gespart". In einem späteren Brief (Boie gibt als Empfangsdatum den 20. Februar 1776 an), bittet Lenz ihn nun „doch den Druck dieser Mißgeburt [s]einer Galle" zu hindern . . .

[81] L-Werke, I, 363 (in: *Über die Veränderung des Theaters im Shakespear*).

[82] Ibid. I, 367.

Fritz Martini

Johann Karl Wezels verspätete Lustspiele

Als gegen Ende der fünfziger Jahre Kurt Faber du Faur mir in der Bibliothek der Yale University seine Büchersammlung vorführte und ich
mich nach den Schriften Johann Karl Wezels umschaute, gab er er-
staunt zurück, nach diesem Autor habe noch niemand ihn gefragt. Er
selbst mußte in den überhäuften Regalen nach ihnen suchen.[1] Dies hat
sich inzwischen geändert. Dank Ihrer, lieber Herr Victor Lange, und anderer Bemühungen sind Wezels Romane und kritische Schriften leicht
zugänglich geworden.[2] Dies gilt hingegen nicht für Wezels Lustspiele.
Man muß ihre vier Bände noch immer mühsam suchen und darf schon
zufrieden sein, sie in dem Nachdruck der Karlsruher *Sammlung der besten deutschen prosaischen Schriftsteller und Dichter* aufzufinden.[3]
Dieser Fundort besagt etwas über das zeitgenössische Ansehen, das der
Lustspielautor Wezel erworben hatte. Doch hat es sich bald aus dem
Gedächtnis der Folgezeit und auch der Literaturwissenschaft verloren.[4]
Darstellungen der Geschichte des Lustspiels im 18. Jahrhundert gehen
schweigend an ihnen vorbei.[5] Selbst in der neuerdings angeregten Son-
derforschung zum Werk von J. K. Wezel[6] werden sie nur als vorhanden
registriert, kurz inhaltlich und in dem, was sie an Anlehnungen aus der
zeitgenössischen europäischen Lustspielliteratur aufgenommen haben, beschrieben oder unter Aspekten der Teilhabe des Lustspielhaften
an seinen Romanen einbezogen, neben denen sie in der Tat an literari-
scher oder historischer Bedeutsamkeit beträchtlich verlieren.

Es soll hier nicht ihre „Rettung" versucht werden. Ihr Eigengewicht
innerhalb der Geschichte des deutschen Lustspiels ist zu gering, um
solche Bemühung zu rechtfertigen. Aber vielleicht erscheint, was für
sie charakteristisch ist und sich in ihren Schwächen und Brüchen ausdrückt, als symptomatisch für die Fortführung einer dramatischen Speziesform, als deren bewußtseins- und gesellschaftsgeschichtliche Voraussetzungen sich bereits entzogen haben. Denn Verspätung eignet den
Lustspielen von Wezel, gemessen an jenen Erneuerungen und Umbil-
dungen der Form und jener Bereicherung der Ausdrucksmittel und
-möglichkeiten des komischen Spiels, die bereits erreicht waren, als
Wezel, vermutlich seit etwa 1777, zum Lustspiel griff. Er hat nichts von
der gesellschaftlichen Tragi-Komödie von J. M. R. Lenz seit 1774 in es

hereingelassen, auch nichts von den Spielmöglichkeiten, die Goethe
1770 in den *Mitschuldigen* der Commedia dell' Arte und in dem *Neuer-
öffneten moralisch-politischen Puppenspiel* von 1774 alten deutschen
Traditionen entnahm und F. M. Klingers verschiedene Einsätze, von
Sturm und Drang 1776 bis zu *Der Derwisch* 1780, scheinen ihn fast
nicht berührt zu haben. Nur eine Neigung zu Kinderszenen, in denen
sich das Drollige mit dem Rührenden verknüpfen läßt, verbindet ihn
mit diesem Dramatiker. Wezel hält sich an die sächsische Lustspieltra-
dition. Er ist bemüht, die Wirkungseffekte der satirischen Typenkomödie, die sich an der komischen und aufklärenden Konfrontation von
starken Kontrasten orientiert, mit den Wirkungselementen des rührenden und ernsthaften Spiels zu vereinigen, dessen Stichworte wie
Herz, Gefühl, Empfindung bei ihm so wiederkehren wie die moralischen Grundwerte Edelmut, Liebe, Ehrlichkeit, Selbstlosigkeit, die den
Menschen zur sozialen Geselligkeit bilden. Die Lessing-Nachfolge von
Wezel ist in den Fünfaktern *Eigensinn und Ehrlichkeit, Die seltsame
Probe* und in dem Zweiakter *Wildheit und Großmuth*, in dem die Figur
des Wirts fast schon als Plagiat erscheint, unverkennbar.

Was trieb Wezel, der seiner Begabung zum Erzählen in seinem Erst-
lingswerk, der *Lebensgeschichte Tobias Knauts* (1773–1776) sicher
geworden sein mußte, zum Lustspiel? Sicherlich finanzielle Erwartun-
gen, sicher ein Ehrgeiz, sich in einer literarischen Form zu bewähren,
die einen erheblichen Achtungs- und Wirkungsgrad in der literarischen
Öffentlichkeit erreicht hatte, wohl auch das Bedürfnis, zu dieser Öffentlichkeit nähere Kontakte zu gewinnen als sie ihm der Roman er-
möglichte. Das Trauerspiel *Der Graf von Wickham* (1774) mißlang, das
Lustspiel schien seiner Neigung zu realistisch-kritischem Beobachten,
seinem gesellschaftlichen Interesse und seiner vis comica den glückli-
cheren Zugang zum Theater zu eröffnen. In der Selbstrezension, die er
der fiktiven Übersetzung von Briefen eines reisenden englischen Lords
einlegte,[7] bescheinigte er sich selbst, er könne viel für das deutsche
Theater leisten, wenn er nur wolle und eine noch fehlende Bühnener-
fahrung hinzugewonnen habe. Daß diese Fiktion 1782 publiziert wurde, deutet an, Wezel wollte in seiner Tätigkeit für die Bühne fortfahren,
und die Selbstkritik an den bisher publizierten Sammlungen[8] sicherte
eine erfolgversprechende Selbstkorrektur zu.

Wahrscheinlich war Wielands Rat ein Fingerzeig geworden. Er
warnte Wezel angesichts des mißglückten Trauerspiels davor, mit dem
Verfasser der *Emilia Galotti* wetteifern zu wollen, einer Konkurrenz,
der er nicht gewachsen war, und er wies ihn auf seine eigene Begabung.

Bleiben Sie immer in dem Fache, wofür die Natur Sie bestimmt zu haben scheint – die
Menschheit in den niedrigern Klassen gibt Ihnen den reichsten und gewiß interessante-
sten Stoff in unerschöpflichem Überfluß – und suchen Sie es in der komischen, witzig-
launenhaften Schreibart zur Vollkommenheit zu bringen.[9]

Mochte Wieland an den komischen Roman oder an das Lustspiel gedacht haben, er hatte die Chancen und Grenzen von Wezels literari-
scher Fähigkeit begriffen. Den Stoff aus der Menschheit in den niedrigern Klassen zu schöpfen, dies hieß auch, die niedrigern Klassen in der
Hierarchie der literarischen Formen zu wählen: den komischen Roman
oder das komische Spiel. Beide hatten mit dem Sozialen zu tun, das auf
Beobachtung und Erfahrung angewiesen war, wie immer es in der literarischen Darstellung zu Parodie und Karikatur zugespitzt werden
mochte. Wezel hat später, 1781, was ihm Wieland riet, in einer aggres-
siven Kritik gegen den *Oberon*-Dichter programmatisch ausgespielt.

Ein Theil der Dichter nimmt die Muster, nach welchen sie ihre Charaktere, Situationen und Begebenheiten erfinden, aus der wirklichen gegenwärtigen und vergangenen
Welt: sie richten sich bey der Verknüpfung der Ursachen und Wirkungen ganz nach dem
Gange des menschlichen Lebens, und gehen nur insofern über dasselbe hinaus, als es nöthig ist, um den Effekt auf den Leser und also auch sein Vergnügen zu vermehren; wir wollen sie Realisten nennen.[10]

Wezel verstand sich in diesem Sinne als Realist. Sein Blick richtete
sich auf die Universalkomödie, das große Narrentheater, als das sich
ihm der zeitgenössische Bewußtseins- und Gesellschaftszustand darbot. Er bestimmte in der Vorrede zu seinen Lustspielen,

daß das Schauspiel ein Gemälde des menschlichen Lebens in seinem ganzen Umfange
seyn soll, und daß also eben so gut, wie Gott in dem großen Weltgemälde eine Menge von
allerlei Kreaturen, und darunter eine gute Anzahl schlechte, zum Vortheil für den Effekt
des Ganzen, aufgestellt hat, auch die Bühne sie nicht verschmähen darf, so bald sie durch
Veredlung – aber nicht Verschönerung! – zum Gefallen tauglich gemacht worden sind.[11]

Veredlung meint, was als Negatives beobachtet wurde, so zu verar-
beiten, daß es dem poetischen Zweck oder Effekt des ganzen Werkes
dienen kann. Daß der Dichter gleichsam gottähnlich seine Schöpfung
aus sich entlasse und aus der Distanz des überlegenen und amüsierten
Beobachters ihrer Mechanismen sie sich selbst überlasse – dieser Gedanke war Wezel so nahe, daß er ihn in seinem ersten Lustspiel *Rache
für Rache* einer Hauptfigur eingelegt hat. Er hat dem Grafen Beißheim,
dem witzig-boshaften Intriganten, der alles in Konfusionen durchein-
anderwirbelt und alle am Narrenseil tanzen läßt, solche Gottähnlich-

keit zur Rolle gegeben, die allerdings aufhört, als er sich selbst in dem ihm zugeschworenen Rachenetz verstrickt.

„... und wenn nun so alles tobt und stürmt, wie ein Donnerwetter – dann ganz ruhig da zu sitzen, und das Possenspiel mit einem Wort, mit einer Miene zu regieren, zu endigen oder zu verlängern, das ist keine Kleinigkeit. Wohl dem Manne, der meinen Witz hat! Ich sitze wie ein Jupiter auf den Wolken, und es kömmt bloß auf mein Belieben an, ob die Sonne scheinen, oder obs blitzen und hageln soll."[12]

Doch die souveräne und schadenfrohe Spiellust, die in der fiktiven Bühnenwirklichkeit, innerhalb der Geselligkeit eines geschlossenen Adelskreises und unter der Gewähr des lustspielhaften Ausgangs, der jedem der Betroffenen zuletzt Glück und Lohn bereit hält, sich auszuleben vermochte, stieß in der Wirklichkeit des bürgerlichen Lebens, seiner Bühne und deren Publikums auf Grenzen. Hatte Wieland sich nicht doch geirrt, als er von dem unerschöpflichen Überfluß an reichstem und gewiß interessantestem Stoff in den niedrigern Klassen, also in der deutschen bürgerlichen Öffentlichkeit sprach?

Die Vorrede zu den Lustspielen liefert darauf die Antwort. So konventionell diese Vorrede angelegt ist und so wenig auch sie der Topoi ermangelt, sie erhält ihr Gewicht daraus, daß sie darüber informiert, wie ihr Autor um 1778 die Situation des Lustspiels in dieser Öffentlichkeit beurteilte. Sie ist bestimmt durch die Miserabilität ihres Ausgangspunktes, der deutschen Gesellschaft, des Publikums und seiner Rezeptionsgewohnheiten. Das Lustspiel findet keinen Nährstoff in einer mittelmäßig kleinbürgerlichen Gesellschaft, deren enge Moralität vielmehr seine Repression bewirkt und der es an Fähigkeit zu Geselligkeit und Heiterkeit ermangelt, sodaß sie, unfähig zum Lachen, nicht einmal einen Anlaß zum Lachen hergibt. „Die unendliche Menge kleiner Städte, in welche die Nation zerstreuet ist",[13] verhindert die Erfahrung eines großen, d. h. geselligen und öffentlichen Theaters des Lebens und die Weltkenntnis, die seine Voraussetzung ist.

Unsere Sitten, Lebensart, Gebräuche sind ihr (der komischen Muse F. M.) zu steif und abgezirkelt, unsre Leidenschaften, Thorheiten, Laster und Tugenden zu matt, unsre ganze Wirksamkeit ist zu träge, unsre gesellschaftlichen Verbindungen zu schwach, und an den meisten Orten die Begriffe von Sittsamkeit und Moral zu eng, zu blödsichtig, als daß sie sich mit so eingeschränkten Leuten viel abgeben sollte.[14]

Die soziale Repression im Ganzen wird zur Repression des Einzelnen, der sich in sich selbst verschließt, in „Mißtrauen", in „die höchste Sorgfalt, seine äußere Wirksamkeit einzuschränken, und die innere zu verdecken."[15] Die äußere und innere Unfreiheit schlägt als „unnöthige Vorsichtigkeit" zurück auf das Lustspiel, seine Autoren und seine Bühne und verurteilt alle zusammen zur „Mittelmäßigkeit".

Dies verstärkt sich durch die Borniertheit des Standesbewußtseins, die veranlaßt, daß der Einzelne sich mit seinem Stand identifiziert und jeglichen Angriff auf ihn durch Spott, Lächerlichkeit oder karikierende Übertreibung, als einen Angriff auf die eigene Person aufnimmt. Dies Publikum setzt Aktion und Figuren auf der Bühne mit seinem realen Leben gleich, da ihm die Fähigkeit zu einer Distanzierung und Selbstdistanzierung und die Ausbildung eines ästhetischen Verstehens fehlt. Es glaubt sich in seinen Anfälligkeiten und Schwächen, die es vor anderen und vor sich selbst zu verbergen sucht, ertappt und bloßgestellt. Was für das öffentliche Leben und dessen Reduktion des geselligen Miteinander gilt, gilt noch empfindlicher und gereizter für die öffentliche Darstellung auf der Bühne, die um ihrer Effekte willen auf Steigerungen und Verstärkungen bedacht sein muß. Ein unverschönertes „Gemälde des menschlichen Lebens in seinem ganzen Umfange", ein komisches Welttheater, das nicht lehren, nicht eine dramatisierte Moral liefern will, sondern eine Darstellung der Sitten, d. h. der Gesellschaft, ist damit paralysiert.

> Ach! ist denn unsre Nation noch so weit zurück, oder so ganz von der Natur verwahrlost, daß man nicht das Porträt eines Narren oder eines Schurken ausstellen kann, ohne daß alles von allen Enden schreyt – das soll ich seyn! – und auf den armen Maler mit Steinen wirft, oder ihn wie einen Bösewicht flieht?[16]

In der ‚Publikumsbeschimpfung' dieser Vorrede spiegelt sich eine Situation, die die Voraussetzungen Gottscheds, seiner Schüler und Nachfolger im Lustspiel bis zu Lessing hin, erheblich verschoben zeigt. Das Lustspiel der Aufklärung ging programmatisch von einem bereits aufgeklärten oder zur Aufklärung bereiten Publikum aus, das die Entblößung des Lächerlichen bzw. Lasterhaften, das sich als die Abirrung bzw. Verfehlung eines Einzelnen darstellte, im gesellschaftlichen Consensus von Vernunft, Sitte und Geschmack als Impuls zu einer kritischen Selbstreflexion und -korrektur aufnehmen sollte; das weiterhin, gemäß J. E. Schlegel, unabhängig von Satire und Moral, über eine ästhetische Freiheit zum Lachen verfügen oder sie einüben sollte, das nicht lediglich ein „Verlachen" bedeutete. Wezel sieht sich gemäß der Vorrede einer anderen Situation konfrontiert. Alle Zuschauer fühlen sich jetzt durch das Lächerliche angegriffen, sie erkennen dessen gesellschaftliche Funktion zwecks Selbstreflexion bzw. -korrektur nicht mehr an, sie verschliessen sich damit auch seiner ästhetischen Funktion. Die Aufklärung war an diesem Publikum vorübergegangen, wenn das Lustspiel als ein Angriff auf die ganze Gesellschaft verstanden wurde. Seine Chancen zur Ausbildung und Festigung gesellschaftlich-moralischer Normen mit den Mitteln der Satire, des Lächerlichen und des Witzes waren verstopft. Das Lustspiel mußte sich auf die „poetischen" Effekte des nur noch Possenhaft-Komischen, bis zur Verstärkung in der Karikatur, zurückziehen, oder aber auf eine direkte Vorführung von Vorbildlichem, und es kann nur durch die Akzentuierung des Kontrastes zwischen beidem eine aufklärende Wirkung erzielen. Hier ist der Grund dafür zu suchen, daß Wezel in seinen Lustspielen durchweg mit statischen Gruppierungen von Kontrastpersonen und Kontrastsituationen arbeitet. Er stellt additiv und episodisch komische und ernsthaft gemeinte Personen nebeneinander; die komischen Figuren sind, obwohl er sie mit Situations-, Dialog- und gestischer Komik reichlich ausstattet, durchweg Nebenfiguren, die auf den Spielausgang keinen Einfluß haben. Die Verselbständigung der komischen Typenfiguren und der komischen Auftritte, in denen sie sich vorführen, erschwert ihren Einbau in einen Aktionszusammenhang, der sich auch als ein gesellschaftlicher Zusammenhang anbieten soll. Sie werden Randfiguren, episodische Narren – oder Sonderlingsfiguren, in dieser Gesellschaft. Dies schwächt ihr gesellschaftskritisches Potential und mindert sie zu Unterhaltungschargen herab. Es lenkt das Interesse zu den als ernsthaft oder vorbildlich gemeinten Figuren, die jedoch ihrerseits nicht ausreichend in einen komischen Handlungszusammenhang verwickelt werden, wie denn überhaupt eine Schwäche dieser Lustspiele in der Magerkeit ihrer komischen Aktions- und Intrigenverkettung liegt. Wezel mußte sich wiederholt des europäischen Lustspielreservoirs bedienen, um ihr aufzuhelfen.[17] Das Hauptgewicht in seinen Lustspielen liegt auf der dramatischen Selbstdarstellung der Personen in Situation, Dialog und Mimisch-Gestischem; sie verfährt bei den komischen Personen typisiert und auch karikiert, bei den ernsthaft gemeinten Figuren mit einer relativen psychologischen Differenzierung wie vor allem in *Eigensinn und Ehrlichkeit*. Bei den ersteren wird die ungesellige Borniertheit eines sonderlinghaften Narrentums akzentuiert, bei den letzteren eine Begabung und Bildung zum Geselligen, die sich zur Offenheit zum Mitmenschen und besonders zur Liebe erhöht. Daß damit zugleich gesellschaftskritische Wertungen gesetzt sind, die allerdings bei den ernsthaft gemeinten Figuren sich vorzugsweise in privatisierten inneren Werten von Herz, Gefühl, Natürlichkeit ausdrücken und auf die Tugenden des ‚Menschlichen' zielen, bedarf keiner Unterstreichung. Wezel hat in seinen Lustspielen auf eine Gesellschaftskritik nicht verzichtet; aber er hat sie nur mittels der Komik einzelner Figuren bzw. durch die Kritik, die edel fühlende Menschen an sich schon gegenüber ihrer Mitwelt bedeuten, ausgespielt.

Offensichtlich legten Publikum und Bühne des Lustspiels wie auch dessen Speziesform ihm Grenzen auf. Hans Peter Thurn hat schon darauf verwiesen, daß das Lustspiel, wenn es Konflikte in das Komische hinüberspielt, ihre Gegensätzlichkeiten mildert und entschärft.[18] Seine Regel eines friedlich-versöhnlichen Spielausgangs muß die Konflikte schon im Spielablauf dämpfen und versöhnbar machen. Wezel konnte nur verdeckt eine gesellschaftskritische Frontstellung in sie einbringen; was als Satire gemeint war, mußte im Komischen, in der Karikatur verhalten bleiben. Wenn er von der Lustspielproduktion zum Roman zurückkehrte, lag der Grund wohl auch darin, daß diese Form den Freiraum gewährte, den Bühne und Publikum einer radikalisierten Aussprache seiner Gesellschaftskritik versagten. Jene bekannten Sätze in der Vorrede von *Hermann und Ulrike*, daß man diese „Dichtungsart dadurch aus der Verachtung und zur Vollkommenheit bringen könne, wenn man sie auf der einen Seite der Biographie und auf der andern dem Lustspiele näherte",[19] bedeuteten gewiß, daß er seine in den Lustspielen erprobte Fähigkeit der dramatisch-dialogischen Selbstdarstellung der Figuren wie der komischen Dialog- und Situationsbildungen in den Roman hinüberbringen wollte; wahrscheinlich auch aus Gründen einer Anhebung des noch um literarische Anerkennung ringenden Romans durch Hereinnahme einer literarisch anerkannten Form, die sich in seinem Jahrhundert als besonders ergiebig für die Darstellung des bürgerlichen Lebens herausgestellt hatte.[20] Doch auch eine Umkehr des Austausches ist bemerkbar: einige Lustspiele, wie besonders *Eigensinn und Ehrlichkeit* und die Geschichte der Kindheitsliebe in *Die seltsame Probe* nehmen in ausgedehnter Erzählung, die die Aktion stillstehen läßt, die biographische Vorgeschichte der Protagonisten in sich auf. Ein kritischer Zeitgenosse von Wezel, Karl August Küttner, bemerkte zu Recht, diese Lustspiele seien mehr zum Lesen als für das Theater geeignet, denn sie zeichneten sich durch Anlage und Charakterzeichnung aus, seien aber ärmer an Leben, Handlung und Natürlichkeit der Sprache.[21] Es liegt ihnen ein erzählerischer Duktus inne, in der Ausbreitung und Wiederholung der komischen Effekte wie in den gestreckten ernsthaften Dialogen, die auf der Bühne eine Kürzung erfordern würden, gegen die sich Wezel selbst in der „Vorrede" heftig gewehrt hat,[22] lag ihm doch besonders an Witz und Psychologie seiner Dialogproduktion.

Diese Vorrede war nicht ohne Berechnung geschrieben. Indem Wezel die Misere des deutschen Lustspiels, seiner Bühne und seines Publikums so düster schilderte, erhöhte er die Spannung, wie er nun gegen sie sich als Lustspielautor durchsetzen und behaupten würde. Eine Musterung des Inhalts der vier Teile *Lustspiele* (1778, 1779, 1784, 1787) ergibt, Wezel ist recht großzügig mit dem Begriff umgegangen. Neben zwei fünfaktigen Lustspielen *Die seltsame Probe* (T. 2) und *Die komische Familie* (T.3) finden sich ein Vierakter *Rache für Rache* (T.1) und zwei Dreiakter *Der blinde Lärm oder die zwey Witwen* (T.3) und *Kutsch und Pferd* (T.4). Das umfangreiche fünfaktige Spiel *Eigensinn und Ehrlichkeit* (T.2) wird man schwerlich, trotz der Einlage drastisch-komischer Szenen und Figuren, als ein Lustspiel klassifizieren können. Daneben stellen sich der Zweiakter *Wildheit und Großmuth* (T.3) und die Einakter *Ertappt! ertappt!* (T.1) und *Der erste Dank* (T.3) ein. Daß *Wildheit und Großmuth* zwei Akte zeigt, begründet sich lediglich aus der Notwendigkeit des Raumwechsels. Dies Spiel weist sich so wie *Der erste Dank* als eine dramatisierte Anekdote mit moralisch-rührenden Akzenten und Effekten aus. In beiden vollzieht sich innerhalb einer krisenhaften Situation eine überraschende Umkehrung.[23] In *Wildheit und Großmuth* wandelt sich das Racheverlangen eines russischen Offiziers angesichts des Elendslagers des von ihm Verfolgten, der ihn über den Irrtum seines Hasses aufklärt, in hilfreichen Edelmut. Er gibt ihm seine letzte Barschaft, denn, so lautet die Schlußsentenz, „Unter Freunden ist alles gemein". In *Der erste Dank*, einem Familiengemälde, verläßt eine bankrotte Familie die bisherige Wohnung des Glücks; die gegenseitige Liebesbindung der Eltern und ihrer zwei opferwilligen Knaben gibt ihnen die Zuversicht, in der Armut und „in der Leimhütte des Landmanns" Freuden zu finden, die nicht vom „Reichthum" abhängen. In den Kinderszenen fügt sich dem Rührenden das Drollig-Possierliche bei. Die hier vorgeführte Idylle der Familie stellt sich in starkem Kontrast zu anderen Darstellungen des Familienlebens bei Wezel, in den Spielen *Die komische Familie* und *Kutsch und Pferd* oder in den Ehestandsgeschichten *Peter Marks* (1778; 1779) und *Die wilde Betty* (1779) dar. Auch in *Ertappt! ertappt!* wendet sich Familienelend zu Familienfrieden. Es schließen sich an ein „musikalisches Schauspiel" *Zelmor und Ermide*, das seinen Stoff dem Zauber- und Feenmärchen entnimmt und hier bei Seite gelassen werden darf, ferner drei Spiele, die Wezel zur Literatursatire und -parodie übergehen lassen:

Die Komödianten, ein theatralisches Sittengemälde, *Der kluge Jakob*
(T.4), eine komische Oper, und der Einakter in Versen *Herr Quodlibet*
(T.4). *Zelmor und Ermide* ist entstehungsgeschichtlich auf 1777 zu da-
tieren; *Die Komödianten* dürften in die Zeit des Aufenthaltes in Wien
1782, in der Wezel kurze Kontakte zum National-Theater fand, fallen.

Welche Konsequenz zog Wezel aus seiner pessimistischen Einsicht
in den Widerspruch zwischen der deutschen bürgerlichen Gesellschaft
und dem Lustspiel und dessen Bestimmung, das Theater des Lebens
vorzustellen? Die Mehrzahl seiner Spiele wie *Rache für Rache, Ertappt!
ertappt!*, *Der blinde Lärm, Eigensinn und Ehrlichkeit* und *Kutsch und
Pferd* wird im sozialen Milieu einer Adelsgesellschaft angesiedelt. Sie
lebt, frei von Pflichten und Aufgaben und mehr durch die Frauen als die
Männer bestimmt, von Renten aus ländlichem Grundbesitz, die sie
durchweg in der Stadt verzehrt. Dieser in sich abgeschlossene Sozialkreis wird weiterhin dadurch verengt, daß sich in ihm ein kleiner Fami-
lien- und Freundeszirkel bildet. Wezel konnte derart das Bühnenperso-
nal zwecks leichterer Überschau für den Zuschauer zahlenmäßig begrenzt halten. Dem entspricht, daß er an den klassischen Einheiten von
Raum und Zeit festhielt. Dieser Sozialkreis kennt nur Gleichberechtig-
te, er wird durch ein geselliges Einverständnis zusammengehalten, das
nur in *Eigensinn und Ehrlichkeit* mit gesellschaftlicher Konsequenz,
der in der realen Standesgesellschaft einige Brisanz eingelegt war,
durchbrochen wird: wenn nämlich eine vermögende verwitwete Gräfin
um ihren Hauslehrer, widersetzlich zu allen Standesregeln, wirbt und
die Ehe mit ihm trotz seines zunächst eigensinnigen Widerstandes und
seiner „Landstreicher"-Biographie durchsetzt. In den anderen Spielen
erscheint eine Müßiggängergesellschaft auf der Bühne, auf der sie, in
der Verstärkung des Realen oder Wahrscheinlichen mittels der Fiktion
vorspielt, was ihr auch im Leben gesellige Unterhaltung bedeutet.
Diese Gesellschaft ist durch sich selbst auf das Lustspiel hin angelegt,
abgedichtet gegen Ernst und Not des Lebenskampfes. Sie ist eine Spielgesellschaft, in der auch die Streiche, die Täuschungen und Bosheiten,
die man einander bereitet, mit denen man einander foppt und über die
man sich ärgert, letzthin Unterhaltungsspiele bleiben und nur Schein-
konflikte provozieren, die sich rasch auflösen lassen, sodaß am Ende jeder zu seinem Recht, seinem Ziel und Glück gelangt, das in die ökonomisch gut gesicherte Ehe einmündet. Schon die Spieltitel – z. B. *Ertappt! ertappt!* oder *Der blinde Lärm* – enthalten diese Versicherung.
Rache für Rache besagt, daß jeder, der seinen Partner in eine peinliche
Verwirrung hineintrieb, endlich die ihm gemäße Strafe in mehr oder

weniger harmloser Blamage bekommt. Wezel beherrscht die geläufigen Lustspieltechniken: in der Kontrastierung der symmetrisch aufgebauten Liebespaare, die so viel an Mühe haben, zusammenzukommen, in der komischen Kontrastierung der Temperamente, in den Mischungen von scheinbarer Überlegenheit und tatsächlicher Hilflosigkeit, von Spielen und Mitgespielt-Werden. Es läuft auf der Bühne ein gesellschaftliches Narrentheater ab, und man möchte durch das Lachen der Zuschauer hindurch das Gelächter des Autors über dieses ganze Narrengetriebe hindurchhören: nicht nur in der schon genannten Figur des Grafen Beißheim, auch in anderen Figuren, wenn etwa Malchen, die spröde Eigensinnige, ausruft: „O die ewige Liebe! Wohin man nur sieht und hört, da giebts Liebe: sind denn die Leute so verlegen, daß sie nichts zu tun haben wissen als sich zu lieben?"[24] Noch das Kammermädchen und der Jäger lesen zusammen den *Werther*. Nur in einem Dialog zweier Diener[25] des durch und durch ins Komisch-Possenhafte hineingetriebenen alten Podagristen, des bald als senex iratus und bald als nichts verstehender Alterstrottel sich vorführenden Vaters von Malchen, taucht etwas von Sozialkritik auf; doch in der Form eines Dümmlingsgesprächs, das derart ins Komische entschärft. Ihre Diskussion, warum die Reichen, wie dieser Podagrist, durch Hunger geheilt werden, während die Armen unter Hunger leiden, warum also selbst im physiologisch-natürlichsten Bereich der Unterschied zwischen reich und arm alles verkehrt, bewegt sich so witzig wie kurzschlüssig im Kreis, ohne zu einem Resultat zu finden. Letzthin sind alle diese Figuren der im Lustspiel „angestellten Komödie" Marionetten- und Spielfiguren, die wie Mechanismen funktionieren und reagieren, damit in genauer Konstruktion und Berechnung das Spiel zustande kommt. Gesellschaftsfiguren und Spielfiguren decken sich gegenseitig, weil diese Gesellschaftswelt nichts als eine Spielwelt ist, eine Spielwelt der harmlosen, wenn nicht nichtigen gegenseitigen Überlistungen und Schabernacks, die in der Langeweile des Müßiggangs ein wenig Aufregung, Ärgernisse und Belustigungen bereiten.

Das gleiche soziale Milieu begegnet in *Der blinde Lärm*. Zwei Frauen zielen auf den gleichen Mann, der Rivalitätskampf verhilft zu aufgeregten Bühnenszenen, die unwürdige Bewerberin, eine Taschenausgabe des „rasenden Weibes", wird als Störenfried beseitigt, die würdige Bewerberin erreicht ihr Ziel. Ein junger Verwandter sorgt spielfroh für die Turbulenz der Verwirrungen. Die Entdeckung eines produktiven Fehltritts des Begehrten gefährdet zwar noch im letzten Augenblick den Ehebund, obwohl sie einen närrisch-eigensinnigen Onkel von seinen

Testamentssorgen befreit, der für das Possenhaft-Komische zu sorgen
hat. Frau von Bernau, die Siegerin im Liebeskampf, ist edel genug, das
uneheliche Kind ihres künftigen Mannes in die Familiengemeinschaft
aufzunehmen; seine Mutter wird in die Fremde fort geschickt und aus-
bezahlt. Damit ist das Glück erreicht, es sichert die geschlossene adlige
Gesellschaft, Kindersegen und ein reichliches Vermögen.

Auffällig ist, wie in Wezels Lustspielen, wohl in Nachfolge der *Minna
von Barnhelm*, die Frau die aktive Rolle übernimmt. Frau von Spark in
Ertappt! ertappt! hätte allen Grund dazu, ihren Mann aus seinen Rechten und Ansprüchen zu vertreiben. Eigensinnige Eifersucht macht den
Gatten zu ihrem Tyrannen. Die Autoritätsbehauptung des Mannes in
der Familie wird bis ins Extrem der Karikatur getrieben. Doch die ver-
meintlich simple, rechtlose Einfalt vom Lande erweist sich als überle-
gen; sie nimmt sich gütig der von ihm dem Elend überlassenen uneheli-
chen Tochter ihres Mannes an, verschafft ihr einen Gatten und führt sie
in die Arme ihres Vaters zurück. Und auch dieser junge Gatte findet den
Vater wieder, dessen jugendlicher Fantasie er sein Leben verdankt. Wezels Ironie spricht durch das Geständnis des Artilleriehauptmanns von
Feuer:

> „Das war nun so eine jugendliche Fantasie, so eine aufbrausende Idee, die wir jungen
> Leute damals hatten . . . Wir sagten: alle die Formalitäten, die die Gesetze zur Ehe verlan-
> gen, sind unnütze leere Ceremonien, die der Gesetzgeber vorgeschrieben hat. Wir wollen
> den Gesetzen der Natur folgen: wenn zwey Herzen und vier Augen sich gefallen, das ist
> die Ehe der Natur; und so beschlossen wir alle, zeitlebens nicht anders als in einer philo-
> sophischen Ehe zu leben."[26]

Die Opfer dieser „Idee" wurden die „philosophischen Weiberchen".
Man fand zurück zu den Gesetzen und zu den Leuten, die ihnen gegenüber Gehorsam erwarteten. Dem Ausbruch aus der Gesellschaftsordnung folgte die reuige Rückkehr zu ihr. Dreifach konfrontiert Frau von
Spark beschämend ihren herrschsüchtigen Ehemann mit seiner
Schwäche: sie beweist ihm die Grundlosigkeit seiner närrischen Eifersucht, sie deckt seinen Jugendfehltritt auf und durchschaut endlich die
Lüge, mit der er sich jetzt noch im Alter der Verantwortung für ihn entziehen will. Dennoch hebt Wezel die Institution der Ehe nicht auf; nur
daß das Verhältnis zwischen Herrn und Untergebener in dieser Ehe sich
zu ebenbürtiger Partnerschaft verwandelt. Die Grenze der Standes-
schranken wird nur insoweit überschritten, als jetzt die uneheliche
Tochter dank des mitmenschlichen Gefühls der versöhnungsbereiten
Gattin in die adlige Familie aufgenommen wird.

Um eine adlige Familie geht es auch in *Kutsch und Pferd*. Eigensinn

treibt in diesen zwei Parallelpaaren einen gegen den andern, jeder will,
je nach Temperament und Geschlecht, mit Zank, List oder kluger Be-
handlungstaktik die Oberhand behaupten. Streitobjekt ist die Heirat
der Tochter des Ehemanns aus erster Ehe und die Begier seiner Frau,
eine eigene Kutsche, eigene Pferde zu haben. So wird die Tochter un-
würdig zum Handelsobjekt, was allerdings dadurch gemildert wird, daß
sie den Mann, an den sie gegeben wird, liebt. In diesem Stück gewinnt
der Ehemann das Spiel: er hat das Glück seiner Tochter durchgesetzt,
und seine Frau darf Kutsche und Pferde nur für kurze Zeit, um ihre Lu-
xuslaune zu befriedigen, behalten, sie muß sie dann der Tochter weiter-
geben. Dies Spiel ist knapper, bühnengemäßer in Auftritten und Dialog
gehalten als die bisher erwähnten Stücke; allerdings hat es in verengter
Aktion und belanglosem Konflikt noch mehr an Gewicht verloren.

Wie dünn fast immer bei Wezel das bestimmende lustspielhafte
Kernthema und wie gering dessen lustspielhaftes Potential ist, zeigt
sich erneut in *Die seltsame Probe.* Ein adliges Fräulein aus Polen sucht
und findet durch glücklichen Zufall den Kindheitsgeliebten, einen armen und jungen, von der Liederlichkeit zur Tugend bekehrten Offizier.
Sie stellt ihn durch ein selbst fabriziertes Gerücht, sie sei eine abenteu-
ernde Dirne, auf die Probe. Er besteht sie, denn seine Empörung macht
ihr gewiß, er liebe in ihr die Tugend, nicht den Reichtum, nicht die
Sinnlichkeit. Um daraus fünf Akte zu bilden, mußte Wezel auffüllen.
Er setzt in breit ausgeführten Auftritten komische Charaktertypen nebeneinander, die zugleich akzentuierte Kontrastfiguren zu dem emp-
findungsvollen Paar sind. Es wird, als vorbildlich in Herz, Gefühl und
Edelmut, der den jungen Offizier für die Armen seine letzte Barschaft, ja
seinen Hut hingeben läßt, umrahmt von Negativfiguren, deren Komik
ihre lustspielhafte Vernichtung enthält. Der landjunkerliche Onkel des
Offiziers ist, trotz seines Adelshochmutes, besessen von dem Laster
wucherischer Geldgier, das man eher der Karikatur des Bürgers zu-
schreiben möchte. Der Compagnon des Offiziers ist ein freß- und sauf-
gieriger, zynischer und zudem so prahlerischer wie verstandesdummer
Materialist. Die Begleiterin des jungen Fräuleins ist eine liebesgierige
Frau von mehr als reifen Jahren. Alle drei sind von nichts als einem ma-
teriellen Trieb beherrscht, borniertes, die menschlichen Werte perver-
tierende Egozentriker, die zu einer geselligen Kommunikation unfähig
sind, zu der Herz, Gefühl und soziales Empfinden gehören. Was sie zu
Narren stempelt und ihre komische Auffassung erlaubt, ist, daß sie
letzthin nur sich selbst schaden und in ihrer Jagd nach der reichen
Fremden gründlich den Kürzeren ziehen. Nur unter den Bedingungen

des Lustspiels werden sie erträglich; außerhalb ihrer, in der Wirklichkeit, würden sie zu Schädlingen der Gesellschaft. Neben der brutalen
Hartherzigkeit des adligen „Kornjuden" wird der jüdische Schacherer
Herr Abraham geradezu zum ehrlichen Mann. Er und der Wirt sind die
Zwischenträger zwischen dem unteren und dem oberen Stockwerk des
Wirtshauses, die für die Steigerung der Konfusionen zu sorgen haben.
Der Wechsel vom adligen Salon in den anderen Spielen zum niedrigeren
Milieu des Gasthofes bestimmt auch die Spielaktionen und die Sprache. Die Turbulenz der Auftritte und die Effekte des Derb-Possenhaften
in der Karikatur der Figuren werden mit einer kräftig zupackenden vis
comica ausgespielt, verselbständigen sich aber auf Kosten des ganzen
Spielgefüges, das erst im dritten Akt zur Exposition des eigentlichen
Spielthemas, der ‚Seltsamen Probe', gelangt. Es wird zur Episode unter
vielen Episoden. Wezels Interesse liegt auf der ausführlichen Darstellung der Charaktertypen; dahinter tritt die Konstruktion einer alles
Einzelne integrierenden Spielaktion zurück. Die Spielmittel des Komischen, die Wezel virtuos beherrscht, haben sich so verselbständigt, daß
das Lustspiel als Ganzes ins Brüchige gerät.

Das gewichtigste Stück in seiner Sammlung ist *Eigensinn und Ehrlichkeit*. Es gewinnt am meisten gesellschaftshistorische Brisanz, es
arbeitet differenzierter als bisher die Charaktere der Protagonisten, einer Gräfin Wildruf und ihres Hauslehrer Herrmann aus, es hält im kontrastierenden Wechsel der Situationen eine durchgehende Spannung
wach, es baut, bei schon fast erzählerischer Erstreckung, auf einem
durchgehenden Konflikt auf, dessen moral- und sozialpsychologische
Ernsthaftigkeit allerdings bezweifeln läßt, ob man hier noch von einem
Lustspiel trotz der episodisch eingestreuten komischen Figuren und
Auftritte sprechen kann. Die Nachfolge der *Minna von Barnhelm*, bereits deutlich in der Suchreise des Frl. von Berkheim nach dem Kindheitsgeliebten, in ihrer Ausstreuung des falschen Gerüchts in *Die seltsame Probe*, blickt in *Eigensinn und Ehrlichkeit* schon durch die Titelwahl hindurch. Sie bestätigt sich durch die Figuren der Gräfin und
Herrmanns. Gemessen an den zeitgenössischen gesellschaftlichen Barrieren erscheint die Konfliktgestaltung und deren Auflösung kühner als
bisher: eine vermögende, verwitwete Gräfin wirbt mit Aufbietung aller
ihrer Fähigkeiten um einen Mann, den sie selbst in Stunden des Zweifels als einen „Landstreicher" bezeichnet, und den sie gleichwohl als
den „ehrlichsten, edelsten, besten" Mann liebt. Sie erreicht ihr Ziel
entgegen allen Widerständen, die ihr weniger die Gesellschaft als dieser
Mann selbst entgegenstellt. Die Nähe dieses Spiels zu dem Roman

Hermann und Ulrike ist bereits bemerkt worden. Hier wie dort geht es um einen sozialen und ökonomischen Aufstieg eines Mannes, die Durchbrechung der Standesgesetze durch die Frau, also um eine Mobilisierung der aus ihrer starren Konfrontierung gelösten Standesregeln. In ihr sah Wezel offenbar einen wesentlichen Ansatz zur gesellschaftlichen Reform, eine Befreiung des menschlichen Fühlens von einschnürenden Fesseln. Blieb sie auch im privaten Bereich der innermenschlichen Beziehungen, die Ehe war eine gesellschaftliche, öffentliche Institution, und ein Durchbruch durch ihre Konventionen und Vorurteile griff über das Private, über den einzelnen Fall hinaus. Gewicht gewinnt das Spiel auch daraus, daß Wezel offenbar dem Hofmeister Herrmann eigene Erfahrungen und Charakterzüge eingelegt hat[27], die der Lebensgestimmtheit des Sturm und Drang nicht so fremd sind, wie es seine eigene Polemik gegen seine Generationsgenossen anzugeben scheint. Vielleicht war der Aufstieg des proletarischen Intellektuellen, dem sich in dem bisherigen Leben alle Chancen verschlossen hatten, auch ein von ihm gehegtes Wunschbild.

Was jedoch der Roman als Biographie ausbreiten konnte, mußte das Bühnenspiel zu innerem Vorgang und Konflikt verkürzen. Die Intrigen und Zufälle dienen nur dazu, die Bühnenaktion in Gang zu bringen und für hemmende und spannende Entwicklungen zu sorgen. Das eigentliche Geschehen vollzieht sich in den inneren Entscheidungen von Herrmann und der Gräfin. Das Gegenspiel von außen – der Widerstand des Generals und Bruders der Gräfin und der Widerstand der Gesellschaft in der Figur des nichtig-albernen Grafen von Belmont – ist von vornherein durch die groteske Komik beider Figuren entschärft. Das schwerste Hindernis ist die Liebe der armen Emilie zu Herrmann, sein ihr gegenüber wiederholtes Eheversprechen, das ein Ring bekräftigt. Der Zufall führt die Totgeglaubte in das gräfliche Haus. Wezel setzt die Kontraste mit starken Akzenten ein: der unabhängigen und reichen Dame der großen Welt steht der arme Schneidersohn mit einer zumindest bewegten Vergangenheit, in der er mehrfach Namen und Beruf wechselte, gegenüber – zuerst Student, dann der Kammerdiener Ludolf und der Furier Felix, jetzt der Informator Herrmann. Der Kontrast setzt sich in den Charakteren fort: die Gräfin besitzt Festigkeit und Überlegenheit trotz ihrer Liebeszweifel und -hoffnungen, Herrmann hingegen hat sein bisheriges Leben verletzt; sein intellektuelles Überlegenheitsgefühl und sein Temperament sind gefesselt an unbefriedigte Wünsche, enttäuschte Hoffnungen, in ständigen Dissonanzen mit sich selbst. Stolz, Trotz, Bettlerarmut treiben ihn in den misanthropischen

Eigensinn. Eigensinn – eine vielen Figuren Wezels und nicht nur den
Narren und Sonderlingen eingelegte Eigenschaft – verschließt gegen die
gesellige und mitmenschliche Kommunikation. Er kann sich bis zur
Gefühlshärte, bis zur Menschenfeindlichkeit radikalisieren. Wezel
baut in seinem Herrmann den Eigensinn des Lessingschen Major von
Tellheim zu einem facettierten Charakterporträt aus. Doch während
Lessing Tellheim in eine konkrete geschichtlich-gesellschaftliche Si-
tuation einfügt, sein Verhalten und die Entwicklungen des Spiels an sie
bindet, bleibt der historische Hintergrund und seine determinierende
Einwirkung in Wezels Stück nur schattenhaft. Zwar ist mehrfach von
Grausamkeit und Barbarei des Krieges die Rede, in den Herrmann als
Furier aus seiner Armut flüchtete und gegen die er Emilie, seine erste
Geliebte, nicht schützen konnte. Es ist eine Tellheim-Reprise, daß dem
Zuschauer von seiner Rechtschaffenheit berichtet wird, von seinem
Widerstand gegen Betrug und Habgier seiner Vorgesetzten, der ihn seinen Posten kostete. Aber dies bleibt erzählte Vorgeschichte, es wird
nicht zum Handlungsanstoß. Wezel determiniert seine Figuren nicht
historisch; er determiniert sie aus ihrem sozialen Stand und einem ihnen wie ein Zwang der Natur eingelegten psychologischen Mechanismus. Auf ihn beruft Herrmann sich wiederholt. Dieser Zwang treibt
ihn zunächst ebenso zur Verweigerung des überraschenden Eheange-
bots der Gräfin, der seine bisher verschwiegene Liebe gehört, wie – als
gesellschaftliche Komponente – der Stolz des Bettlers, des Schneider-
sohns, der nichts geschenkt haben will, nicht in *einer* Person als Prole-
tarierabkömmling und als Aristokrat vor der Gesellschaft und vor dem
eigenen Bewußtsein leben will: er kann nur „Ganz etwas, oder ganz
Nichts" sein. In der Umkehr der Situation, die zu erwarten wäre, vergegenwärtigt sich, wie hoch die Standesbarrieren sind, die überstiegen
werden müssen. Nicht die Gräfin schreckt vor ihnen zurück, sondern
Herrmann kann sie nicht vergessen. „Mein Stolz widersetzt sich meinem Glück."[28]

Eine Groteskszene unterbricht diese erregte Auseinandersetzung.
Die Karikatur des Graf Belmont zielt nicht, wie sonst zumeist bei Wezel, auf eine einzelne Narrenfigur, sondern auf die geschäftige Nichtig-
keit dieser ganzen Adelsgesellschaft und sie läßt auch ahnen, was diese
Gesellschaft an Bosheit und Verachtung für Herrmann und die Gräfin
bereit hält. Der Kontrast verdeutlicht, welcher Abgrund Herrmann von
diesen Narren der vornehmen Gesellschaft trennt.

Er wird noch sichtbarer durch sein Geständnis seiner ersten Liebe,
einer Liebe zu dem armen, ihm im Stand gleichen Mädchen Emilie, der

er sich gleichwohl entzog, um seinen Ehrgeiz, seine Glückssuche nicht in der Enge und Armseligkeit zu vergraben. Das Clavigo-Motiv klingt an, und es bereitet sich der Konflikt vor, dessen Entscheidung gegen Ende des Spiels Herrmann auferlegt ist: als Wahl zwischen der in allem überlegenen Weltdame und dem simpel-ungebildeten, dürftigen Dienstmädchen, das nur die Tugenden der Unschuld und Einfalt auf seiner Seite hat. Und die Liebe als einen „rohen", d. h. unverfälschten „Naturtrieb", den Herrmann nur bei den Armen, nicht den Vornehmen voraussetzt, auch nicht bei der Gräfin.

> „Bey diesen Leuten ist das alles doch nur halb: die Liebe ist bey ihnen nur eine warme Kohle, in Höflichkeit abgekühlt, die Liebkosungen geschehen nur, um mit der Zärtlichkeit Parade zu machen – es ist wahrhaftig alles nur studirte abgezirkelte Grimmasse. Die Gräfin kann empfinden, stark empfinden: aber ich weiss nicht, die Empfindung ist bey ihr doch auch in eine gewisse Form eingezwängt, es ist so etwas abgemeßnes dabey, daß es aussieht, als wenns nicht Instinkt, sondern etwas Gelerntes wäre."[29]

Die gesellschaftlich vorfabrizierte Trennung scheint bis in den innersten Bereich zu greifen.

Wezel setzt in *Eigensinn und Ehrlichkeit* besonders oft den für seine Spielarchitektur typischen Monolog ein. Er schaltet an wesentlichen Konfliktpunkten Besinnungszäsuren ein, vermittelt zwischen dem Innenvorgang der Bühnenperson und dem Zuschauer, erleichtert letzterem den Überblick über die Situation, und verunsichert ihn auch wieder über den weiteren Handlungsgang, da die Reflexionen noch offen ins Unentschiedene hineinweisen.

Die Demütigungen, denen Herrmann im zweiten Akt durch den General, den höchst eigensinnigen Bruder der Gräfin und dessen Korporal, der jedoch in komischer Umkehr eigentlich der noch eigensinnigere Vormund seines Herrn ist, ausgesetzt wird, stimmen ihn gründlich um. Er wird als der ehemalige Furier entlarvt, als gewissenloser Mädchenjäger verleumdet. Die närrischen Figuren des General und seines Dieners variieren grotesk das Zentralthema: sie leben in einem permanenten Streit um Nichtiges, in dem ebenso permanent der General, trotz konstanter Rechthaberei, nachgeben muß. Mit wie gröblichen Schimpfsuaden auch der Korporal, als Stellvertreter seines Herrn, die Gräfin und Herrmann überfällt, die possenhafte Inszenierung wendet diesen Widerstand gegen die Mesalliance ins Komische und spielt damit den Konflikt ins Groteske. Die Verleumdung ist zugleich das Stichwort für Herrmann zur Erzählung der rührenden Leidensgeschichte seiner Liebe zu Emilie, bis er sie verlor, „ein Raub der Flammen, der Feinde oder des Elends".[30] Die Gräfin und der Zuschauer werden derart über seine Vor-

geschichte orientiert und mit der Rechtschaffenheit seines Charakters
vertraut. Hatten ihn Eigensinn und Bettlerstolz die Hand der Gräfin zu-
rückweisen lassen, jetzt scheinen Selbstgefühl, Zorn und Trotz in ab-
rupter Kehrtwendung seine stürmische Werbung zu veranlassen. Er
wirbt als Anwalt des ‚Menschen' gegen die ‚Gesellschaft', deren Hohn
er eben noch für sich und die Gräfin gefürchtet hatte. Das Pathos der
Sturm und Drang-Sprache klingt an:

> „Soll sogar die Liebe die Fesseln des Stolzes tragen, in welchen die Freuden dieses Le-
> bens schmachten und ersterben, wie vom Fieber ausgesaugt? – Die Liebe schreitet wohl
> sehr leicht mit Einem Satze über den schmalen Graben hinweg, den man Stand nennt, da
> sie über Meere, Gebirge und ganze Zonen hinwegspringen kann."[31]

Aber ist diese Liebe ihrer selbst so sicher? Der Psychologe Wezel läßt
in dem folgenden Monolog Herrmanns durchscheinen, daß er zuerst an
den „Baron", den unerhörten Glückswechsel denkt, erst dann an die
„beste Frau", die ihn ihm verspricht und „freilich wohl mehr ist als
Emilie – mehr in jedem Verstande!". Die Lebende verdrängt die Totgeglaubte.

Die bisherigen Widerstände gegen das ungleiche Liebesverhältnis
waren überwindbar; die eigentliche Prüfung bedeutet, daß der Zufall
Emilie zu allgemeiner Verwirrung in das gräfliche Haus als Dienstmädchen führt. Drei Konfliktbündel sind damit eingeleitet: zwischen
Herrmann und der Geliebten seiner armseligen Jugendjahre und zwischen der Gräfin und ihrer ungleichen Rivalin. Herrmanns dritter Monolog vergegenwärtigt den Konflikt, in den er zudem zwischen diesen
zwei Frauen geraten ist. Die Gräfin lockt mit der Glückseligkeit, die
ihm ihre Liebe, Standeserhöhung und Reichtum sichern – für Emilie
spricht die Pflicht der Treue, sein Gelöbnis, das moralische Gebot der
Ehrlichkeit, muß es auch mit dem Preis der Armut bezahlt werden. Die
Ehrlichkeit scheint über den Egoismus zu siegen. Doch legt Wezel dem
folgenden Dialog zwischen Emilie und Herrmann die Widerstände ein,
die in Herrmann verräterisch aufbegehren: fast zynisch klingt seine
„zerstreute" Frage, „wie kömmts, daß du nicht gestorben bist?"[32]
Übereilt schleudert er böse Kränkungen ihr entgegen, weil sie unter Gefahr ihrer Keuschheit der Armee folgte, ja er verurteilt sie auf ihre Frage,
was sie sonst hätte tun sollen, gleichsam nachträglich zum Tode: „Ver-
hungern! auf die Ruinen deines verheerten Städtchens dich setzen,
weinen und sterben!"[33] Er läßt sie unter schrecklichen Drohungen ihre
Keuschheit beschwören. Emilies Treue, Liebe und Reinheit zwingt ihm

trotz allen Widerstrebens das erneuerte Gelöbnis ab. Er scheint für die
Gräfin und das „Glück" scheint für ihn verloren zu sein.

Jetzt beginnt, mit neu einsetzender Spannungserwartung und Steigerung, gegen Ende des dritten Aktes, der Kampf zwischen den zwei Riva-
linnen. Emilie behauptet das moralische Recht auf ihrer Seite: „Wenn
doch die Reichen den Armen nicht die guten Männer wegnehmen wollten! Wenn mich eine so unglücklich machte und mir Herrmann weg-
nähme, so hätte sies am jüngsten Tage zu verantworten."[34] Die Gräfin
bedient sich ihrer Herrschaftsstellung; sie entläßt Emilie und schaltet
sie durch Stubenarrest aus dem Kampffeld aus. Ihr den Akt abschlie-
ßender Monolog verrät, wie tief sie jedoch getroffen ist: wie das niedrigste Mädchen um einen „Landstreicher" bitten und betteln zu müssen,
dem gleichwohl ihre Liebe gehört.

Der General und Graf Belmont werden zu Beginn des vierten Akts als
ungleiche Partner, die sich nur einig sind im Kampf gegen die Mesalliance, eingesetzt, um eine Bühnenaktion in Gang zu bringen, die jedoch mißlingt. Emilie erfährt durch sie den Eheplan der Gräfin, sie
drängen sie zum Prozeß gegen Herrmann wegen des gebrochenen Ehe-
versprechens, dessen Beweis ein Ring ist, und sie schüren das Mißtrauen der Gräfin durch die Aufdeckung von Herrmanns Wechsel-
schulden um einer unbekannten Madame willen, angeblich einer weiteren Rivalin für sie. Die Intrige greift fehl. Im erneuten Rückgriff auf
die Biographie Herrmanns wird seine edle Menschlichkeit während des
Krieges aufgedeckt, die Eifersucht der Gräfin – „ich habe mich erniedr-
rigt genug. Was hab ich nöthig, einen Mann von tausend Jungfern und
Madamen loszubetteln und loszukaufen?"[35] wird durch die Aufdek-
kung des nicht minder edlen Grundes seiner Schulden aufgehoben. So
bleibt als Hindernis seine Ehrenhaftigkeit wider seine Neigung und
sein Interesse gegenüber Emilie – eine Ehrenhaftigkeit allerdings, die
zugleich erneut ein Elendsdasein, Resignation, Verzicht auf alle
Glückshoffnungen, eine Schicksalsbitterkeit bedeutet – alles andere
als Vorzeichen einer glücklichen Ehe.

Jetzt setzt die Gräfin ihre überlegenen Mittel ein. Sie stellt zuerst
Emilie, dann Herrmann vor eine Freiheit erneuter Wahl. Aber geht es
wirklich um eine Freiheit der Wahl, wenn die Gewichte so ungleich
verteilt sind? „Entweder Emilien mit dem Vorwerke, oder mich mit allem, was mein ist".[36] Sie stürmt mit allen Überredungskünsten auf
Emilie ein, sie bietet Geschenke und Versorgung an, sie appelliert an
ihre Liebe, die das Glück für Herrmann wollen muß, sie drückt ihr einen Entsagungsbrief in die Hand – der Widerstand des hilflosen Mäd-

chens wird zunehmend unsicherer und schwächer. Und sie setzt Herrmann vor den Zwang der letzten Entscheidung in der Alternative zwischen diesem Brief, der ihm die Freiheit gibt, und zusätzlich einem Schenkungsbrief, der ihm ihr ganzes Vermögen sichert. Wezel tut alles, um den Verdacht Herrmanns und den Eindruck des Zuschauers zu beseitigen, die Gräfin habe Emilie zum Verzicht überredet, sie habe ihn ihr abgekauft. Er läßt sie noch vor Herrmanns Entscheidungswort deren Verzichtbrief verbrennen – dennoch wirft diese Konfliktlösung, die Herrmann zum Gatten der Gräfin, zum Baron und reichen Mann macht, Schatten der Fragwürdigkeit auf diesen Spielschluß. Das einander zubestimmte und ungleiche Paar hat nach allen Hindernissen beglückt sich vereinigt – dies entspricht dem konventionellen Lustspielschluß. Ihm widerspricht, daß diese Harmonie ein Opfer fordert. Zwar legt Wezel der Emilie in den Mund, daß es ein freiwilliges Opfer aus Liebe sei: „Ungern, weil ich dich verlieren muß, aber doch willig, weil ich dich glücklich sehen soll, da du durch mich ewig arm und elend geblieben wärst."[37]

Doch enthebt dies nicht der objektiven Problematik der Konstruktion des Spielausgangs. Emilie, deren einziger Besitz die unverläßliche Liebe ihres Herrmann war, an dem sie unter äußerster Not mit geradezu märtyrerhafter Treue festgehalten hatte, wird mit „kleinem Vermögen" entschädigt, beiseite geschickt und sich selbst überlassen. Herrmanns Abschied von ihr klingt fast wie Zynismus – offenbar von Wezel unbeabsichtigt. „Der Baron soll nie vergessen, daß dich der Informator" (eigentlich aber war es der Kammerdiener Ludolf!) „liebte, und wenn dein künftiger Mann zum erstenmale die Arme um dich schlingt, dann – denk an mich!".[38] Wezel bemüht sich, den Spielausgang einer moralisch-gesellschaftlichen Kritik zu entziehen, aber es gelingt ihm nicht. Man fragt sich, ob er, der in Herrmann viel von seiner eigenen desillusionierten Erfahrung eingelegt hat und der ihm von seinem Selbstgefühl und seiner radikalen Opposition gegenüber der Gesellschaft sicher einiges mitgab, der Fragwürdigkeit dieses Spielschlusses nicht bewußt war. Nötigte ihn das Schema des von ihm intendierten Lustspiels hier zu einem problematischen Schluß? Die soziale Funktion des traditionellen Lustspiels, am Ende die moralisch vorbildliche Norm mit der gesellschaftlichen Wertnorm in Einklang zu bringen, gelang ihm nicht. Um den Konflikt mit einer Vielzahl sich steigernder Komplikationen auszustatten bedurfte er dramaturgisch der Figur der Emilie; um das harmonische Ende der Prüfungen – und im begrenzten Sinne – einer Erziehung Herrmanns zu bewerkstelligen, mußte sie als Hindernis wieder fortgeschafft werden – beraubt ihrer Liebe und ihrer bescheidenen Glückshoffnung. War das nach den zeitgenössischen Standeskonventionen revolutionäre Thema von der Ehe zwischen einem sozial Niedrigen und der reichen Aristokratin nicht damit in das Pseudorevolutionäre verschoben, nämlich zu dem Resultat, daß das Glück der Vornehmen sich auf dem Verzicht und dem Kummer der Armen gründet? Die Gräfin triumphiert über ihr dürftiges und wehrloses Dienstmädchen, und sie beansprucht sogar, die Verpflichtung durch einen Schwur ungültig zu machen. Trotz aller Worte der Freundlichkeit bricht in ihrer siegbewußten Forderung nach dem Ring, der Herrmann und Emilie aneinander band, ein Anflug von Brutalität durch. „Ich beklage dich; aber ich muß ihn haben, und wenns dir den Finger kosten sollte."[39] Es mutet wie Hohn an, wenn sie das traurige Weinen Emilies als Tränen der Dankbarkeit mißinterpretiert.

Die Oberschicht ist durch diesen Spielausgang in ihrem ökonomischen und, wie Wezel es will, moralischen Übergewicht und in dem Anspruch, für eine soziale Gerechtigkeit zu sorgen, bestätigt. Denn die Gräfin hebt den rechtschaffenen, wenn auch lange unter dem Fehler des Eigensinns leidenden Herrmann zu sich empor, sie repräsentiert damit eine Gerechtigkeit des sozialen Ausgleichs, und sie beansprucht, die Moral auf ihrer Seite zu haben. Doch die Harmonie am Spielschluß kann nicht überdecken, daß ihre Voraussetzung der Verzicht der plebejischen Emilie auf ihre Rechte an Herrmann ist. Der Klassenausgleich dient derart der Oberschicht; der Plebejer Herrmann darf in sie dank der großzügigen Liebe der Gräfin eintreten. Von ihr geht die Initiative aus und sie setzt ihr Ziel durch. Die Tugenden der Armen sind hingegen die Unterwerfung und Selbstbescheidung. So ist, obwohl die Norm der gesellschaftlichen Eheordnung durch die Mesalliance verletzt ist, der Grundbestand der gesellschaftlichen Ordnung und die ihr implizierte Ungleichheit nicht in Frage gestellt. Auch der Aufsteiger Herrmann entgeht dieser Problematik nicht. Er stößt eine Liebe von sich, die ihm in der Zeit seiner Armut teuer gewesen war. So ehrlich er der Gräfin erscheint, diese Ehrlichkeit wird fragwürdig, wenn er ungeachtet aller Hochtöne der Empfindung sich gegen die Armut und eine niedrige Existenz für die Glücksseite des Reichtums und der Aristokratin entscheidet. Der Eigensinnige verspricht, nun wahrhaftig mit einem Extrem der Anpassung, „ein sanftes ruhiges Lamm" zu werden „und nie (zu) murren, als über sich selbst, daß es Ihnen nicht genug danken kann."[40] Der künftige Ehemann verspricht, zugleich der gehorsamste Untertan der Gräfin zu sein. Das gewichtigste unter den Spielen von Wezel stellt sich unter der Perspektive des Lustspiels wie in seiner gesellschaftlichen Konfliktlösung als sein am meisten problematisches Stück dar. Dies kann der rührende Schluß nicht verbergen, der die Gräfin, ihre Tochter-Comtesse und deren Hauslehrer als eine glückliche Familie vorführt, in der die Titel abgeschafft werden, nur Herz und Liebe regieren sollen und die fern der Gesellschaft in schlichter Ländlichkeit sorgenlos sich selbst leben will.

In den bisher besprochenen Stücken wich Wezel der Wahl eines Stoffes aus der Realität der bürgerlichen Gesellschaft aus. Lag es daran, daß er sich, wie die Vorrede behauptete, in ihr nicht auffinden ließ? Oder scheute er, unter dem Zwang der Anpassung an das Publikum und seine Bühne, davor zurück, beide zu provozieren? Er suchte den Ausweg in der Darstellung der adligen, vornehmeren Gesellschaft als einer von diesem Publikum distanzierten Gesellschaft. Er zeichnete sie jedoch so, daß mittels der Werte von Herz, Empfindung, Natur und in den Tugenden der Liebe, der Ehrlichkeit wie in der komischen oder ernsthaften Negation des Eigensinns jene geselligen und sozialen Qualitäten akzentuiert wurden, die seinem bürgerlichen Publikum Zustimmungs-, wenn nicht Identifikationsmöglichkeiten anboten. Er stellte ihm eine Gesellschaft dar, die seinen Wertvorstellungen in den positiv gemeinten Figuren entgegenkam und ihm zugleich gesellschaftlich voraus war: in Vermögen, geselliger Bildung und Lebensstil. Und er ließ die Narrheit bzw. die Karikatur dieser Gesellschaft nicht aus, wo sie die bürgerliche Kritik herausforderte. Wenn er in dem Einakter *Der erste Dank* ein bürgerliches Familiengemälde darstellte, gab er ihm die Stimmung und Moralität der rührenden Idylle. In ihr verklären sich auf dem Hintergrund des bürgerlichen Schocks eines Bankrotts die nicht minder bürgerlichen Tugenden der gelassenen Schicksalsergebung, der Ausdauer im Unglück und des Vertrauens auf Bescheidenheit und Arbeit. Der Einakter ist der Beweis der Folgen glücklicher Erziehung. Die Kinder geben den Eltern zurück, was sie ihnen verdanken, sie sind Versprechen der inneren Freude in künftiger Dürftigkeit. Die natürliche und sittliche Liebesgemeinschaft der Familie hat sich im Unglück bewährt.

Das fünfaktige Lustspiel *Die komische Familie* hingegen wird zum Zerrbild solcher Gemeinschaft, zum Gemälde einer Familien-„Schlangenhöhle". Man wird dieser Vorführung eines familiären Infernos, in dem fast jeder zum Teufel des anderen wird und fast alle sich auf ein wehrlos-unschuldiges Opfer stürzen, trotz komischer Einlagen, Verwicklungen, Konfusionen und trotz des aussöhnenden Spielausgangs

nur mit Mühe das Attribut des Komischen zusprechen. Zu bösartig
verbünden sich gehässig-kleinliche Leidenschaft, dumme Gleichgül-
tigkeit und törichte Schwäche, um aus ihr eine Hölle für das jüngste
Mitglied, die hilflos allen Quälereien und Verdächtigungen ausgesetzte
Kordchen, zu machen.

„Es ist närrisch, wie es bey uns hergeht: ich thu alles, was man mich heißt. Wenn ich
dergleichen Geld hätte, wie diese Leute, ich wollt' es auf eine andre Methodika verthun. –
Bald zanken, bald karessiren sie sich, bald weinen, bald lachen sie zusammen: immer ist
das Eine Spion des Andern. – Ach Welt! Welt! du bist eine böse Welt! eine verkehrte
Welt!",

so kommentiert kritisch der Diener Cyriaks,[41] was er sieht, hört und
mitspielen muß, um doch in den Masken von Dummheit, und Verstel-
lung, mechanischem Gehorsam und Sprichworten seinen Widerstand
und seine Anständigkeit zu verstecken – und wirksam zu machen. Wezels aus seinen Ehestandsgeschichten bekannter Ehe-Pessimismus
malt diese Misere mit unverhohlener Lust an ihrer Entlarvung aus. Eine
zanksüchtig-boshafte Tochter Esther treibt ihren borniert-hilflosen Vater, der immer von seiner Familienautorität und seinen „Prinzipien"
redet und nichts davon besitzt, gegen ihre dümmlich-eigensinnige
Mutter, sie hetzt beide gegen die jüngere Schwester und bereitet so dem
Aschenbrödel der Familie ein Martyrium. Esther scheut nicht vor dem
Kriminellen zurück: sie läßt Cyriaks die Geldpapiere stehlen, die der
Vater einem Advokaten anvertraut hatte, um sie aus neidischer Eifersucht zu verbrennen: allerdings vergeblich, was zum guten Ausgang des
Stückes beiträgt, in dem es wenig um Liebe, aber sehr viel um Geld und
Gelddiebstahl geht. Die Flucht der geplagten Tochter bringt sie selbst
in diesen Verdacht; daß er aufgeklärt und nun Esther als Schuldige entlarvt wird, trägt nicht wenig zur Versöhnung zwischen Kordchen und
dem Vater und damit zur Bewilligung ihres Ehebundes mit dem Advokaten bei. Wie stets in Wezels Lustspielen stürzt die Intrige, die die
Familie aus allen Fugen brachte, endlich erfolglos zusammen; sie wendet sich gegen den, der sie eingefädelt hat. Für die komische Aufladung
dieser miesen Mischung von Narrheit und Bosheit müssen die Nebenfiguren dienen: die Kontrasttypen der beiden Advokaten, die Figur des
Dieners, der in diesem Haus Kordchens einziger Freund ist. Mag einer
der Advokaten sie und das Spiel auch zum guten Ende führen, die Metapher von der verkehrten Welt meint diese Welt in der Verfassung einer
ganzen Familie. Nicht ein Einzelner wird hier wie im aufklärerischen
Lustspiel in Laster und Lächerlichkeit dargestellt und vernichtet, son-

dern diese Familie wird zur Repräsentation einer ganzen bürgerlichen
Gesellschaftswelt und je durchschnittlicher ihre Glieder sind, um so
glaubhafter wird diese Repräsentation. Sie zehrt das Lustspielhafte in
der Misere solcher Pervertierung auf.

Da die ‚komische Oper' *Der kluge Jakob* und das Spiel in Versen
Herr Quodlibet (beide T. 4) anderen Speziestraditionen folgen, wer-
den sie hier nur am Rand erwähnt. Ihre Publikation 1787 sagt nichts
über ihre Entstehungsjahre aus; sie dürften im Umkreis von Wezels
Leipziger Zeit zu finden sein. Das Libretto der komischen Oper war ein
Experiment in einer literarischen und theatralischen Modeform, die
vermutlich Wezel zur Parodie provozierte. Die Figurentypen wie das
Maskenspiel in Verkleidungen und Vertauschungen weisen auf die
Commedia dell'Arte zurück. Wezel reduziert sie zu einer Art Kasperle-
spiel. Die Lust an der Parodie erstreckt sich auf literarische Aktualitä-
ten: die Empfindsamkeit und eine durch Romane und Seelenlyrik auf-
gereizte Liebes- und Gespensterromantik müssen herhalten, der Bän-
kelsang und die von ihm inspirierte Balladenpoesie, die ländliche Idyl-
len- und Volkspoesie und noch die heroisch-patriotische Staatsaktion
in einem Theaterspanien. Der kluge Bauer ist, in Manier eines Harle-
kin, der Regisseur des Narrenspiels. Er rettet dem König Reich und
Krone und gewinnt für sich in lebenskluger Mäßigung ein Meierhöf-
chen. Im abenteuerlichen Wirbel der Szenen parodiert sich die Parodie
nochmals selbst. Die Wechsel „zwischen Ernst und Hohn, Satire und
Stimmung, einfach naivem Ton und Übertreibung", die K. Adel mo-
niert,[42] sind ebenso komische Spielstrategie wie die Wechsel von Pro-
sadialog, Rezitation, Balladen, pathetischen Empfindungsliedern und
Chören und die Wechsel in den Stillagen. Die Parodie wird in der
Selbstparodie potenziert.

Den Spielrahmen bildet in *Herr Quodlibet* ein leichtfüßig-munteres
Täuschungsspiel, das zwei Liebende zusammenführt. Die fiktive Im-
provisation steigert so wie die Wahl der nachlässig gehandhabten
Alexandriner den geselligen Unterhaltungscharakter. Den Einsatz bildet eine parodistische Imitatio des Schäferspiels; zu seinem Traditions-
typus gehört der Streit zwischen der Spröden und dem Werber wie die
Verswahl. Ziel der Parodie ist die Figur eines so eitlen wie windigen
Universalpoeten, der sich als Virtuose in allen zeitgenössischen Litera-
tursparten ausgibt, doch über schlechte Verse, die nur naive Dienstmädchen zur Bewunderung hinreißen oder als Schlafmittel Qualität
haben, nicht hinauskommt. Die Literaturparodie, die ein Publikum
von Literaturkennern voraussetzt, verschont weder Shakespeare noch

G. A. Bürger. Aus der Karikatur des närrischen Literaten spricht Wezels Selbstironie und vielleicht auch sein Protest dagegen, zu solchen Alles-Dichtern gezählt zu werden.

Wezel zehrt in der Ausgestaltung der komischen Wirkungseffekte seiner Lustspiele mit Virtuosität von dem Vorrat an Darstellungsmitteln, den er in der zeitgenössischen europäischen Lustspielliteratur reichlich angehäuft fand. In der Entwicklung komischer Überraschungs-, Täuschungs- und Gesprächszenen, von mimischer und gestischer Bewegungsturbulenz, im Aufbau und in der Beweglichkeit der Dialoge beweist sich eine einfalls- und abwechslungsreiche vis comica. Es verbietet sich hier, im Detail ihre Mobilität und die witzige, wenn auch oft possenhafte Pointenfülle seiner Bewegungs-, Verfolgungs-, Streitszenen zu katalogisieren. Er hat kaum neue Mittel erfunden, aber er hat sie geschickt ins Spiel und zu Effekt gebracht. Doch kann diese Virtuosität nicht die Schwächen seiner Lustspiele verdecken. Sei es, daß seine heftige Klage, das deutsche bürgerliche Leben biete ihm nicht genug an Nährstoff, begründet war, sei es zudem, daß ihm das Erfindungs- und Konstruktionstalent für Lustspielplots abging – es fehlt den Spielen ein im Menschlichen oder im Gesellschaftlichen eingelegter substantieller Problem- und Konfliktgehalt. Und wo er, wie in *Eigensinn und Ehrlichkeit*, einen Stoff mit erheblicher gesellschaftlicher Schlagkraft aufnahm und vielleicht auch auf eigene Erfahrungen sich bezog, rinnt ihm die Lustspielform aus den Händen. Vielleicht veranlaßte, daß er selbst ihrer nicht recht sicher war, sein Ausweichen zu der rührenden dramatisierten Anekdote, zur komischen Oper und zum sich als Literaturparodie darstellenden Einakter in Versen. Mag auch sein, er wollte die gesellschaftskritische Provokation von Publikum und Bühne vermeiden und geriet derart zu sehr in leichtes Handwerk für das Unterhaltungstheater.

Der Mangel an substantiellem Gehalt drückt sich als eine Reduktion der lustspielhaften Fabel und ihrer Motive aus. Damit geht ein einheitlicher alle Szenen umspannender und sie funktional verkettender Handlungskonnex verloren. Dies wirkt schwächend auf eine finale Spannungs- und Interessenführung zurück. Wezels additive Bautechnik, die starke und grelle Kontraste in den Szenen, Figuren und in der sprachlichen Szenenfüllung nebeneinander stellt, verführt zu einem episodischen Verfahren. Diese Spielepisoden haben in sich die Tendenz zur Überdehnung und zur Verselbständigung. Gleiches gilt für die ernsthaft-empfindungsvollen und psychologisch differenzierteren Szenen und Dialoge. Die Vermischung der satirischen Typen- bzw. Charakterkomödie und der rührenden Komödie hatte in seinen Lustspielen ein dualistisches Nebeneinander zum Resultat. Da Wezel seine Wirkungen vornehmlich aus der Einzelszene und Einzelfigur, aus der einzelnen Dialog- oder gestischen Situation bezog, gab er ihr eine verstärkende, durch Wiederholung zu breit gestreckte Ausgestaltung. Der dürftige Handlungskonnex treibt nicht voran; dies gibt vielen Szenen, gerade den komischen Szenen bei aller ihrer Turbulenz etwas Statisches. Das Gestaltungsinteresse des Autors konzentrierte sich auf die dargestellten Figuren und Figurentypen, ihre Veranlagungen, Triebimpulse, seien sie nun mehr charakterlich oder gesellschaftlich bestimmt. Herrmann lebt in „Eigensinn und Ehrlichkeit" nicht nur unter dem „Zwang" seiner „Natur", er ist auch durch seine Biographie, die ihn in der ihn umgebenden Gesellschaft keinen ihm gemäßen Platz finden, sondern nur den Druck und die Abweisung durch die Gesellschaft erfahren ließ, bestimmt.

Die Kontrasttechnik Wezels setzt sich in der Konfrontation kontrastierender Personen fort. Mit typisierten Charakteren muß folglich Wezel auch bei jenen arbeiten, die im Gegensatz zu den schrulligen Sonderlingen, gutmütig-unschädlichen oder töricht-boshaften Narren eine vorbildliche Menschlichkeit mit inneren Werten repräsentieren. Seine Bühnen- und Gesellschaftswelt fällt in einen Dualismus auseinander: der Gruppe der komischen, närrischen und karikierten Figuren, die sich dem gegenüber, was sein soll, als hindernd erweisen, wenn sie es auch nicht aufhalten können, steht die Gruppe jener gegenüber, die trotz der Widerstände das Positive verwirklichen und so zum guten Spielschluß verhelfen. Dieser Dualismus wiederholt sich, besonders deutlich in „Die seltsame Probe" und in „Eigensinn und Ehrlichkeit", in einer Unterschiedlichkeit der Stillagen des Dialogs. Einem grobianischen, karikierenden Sprechstil, der zudem stark mit Mimischem durchsetzt ist und die Gestikulation in sich mitzeichnet, findet sich entgegen ein gestikulatorisch zurückhaltender, höher getönter Stil, der durch Herz, Empfindung, Vernunft bestimmt ist. Offensichtlich liegt die Gestaltungslust des Autors – und seine Gestaltungsgabe – im Komisch-Grotesken, auf seinem Widerspruch zu der vorbildlich sein sollenden Welt. Sie engagiert sich weniger an dem Prozeß, der zu dem guten Ende hinführt, mehr an dem, was sich an Närrischem ihm widersetzt. Wezel legt den Akzent auf die Komik der Unordnung und des Widersinnigen, auf das Narrentheater des Lebens. Die Folge ist, besonders sichtbar in *Die seltsame Probe*, die Übergewichtung der komischen

Auftritte, deren funktionaler Bezug zum Spielprozeß und -ausgang recht dünn ist.

Geht es in diesen Schwächen nur um eine Unzulänglichkeit des Autors oder sind sie zusätzlich symptomatisch für die Bemühung, an einer Spielform festzuhalten, als deren Voraussetzungen nicht mehr gegeben waren? Es wurde schon gesagt: Wezel löst sich konservativ – wie die Bühnen, für die er schrieb – nicht von den bis um die Mitte des 18. Jahrhunderts geschaffenen Lustspielformen der satirischen Typenkomödie und des rührenden Lustspiels. Dieser Konservativismus trennt den Lustspielautor von dem Romanerzähler, der „progressiv gegen die Zeit"[43] darauf zielte, „typische Muster privaten Verhaltens in öffentlicher Demonstration als fragwürdig und illusionär bloßzustellen, sie auf ihre elementaren physiologischen Impulse zurückzuführen und damit der ungreifbaren Macht der gesellschaftlichen Rechtfertigung zu entziehen."[44]

Wezel ist fern von jenem Optimismus, der seit J. Chr. Gottsched die gesellschaftliche Funktion, den Inhalt und die Form des Lustspiels auf der Überzeugung gründete, daß durch ein Verlachen der Charaktertypus, der die Normen von Vernunft, Sitte oder Moral verfehlte und damit gegen die Ordnungen und Konventionen der Gesellschaft verstieß, wiederum in ihr System zurückgeführt und eingepaßt werden könne. Die Narren, die er vorführt – sehr verschiedene Narrheiten zwischen harmlos-schrulliger und bösartiger Artung – und die er durch Komik bis zur Karikatur signalisiert, sind statisch aufgefaßt: sie ändern sich nicht, sie sind unheilbar in ihren Schwächen oder ihrem Eigensinn. Zwar muß man differenzieren: der verblendete Ehetyrann in *Ertappt! ertappt!* gelangt dank seiner Frau zu beschämter, reuiger Einsicht. Aber Graf Belmont und der General, der zu seinen Vögeln zurückeilt, in *Eigensinn und Ehrlichkeit* bleiben, was sie sind, nicht anders der zynische Materialist und Prahler v. Brand und der habsüchtige Onkel v. Thalberg in *Die seltsame Probe*. Brand wird durch eine höllische Ehe, die bösartige Esther in *Die komische Familie* wird durch Verlust der Mitgift und damit vermutlich mit Ehelosigkeit bestraft. Dies verändert die Position der Intrige. Sie diente im satirischen Charakterlustspiel, eingebaut in einen einheitlichen und zielstrebigen Handlungskonnex, der Selbsterkenntnis und Heilung des defekten Charakters. In den Spielen von Wezel – ausgenommen von *Rache für Rache*, wo man sich gegenseitig nur bescheidene Streiche und Täuschungen wie Verwirrungen zuspielt – wird die Intrige von den Narren angezettelt: der Onkel und der Kapitän wollen dem jungen Thalberg in *Die seltsame Probe* das reiche Fräulein abjagen, Graf Belmont und der General wollen in *Eigensinn und Ehrlichkeit* die Gräfin an der Mesalliance hindern. Sie scheitern an ihrer Narrheit. So wie in *Die komische Familie* Esther scheitert, weil sie die Grenze zum Kriminellen überschritten hat. Die Narren vermögen ein gutes Ende des Spiels nicht aufzuhalten. Doch gibt es eine zweite Art der Intrige in Wezels Spielen: eine Probe oder Prüfung zwischen denen, die für einander bestimmt sind, bevor das gute Ende erreicht ist. Darin – in *Die seltsame Probe*, in *Eigensinn und Ehrlichkeit*, auch in *Ertappt! ertappt!* – wirkt sich Wezels Lessing-Nachfolge aus. Aber nicht mehr die Entlarvung der Narren ist das Ziel des Spiels, da im Spielverlauf die Narrheit und Torheit, indem sie sich dem Zuschauer darstellt, sich selbst entlarvt: in Komik, in der Karikatur. Sondern Ziel des Spiels ist das glückliche Ende als Vereinigung von zwei Menschen entgegen allen Widerständen und Zufällen. Dies entspricht den Tendenzen des rührenden Lustspiels und zeigt eine Verinnerlichung der Figuren an, die zu solchem Glücksziel gebracht werden. Im älteren Spiel lag das Gewicht auf der Rekonstitution der gesellschaftlichen Normen – hier geht es um die Befriedigung der privaten Glückserwartung. Die Gesellschaft, als Hindernis, das sich entgegensetzt, muß überwunden werden. So zum Beispiel in *Der blinde Lärm*. In *Eigensinn und Ehrlichkeit* soll das innermenschliche und innerfamiliäre Glück vorbildlich auf die falsche Gesellschaftsordnung zurückwirken – mit allerdings, wie gezeigt wurde, fragwürdigen Voraussetzungen. In der älteren Typenkomödie war die lächerliche oder ‚lasterhafte‘ Figur ein Ausnahmefall gegenüber den Normen der Gesellschaft. Bei Wezel ist es umgekehrt. Die Behauptung innerer Werte des Gefühls und das Erringen des von ihnen gegründeten Glücks wird zur Ausnahme innerhalb einer Gesellschaft von asozialen Egoismen, Vorurteilen, Torheiten und Schwächen. Eine Ausnahme ist der junge v. Thalberg in *Die seltsame Probe*, sind die Gräfin und Herrmann in *Eigensinn und Ehrlichkeit*, ist Kordchen in *Die komische Familie*. Von ihnen her bestimmt sich die Leitlinie der Spiele thematisch und die Narrenfiguren bleiben insofern Nebenfiguren als sie auf den Ausgang des Spiels keine Einwirkung haben. Wenn auch sie in der szenischen und dialogischen Ausfüllung um ihrer lustspielhaften Wirkung willen und weil ihnen eine darstellerische Vorliebe des Autors gehört, breit ausgestaltet werden. Denn sie müssen das komische Lustspiel gegen das rührende Lustspiel retten. Dies erübrigt sich, wenn, wie in *Rache für Rache* oder *Kutsch und Pferd* die ganze Gesellschaft zu einer Narren- und Spielgesellschaft wird, die darum harmlos ist weil sie sich in ihrem eigenen Kreise dreht.

Diese Veränderungen deuten auf den historischen Prozeß hin, der nach 1760 eingesetzt hat. Er hat den älteren Spielmodellen die Voraussetzungen entzogen und derart gleichsam zu einer ‚Ermüdung' der Form geführt. Ihre technischen Mittel blieben zwar unangefochten, die Virtuosität ihrer Handhabung ist noch gewachsen, aber im Inhaltlichen und in der Funktion haben sich Verunklärungen und Brüche eingestellt. Wezel hat die Wandlungen des Lustspiels nicht mitvollzogen, zu denen sich seine Generationsgenossen im Sturm und Drang entschieden haben. Indem er konservativ und vermutlich von seinem Bühneninteresse dazu genötigt an den alten Formen festhielt, gab er an sie das literarische Gewicht seiner Lustspiele preis – trotz einer spielfrohen und virtuosen vis comica, die für den Leser im Detail der Figuren, der Auftrittsarrangements und der Dialoge noch heute nicht wirkungslos wurde.

Anmerkungen

[1] Trotz aller Bemühungen über den Fernleihverkehr- ließ sich ein Exemplar von J. K. Wezel, *Die Komödianten, ein theatralisches Sittengemälde*, erschienen Dessau 1783 (2. Auflage „*Herausgegeben von dem Verfasser*" ohne Namensangabe, „*Deutschland, zu finden in den Buchläden*" 1783), danach in *Deutsche Schaubühne*, Wien 1765–1804 Band, 257, nicht rechtzeitig beschaffen. So sei anmerkungsweise nachgetragen: Die leicht hingeworfene, mit einem parodistischen Tableau abrupt beendete Posse, eine boshafte Generalabrechnung des enttäuschten Autors Wezel, ist in ihrer Schauspielersatire ein aggressives Gegenstück der Publikumsbeschimpfung in der Einleitung der Lustspielsammlung. Den Rahmen bildet die Diskussion eines aristokratischen und mäzenatischen Ehepaars über die Vorzüge der französischen und englischen Autoren und Bühnen gegenüber der Miserabilität des deutschen Theaters, an der die Schauspieler schuldig sind – in ihrer Unfähigkeit als Akteure und Autoren, ihrer grotesk verlumpten Zuchtlosigkeit, Selbstanmaßung, Zanksucht und Unbildung. Sie werden als zu nichts brauchbarer Narrenhaufen, als ein „Haufen Ratten; eine frißt die andere" (S. 10) vorgeführt. Sie verhindern ein deutsches Nationaltheater, sie verderben eine deutsche dramatische Nationalliteratur. Die Vorrede spricht von einem Racheakt Wezels am Wiener Nationaltheater, das wie die deutschen Bürger mit zorniger Betroffenheit reagiert haben soll. Aber es geht um eine demaskierende Karikatur der allgemeinen deutschen Theatersituation, an der nach Wezels Sicht seine dramatischen Bemühungen scheitern mußten. Die Posse wird zu einer Begleitbeleuchtung von Goethes *Wilhelm Meisters theatralische Sendung*.

[2] Johann Carl Wezel, *Lebensgeschichte Tobias Knauts, des Weisen, sonst der Stammler genannt*. Faksimiledruck nach der Ausgabe von 1775. Mit einem Nachwort von Victor Lange. 4 Bde. Deutsche Neudrucke, Reihe Texte des 18. Jahrhunderts Stuttgart 1971; ebenda: *Hermann und Ulrike*. Faksimiledruck nach der Ausgabe von 1780. Mit einem Nachwort von Eva D. Becker. 4 Bde Stuttgart 1971; *Kritische Schriften* 2 Bde. Herausgegeben mit einem Nachwort und Anmerkungen von Albert R. Schmitt Stuttgart 1971. J. C. Wezel,*Belphegor oder die wahrscheinlichste Geschichte unter der Sonne* wurde ediert von Hubert Gersch, Bibliothek der Romane, Insel-Verlag Frankfurt a. M. 1965.

[3] *Sammlung der besten deutschen Schriftsteller und Dichter 127. Theil. Wezels Lustspiele. Bey Christian Gottlieb Schmieder, Carlsruhe 1783.* Dieser Sammlung fehlt der *Vierte Theil.* Für die Erlaubnis der Benutzung seiner Bibliothek bin ich Herrn Arno Klemm zu Dank verpflichtet.

[4] Als Kuriosum sei vermerkt, daß in *ADB* Bd. 42, S. 292 zwar die Lustspiele genannt und wegen ihrer „leichten Beweglichkeit" hervorgehoben, die Romane hingegen völlig übergangen werden.

[5] z. B. Günther Wicke, *Die Struktur des deutschen Lustspiels der Aufklärung.* Abhandlungen zur Musik-, Kunst- und Literaturwissenschaft Bd. 63 Bonn 1965; Walter Hinck, *Das deutsche Lustspiel im 18. Jahrhundert.* In: *Das deutsche Lustspiel* I. Kleine Vandenhoeck-Reihe, Göttingen 1968; Diethelm Brüggemann, *Die sächsische Komödie. Studien zum Sprachstil.* Mitteldeutsche Forschungen Bd. 63. Köln, Wien 1970; Horst Steinmetz, *Die Komödie der Aufklärung.* 2. Aufl. Metzlers Realienbücher für Germanisten Abt. Literaturgeschichte. Stuttgart 1971.

[6] Walter Dietze, „Elend und Glanz eines ‚Deutschen Candide'. Vorläufige Bemerkungen zu Johann Karl Wezels Roman Belphegor oder die wahrscheinlichste Geschichte unter der Sonne." *Wissenschaftliche Zeitschrift der Karl Marx-Universität Leipzig* 14. Jahrgang 1965. *Gesellschafts- und Sprachwissenschaftliche Reihe.* Heft 4 S. 771–796; Kurt Adel, *Johann Wezel. Ein Beitrag zur Geistesgeschichte der Goethezeit.* Wien 1968; Hans Peter Thurn, *Der Roman der unaufgeklärten Gesellschaft. Untersuchungen zum Prosawerk Johann Karl Wezels.* Studien zur Poetik und Geschichte der Literatur Bd. 30. Stuttgart 1973.

[7] *Briefe von und an Lord Rivers. Während seines zweiten Aufenthalts in Deutschland. Aus dessen Originalpapieren übersetzt.* Leipzig 1782.

[8] *Theil* 1 und 2 der *Lustspiele* erschienen 1778 und 1779 in Leipzig, ebenda *Theil 3* und *4* 1784 und 1787.

[9] Brief vom 28. Oktober 1774.

[10] *Kritische Schriften* Bd. 2, S. 563.

[11] Ebd. S. 739.

[12] *Lustspiele von J. K. Wezel. Erster Theil. Carlsruhe 1783*, S. 61. Daß es hier um ein metaphorisches Leitmotiv bei Wezel geht, verdeutlicht Wolfgang Promies, *Der Bürger und der Narr oder das Risiko der Phantasie,* Literatur als Kunst, München 1966, S. 314 f., an der *Lebensgeschichte Tobias Knauts.*

[13] *Kritische Schriften,* Bd. 2, S. 738.

[14] Ebd. S. 738.

[15] Ebd. S. 738.

[16] Ebd. S. 739.

[17] Zu den stofflich-motivlichen Anlehnungen Kurt Adel S. 75 ff.

[18] Hans Peter Thurn, S. 96 f.

[19] *Hermann und Ulrike.* Faksimiledruck, Bd. 1, S. II.

[20] Hans Peter Thurn, S. 295 f.

[21] Vgl. Kurt Adel, S. 21.

[22] *Kritische Schriften,* Bd. 2, S. 739.

[23] vgl. dazu Yueksel Pazarkaya, *Die Dramaturgie des Einakters. Der Einakter als eine besondere Erscheinungsform im deutschen Drama des 18. Jahrhunderts.* Göppinger Arbeiten zur Germanistik 69 Göppingen 1973.

[24] *Lustspiele von J. K. Wezel, Erster Theil,* S. 24.

[25] Ebd. S. 65 f.

[26] Ebd. S. 329.

[27] Wezel war selbst in den Jahren 1769 bis wahrscheinlich 1774 und vermutlich 1776 Hauslehrer in adligen Familien.

[28] *Lustspiele von J. K. Wezel. Zweiter Theil,* S. 24.

[29] Ebd. S. 53.

[30] Ebd. S. 81.
[31] Ebd. S. 87.
[32] Ebd. S. 110
[33] Ebd. S. 112f.
[34] Ebd. S. 127.
[35] Ebd. S. 156.
[36] Ebd. S. 173.
[37] Ebd. S. 193.
[38] Ebd. S. 197.
[39] Ebd. S. 195.
[40] Ebd. S. 198.
[41] Ebd. *Dritter Theil*, S. 145.
[42] Kurt Adel, S. 84.
[43] Victor Lange, Nachwort zu *Lebensgeschichte Tobias Knauts*. Bd. 4, S. 45.
[44] Ebd. S. 18f.

Walter Dietze

Metaphorik und Realität – ein Versuch

Gott! was verliert man, in gewissen Jahren, die man nie wieder zurückhaben kann, durch gewaltsame Leidenschaften, durch Leichtsinn, durch Hinreißung in die Laufbahn des Hazards.

Ich beklage mich, ich habe gewisse Jahre von meinem *Menschlichen* Leben verloh-
5 ren: und lags nicht blos an mir sie zu genießen? bot mir nicht das Schicksal selbst die ganze fertige Anlage dazu dar? Die vorigen leichten Studien gewählt, französische Sprache, Geschichte, Naturkänntniß, schöne Mathematik, Zeichnung, Umgang, Talente des lebendigen Vortrages zum Hauptzwecke gemacht – in welche Gesellschaften hätten sie mich nicht bringen können? wie sehr nicht den Genuß meiner Jahre
10 vorbereiten können? – Autor wäre ich alsdenn Gottlob! nicht geworden, und wie viel Zeit damit nicht gewonnen? in wie viel Kühnheiten und Vielbeschäftigungen mich nicht verstiegen? wie viel falscher Ehre, Rangsucht, Empfindlichkeit, falscher Liebe zur Wissenschaft, wie viel betäubten Stunden des Kopfs, wie vielem Unsinn im Lesen, Schreiben und Denken dabei entgangen? – Prediger wäre ich alsdenn wahrscheinli-
15 cher Weise nicht oder noch nicht geworden, und freilich so hätte ich viele Gelegenheit verloren, wo ich glaube, die besten Eindrücke gemacht zu haben: aber welcher übeln Falte wäre ich auch damit entwichen! Ich hätte meine Jahre geniessen, gründliche, reelle Wißenschaft kennen, und Alles anwenden gelernt, was ich lernte. Ich wäre nicht ein Tintenfaß von gelehrter Schriftstellerei, nicht ein Wörterbuch von Künsten
20 und Wißenschaften geworden, die ich nicht gesehen habe und nicht verstehe: ich wäre nicht ein Repositorium voll Papiere und Bücher geworden, das nur in die Studierstube gehört. Ich wäre Situationen entgangen, die meinen Geist einschlossen und also auf eine falsche intensive Menschenkänntniß einschränkten, da er Welt, Menschen, Gesellschaften, Frauenzimmer, Vergnügen, lieber extensiv, mit der edlen feu-
25 rigen Neubegierde eines Jünglinges, der in die Welt eintritt, und rasch und unermüdet von einem zum andern läuft, hätte kennenlernen sollen. Welch ein andres Gebäude einer andern Seele! Zart, reich, Sachenvoll, nicht Wortgelehrt, Munter, lebend, wie ein Jüngling! einst ein glücklicher Mann! einst ein glücklicher Greis! – O was ists für ein unersätzlicher Schade, Früchte affektiren zu wollen, und zu müßen, wenn man
30 nur Blüthe tragen soll! Jene sind unächt, zu frühzeitig, fallen nicht blos selbst ab, sondern zeigen auch vom Verderben des Baums. „Ich wäre aber alsdenn das nicht geworden, was ich bin!" Gut, und was hätte ich daran verlohren? wie viel hätte ich dabei gewonnen!

O Gott, der den Grundstof Menschlicher Geister kennet, und in ihre körperliche
35 Scherbe eingepaßt hast, ists allein zum Ganzen, oder auch zur Glückseligkeit des Einzeln nöthig gewesen, daß es Seelen gebe, die durch eine schüchterne Betäubung gleichsam in diese Welt getreten, nie wissen, was sie thun, und thun werden; nie dahin kommen, wo sie wollen, und zu kommen gedachten; nie da sind, wo sie sind, und nur durch solche Schauder von Lebhaftigkeit aus Zustand in Zustand hinüberrau-
40 schen, und staunen, wo sie sich finden? ...

Auf der Erde ist man an einen todten Punkt angeheftet; und in den engen Kreis einer Situation eingeschlossen. Oft ist jener der Studierstul in einer dumpfen Kammer, der Sitz an einem einförmigen, gemietheten Tische, eine Kanzel, ein Katheder – oft ist diese, eine kleine Stadt, ein Abgott vom Publikum aus Dreien, auf die man horchet,
45 und ein Einerlei von Beschäftigung, in welche uns Gewohnheit und Anmaßung stos-

sen. Wie klein und eingeschränkt wird da Leben, Ehre, Achtung, Wunsch, Furcht,
Haß, Abneigung, Liebe, Freundschaft, Lust zu lernen, Beschäftigung, Neigung – wie
enge und eingeschränkt endlich der ganze Geist. Nun trete man mit Einmal heraus, oder vielmehr ohne Bücher, Schriften, Beschäftigung und Homogene Gesell-
50 schaft werde man herausgeworfen – welch eine andre Aussicht! . . . o Seele, wie wird
dirs seyn, wenn du aus dieser Welt hinaustrittst?
. . . Welch neue Denkart! aber sie kostet Thränen, Reue, Herauswindung aus dem Alten, Selbstverdammung!

    Hab nun ach die Philosophey
    Medizin und Juristerey,
    Und leider auch die Theologie
    Durchaus studirt mit heisser Müh.
5   Da steh ich nun ich armer Tohr
    Und bin so klug als wie zuvor.
    Heisse Docktor und Professor gar
    Und ziehe schon an die zehen Jahr
    Herauf herab und queer und krum
10 Meine Schüler an der Nas herum
    Und seh daß wir nichts wissen können,
    Das will mir schier das Herz verbrennen.
    Zwar bin ich gescheuter als alle die Laffen
    Docktors, Professors, Schreiber und Pfaffen
15 Mich blagen keine Skrupel noch Zweifel
    Fürcht mich weder vor Höll noch Teufel.
    Dafür ist mir auch all Freud entrissen
    Bild mir nicht ein was rechts zu wissen
    Bild mir nicht ein ich könnt was lehren
20 Die Menschen zu bessern und zu bekehren,
    Auch hab ich weder Gut noch Geld
    Noch Ehr und Herrlichkeit der Welt.
    Es mögt kein Hund so länger leben
    Drum hab ich mich der Magie ergeben
25 Ob mir durch Geistes Krafft und Mund
    Nicht manch Geheimniß werde kund.
    Daß ich nicht mehr mit sauren Schweis
    Rede von dem was ich nicht weis.
    Daß ich erkenne was die Welt
30 Im innersten zusammenhält
    Schau alle Würkungskrafft und Saamen
    Und thu nicht mehr in Worten kramen.

    O sähst du voller Mondenschein
    Zum letzten Mal auf meine Pein
35 Den ich so manche Mitternacht
    An diesen Pult heran gewacht.
    Dann über Bücher und Papier
    Trübseelger Freund erschienst du mir.
    Ach könnt ich doch auf Berges Höhn
40 In deinem lieben Lichte gehn
    Um Bergeshöhl mit Geistern schweben
    Auf Wiesen in deinem Dämmer weben
    Von all dem Wissensqualm entladen
    In deinem Thau gesund mich baden.

45 Weh! steck ich in den Kerker noch
    Verfluchtes dumpfes Mauerloch
    Wo selbst das liebe Himmels Licht
    Trüb durch gemahlte Scheiben bricht.
    Beschränkt von all dem Bücherhauff
50 Den Würme nagen, Staub bedeckt
    Und bis ans hohe Gewölb hinauf
    Mit angeraucht Papier besteckt
    Mit Gläsern Büchsen rings bestellt
    Mit Instrumenten vollgepropft
55 Uhrväter Hausrath drein gestopft,
    Das ist deine Welt, das heisst eine Welt!

    Und fragst du noch warum dein Herz
    Sich inn in deinem Busen klemmt?
    Warum ein unerklärter Schmerz
60 Dir alle Lebensregung hemmt.
    Statt all der lebenden Natur
    Da Gott die Menschen schuf hinein
    Umgiebt in Rauch und Moder nur
    Dich Tiergeripp und Todtenbein.

65 Flieh! Auf hinaus in's weite Land! . . .

Entstehungs- und editionsgeschichtlich haben die beiden konfron-
tierten Text-Ausschnitte[1] mancherlei gemeinsam. Wie hinlänglich bekannt, befanden sich die Werke, aus denen sie stammen, an jener Jah-
reswende in statu nascendi, an der sich Herder und Goethe erst im
Gasthof zum Geist und dann im Geiste selbst begegneten. Wie vielleicht noch bekannter, sind beide Werke erst lange nach dem Tode ihrer
Verfasser der Öffentlichkeit im Druck vorgelegt worden,[2] 1846 und
1887. Eine seltsame Koinzidenz.

Von den äußeren Umständen her kann dennoch nicht ohne weiteres
und kurzschlüssig auf innere Zusammenhänge, gar direkte und not-
wendige Zusammengehörigkeit geschlossen werden. Ob Goethe damals Herders handschriftliche Reisenotizen, die größtenteils wohl in
Nantes entstanden waren,[3] im Wortlaut hat zur Kenntnis nehmen
können, ist durchaus ungewiß. Denkbar, sogar wahrscheinlich, daß
Herder ihm mündliche Mitteilung davon machte.[4] Eindeutige Belege
jedoch fehlen. Ob andrerseits Goethe zu diesem Zeitpunkt überhaupt
schon über schriftlich Fixiertes aus dem *Urfaust*-Entwurf verfügte,
speziell den Eingangsmonolog bereits zu Papier gebracht hatte, wissen
wir nicht. Daß er Herdern gleich während dieser ersten Begegnung
schon präzise in diese noch unkonturierten Pläne einweihte, darf mit
Fug bezweifelt werden. Vertraut man der Stichhaltigkeit der Rechen-

schaftslegung, die, aus einem Abstand von vier Jahrzehnten, ins zehnte Buch von *Dichtung und Wahrheit* einfließt, so sind „diese Dinge" damals weder in einer Niederschrift vorhanden gewesen noch etwa dem neugewonnenen Lehrer und Freund auch nur andeutungsweise gebeichtet worden.[5] Und selbst wenn wir wüßten, daß derartige Informationen mehr der „Dichtung" als der „Wahrheit" zuzurechnen wären, läge auch in solcher Korrektur kein weiterführender Erkenntniswert.

Biographischer Heuristik lassen sich mithin nur leise Winke und Hindeutungen abgewinnen. Sie müssen als Prämissen sorgfältig beachtet, dürfen aber nicht in den Rang omnipotenter Erklärungsgründe erhoben werden. Platter Positivismus, der sich mehr als einmal auf solche Tollkühnheiten einließ, gelangt dann niemals recht über den Zaun gescheiter Einzelbeobachtungen hinaus, es sei denn ins weite Gefilde simplifizierender Verstiegenheiten.[6] Also vermag nur die eindringliche Befragung der Texte selbst – in historisch-aktuellem Verstande, bei gleichzeitiger Respektierung und Aufhebung ihrer „immanenten" Werte – einen Schlüssel zur Lösung des Rätsels zu bieten? Es käme auf den Versuch an.

Methodischer Ausgangspunkt unsrer Konfrontation ist die Beobachtung eines dialektischen Wechselverhältnisses zwischen beiden Texten. Daß sie eine vehement sich äußernde thematische Korrespondenz aufweisen, ist ohne weiteres einleuchtend. Ob – und falls ja: wie, auf welche Weise – sie in der künstlerisch-sprachlichen Qualifizierung eines offensichtlich gleichen Lebensgefühls formal-inhaltlich miteinander zusammenhängen,[7] wäre zu untersuchen. Gelänge es, Distinktionen und Übereinstimmungen, Konvergenzen und Divergenzen dieser Art genau genug aufzuspüren, würde sich die Chance eröffnen, Wesen und Erscheinungsform beider Text-Stücke aus dieser Wechselseitigkeit heraus tiefer zu begreifen.

Ein hoher Grad gedanklicher Übereinstimmung drückt sich zunächst in einer weitgehenden Parallelität von Eingangs- und Abschlußwendung aus. Hier wie dort am Beginn ein gefühlsbeladener, bedauernder, auf resignativer Selbsterkenntnis beruhender Ausruf, sprachlich realisiert in den beiderseits exklamierenden Partikeln „Gott!" und „ach", inhaltlich jeweils als urteilender Rückblick auf vergeblich verschwendete Entwicklungsphasen gefaßt, trübsinnig bilanzierend. Hier wie dort am Ende der mannhaft-unausweichliche Entschluß, aus einer als unerträglich empfundenen Lebenssphäre zu entrinnen; „eine andre Aussicht" tut sich auf, wenn nur ein Hinaustreten „aus dieser Welt" (H 50/51) gewagt wird; es entsteht die Aufforderung

an sich selbst zur Flucht: „Flieh! Auf hinaus in's weite Land..." (G 65).
Gemeinsamer Ausgangspunkt und gemeinsamer (wenngleich vorläufi-
ger) Endpunkt einer kurzen Gedankenkette weisen nahezu gleiche Mo-
tivationen auf.

Aber mehr noch: auch die wichtigsten gedanklichen Zwischenglie-
der sind von dieser Art und Beschaffenheit. Die Parallelitäten setzen
sich fort hinsichtlich der Auswahl und Anordnung wesentlicher, pro-
filbestimmender Motive. Ohne schwerwiegende Ausnahme präsentieren beide Textstücke eine weitgehend gleiche Kette von Feststellungen, Erörterungen, Begründungen und Schlußfolgerungen. Wenn nicht
gänzliche, so doch tendenzielle Identität in den evolutionären Statio-
nen von Denken und Fühlen: skeptische Reflexion über Studien als
bisherigem „Hauptzweck" – deren Unfruchtbarkeit als negative Erfahrungen – negative Definition aller Wissensaneignung, sofern sie sich
nur als theoretischer Akt darstellt – starkes, unerfülltes Bedürfnis nach
Anwendbarkeit erworbenen Wissens – zerknirschte, der Verzweiflung
nahestehende Klage über die eigene Fehlentwicklung – folgerichtiger
Entschluß nach neuer Wegsuche. Ohne Übertreibung läßt sich behaupten, auch die semantisch-logische Struktur beider Gedankengänge
stimme prinzipiell überein und weiche nur graduell oder im Detail
voneinander ab.

Wie frappierend groß und intensiv dieses Maß prinzipieller Übereinstimmungen angesetzt werden muß, läßt sich mit untrüglicher Sicherheit an der auffälligen Besonderheit vielerorts gleichlautender oder fast
gleichlautender Wortwahl bei diversen Umschreibungen ablesen. Was
hier in der Formel „wie viel falscher Ehre, Rangsucht, Empfindlichkeit" zusammengepreßt wird, erscheint dort in der Gegenüberstellung
„weder Gut noch Geld / Noch Ehr und Herrlichkeit der Welt" (H 12
und G 21/22). Pejorative Bezeichnung eines nur aus Lektüre gewonnenen Pseudo-Wissens erfolgt, wenngleich in unterschiedlichem Zusammenhang, mit der nahezu gleichlautenden Kopplung „Papiere und
Bücher" / „Bücher und Papier" (H 21 und G 37). Für die symbolische
Lokalisierung des negativen Lebensgefühls hat der Prosatext, und zwar
bereits mit kräftig abwertendem Akzent, den Ausdruck „Studierstube"
(H 21), der später für den Dramentext zur Ortsbezeichnung per Regie-
anmerkung werden wird. Die Beispiele ließen sich fortsetzen.

Neben dieser einen, scheinbar auf überwiegende Uniformität wichtiger Inhalt-Form-Relationen hinzielenden Strömung ist aber noch eine
zweite, gegenläufige, nicht minder stark ausgeprägte Tendenz wirksam, die sich in diversen Kontrastbildungen erkennen läßt. Obwohl

nämlich beide Texte anscheinend gleich, weil in der ersten Person Singularis reden, handelt es sich nichtsdestoweniger um ein jeweils ganz anderes, ganz anders selbständiges Ich, das da zu Worte kommt. Bei Herder die Sprechhaltung eines Tagebuchschreibers. Relativ belanglos, ob man sich dabei auf weitere typologische Differenzierungen festlegen (etwa: die Unterscheidung zwischen „existentieller" und „reflexiver" Schreibweise berücksichtigen) möchte[8] oder nicht. Unbestreitbar ist in diesem Falle der Sachverhalt einer ziemlich direkten, bruchlosen, weitreichenden Identität zwischen Erfahrung sammelnder und Erfahrung ausdrückender Subjektivität. Bei Goethe dagegen die Sprechhaltung eines dramatischen Helden. Also ein lyrisch-dramatisches Ich: nicht identisch mit dem auktorialen Ego, dessen Erfahrungen zwar in sich aufnehmend, speichernd, verarbeitend, jedoch in einer „anderen", neuen, sich zu diesen Erfahrungen indirekt verhaltenden Subjektivität aussprechend.

Möglicherweise hängt mit diesem künstlerisch so ungleich realisierten Subjekt-Objekt-Komplex auch zusammen, daß Goethes bildhafte Metaphern weitgehend im Umkreis, in der Umwelt Fausts angesiedelt sind, zumal als poetische Attribute der Studierstube auftreten, des Objekts also, nicht des Subjekts („Bücherhauff", G 49; „... Würme nagen, Staub bedeckt", G 50; „angeraucht Papier", G 52; „mit Gläsern Büchsen rings bestellt", G 53; „mit Instrumenten vollgepfropft", G 54; „Uhrväter Hausrat", G 55; vor allem aber „Rauch und Moder"; „Tiergeripp und Todtenbein", G 63/64). Wohingegen die zwei prägnantesten Metaphern, die Herder findet, gerade die subjektive Existenzweise des redenden Subjekts umschreiben – und bei Goethe bezeichnenderweise eben keine Entsprechung finden: „ein Tintenfaß von gelehrter Schriftstellerei"[9] und „ein Wörterbuch von Künsten und Wißenschaften" (H 19/20).

Was die stilistische Ausformung dieser unterschiedlichen Subjektivität angeht, so weist sie zunächst einmal stärkere Affinitäten auf, als etwa eine oberflächlich-formale Kontrastierung von Prosa und Vers vermuten lassen könnte. Als Gemeinsames springt eine Dominanz affektgeladener Elemente ins Auge: bei Herder sich realisierend in eigenwillig gehandhabter Syntax und ungewöhnlicher Interpunktion, aufgeregt und aufgewühlt sich niederschlagend in überdurchschnittlicher Hypertrophie rhetorischer Fragen; bei Goethe sich explizierend in schöpferischer Erneuerung des deutschen Knittelverses, dessen wandlungsfähige Volkstümlichkeit nicht zuletzt der historischen Konkretheit einer Traditionssuche entspringt, die sich sehr bewußt auf die Ide-

en- und Ausdruckswelt des sechzehnten Jahrhunderts richten wollte.
So bringt die Spannweite sprachlich-stilistischer Potenzen, die ausge-
schöpft werden, um Inhaltliches formaliter voll lebendig werden zu lassen, beiderseits große Dimensionen, große Tiefe und große Bewegtheit
zum Ausdruck. Dem Rhetorischen nach vermag die Herdersche Prosa,
bei lautem Lesen zumal, ohne weiteres den Duktus von Knittelversen
anzunehmen, wie umgekehrt die Goetheschen Knittelverse ziemlich
mühelos in prosaischer Diktion vorgetragen werden können (und unter
diesem Aspekt den anderen Prosa-Szenen des *Urfaust* sehr naheste-
hen).

Freilich: aus all diesen Beobachtungen den Schluß ziehen zu wollen,
es überwögen in beiden Texten gleiche (oder doch weitgehend gleiche)
künstlerische Gestaltungsprinzipien, wäre durchaus verfrüht. Auch
das inzwischen deutlich gewordene Wechselverhältnis zwischen einerseits sehr wenig miteinander „deckungsgleichen" Sprechhaltungen
und andrerseits weitgehend miteinander „korrespondierenden" Stil-
formen reicht als Indiz noch nicht aus, um die wirkliche, jeweils eigene
poetische Substanz der zwei Stücke genügend deutlich hervorzuheben.
Gerade auf dieses substantiell Poetische aber kommt es an. Worin liegt
es? Welche Kriterien hat es? Welche Wirkungen kann es erzeugen? Die
scheinbare Kleinigkeit einer abermals differenzierten Redeweise
könnte uns auf die Spur bringen.

Das Herder-Ich spricht gleich anfangs ankündigend aus: „Ich beklage
mich..." (H 4); das Faust-Ich verzichtet auf eine solche Ankündigung,
daß es sich zu beklagen gedenke: es beklagt sich. Erinnert man sich der
„Vergleichung" des Matthias Claudius? Die hatte, zu etwa gleichem
Zeitpunkt, dergestalt zu unterscheiden gesucht:

> Voltaire und Shakespeare: der eine
> Ist, was der andre scheint.
> Meister Arouet sagt: ich weine;
> Und Shakespeare weint.[10]

Ist es erlaubt, in unserem Zusammenhang auf diese Differenzierung zu
verweisen? Hat die Traditionssuche nach realistischer Schreibweise,
auf die der Vierzeiler des Wandsbecker Boten eindeutig zielt, mit der
unterschiedlichen poetischen Substanz unserer Texte zu tun?

In gewisser Hinsicht durchaus. Sicher, die Konfrontierungen sind andere. Die Gegensätzlichkeit von Gestaltungsprinzipien, die Claudius
mit der programmatischen Gegenüberstellung Voltaire contra Shakespeare aktuell zu fassen suchte, war in der geistigen Begegnung Her-

der/Goethe kein Streitpunkt mehr, sondern, gerade in der ostentativen Abwendung von der französischen klassizistischen Tragödie und in der Hinwendung zum englischen elisabethanischen Theater, gemeinsame und völlig unbestrittene Grundüberzeugung. Wie aber die poetische Praxis nun diesem schon weit vorangetriebenen theoretischen Selbstverständnis zu entsprechen, wie sie sich als neue Kunst und neue Dichtung auszuweisen habe, war mit alledem noch längst nicht entschieden. Unsere beiden Texte – vielleicht ist dies überhaupt das Wichtigste an ihnen – lassen einen aufschlußreichen Blick auf eben diesen entscheidenden Knoten- und Wendepunkt in der Geschichte deutscher Literatur zu.

Herder, damals in Straßburg wohl eindeutig der Gebende, Anregende, Fördernde, äußert sich gemäß seinem hervorragend ausgebildeten abstrakt-theoretischen Vermögen und seinem vergleichsweise geringer entwickelten konkret-poetischen Talent. Sein künstlerisch-philosophisches Neurertum besteht darin, skizzenhaft-fragmentarisch grandiose Entwürfe eines progressiven Welt- und Menschenbildes auszubreiten. Die Ausdrucksform des Reisetagebuches, die er für dieses ungeheuerliche Projekt findet, bedeutet objektiv zugleich Fortschritt und Grenze. Fortschritt: denn sie bekundet die Suche nach neuen literarischen Gestaltungsmöglichkeiten für die neu erkannte und neu definierte Rolle des menschlichen Subjekts in der Geschichte.[11] Grenze: denn diese reflexiv-abhandelnde Ausdrucksform vermag sich aus alten, traditionell gefestigten, vorgeprägten Denkmodellen eben nur partiell herauszuwinden, erlaubt ihm noch nicht, schon auch die feine Scheidelinie zwischen theoretischem Postulat und praktischer Verwirklichung mit fliegenden Fahnen zu überschreiten. Goethe, damals in Straßburg wohl eindeutig der Nehmende, Angeregte, Geförderte, tut gerade dies.

Diese Grenzüberschreitung ändert alles, und mit einem Schlage. Vergleichbares bleibt vergleichbar, aber nur unter dem Aspekt einer ganz neuen Qualität. Formal Gleiches präsentiert sich als inhaltlich Ungleiches. Unmut erzeugende, aufzählende Reihungen hier wie dort: jedoch einmal als nur additive Kumulation, dagegen als systematisierte, Assoziationen weckende Zusammenfügung dort (die Aufzählung der Wissenschaften bei H 6 ff.; die bekannte Charakteristik der vier „mittelalterlichen" Fakultäten bei G 1 ff.). Die Konfrontierungen ungemein viel schärfer, symbolträchtiger (der Kontrast Studierstube/Natur in H angetönt, auch noch in anderen Passagen des *Journals*, die nicht zu unserem Textstück gehören, immer wieder anklingend; in G ganz

präzise, ganz bildhaft-gegenständlich geformt, in einer Vielzahl aus-
drucksstarker Metaphern gefaßt: 45 „Kerker", 46 „Mauerloch", „trüb
durch gemahlte Scheiben" etc., dagegen 33 „Mondenschein" bis 44
„Thau". Wie gewaltig unterschiedlich doch die Wirkung, wenn Herder
sagt, berichtet, vorbringt oder beteuert, daß er vom Gefühl des Einge-
schlossen-Seins und der Beschränkung ergriffen wäre (zweimal:
H 21/22 und 42) – und wenn Goethe gestaltet, wie übermächtig seinen
Faust dieses Gefühl niederdrückt! Die gleichen Ausdrücke, die gleichen Worte. Und doch eine ganz neue, eine poetische Effizienz.

Herders Text hat als Quintessenz die Erfahrung einer Realität.[12] Über
den gleichen ästhetischen Wert verfügt auch Goethes Text.[13] Aber er
bereichert ihn um die künstlerische Realität einer Erfahrung. Seine Metaphern, als Bestandteile eines poetisierten Kontextes, bündeln, kom-
primieren, verdichten die gesellschaftliche Realität so, daß diese, im
künstlerischen Zeugnis neu erschaffen, eine über den bloßen Mittei-
lungswert weit hinausgehende, eigene, unverwechselbare Ausstrah-
lungskraft erlangt. Alles in allem ist also das Verhältnis von Metaphorik und Realität doch sehr unterschiedlich eingerichtet in den beiden
Fragmenten, die in so vielen ihrer einzelnen Strukturelemente überein-
stimmen oder übereinzustimmen scheinen, nur in diesem einen, in
diesem fundamental wichtigen eben nicht: dem ihrer künstlerisch-
poetischen Funktionalität.

Die Gegenüberstellung besagt natürlich nicht, daß solche Unterschiedlichkeit kausal allein und zur Gänze auf Charakter und Talent
der Autoren, auf individuelles Vermögen oder Talent, auf beabsichtigte
oder zufällig zustandegekommene Gestaltungsabsichten reduziert
werden könne. Konträr: es kann behauptet und bewiesen werden, daß
Metaphorik und Realität sich deswegen „anders" in den beiden Texten
zueinander verhalten, weil diese auch in historisch-genetischem Sinne
einer „anderen" Entwicklungsphase angehören. Mindestens der Tendenz nach setzen sie sich auf recht verschiedene, diesmal historisch un-
terscheidbare Weise mit geistigen Grundpositionen der europäischen
Aufklärungsbewegung auseinander.

Insofern, als Herder gerade damit beginnt, Platz und Funktion
menschlicher Individuen universalhistorisch zu bestimmen, sie ein-
zuordnen in einen organisch sich entfaltenden Geschichtsstrom, geht
er – im *Journal* freilich zögernd noch, später mit um so größerer Energie
– Schritte in Richtung auf ein historisches Selbstverständnis, das schon
geistige Vorarbeit für die idealistische Dialektik klassischer deutscher
Philosophie zu leisten imstande ist. Insofern jedoch, als er bei diesem

Denkansatz das frühaufklärerische Ideal letztendlicher menschlicher „Glückseligkeit" (H 35), teleologisch gefaßt, nicht vollständig zu verabschieden vermag, bleibt in dieser Geschichtsauffassung durchaus noch ein altes, rationalistisches, nämlich „ein theodizeehaftes Element lebendig".[14] Dieses Nebeneinander, Ineinander, Gegeneinander von Altem und Neuem, das ideologiegeschichtlich objektiv im Wesen dieses „Journals" inkarniert erscheint, stellt sich subjektiv, im Inneren des reflektierenden Ich als ungemein schwierige, konfliktreiche Positionsbestimmung dar: diese „neue Denkart" zu gewinnen „kostet Thränen, Reue, Herauswindung aus dem Alten, Selbstverdammung!" (52/53). Zielrichtung und Radius im Denkansatz des Philosophen auf dem Schiffe sind so eingerichtet, daß sie sich noch fast ausnahmslos innerhalb rationalistischer und sensualistischer Systematisierungen bewegen und dauernd versuchen, diese energisch zu durchbrechen. Franz Mehring hat diesen Sachverhalt so ausgedrückt: „Er gehörte zur bürgerlichen Aufklärung, aber wie ihr böses Gewissen; er besaß gerade die Fähigkeiten, die sie nicht hatte und auch nicht haben konnte, aber die sie hätte haben müssen, um zu siegen."[15]

Auch Faust, im mitternächtlichen Selbstgespräch, befindet sich, ebenso wie der Tagebuchschreiber, in einem „reichhaltigen und bewegten Monolog".[16] Dessen Inhalte jedoch, nicht mehr gebunden an ein personales Ich, sondern gesellschaftliche Verallgemeinerungen bereits poetisch in sich einschließend, umgreifen das Herdersche Problem schon auf höherer Stufenleiter. Insofern, als Fausts geistige Auseinandersetzung nicht allein „aufklärerische Theoreme und Prinzipien betrifft, sondern erheblich breiter und weiter angelegt wurde, indem sie auf strenge Prüfung, partielle Adaption oder generelle Verwerfung entscheidender Denkpositionen des Feudalzeitalters bedacht ist (Scholastik, „mittelalterliche" Universitätshierarchie, „Magie", paracelsische Auffassungen wie „Würkungskrafft und Saamen", G 31), zielt sie gleich im Ansatz des Denkens genauer und radikaler auf den wirklichen Epochenwiderspruch. Gerade von diesem Ansatz her wird es später möglich sein, die Begrenzungen, vor denen Herders Denkimpulse immer wieder zur Stagnation verurteilt sind, wenigstens zum Teil zu durchbrechen.[17] Die Auffassung des Faust-Sujets als Gelehrtentragödie, die sicher bestimmend war, als sie Goethes schöpferische Phantasie um 1770 beschäftigte, schließt daher virtuell die Möglichkeit in sich ein, den erkenntnistheoretischen Problemansatz[18] auszudehnen und weiterzuentwickeln, in letzter Instanz zum gesellschaftlichen Zentralkonflikt von menschheitsgeschichtlicher Relevanz hinzuführen. Daß da-

bei innerhalb dieses Prozesses im singulären Glücksfall nicht nur bürgerlich-aufklärerische, sondern sogar bürgerliche Denkkategorien
schlechthin überschritten werden (in der Schlußvision Fausts im fünften Akt des Zweiten Teils), ist deshalb als ästhetischer wie als ideologiegeschichtlicher Sachverhalt von höchstem Interesse: da doch, unter
diesem Aspekt, eingesehen werden kann, wie eminent bedeutsam das
Wechselverhältnis von Metaphorik und Realität in jedem beliebigen
Entwicklungsmoment der Literatur sich ausprägt – und deren Wesen
auch, bei gehöriger Anstrengung, sehr präzise erkennen läßt...

Goethe war vollkommen im Recht, als er den entwicklungsgeschichtlichen Sinn der Straßburger Begegnung so zusammenfaßte:

> Was die Fülle dieser wenigen Wochen betrifft, welche wir zusammen lebten, kann ich
> wohl sagen, daß alles, was Herder nachher allmählich ausgeführt hat, im Keim angedeu
> tet ward, und daß ich dadurch in die glückliche Lage geriet, alles, was ich bisher gedacht,
> gelernt, mir zugeeignet hatte, zu komplettieren, an ein Höheres anzuknüpfen, zu erwei
> tern.[19]

Anmerkungen

[1] Zitiert nach folgenden Aufgaben: *Herders Sämmtliche Werke*, Herausgegeben von
Bernhard Suphan (künftig abgekürzt zitiert als: *SW*), Bd. IV, Berlin 1878, S. 346 ff.– *Werke
Goethes*, Herausgegeben von der Deutschen Akademie der Wissenschaften zu Berlin unter Leitung von Ernst Grumach, Ergänzungsband 3, Berlin 1958, S. 18 ff. – Im folgenden
werden Zitate aus diesen Texten dadurch belegt, daß in Parenthese hinter den Buchstaben H und G die Zeilen- oder Verszahl durch arabische Ziffern gekennzeichnet wird.

[2] *Johann Gottfried von Herders Lebensbild*, Herausgegeben von Emil Gottfried von
Herder, Erlangen 1846, Bd. II, S. 153 ff.- *SW*, IV, 343 ff. bringt dann den Text mit etlichen
Berichtigungen. – *Faust in ursprünglicher Gestalt nach der Göchhausenschen Abschrift
herausgegeben* von Erich Schmidt, Weimar 1887.

[3] Vgl. dazu die Einzelheiten bei: Rudolf Haym, *Herder*, Berlin 1954, Bd. I, S. 341 ff.

[4] Da er auch sonst, etwa in Briefen an Hartknoch oder Hamann, von der Bedeutung
der Seereise und seiner Arbeit am Tagebuch sehr offenherzig spricht. Selbst in dem zur
Veröffentlichung bestimmten Briefwechsel über Ossian finden sich entsprechende Bemerkungen (*SW*, V, 168 f.). Andrerseits hat Herder in seinen damaligen Briefen aus Straßburg Goethe nicht ein einziges Mal namentlich erwähnt.

[5] Besonders die folgenden Passagen lassen diese Rückschlüsse zu: „Am sorgfältigsten
verbarg ich ihm das Interesse an gewissen Gegenständen, die sich bei mir eingewurzelt
hatten und sich nach und nach zu poetischen Gestalten ausbilden wollten. Es war Götz
von Berlichingen und Faust ... Ich hatte es auch im Leben auf allerlei Weise versucht und
war immer unbefriedigter und gequälter zurückgekommen. Nun trug ich diese Dinge,
sowie manche andre, mit mir herum und ergötzte mich daran in einsamen Stunden, ohne
jedoch etwas davon aufzuschreiben ..." Zitiert nach: *Goethes Sämtliche Werke, Propyläenausgabe*, Bd. XXV, München o. J., S. 91.

[6] Geradezu als Paradebeispiel für unser Problem kann dabei die Anfang des Jahrhunderts bei Felix Meiner erschienene Untersuchung aufgefaßt werden: Günther Jacoby,

Herder als Faust, Leipzig 1911. Jacoby beschreibt gar nicht schüchtern in einer „Einführung" gleich „die Leistung dieses Buches" selbst, nennt es „eine Vereinigung philosophischen und literaturgeschichtlichen Wollens", obwohl er, seines Zeichens Privatdozent der Philosophie in Greifswald, glaubt betonen zu müssen, daß er sich „zu den Literarforschern im engeren Sinne nicht rechnen" dürfe (S. 8). Nahezu unübertroffen ist der Spürsinn Jacobys beim Auffinden und Herauspicken von Goethe- und Herder-Zitaten, die ähnlichen Wortlaut oder gedankliche Analogien aufweisen; er nennt dieses Vorgehen „Stellenausnutzung" (S. 8) und bringt am Ende des Buches systematisierte Verzeichnisse all dieser punktuellen Korrespondenzen (S. 475–482). Volumen und Präzision dieses Arbeitsergebnisses sind beträchtlich und auch für heutige Forschungen noch von Nutzen. Gänzlich unannehmbar dagegen erweisen sich Jacobys Schlußfolgerungen, die sich schon in der apodiktischen Titelgebung des Buches widerspiegeln. Ein Beispiel für viele, wie solche vereinseitigenden Schlüsse entstehen, findet sich in der Ausdeutung des „Straßburger Zusammenseins" von Herder und Goethe (S. 55). Jacoby führt aus, daß der Ältere „das Drängen und Treiben seines Binnenlebens dem jüngeren Freunde offenbarte", knüpfte daran die Annahme, „daß Goethe diese Selbstmitteilung Herders für den Gesamttaufriß des Faustplanes benutzt" habe, behauptet dann ohne weitere Argumentation, es sei „Willkür, die tatsächliche Übereinstimmung beider Aufrisse anders erklären zu wollen" und schließt von dieser – wohlgemerkt spekulativen! – Prämisse her kurz und knapp: „Das aber heißt, daß für den Gesamtaufriß des Schauspiels Faust selbst kein anderer als Herder ist."

[7] Auf Probleme und Schwierigkeiten bei kategorialer Anwendung dieser Begriffe hat kürzlich mit Nachdruck verwiesen: Horst Redeker, „Inhalt-Form-Dialektik als kunstästhetisches Problem". In: *Deutsche Zeitschrift für Philosophie*, 24 (1976), S. 167–179.

[8] Siehe: Peter Börner, *Tagebuch*, Stuttgart 1969, S. 15. Dort mit Rückbezug auf Ruprecht Heinrich Kurzrock, *Das Tagebuch als literarische Form*, Diss. Berlin 1955.

[9] Auf den gleichen Sinngehalt und die gleiche Funktion der Schillerschen Metapher vom „tintenklecksenden Säkulum" (*Die Räuber*, II, 1; 1781) sei hier nur beiläufig verwiesen.

[10] Hier zitiert nach: Matthias Claudius, *Werke des Wandsbecker Boten*, Herausgegeben und erläutert von Günter Albrecht, Schwerin o. J. (1958), Bd. I, S. 173.

[11] Zu diesem Problem eine ausgezeichnete Darstellung bei: A. V. Gulyga, *Gerder*, Izdanie 2-e, dorabotannoe, Moskva 1975, S. 54 ff.

[12] Weitere Belege, die auch noch aus dem Briefwechsel der Frühjahre ergänzt werden könnten, bei: Günther Jacoby, S. 56 ff. – Eine vorzügliche Charakteristik der „intellektuellen Physiognomie" Herders in ihrer raschen Entwicklung gibt: V. M. Schirmunski, *Johann Gottfried Herder, Hauptlinien seines Schaffens*, Berlin 1963, S. 18 ff.

[13] Der Versuch, einen Teil dieser frühen Erfahrungen hinsichtlich ihrer poetischen Verarbeitungen zu erfassen, findet sich in meiner Arbeit: „Episode oder Prolog? Goethes Leipziger Lyrik." In: Walter Dietze, *Reden, Vorträge, Essays*, Leipzig 1972, S. 31–63. – Zur theoretischen Problematik vgl. neuerdings: Leonid Stolowitsch, *Der ästhetische Wert*, Berlin 1975.

[14] *Kindlers Literatur Lexikon*, Bd. IV, Werke Ji-Mt, Zürich o. J. (1965), Sp. 75.

[15] Franz Mehring, *Gesammelte Schriften*, Herausgegeben von Thomas Höhle, Hans Koch und Josef Schleifstein, Bd. X, Berlin 1961, S. 37.

[16] Dies als Charakteristik des Herderschen Reisetagebuches bei: Rudolf Haym, S. 342.

[17] Was dieses „zum Teil" angeht, so verweise ich auf meinen Versuch eines ganz knappen Problemaufrisses in: Walter Dietze, „Faust", Vers 11580, Weimar 1975.

[18] Gewiß kann ohne Übertreibung behauptet werden, die Goethesche Metapher für Fausts Erkenntnisdrang (erkennen zu wollen, „was die Welt / Im innersten zusammenhält", G 29/30) sei eine gelungene künstlerische Komprimierung für die philosphische Formulierung, das Wesen aller Erscheinungen in Natur und Gesellschaft als wirkliches Objekt aller menschlichen Denkbemühungen anzusehen. Bei Herder dagegen gibt es

diese konzentrierende Zusammenfassung auf einen einzigen Hauptpunkt im Tagebuch nicht. Er behandelt das gleiche Problem charakteristischerweise stärker individualisiert und, was den Erkenntnisgegenstand angeht, aufgefächert in Einzelgebiete, partizipierend: „Ich gab mich, als ein Sklave der Notwendigkeit Wissenschaften, die ich am wenigsten brauchte, der Philosophie, der Dichtkunst, den Sprachen, der Erforschung des Schönen, vorzüglich aber dem Studium der menschlichen Natur . . . Ich bin etwas zu weit verführt von der Wahrheit. Ich kenne sie nicht in der Philosophie und in der Physik: nicht in Mathematik, noch im Praktischen der schönen Künste: noch im Gebrauch der Menschheit, und in der Gesellschaft: ich bin im Lande der Hypothesen, der Abstraktionen, der Träume. Genius! willst du mir nicht diese Hilfe geben? . . . mir das Reich der Wahrheit entsiegeln?" (SW, IV, 464). Ein ganz ähnlicher Vorgang poetischer Konzentration findet sich beim Vergleich beider Texte hinsichtlich antitheologischer Polemik: bei Goethe die eindrucksvolle Spitzenposition des provokatprisch eingeschobenen „leider" (G 3), bei Herder weitschweifige Diatriben (nicht in unserem Textfragment, aber sonst ausführlich; vgl. SW, VII, 188 oder 283 f.).

[19] Goethes Sämtliche Werke, Propyläenausgabe, Bd. XXV, München o. J., S. 87.

Stuart Atkins

Italienische Reise and Goethean Classicism

Goethe's first visit to Italy is an essential part of his biography, and his *Italienische Reise*[1] its major record. In both popular und scholarly treatments of Goethe, whether or not these grant either the visit or his account of it the significance he attached to them,[2] „italienische Reise" is often equated with *Italienische Reise* or distinguished from it so slightly as to suggest that differentiation between the one and the other is unimportant.[3] The *Reise*, however, a mosaic of writing from over forty years (1789–1829[4]), is a work usable only with caution to illustrate Goethe's development as poet or thinker, and it is to heighten a-wareness of this that I offer the following observations.[5]

Classicism – and Primitivism. „Goethes Kunstschriften [. . .] der mittleren Zeit [1788–1805] setzen die italienische Wandlung voraus. Man muß die *Italienische Reise* gelesen haben, um sie in ihrer Haltung und Zielsetzung verstehen und würdigen zu können."[6] The *Reise*, then, should answer many questions, including whether Goethe's Italian and post-Italian classicism was a slight variant of eighteenth-century neo-classicism, or represented a distinctive position properly labeled „(Deutsche) Klassik." Moreover, since it includes material written long after 1805, it should also help decide whether this classicism (or neo-classicism) subsequently underwent radical modifications – whether it is proper, for example, to discern a „gegenklassische Wandlung" in Goethe's writing after Schiller's death or beginning with *West-östlicher Divan* and the interest in early German painting aroused in 1815 by Goethe's knowledge of the Boisserée collection. Although to distinguish satisfactorily between neoclassicism and „Klassik" must be beyond the scope of a short essay, the *Reise* can afford evidence both of what the classicism was with which Goethe was imbued in Italy in 1786–1788 (and perhaps before Italy) and of how he subsequently regarded or adhered to that classicism.

In the same year as *Reise II* Goethe published Heinrich Meyer's *Neu-deutsche religios-patriotische Kunst* – its concluding paragraphs are by Goethe – as a reaffirmation of his classicism, and von Einem observes:

Beide Schriften muß man also zusammen sehen. Seine italienischen Bekenntnisse hatten für ihn nicht nur historischen, sie hatten Gegenwartswert. Zugleich lag ihm daran, in der Darstellung seines Ringens noch einmal die Lebenstiefe und Bedeutung der Idee des Klassischen sichtbar zu machen. So gewann die *Italienische Reise* programmatischen Charakter.[7]

But *Reise III* also reaffirms Goethe's classicism. In a passage of retrospective narrative probably written in 1828 (and not singled out by von Einem for commentary[8]) Goethe, recalling how the Sistine Chapel – and the Vatican *Stanze* – provided refuge from the heat of August, 1787, records:

es wurde Mode, zu streiten, ob er [Michelangelo] oder Raffael mehr Genie gehabt. Die Transfiguration des letzteren wurde mitunter sehr streng getadelt und die Disputa das beste seiner Werke genannt; wodurch sich denn schon die später aufgekommene Vorliebe für Werke der alten Schule ankündigte, welche der stille Beobachter [Goethe] nur für ein Symptom halber und unfreier Talente betrachten [. . . .] konnte.[9]

The *Disputa* (1508), the first work Raphael executed in the *Stanze*, has quattrocento elements or features, does not yet represent the High Renaissance style Goethe most admired (e. g., in *The Transfiguration*, a work whose unity he subsequently argues in „Bericht. Dezember [1787]"), and so Goethe's account is not, as it might at first seem, intended to warn against overenthusiasm for Michelangelo (less to neoclassical taste than Raphael[10]), but against the use of Raphael in the behalf of a romantic cult of the pre-classical.[11]

If by classicism is meant not simply Graeco-Roman revival but that „néo-humanisme cosmopolite" whose interests *inter alia* embraced Egyptian and Etruscan antiquities,[12] then the term adequately reflects the breadth of Goethe's artistic interests while in Italy.[13] But it is a commonplace – to which Goethe himself lent support by the importance he attached to having seen, in his last weeks in Rome, as much ancient sculpture (and casts of such sculpture) as possible[14] –that his Italian classicism was primarily oriented to Graeco-Roman art, was narrowly Winckelmannian. Yet he also revisited the Borghese Gallery in anticipation of his imminent departure (‚‚1. März [1788]"), and in the *Reise* as a whole art of the Renaissance receives at least twice as much attention – by number of references to it – as that of antiquity.[15] At the end of *Reise III* Goethe's account of his interest in sculpture may thus be less a reaffirmation of Winckelmannian classicism than a last countering of Romantic transcendentalism like that of Mme. de Staël's Friedrich-Schlegelian Corinne, who „disait que la sculpture était l'art du paganisme" (Liv. 8, Ch. 3). In Rome, however, his interest represented awareness that, unlike paintings, of which by the standards of the time moderately adequate copies existed, classical sculpture and other monuments had to be seen *in situ* and engraved firmly on the visual memory if adequate impressions of them were to be retained for years to come.

Thus *Reise III*, though it differ from *Reise I–II* in the greater use of interpolated documents and sustained passages of narrative, still faithfully records Goethe's Italian experiences and attitudes,[16] and Goethe, writing to Göttling 8 November 1828, could rightly claim that in it was to be seen „wie [. . .] der Grund meines ganzen nachherigen Lebens sich befestigt und gestaltet hat." Goethe's statement insists that, to the best of his own knowledge and belief, he had by the end of his Italian sojourn established the basic values to which he would henceforth adhere – values no doubt modified or refined by subsequently acquired knowledge and experience, but not repudiated in the course of some „gegenklassische Wandlung."[17] It also draws attention to the easily ignored fact that his „klassisches Weltbild, noch mehr sein klassischer Stil,"[18] did not – as is often implied[19] – evolve solely in Italy.

To the pre-Italian forms of Goethe's classicism that extended back to his youth and were probably first „befestigt" by Oeser in Leipzig,[20] Michéa, Kohlschmidt, von Einem, and others have variously drawn attention,[21] and Robert Weber goes so far as to imply that no change in Goethe's „Kunstanschauungen" is revealed by the *Reise*: „Es ist der Geist der *klassischen Kunst*, den der Dichter der ‚Iphigenie' aus dem Norden mitbrachte und der ihn wieder heimgeleitete",[22] although this is overstatement, or statement at best true of Goethe's interpretation of Graeco-Roman art and its history. For in Italy Goethe, despite unwavering admiration of Raphael, does not, like conventional neoclassicists, exclude from his appreciation earlier painters such as Mantegna[23] and Leonardo, avoids depreciation of Michelangelo, soon ceases to be an uncritical admirer of the Bolognese eclectics, and continues to esteem landscape – Dutch as well as (Franco-)Italian – despite its low place in neoclassical rankings of kinds of paintings.[24] And the insight recorded in *Reise III*, „daß die *Form* zuletzt alles einschließe" (letter of 11 April 1788), may have been inspired by Goethe's viewing of casts of classical statues in the French Academy, but it is only a soberer version of his more effusive statement of 1775: „Jede Form, auch die gefühlteste, hat etwas Unwahres; allein sie ist einmal das Glas, wodurch wir die heiligen Strahlen der verbreiteten Natur an das Herz der Menschen zum Feuerblick sammeln."[25]

Not the subject treated, then, but what Goethe – in criticism of the overspecificness (and the psychologism) of a passage in consequence simply omitted from Meyer's essay „Über die Gegenstände der bildenden Kunst" when it was published in *Die Propyläen* – called „das wichtige ästhetische *Interesse der Form* und Behandlung,"[26] was and afterward always remained the central concern of his classicism.[27] Accordingly, to assert „Im allgemeinen bestimmt sich [. . .] für Goethe der Wert des Bildes nach der Art, wie der Maler das Sukzessive ins Simultane des Raums auflöst,"[28] is to ignore Goethe's interest in landscape and still life and to have read *Italienische Reise* with the preconception that it records a conversion to or reaffirmation of a neoclassicism unmodified – „Grundsätzlich ändert sich aber nichts"[29] – between Goethe's so often quoted expression of admiration for Roman funerary monuments in Verona, 1786, and the end of the stay in Rome. But were this true, the *Reise* would be a monument to futility, and one might better accept Seillière's hostile evaluation of what is to be found in it: „Sous le couvert d'un néo-hellenisme dont le vernis seul sera classique, mais dont l'inspiration demeurera purement romantique à y regarder de près, – puisqu'il s'agit surtout d'une apologie de l'*instinct*, sous prétexte de *naïveté*, de simplicité et de *sérénité* méditerranéennes, – le poète [. . .] s'étonnera lui-même de se trouver aussi peu modifié dans son fond par douze années d'efforts dans une autre direction morale."[30]

For all its bias, Seillière's comment has the virtue of drawing attention to the disproportionate importance in *Reise I–II* of idealization of primitive-idyllic features of Italian and Sicilian life and landscape. It is significant, however, that such idealization is noticeably less evident in *Reise III*, where it appears most strikingly not in connection with the Italian scene but in a discussion of the effects of works of art:

> Überhaupt aber ist dies die entschiedenste Wirkung aller Kunstwerke, daß sie uns in den Zustand der Zeit und der Individuen versetzen, die sie hervorbrachten. Umgeben von antiken Statuen, empfindet man sich in einem bewegten Naturleben, man wird die Mannigfaltigkeit der Menschengestaltung gewahr und durchaus auf den Menschen in seinem reinsten Zustand zurückgeführt, wodurch denn der Beschauer selbst lebendig und rein menschlich wird.[31]

Sentimental primitivism did give way to a more objective and more – though not exclusively – historical frame of reference. (That this change in emphasis occurred in Italy and is not a „correction" of a much older Goethe, is confirmed by the similarity of emphasis on the timeless-generic in the final, Ash Wednesday section of „Das Römische

Karneval," written in 1788, and by Goethe's earlier, almost Schillerian, rejection of sentimentalized primitivism toward the end of *Reise II* in connection with his analysis – „An Herder, Neapel, den 17. Mai 1787" – of the difference between Homeric and modern-manneristic simplicity.)

Classicism and the Historical Sense. „Der Künstler ist zwar der Sohn seiner Zeit, aber schlimm für ihn, wenn er zugleich ihr Zögling oder gar noch ihr Günstling ist. [. . .] Den Stoff zwar wird er von der Gegenwart nehmen, aber die Form von einer edleren Zeit, ja jenseits aller Zeit, von der absoluten unwandelbaren Einheit seines Wesens entlehnen."[32] So the universal historian Schiller, in a context in which Graeco-Roman antiquity down to the early first century A. D. alone represents supreme artistic expression of the human spirit. And here Goethe, reflecting in December, 1787, on the monuments of Rome:

> Die Peterskirche ist gewiß so groß gedacht und wohl größer und kühner als einer der alten Tempel, und nicht allein was zweitausend Jahre vernichten sollten, lag vor unsern Augen, sondern zugleich was eine gesteigerte Bildung wieder hervorzubringen vermochte.
> Selbst das Schwanken des Kunstgeschmackes, das Bestreben zum einfachen Großen, das Wiederkehren zum vervielfachten Kleineren, alles deutete auf Leben und Bewegung; Kunst- und Menschengeschichte standen synchronistisch vor unseren Augen.[33]

Goethe's pragmatic reconciliation of aesthetic absolutism with historical relativism is a significant deviation from the elegiac neoclassicism that emerged at the same time as did the Gothic revival (of which his disapproval, being once more unfashionable, has more offended). To say that Goethe's enthusiasm is unhistorical because it permits him to appreciate monuments dating from the sixth or fifth century B. C. to the second A. D.,[34] is to disregard the fact that all the Greek and Roman antiquities he singles out for attention or praise, whether Greek, Hellenistic, or Roman, belong to some part of the long period of idealizing naturalism (the chief basis of Renaissance and later enthusiasm for classical art) which constitutes a homogeneous unit in any large overview of the history of ancient art.[35] Goethe's admiration of Graeco-Roman works both static (or nobly calm) and dynamic (or manneristic) is evidence not of neoclassical blindness to historical differences,[36] but of a catholicity of taste that would not arbitrarily categorize still-life and landscape as inferior branches of painting, that could admire the grandeur of Jesuit Baroque in Southern Germany,[37] and that preferred the delicacy of the seventeenth-century Swanevelt to the sensationalism of a

„neoclassical" Piranesi.[38] The often quoted „Jeder sei auf seine Art ein Grieche!" sounds conventionally neoclassical if „auf seine Art" is left unstressed, but the essay in which it occurs (Antik und Modern, published a year after Reise II) subsequently insists, „so ist unser wiederholtes, aufrichtiges Bekenntnis, daß keiner Zeit versagt sei, das schönste Talent hervorzubringen," and concludes: „Der Parnaß ist ein Montserrat, der viele Ansiedlungen in mancherlei Etagen erlaubt; ein jeder gehe hin, versuche sich und er wird eine Stätte finden, es sei auf Gipfeln oder in Winkeln!"[39]

Goethe's dependence on the ideas of Winckelmann is an article of faith of those who, at least for art, equate his liberal classicism with conventional neoclassicism.[40] Yet nothing could be further removed from Goethean „Gegenständlichkeit" – that almost painfully obsessive concern with disinterested observation which is a leitmotif of earlier parts of the Reise – than the characteristically Winckelmannian view that painting's „größtes Glück" is „die Vorstellung unsichtbarer, vergangener und zukünftiger Dinge."[41] What Winckelmann depreciated in Michelangelo, Goethe esteemed;[42] although both disliked certain themes of Christian art, Goethe did not share Winckelmann's enthusiasm for allegorical painting;[43] unlike Winckelmann, Goethe is not negative on ancient Roman wall-decoration;[44] and the absence in the Reise of the criteria „edle Einfalt" and „stille Größe" – and of the beauty of the artist's subjects – is eloquent silence that anticipates by a decade the un- or anti-Winckelmannian elements of Über Laokoon.[45] What Winckelmann primarily represented for Goethe was historical understanding: „Durch Winckelmann sind wir dringend aufgeregt, die Epochen zu sondern [...]" (28 January 1787 – H. A., XI, 167), and it is thanks to him that in Catania Goethe could appreciate the numismatic collection of the Prince of Biscari: „Ich [...] half mir an jenem dauerhaften Winckelmannischen Faden, der uns durch die verschiedenen Kunstepochen durchleitet, so ziemlich hin" (p. 291).

Goethe pairs „Winckelmann und Mengs " as the pioneers who opened the way his friend Heinrich Meyer was following in 1787 (H. A., XI, 439) only because both represented a historical approach to art. For Mengs's taste in painting was not Goethe's either. Taking Raphael, Correggio, and Titian as criteria of excellence, Mengs regarded the Dutch as „low imitators of Nature," held that Michelangelo „seeking to be great was always vulgar," considered Tintoretto's only merit „pomp of solicitude [i. e., treatment of detail]," and even censured in the late Titian „a Taste low and trivial."[46] He praises Poussin (in his

Schreiben an Herrn Anton Pons [Wien, 1778] – in Goethe's library), but not Claude Lorrain, whom Goethe preferred, and although he mentions Rembrandt and Dou favorably, he considers them much inferior to Velasquez and Titian. What distinguishes Mengs from Winckelmann is his far greater interest in color – it is immediately after reporting in *Reise III* that he has acquired the new edition of Mengs's works that Goethe first mentions his own „Spekulationen über Farben" („Rom, den 7. März 1788") – although for Mengs even Titian, his master colorist, takes third place after Raphael and Correggio, respectively representing *expression* and *delight*, „since truth is rather a duty than an ornament."[47]

Color – and Collage. In the preface to his poem on the art of painting, one of the major contributors to Diderot's *Encyclopédie* explains the order of its cantos: „Le Dessein [. . .] devoit précéder la Couleur, parce qu'on peut étudier & imiter les formes des corps, indépendamment de leurs couleurs."[48] Goethe expressed the antithesis of this neoclassical position as early as 1791, in the first of *Beiträge zur Optik* (Einleitung §1), and restated it in *Entwurf einer Farbenlehre* thus: „Nunmehr behaupten wir [. . .], daß das Auge keine Form sehe, indem Hell, Dunkel und Farbe zusammen allein dasjenige ausmachen, was den Gegenstand vom Gegenstand, die Teile des Gegenstandes von einander fürs Auge unterscheidet."[49] Only those who read the *Reise* with the preconception that it documents Goethean neoclassicism will fail to find in it evidence of Goethe's interest in (and his occasional judgments of) color. That Goethe made a detour through Cento on his way from Ferrara to Bologna is but partially explained by his guidebook's recommendation that it permits seeing a wealth of paintings by Guercino[50] („Hauptmeister der bologneser Malerschule," esteem for which places „Goethe durchaus in der Tradition der klassischen Kunstlehre"[51]), since neither Mengs nor Winckelmann considered Guercino a major artist. But Guercino was and was recognized even by Mengs and Winckelmann as a great colorist, and Goethe independently discovered Guercino in Padua, for his *Justice and Peace* that there caught Goethe's attention in the church and convent of S. Giustina is not mentioned by Volkmann, who instead recommends paintings by Veronese, Titian, Tintoretto, etc.[52]

What Fuseli termed „the inferior but more alluring charm of colour"[53] was to become an abiding concern of Goethe's by the end of his Roman sojourn, but it may be evidence of a well developed interest in

color before Goethe had left Germany that the first artist named in the
Reise („München, den 6. September [1786]") is Rubens. Goethe's mentions of Claude Lorrain in all three parts of the *Reise* are usually
interpreted only as reflections of his interest in landscape painting,[54]
but of Claude's landscapes Goethe was to write (in *Philipp Hackert*):
„Was sein Kolorit betrifft, so ist, meiner Meinung nach, keiner dahin
gekommen es so vollkommen zu machen."[55] Nevertheless, it has become a commonplace that, in discussing works of art in the *Reise*,
„Goethe sich in der Regel über die Farben ausschweigt."

> Nur am Anfang seiner Reise [. . .], so bei den Guercinos in Cento und Bologna, ist öfter
> von Farben die Rede, dann wieder zuletzt, im Frühling 1788 in Rom, wo es heißt: „Ferner
> habe ich allerlei Spekulationen über Farben gemacht [. . .]". [. . .] Er äußert sich lieber über
> Bilder, in denen die Zeichnung wesentlich ist [. . .].[56]

Indeed Staiger, after citing from *Titan* the description of the sunrise as
seen by Albano when his blindfold is removed, asserts, „In der ganzen
‚Italienischen Reise' Goethes gibt es keine Schilderung, die es mit
dieser Farbenfülle [. . .] aufnehmen könnte,"[57] although in the passage
from Jean Paul only the color blue is mentioned. By contrast, in a descriptive passage no longer than Jean Paul's – „Neapel, den 29. Mai
1787" – Goethe mentions color thirty times with thirteen references to
(ten) specific colors or shades.[58] And although in the *Reise* he does not
usually discuss color when mentioning paintings, the minimal use of
color in James Moore's *The Deluge* is carefully noted and effectively
conveyed in his analysis of the work („Rom, den 9. Juli [1787]").
     The poet who as artist studied in Italy its use with Kniep, Dies, and
Hackert was thus not indifferent to color (though probably aware then,
as later, of the futility of its verbal description unsupported by color
charts), but perhaps no single sentence in the *Reise* better conveys the
non-neoclassicism of Goethe in Rome than the opening of the letter – to
Frau von Stein – „28. September 1787" (*Reise III*): „Ich bin hier sehr
glücklich, es wird den ganzen Tag bis in die Nacht gezeichnet, gemalt,
getuscht, geklebt, Handwerk und Kunst recht ex professo getrieben."
Of the four specific activities mentioned, all but the first (design) in-
volve color, and the last is startlingly un-neoclassical in light of the late
eighteenth-century prejudice against regarding collage, then chiefly
used for popular devotional pictures, as serious art.[59] That Goethe's collage involved coloring we know, however, from an account in F. I. L.
Meyer's *Darstellungen aus Italien* of the „malerische Wirkung dieser

[. . .] *Darstellungsart des Mondscheins*, von Herrn PHILLIPP HACKERTS eigner Erfindung."

Die Landschaft selbst wird mit Wasserfarbe auf Papier gemalt; die großen [. . .] Massen derselben [. . .] werden besonders ausgeschnitten, kolorirt, und dann auf Papier geklebt. Die Stellen im Wasser, worauf die Mondstrahlen am stärksten wirken, werden mit einem Messer dünne geschabt, und die übrigen, mehr und minder starken Lichter in der Landschaft mit einem darauf gebrachten transparenten Spiritus angegeben. Alles übrige wird kolorirt, das weiße Papier zu den Lichten ausgespart, und die Mondscheibe ganz weiß gelassen. – Die kolorirte Seite des ganzen Blattes wird dann mit feinem weißen Papier beklebt, worauf nur die Mondscheibe ausgeschnitten ist.[60]

Literary Classicism. It should now be possible to assert, without being merely paradoxical, that Goethe was more neoclassical before 1786 than after, and to understand why Goethe, despite claims in letters from Italy and in the *Reise* that he had greatly improved *Iphigenie auf Tauris* in the fall of 1786, later could more than once speak disparagingly of its sentimentality (which illustrates neoclassicism rather than „Klassik") and call it, writing Schiller in 1802, a „gräzisierendes Schauspiel."[61] He indeed polished his text as he turned it into blank verse, but he made no radical change in its basic elements, so that the less sentimental Iphigenie to be modeled on the *St. Agatha* he saw in Bologna is an intention rather than a realization.[62] (Attempts to use revisions made for the final text of *Iphigenie auf Tauris* to demonstrate a substantive „influence" of Goethe's Italian sojourn must accordingly be fruitless – or erroneous.[63])

In contrast to *Iphigenie auf Tauris*, Goethe's plan of an *Iphigenia von Delphi*[64] –conceived on the way from Cento to Bologna, a fortnight after he had been bored in Venice by a performance of Crébillon's *Electre* (1708) and its double love plot – seems even more sentimentally neoclassical, especially in Electra's recognition of her sister just as she is about to murder her as the priestess reported to have slain Orestes and Pylades on a Taurian altar („Wenn diese Szene gelingt, so ist nicht leicht etwas Größeres und Rührenderes auf dem Theater gesehen worden"). The tragedy finally entitled *Nausikaa* was also an early Italian conception, first mentioned in Goethe's *Reise-Tagebuch*, 22 October 1786, as *Ulysses auf Phäa*; if it remained almost entirely a plan, this is probably less because interest in the „Urpflanze" diverted Goethe's energies from it („der Garten des Alcinous war verschwunden, ein Weltgarten hatte sich aufgetan"[65]), than because its Winckelmannian noble simplicity and quiet grandeur – or Homeric idyllicism – came to be seen by an ever more genuinely classical Goethe as sentimental and romantically hellenistic.

The literary works Goethe extensively rewrote or conceived and executed in Italy are largely free of the sentimentality of his Italian letters and plans from before the „Wiedergeburt" he there sought. The *Faust* scene „Hexenküche" and its „Wald und Höhle" monologue are ironically objective, the former comico-satirically, the latter dramatico-seriously; *Amor als Landschaftsmaler* is the antithesis of Goethe's pre-Italian sentimental lyricism; and as for *Erwin und Elmire* and *Claudine von Villa Bella* – in *Reise III* the latter's „Cupido, loser eigensinniger Knabe" symbolizes Goethe's successful assimilation of all that Rome, where „eine große Anstrengung gefordert ward, sich gegen so vieles aufrechtzuerhalten, in Tätigkeit nicht zu ermüden und im Aufnahmen nicht lässig zu werden,"[66] had to offer him – the Roman revisions of these originally Storm-and-Stress expressions of sentimentality have many classical elements of style and structure that serve to conventionalize the romanticism of their genre.[67] *Torquato Tasso*, however, though chiefly revised and completed after Goethe's return from Rome, is the most significant reflection of his new classicism, both formally, and as the expression of a heightened (and by Goethe never before so objectively conveyed) awareness of the ambiguous complexity of human behavior in a world of social-historical realities; although it shares with *Iphigenie auf Tauris* features of what has been called „Seelendrama," its Renaissance world contains elements of light, color, and the pictural – those features that make Goethe's *Römische Elegien* „Bildgedichte"[68] – which clearly mark a great advance beyond the statically Winckelmannian plasticity of the earlier play.[69]

Henceforth Goethe's literary production always in some way conveyed the spirit of the classicism he evolved in Italy, and to label „classical" only those of his works with obvious neoclassical features, e. g., *Hermann und Dorothea* or *Achilleis*, is as unhelpful as to find in later parts of *Wilhelm Meisters Lehrjahre* „das äußerste Stadium des neuklassischen Stilisierungsprozesses der Goetheschen Iphigenie."[70] Goethe's classical ideal as tentatively formulated in the second letter of *Reise III* (though there only with reference to drawing) had been „die Natur abzuschreiben und der Zeichnung gleich eine Gestalt zu geben" – a process that is „wieder ein Gipfel irdischer Dinge." But by the end of *Reise III* it has become the insight already cited, „daß die *Form* zuletzt alles einschließe." Such a classicism alone explains the coexistence (and often nearly simultaneous creation) of works as different as the *Lehrjahre* and *Hermann und Dorothea*, *Die Wahlverwandtschaften* and *Pandora*, *West-östlicher Divan* and *Reise I–II*, or the final *Wilhelm*

Meisters Wanderjahre and the „Helena" of *Faust*, and only one who wrote in its spirit could rightly claim, as did Goethe in 1800:

> Wir ehren mit immer gleichem Mute
> Das Altertum und jedes neue Gute.[71]

Anmerkungen

[1] The „Ausgabe letzter Hand" volumes *Italiänische Reise. I, Italiänische Reise. II,* and *Zweyter Römischer Aufenthalt von Juny 1787 bis April 1788* („Zweyter Aufenthalt in Rom") are here called *(Italienische) Reise;* when separate mention is necessary, *Zweiter Römischer Aufenthalt* will be referred to as *Reise III,* and the first two volumes as *Reise I–II* or *Reise I* and *Reise II.*

[2] George Henry Lewes, *The Life of Goethe,* 3rd ed. (London, 1875): „in the decline of his great powers he collected the hasty letters sent from Italy [...] and from them he extracted such passages as seemed suitable, weaving them together with no great care or enthusiasm" (p. 296); in 1935 E. M. Butler was hardly more positive (cf. *The Tyranny of Greece over Germany* [Boston, 1958], p. 105 f.).

[3] Friedrich Gundolf treats Goethe's Italian sojourn at length, but devotes only a brief paragraph to the *Reise* (*Goethe* [Berlin, 1930], p. 637 f.); in *Goethe, 1786–1814* (Zürich, 1956), Emil Staiger discusses the *Reise* almost solely with reference to Goethe's first trip to Italy; and Richard M. Meyer, *Goethe* (Berlin, 1895), p. 417, writes of the first three parts of „Dichtung und Wahrheit" (1811 bis 1814), denen sich bald die ‚Italienische Reise' anschließt," „bald" being subsequently explained as March, 1816, publication date of *Reise I.* (Meyer's final reference to the *Reise* is typical of the liberties of chronology that biographers and others allow themselves. Discussing Goethe's historical thought, Meyer quotes a maxim from *Reise II* and comments, p. 588: „eben damals, als Goethe in Italien dieser Wahrheit Ausdruck gab, sprach Iphigenie die Worte: ‚Es erzeugt nicht gleich / Ein Haus den Halbgott noch das Ungeheuer; / Erst eine Reihe Böser oder Guter / Bringt endlich das Entsetzen, bringt die Freude / Der Welt hervor!'"Iphigenie's words versify a prose formulation of 1779, and the maxim under the date „Palermo [...] den 9. April 1787" – over four months after Goethe finished with *Iphigenie* – could have been written in the mid-1810's.) Similarly, in *Goethe, a Critical Introduction* (Cambridge, 1967), Ronald Gray treats the *Reise* („begun 1813") only as one of a series of works of self-record that runs from *Dichtung und Wahrheit* via *Annalen* und *Italienische Reise* – in this order – to Eckermann's *Gespräche mit Goethe;* in Liselotte Dieckmann's *Johann Wolfgang Goethe* (New York, 1974), p. 23, „the Italian Journey, [...] written in 1814–1816," precedes *Dichtung und Wahrheit,* „written rather rapidly, in 1822–1823," and (p. 185, n. 4) is „published in 1817"; Horst Althaus, „Goethes ‚römisches Sehen,'" in his *Ästhetik Ökonomie und Gesellschaft* (Bern, 1971), p. 160, gives 1819 as the date of *Reise III;* and Arthur R. Schultz, „Goethe and the Literature of Travel", *JEGP,* 48 (1949), 452, states that the *Reise* was „prepared for printing in 1813." – The simple confusion of „Reise" and *Reise* is nicely illustrated by Heinrich Meyer, *Goethe: Das Leben im Werk* (Hamburg-Bergedorf, 1951): „Goethes ‚Italienische Reise' und die während derselben geschriebenen Briefe" (p. 355 f.).

[4] This time span is surpassed only by that of *Faust; Dichtung und Wahrheit* occupied Goethe from 1809 to 1831, and *Campagne in Frankreich 1792* and *Belagerung von Mainz* together from 1792 through 1822. (Comparable dates for *Wilhelm Meisters Lehrjahre* and the *Wanderjahre* are 1777–1796 and 1807–1829.) It is never stressed that *Reise III* was

composed by the Goethe of *Faust II* and the final version of *Wilhelm Meisters Wanderjahre*, although *Reise I–II* is often related to Goethe's interest in autobiography and the concerns of *Über Kunst und Altertum*.

[5] Most introductions to editions of the *Reise* adequately explain its genesis and composition – exemplary is Herbert von Einem on „Die Veröffentlichung," in Goethe, *Werke: Hamburger Ausgabe* [abbr.: H. A.], XI (München, 1974 – 8. Aufl.), pp. 572–77 – but the implications of their information (except for Goethe's interest in his own past) are usually developed only in connection with *Reise I–II*.

[6] H. von Einem, H. A., XII (7. Aufl. – München, 1973), 574.

[7] H. A., XI, 577. – Meyer, *Goethe: Das Leben im Werk*, p. 359, though interpreting Goethe's (neo)classicism less positively, insists that Goethe's art-theory underwent no significant modifications after Italy.

[8] To the art historian the implications were obvious, but Robert Weber (Goethe, *Werke, Festausgabe* [Leipzig, 1926], XVII, 642) helpfully noted: „Worte [. . .] gerichtet gegen die späteren jungdeutschen Maler in Rom, die sog. ‚Nazarener'."

[9] H. A., XI, 389f.

[10] The ultimately negative value that *maniera* acquired (cf. Bellori, Malvasia, Mengs, etc.) had led to widespread neoclassical depreciation of Michelangelo in the 18th century.

[11] Cf. Mme. de Staël's Corinne (*Corinne, ou l'Italie*, Livre VIII, Ch. 3): „Elle admirait la composition sans artifice des tableaux de Raphaël, surtout dans sa première manière."

[12] René Michéa, *Le „Voyage en Italie" de Goethe* (Paris, 1954), p. 279. – For the importance of neoclassicism as an expression of eighteenth-century anti-transcendental secularism cf. von Einem, H. A., XII, 556, who cites Peter Cornelius' condemnation of the late Raphael's secularism.

[13] The account of L.-F. Cassas' drawings of Middle Eastern monuments („Bericht. September [1787]") is the most striking expression of this breadth of interests; in it items not reproduced in Cassas' *Voyage pittoresque* [. . .] (Paris, 1799) – cf. von Einem, H. A., XI, 655 – are described, which indicates that it accurately records an Italian, not a later, response to them.

[14] „Bericht, April [1788]" (composed with Heinrich Meyer's help, August, 1829).

[15] For the equal importance to Goethe of Graeco-Roman monuments and Renaissance paintings cf. his letter (7 December 1795) acknowledging Lichtenberg's gift of early fascicles of *Ausführliche Erklärung der Hogarthischen Kupferstiche*: „Ich leugne nicht, daß eine anhaltende Betrachtung der Kunstwerke, die uns das Altertum und die Römische Schule zurückgelassen haben, mich von der neuern Art, die mehr zum Verstande als zu der gebildeten Sinnlichkeit spricht, einigermaßen entfernt hat [. . .]."

[16] Cf. Melitta Gerhard, „Die Redaktion der ‚Italienischen Reise' im Lichte von Goethes autobiographischem Gesamtwerk", *JbFDtHochst.*, 1930, p. 131–50, on the use of „Berichte" in *Reise III* to heighten an effect of objectivity already intended in *Reise I–II*, and on revisions of and deletions from earlier documents that permit concentration, without biographical or historical distortion, on Goethe's sojourn in Italy.

[17] For the thesis that the Italian years inaugurated a period of extreme neoclassicism extending to Schiller's death or to the time of *West-östlicher Divan* cf. Staiger, p. 299, also p. 428–48 („Wandlungen"), and Hans Pyritz, „Humanität und Leidenschaft: Goethes gegenklassische Wandlung 1814/1815," in his *Goethe-Studien* (Köln, 1962), p. 97–191. But as Victor Lange observes in his introduction to Goethe, *Werke* (München: Winkler, 1972), I, p. XXIII: „Nach Schillers Tod hält Goethe an [dem] exemplarisch-bildenden Sinn des lyrischen, die Gestalt der Wirklichkeit erhellenden und bewegenden Sprechens fest, selbst dort, wo er sich der grundsätzlich anderen, die Welt im Subjektiven setzenden Dichtungstheorie der Romantik zu nähern scheint." And with reference to *West-östlicher Divan*, Horst Althaus similarly observes („Einige Maxime in Goethes Kunstlehre", in his *Ästhetik Ökonomie und Gesellschaft*, p. 194: „Die Früchte, die Blumen und die Düfte mögen vom Orient kommen; das Gesetz allein geben die Griechen"; cf. also In-

geborg Hillmann, *Dichtung als Gegenstand der Dichtung: Zum Problem der Einheit des „West-östlichen Divan“* (Bonn, 1965), p. 47, n. 23, countering Ernst Beutler, Erich Trunz, and Carl Becker (to whom Konrad Burdach could be added).

[18] Pyritz, p. 126 f.

[19] Cf. Vincenzo Errante, „La Fuga di Goethe in Italia e la sua conversione allo stile neoclassico“, *Die Mittelschule*, I (1941/42), H. 11, 5–21.

[20] In Weimar Goethe was also in contact with Oeser through 1785, although he later regarded Oeser's Winckelmannian ideas negatively.

[21] Michéa, p. 385 ff. (and p. 463), with reference to Goethe's Spinozism; Werner Kohlschmidt, *Geschichte der deutschen Literatur vom Barock bis zur Klassik* (Stuttgart, 1965), p. 757, apropos of Goethe's interest in the Greek epigram and „antike Kleinkunst“; von Einem, H. A., XII, 554, in connection with Goethe's rejection at the beginning of the 1780's of subjectivity in Maler Müller and Fuseli, who notes: „Hier nun werden wir Zeugen [. . .] von dem Hinauswachsen der Klassik des Dichters und Denkers über den Klassizismus der bildenden Kunst.“ (Otto Stelzer, in his excellent *Goethe und die bildende Kunst* [Braunschweig, 1949], p. 25, also has Goethe return from Italy a „Klassizist.“)

[22] „Festausgabe,“ XVII, 12 (Weber names Herder, Lessing, Winckelmann, and Oeser as the major influences); Hans Rudolf Vaget, *Dilettantismus und Meisterschaft: Zum Problem des Dilettantismus bei Goethe* [. . .] (München, 1971), also argues that Italy marked no radical change in Goethe's basic aesthetic concepts.

[23] In her otherwise exemplary „Die Kunstanschauung Goethes in der ‚Italienischen Reise‘“ (*Italien*, 2 [1929], 317–29 [etc.]), Wanda Kampmann exaggerates the Winckelmannian element in Goethe's criticism of Mantegna's Verona frescoes, the language of which – e. g., „zart“ – is not that of Winckelmann's characterization of the archaic Greek style.

[24] In „Goethe und die bildende Kunst,“ in his *Goethe-Studien* (München, 1972), p. 116 f., von Einem interprets the publication in *Die Propyläen* of Heinrich Meyer's „Über die Gegenstände der bildenden Kunst“ (1798) as evidence that after his Storm-and-Stress period Goethe again ranked kinds of painting according to their subjects (similarly, Staiger, p. 34), but as recently as 20 May 1796 (letter to Meyer) Goethe had rejected any ranking of the arts. For evidence that Meyer's essay inadequately represented Goethe's views, see Walther Scheidig, *Goethes Preisaufgaben für bildende Künstler 1799 bis 1805* (Weimar, 1958), p. 12 f., and cf. Kampmann, p. 329: „Daß Goethe dem Gegenstand eine so hohe ästhetische Bedeutung beilegt, wird eher verständlich, wenn man ihn nicht als bloßen Stoff versteht, sondern den schon geistig irgendwie geprägten Gehalt.“ – In „Einfache Nachahmung der Natur, Manier, Stil,“ published less than a year after his return from Rome, Goethe's idea that „Stil“ („der höchste Grad, wohin sie [die Kunst] gelangen kann“) may be achievable in still life – an even „lower“ art than landscape – is antithetical to neoclassical depreciation of what the artist has „gerade von der Natur kopiert“ (Lessing, *Laokoon*, Abs. XI, par. 7, preferring imaginary or ideal to real landscape).

[25] „Aus Goethes Brieftasche“, H. A., XII, 22.

[26] Goethe, *Werke* („Weimarer Ausgabe“), 1. Abt., XLVII, 332.

[27] Cf. Goethe's letter to Zelter, 30 October 1808: „Kein Mensch will begreifen, daß die höchste und einzige Operation der Natur und Kunst die Gestaltung sei [. . .]“; *Pandora*, l. 676: „einzig veredelt die Form den Gehalt“; letter to A. L. de Chézy, 9 October 1830: „Nun [. . .] begrüßt Ihre [. . .] Übersetzung mich in hohen Jahren, wo der *Stoff* eines Kunstwerks [. . .] für die Betrachtung fast Null wird, und man der *Behandlung* allein, aber in desto höherem Grade, Ehre zu geben sich befähigt fühlt.“

[28] Staiger, p. 35, who illustrates this with Goethe's description – written in 1829 – of Raphael's cartoon *The Death of Ananias.*

[29] Staiger, p. 34 (but von Einem, H. A., XII, 557: „Die Erfahrung der Geschichtlichkeit der Kunst ist Goethe in Italien aufgegangen“).

[30] E. Seillière, „Les Elements romantiques dans l'œuvre de Gœthe après 1786," *RG*, 9 (1913), 529–56 (p. 531).

[31] „Bericht. April [1788]." (H. A. XI, 545).

[32] Friedrich Schiller, *On the Aesthetic Education of Man* [. . .], ed. Elizabeth M. Wilkinson and L. A. Willoughby (Oxford, 1967), p. 56.

[33] H. A., XI, 456. As early as „Den 28 Januar 1787" Goethe had declared with reference to the rise and fall of art styles: „jeder, dem es Ernst ist, sieht wohl ein, daß auch in diesem Felde kein Urteil möglich ist, als wenn man es historisch entwickeln kann." To say that the historical „ist immer nur Gleichnis des Unvergänglichen" in the *Reise* (von Einem, H. A., XI, 566 – but cf. also n. 29 above) is misleading, since it can also be the non-recurrent (cf. p. 103, 122, 220, etc.). – Goethe can appreciate St. Peter's without condemning its Baroque elements because his architectural mentor is Palladio (Palladianism, which is less Baroque, had been a pre-Italian enthusiasm – cf. Harald Keller, „Goethe, Palladio und England," Bayerische Akademie der Wissenschaften, Phil.-hist. Kl., *Sitzungsberichte*, 1971, H. 6).

[34] E. g., Staiger, p. 30 f.

[35] Idealizing naturalism is the „Methode" that in *Diderots Versuch über die Malerei* (2. Kap., „Von der Harmonie der Farben") explains why Greek art „aus den verschiedenen Zeiten und von verschiedenem Werte" produces „einen gewissen gemeinsamen Eindruck." – The beginning of a radically different style c. 200 A. D. is delineated with exceptional clarity by Ranucci Bianchi Bandinelli, *Rom – Das Ende der Antike. Das Universum der Kunst*, XVII (München, 1971).

[36] Kampmann, p. 327, finds in Goethe's awareness that Raphael represents the culmination of a long historical development what fundamentally differentiates his *Klassik* from „Klassizismus."

[37] H. A., XI, 11 (though „hier und da fehlt es auch nicht an etwas Abgeschmacktem"). – The commonplace that Goethe „could hardly glance without wincing at medieval pictures, or at gothic, let alone baroque, architecture" (Butler, p. 110) needs correction.

[38] Cf. H. A., XI, 452. – The motif of ruined grandeur in Piranesi appealed to the instinct that explains Winckelmann's pleasure in „die fragmentarische, mehr andeutende als darstellende Überlieferung von der Antike" (Kampmann, p. 367, with reference to the end of Winckelmann's *Geschichte* and its „Sehnsucht" motif).

[39] The punctuation of Goethe's final sentence, whose *Montserrat* recalls the end of *Faust II*, and whose message is that of the verses at the end of my observations, is here modernized.

[40] E. g., H. A. Korff, „Goethe und die bildende Kunst", *ZsfDtkdes*, 41(1927), 657–73.

[41] Winckelmann's formulation at the end of *Gedanken über die Nachahmung der griechischen Werke in der Malerei und Bildhauerkunst*. – In Goethe's classicism as finally formulated in Italy „bleibt – darin liegt das Neue der Goetheschen Anschauung und sein tiefer Unterschied gegen die Tradition, insbesondere gegen Winckelmann – das Charakteristische immer die Bedingung der Schönheit" (von Einem, H. A., XI, 568).

[42] Cf. Herbert von Einem, „Goethe und Michelangelo,"*Goethe Jb.*,92(1975), 165–193 (Winckelmann, p. 166).

[43] In the *Reise* Goethe acknowledges an indebtedness to Mengs's writing on art, but makes no mention of his *Parnassus* or of his allegories in the Vatican Library, praising instead of these typically neoclassical works the portrait of Clement XIII („das herrlichste Bild, welches Mengs vielleicht je gemalt hat" – H. A., XI, 523) done in a Baroque tradition.

[44] *Reise II* (H. A., XI, 198).

[45] For Winckelmann beauty was inherent in the artist's subject or model (cf. *Geschichte der Kunst des Altertums*, IV, 2 – explanation of the beauty of Raphael's Galatea and Guido's angels), for Goethe it was artistic expression or statement.

[46] Raffael Mengs, *Works* (London, 1796), I, 136, 149, 189, 189.

[47] Mengs, I, 37.

[48] Claude-Henry Watelet, *L'Art de peindre* (Paris, 1760 – cf. Goethe's note, W. A., I. Abt., XLVIII, 236).

[49] H. A., XIII (München, 1975 – 7. Aufl.), 323. Similarly, in *Diderots Versuch über die Malerei (2. Kap.,* „Eigenschaften eines echten Koloristen"): „Bei allem, was nicht menschlicher Körper ist, bedeutet die Farbe fast mehr als die Gestalt [. . .]." – The absence of discussion of color in *Die Propyläen* and the fact color was optional for entries submitted in the Weimarer Kunstfreunde competitions (1799–1805) are sometimes adduced as evidence of a post-Italian period of extreme Goethean neoclassicism. Color was to have been treated in *Die Propyläen* (cf. „Einleitung" – H. A., XII, 44 f.), but Goethe had not advanced far enough in his color studies to include any of them before the journal ceased publication; for the small prizes offered in the competitions works executed in color were hardly to be expected, but in 1802 a landscape in oils – the only such submitted – did win Rohden a prize. Scheidig, p. 492 f., thus needlessly interprets as self-criticism Goethe's conclusion to Heinrich Meyer's *Siebente Weimarische Kunstausstellung vom Jahre 1805:* „Für das laufende Jahr bleibt unsere Ausstellung geschlossen. Inzwischen gedenken wir uns mit Freunden der Kunst und Natur über die Farben zu unterhalten. Vielleicht richten wir künftig unsere Preisaufgaben gegen diese nicht genugsam beobachtete Seite der Kunst."

[50] J. J. Volkmann, *Historisch-kritische Nachrichten von Italien* [. . .] (Leipzig, 1771), III, 481.

[51] H. von Einem (H. A., XI, 598).

[52] Goethe, *Reise-Tagebuch,* „26. September 1786" („Ein schön Bild"). – Volkmann, III, 650.

[53] Henry Fuseli, *Lectures on Painting* (London, 1801), 2nd lecture (cf. Kant, *Kritik der Urteilskraft,* 1. Teil, I, §14: „In der Malerei [. . .] ist die *Zeichnung* das Wesentliche [. . .]. Die Farben [. . .] gehören zum Reiz").

[54] Cf. von Einem, H. A., XI, 622 f.

[55] „Über Landschaftsmalerei. Theoretische Fragmente."

[56] Staiger, p. 36 f. – Cf. Wilhelm Pinder, „Goethe und die bildende Kunst," in his *Gesammelte Aufsätze* (Leipzig, 1938), p. 162 („gerade die Farbe hat er [Goethe] selten bei Kunstwerken geschildert").

[57] Staiger, p. 12 f.

[58] Another such passage is „Palermo [. . .] den 7. April 1787" (nine specific colors). – In *Amor als Landschaftsmaler,* written after Goethe's return to Rome, color is similarly used (with far more frequency than in his earlier poetry), and in *Künstlers Apotheose* (1789) the student expresses a concern for color – and design – lacking in its Storm-and-Stress counterpart *Des Künstlers Vergötterung.*

[59] Cf. Herta Wescher, *Die Collage* (Köln, 1968), who mentions neither Goethe nor Hackert. – Meyer (Berlin, 1792), p. 304 f. – Although the collages were lit from behind by two lamps, Meyer insists they are „keine Guckkastentändelei."

[60] The negative value for Goethe of „gräzisieren" is clearest in *Antik und Modern,* where the highest praise of Raphael's (Renaissance) style is: „Er gräzisiert nirgends, fühlt, denkt, handelt aber durchaus wie ein Grieche" (H..A., XII, 175).

[62] The unidentified *St. Agatha* whose „gesunde, sichere Jungfräulichkeit" (H. A., XI, 107) was to embody qualities Goethe now recognized as wanting in Frau von Stein could well have been by or in the manner of Guercino (hence possibly the „Raphael" Fritz Stolberg later saw in Bolgona – cf. von Einem's note, p. 602), to whom two days earlier Goethe had in Cento devoted a whole day.

[63] E. g., R. M. Meyer, n. 2 above. – H. G. Haile, *Artist in Chrysalis: A Biographical Study of Goethe in Italy* (Urbana, 1973), p. 81 f., finds „in the lines given her [Iphigenia] in Rome" – „Von dem fremden Manne / Entfernete mich ein Schauer; doch es reißt / Mein Innerstes gewaltig mich zum Bruder" (in Goethe's prose version: „mich

schaudert vor dem fremden Mann, und mich reißt mein Innerstes zum Bruder") – evidence of „rivalry between Orestes and the king within Iphigenia's heart," although the stranger *is* her brother. – On the whole the final text represents successful neoclassization, though one at times achieved with loss of concision and clarity; Kohlschmidt, p. 764, may claim: „[Es] zeigt schon ein Vergleich der Urfassung des *Parzenliedes* mit der italienischen Fassung, daß über die stilgeschichtlichen Einflüsse der Freunde [Moritz, Wieland] hinaus die ganze römische ‚Wiedergeburt' mit im Spiel ist," but even here the price of metrical regularization is repetition (*ewigen* now l. 1729 as well as 1745), meaningless expansion (*können sie brauchen* for *brauchen sie*; the *je* in *Den je sie erheben*; the poetic *Erhebet* for *Erhebt*), generalization (*die Gäste* for *der Gast*), loss of metaphor (*der Atem Erstickter Titanen* for *des Riesen erstickter Mund*), vagueness (*Ein leichtes Gewölke* for *Ein leichter Rauch*, which better described volcanic fumes from Tartarus), and blandness (*meiden* for *hassen*).

[64] H. A., XI, 107 f.

[65] H. A., XI, 375 (*Reise III*, „Bericht. Juli [1787]").

[66] H. A., XI, 478 f.

[67] How, and how much, Goethe in Rome revised *Egmont* is so uncertain that brief generalization is not possible here; the „musical" element of its opening scene, and the „operatic" of its final act, seem stylizations comparable to those of the *Singspiel* revisions.

[68] Lange (Goethe, *Werke*, I), p. XX. – That Renaissance painting (not Graeco-Roman sculpture) is important for the visual elements of the elegies has often been noted; Errante, p. 9, also emphasizes the importance of line as „recipiente di colore."

[69] Cf. René Michéa, „L'élément pictural de ‚Torquato Tasso'," *Revue de l'Enseignement des Langues vivantes*, 51 (1934), 109–117.

[70] Giuliano Baioni, „‚Märchen' – ‚Wilhelm Meisters Lehrjahre' – ‚Hermann und Dorothea'. Zur Gesellschaftsidee der deutschen Klassik," *Goethe Jb.*, 92 (1975), 113, interpreting as an injunction to establish social regimentation Natalie's observation that children need discipline.

[71] *Abschied* [zu Faust], „Festausgabe," V, 588, as dated by Hans Gerhart Gräf, *Goethe über seine Dichtungen*, 2. Teil, II (Frankfurt, 1904), 89 ff. – On Goethe's perdurable rejection of both „starrer Klassizismus" and „romantische Verflüchtigung," see also Matthijs Jolles (rev. of Emil Staiger, *Goethe, 1786–1814*), *Anzeiger*, 89 (1958), 30 and 38.

Horst Rüdiger

Zur Komposition von Goethes
Zweitem römischen Aufenthalt

Das melodramatische Finale und die Novelle von der „schönen Mailänderin"

Die beiden ersten Teile von Goethes *Italienischer Reise*, 1816 und 1817 erschienen, unterscheiden sich in ihrer Komposition wesentlich vom *Dritten Teil*, der dem *Zweiten römischen Aufenthalt vom Juni 1787 bis April 1788* gewidmet ist.[1] Er erschien erst Ende 1829, mehr als vierzig Jahre nach dem Abschluß der Reise. Komposition und Redaktion durch den nahezu achtzigjährigen Autor zeigen Spuren und Merkmale des Alters. Schon 1817 hatte er dem Adlatus und Freunde Johann Heinrich Meyer gegenüber Erinnerungsschwächen beklagt und ihn gebeten,[2] die Lücken, die sich für den zweiten Aufenthalt in Neapel ergeben hatten, ausfüllen zu helfen; nun war er nicht nur auf den Beistand der Mitarbeiter angewiesen, sondern entschloß sich zu jener lässig-souveränen, dem Leser oft willkürlich erscheinenden, ja ihn irritierenden Komposition, die er zuerst in dem Sammelband *Winckelmann und sein Jahrhundert* und dann in den *Propyläen* angewandt hatte. In gewisser Weise nahm er mit ihr das moderne Teamwork-Verfahren vorweg. Am 10. April 1829, nachdem er mit Unterbrechungen schon mehr als ein Jahr an der Redaktion des *Zweiten römischen Aufenthaltes* gearbeitet hatte,[3] sagte er zu Eckermann:

Meine gedruckte Italienische Reise [*Erster* und *Zweiter Teil*] habe ich [. . .] ganz aus Briefen redigiert. Die Briefe aber, die ich während meines zweiten Aufenthaltes in Rom geschrieben, sind nicht derart, um davon vorzüglichen Gebrauch machen zu können; sie enthalten zu viele Bezüge nach Haus [. . .] und zeigen zu wenig von meinem italienischen Leben. Aber es finden sich darin manche Äußerungen, die meinen damaligen inneren Zustand ausdrücken. Nun habe ich den Plan, solche Stellen auszuziehen und einzeln über einander zu setzen und sie so meiner Erzählung einzuschalten, auf welche dadurch eine Art von Ton und Stimmung übergehen wird.

So geschah es, und dadurch mag beim Leser der Eindruck entstehen, es sei allzu oft und allzu nachdrücklich von Glück und Wohlbefinden, von „neuem Leben" und der Wiedergeburt, von Licht und Klarheit, Reinigung und Genesung, von Stille, Zurückgezogenheit, ja Scheu vor der Gesellschaft die Rede.[4] Und noch mehr: Unbedenklich schob Goethe einen *Nachtrag* über *Päpstliche Teppiche* ein (397–401), nicht ohne die Gelegenheit zu einer (im Zusammenhang des Jahres 1787!) anachronistisch wirkenden Polemik gegen deutsche Künstler zu benutzen, mit denen jedoch nicht seine römischen Freunde von einst, sondern talentlose Romantiker gemeint sind. Auch schaltete er einen Abschnitt *Störende Naturbetrachtungen* zwischen (414–416), den man mit einiger Verwunderung liest, weil hier für die Störung nicht (wie gewöhnlich) gesellschaftliche Zerstreuung verantwortlich gemacht wird, sondern eben die botanische Forschung, welche neben „Poesie, Kunst und Altertum" (414), den gegenwärtigen Hauptgeschäften, von Padua bis Sizilien doch ebenfalls im Mittelpunkt seiner Interessen gestanden hatte. Oder er ließ Tischbein mit Briefen aus Neapel (391–397), Meyer mit einer Stelle über *Vorteile der Fackelbeleuchtung* bei nächtlichem Museumsbesuch (484–486), Moritz mit einem Teilabdruck seiner (seit 1788 bekannten!) Reflexionen *Über die bildende Nachahmung des Schönen* (588–596) und einen unbekannten Franzosen als Verehrer seiner Schriften (488 f.) zu Worte kommen. Er selbst schrieb über *Moritz als Etymologen* (507–509), *Philipp Neri, den humoristischen Heiligen* (509–523), und über seine eigene *Aufnahme in die Gesellschaft der Arkadier* (528–532). Die Studie über *Das römische Karneval*, schon 1789 in einer illustrierten Ausgabe als bibliophile Kostbarkeit erschienen, nahm er nochmals in den Text auf (533–567), ja er trug keine Bedenken, in einem Bericht „einige Stellen aus dem vorigen [zweiten] Bande" der *Italienischen Reise* wieder abdrucken zu lassen (412 f. = 291, 413 f. = 353) – Bemerkungen über seine „alte Grille", die Urpflanze (412), zur Vorbereitung des Lesers auf *Störende Naturbetrachtungen*. Wenn Goethe einmal sagt (445), Rom sei „als ein Quodlibet anzusehen, aber als ein einziges in seiner Art", so könnte diese Charakterisierung auch für die bunte Thematik in der Korrespondenz und in den Berichten des *Zweiten römischen Aufenthaltes* gelten. Er selbst gab sich über die Einheitlichkeit des Werkes keinen Illusionen hin. Im Anschluß an eine Bemerkung über den „Versuch, so disparate Elemente" wie in den *Wanderjahren* in Einklang zu bringen, schrieb er Sulpiz Boisserée,[5] auch im *Zweiten römischen Aufenthalt* erhalte „das Ganze [...] vielleicht nur dadurch eine Einheit daß es aus einer Individualität, obgleich in sehr verschiedenen Jahren, lange gehegt, auch wohl jahrelang beseitigt, endlich hervorgetreten". In ähnlichem Sinne dankte er Wilhelm von Humboldt für seine verständnisvolle Rezension,[6] mit der er das, was an dem Buch „zufällig, ermangelnd eines Zusammenhangs, einer

Folge scheinen möchte, auf eine geistige Notwendigkeit, auf individuelle charakteristische Verknüpfungen, aufmerksam und liebevoll", habe „zurückführen" wollen. Dennoch ist es nur zu verständlich, wenn einer der ersten Leser des Buches den „Anschein von Fragmentarischem" empfand[7] oder die Literaturkritik den Eindruck des Typisierens gewann[8] und die Einlagen aus anderen Autoren als „Füllsel"[9] oder wohl gar als Fremdkörper betrachtete. Die in jahrelangen ‚Beseitigungen' – die Psychoanalyse würde von ‚Verdrängungen' sprechen – und immer neuen Ansätzen sich ausdrückende Unlust an der Fertigstellung der Arbeit beeinträchtigt den unbefangenen Genuß der Lektüre.

Indessen sind die meisten literarisch wertvollen Reiseberichte, darunter auch solche, die den „inneren Zustand" ihrer Verfasser darzustellen versuchen, nach dem Stilprinzip der unterhaltenden Variation komponiert. Im Falle des *Zweiten römischen Aufenthaltes* wird das Prinzip durch die Anordnung des Stoffes in monatlichen Folgen und den schematischen Wechsel von echter Korrespondenz und nachträglich zusammenfassenden Berichten zwar etwas verdeckt, doch kann die Absicht des Autors keinem Zweifel unterliegen, die Monotonie subjektiver Gefühlsäußerungen im Geschmack von Sternes *Sentimental Journey*[10] nicht überhandnehmen zu lassen. Befreiung von wertherischer Empfindsamkeit und Fähigkeit zur Objektivierung der Gefühle, sei es in dramatischer Gestalt wie im *Tasso* oder in elegischer Form wie in den *Erotica Romana*, gehören zum bleibenden poetischen Gewinn der römischen Palingenese. Anläßlich der Schilderung des Karnevals hat Goethe die Abwendung von Sternes Subjektivismus übrigens selbst betont:[11] Im Unterschied zu dem bewunderten Vorgänger habe er das Ziel verfolgt, sich selbst „so viel als möglich zu verleugnen und das Objekt so rein als nur zu tun wäre" in sich aufzunehmen. Anderseits wußte der Autor des *Werther* natürlich sehr wohl, daß die Darstellung ‚sentimentaler' Begebenheiten – das Wort sowohl im Sinne von ‚leidenschaftlich' wie von ‚gefühlsbetont' verstanden – auf das Interesse der Leser und die Gunst der Leserinnen zählen durfte. Und so scheute er sich nicht, den *Zweiten römischen Aufenthalt* gegen Schluß doch wieder empfindsam zu stilisieren, auch wenn er Selbstbespiegelung vermied und die Gefühlswerte in die Personen und Gegenstände verlegte.

Zwei Momente, nah aufeinander bezogen, sprechen das Gefühl vor allem an: der Roman mit der „schönen Mailänderin" und der Abschied von Rom. Dieser ist trotz dem deutlichen Bruch mit konventionellen Szenen des Themas ‚Abschied von Rom' die unpersönlichere Komposition. Goethe hat sie von Anfang an genau bedacht. Der früheste Entwurf der Szene ist vom 31. August 1817 datiert,[12] ihre erste Ausführung vom gleichen Tag (971 f.) – ein Beweis dafür, daß Goethe ursprünglich beabsichtigte, den *Dritten Teil* der *Italienischen Reise* den beiden ersten unmittelbar, also bald nach 1816/17, folgen zu lassen. Im Entwurf heißt es: „Schmerzen eigner Art / Rom ohne Hoffnung / der Ruckkehr [sic] zu / verlassen." „Ovids Elegie", d. h. *Tristium* I 3, v. 1–4 und 27–32, wird schon damals zur Aufnahme erwogen und in die erste Fassung gleich zu Beginn der Szene eingerückt.[12a] In der endgültigen Fassung steht sie, um die beiden letzten Verse gekürzt, am Schluß der gesamten *Italienischen Reise*; Riemers Übersetzung geht ihr voran (613). – Auch das Versagen der poetischen Kraft vor dem Thema ‚Abschied von Rom' ist schon im Entwurf ausgedrückt, wenngleich noch halb als psychologische, halb als ästhetische Entscheidung motiviert: „Meinen Leiden / angebildet / Furcht sie [die Elegie] zu schreiben / Damit der zarte / Duft der Schmerzen / nicht verschwinde." In der ersten Fassung heißt es dann entsprechend:

> Angebildet wurden jene [Ovids] Leiden den meinigen und auf der Reise beschäftigte mich dieses innere Tun manchen Tag und Nacht. Doch scheute ich mich auch nur eine Zeile zu schreiben, aus Furcht, der zarte Duft inniger Schmerzen möchte verschwinden. Ich mochte beinah nichts ansehen um mich in dieser süßen Qual nicht stören zu lassen.

Die endgültige Fassung ist lakonischer und erzielt auch darum stärkere Wirkung, weil sie das Versagen unumwunden eingesteht (612):

> [. . .] ich wiederholte das Gedicht [Ovids], das mir teilweise genau im Gedächtnis hervorstieg, aber mich wirklich an eigner Produktion irre werden ließ und hinderte; die auch, später unternommen, niemals zustande kommen konnte.

Da Goethe während der letzten römischen Wochen am *Tasso* arbeitete, lag es nahe, daß er sein eigenes Schicksal auch im Leiden seines Helden gespiegelt sah. Im Entwurf stehen nur zwei knappe Bemerkungen: „Tasso angeknupft" [sic], wobei sich die Anknüpfung auf die Überlegung bezieht, „wie herrlich die Ansicht der Welt" trotz allen Abschiedsqualen sei (972), sowie „Tassos Verbannung". Aus der Korrespondenz vom 14. April 1788, also wenige Tage vor der Abreise aus Rom, wissen wir (598), daß *Tasso* dem Dichter „ein willkommener Gefährte zur bevorstehenden Reise" war, und aus einem Notizheft,[13] daß Goethe während der Heimfahrt am erneuerten II. und am V. Akt des Dramas gearbeitet und welche Verse er aus den Notizen übernommen hat. In Mailand hatte er Tassos *Aminta* gekauft und wohl auch gleich

gelesen. Auf die aus dem Schlußchor des I. Aktes abgeleitete Wunsch-
vorstellung vom Goldenen Zeitalter als Epoche schrankenloser Freiheit, ja der Libertinage schlechthin (v. 681: „S'ei piace ei lice" = v. 994:
„Erlaubt ist, was gefällt"[14]), gibt die Prinzessin zu bedenken (II 1, v.
995–1006):

> Mein Freund, die goldne Zeit ist wohl vorbei;
> Allein die Guten bringen sie zurück.
> *Und soll ich dir gestehen, wie ich denke:*
> *Die goldne Zeit,* womit der Dichter uns
> Zu schmeicheln pflegt, die schöne Zeit, *sie war,*
> So scheint es mir, so wenig, als *sie ist;*
> *Und war sie je,* so war sie nur gewiß,
> Wie *sie* uns immer *wieder* werden *kann.*
> Noch treffen sich verwandte Herzen an
> Und teilen den Genuß der schönen Welt;
> Nur in dem Wahlspruch ändert sich, mein Freund,
> Ein einzig Wort: Erlaubt ist, was sich ziemt.

Mit Sicherheit sind nur die Verse 997 bis 1002 in ähnlicher Gestalt aus
dem Notizheft übernommen (die wörtlichen Übereinstimmungen hier
kursiv), während die sittliche Maxime aus Guarinis *Pastor fido*
stammt. Doch ebenso sicher scheint mir, daß der Dichter die „goldne
Zeit", die nun „vorbei" ist, auf die pastorale Ungebundenheit seiner italienischen und vor allem römischen Tage beziehen konnte und wohl
tatsächlich auch bezogen hat.

Die andere Stelle, die den Reisenotizen entspricht, ist der Anfang des
V. Aktes. Hier sagt Antonio zum Herzog (v. 2830–35):

> Auf deinen Wink ging ich das zweitemal
> Zu Tasso hin, ich komme von ihm her.
> Ich hab ihm zugeredet, ja gedrungen;
> Allein er geht von seinem Sinn nicht ab
> Und bittet sehnlich, daß du ihn nach Rom
> Auf eine kurze Zeit entlassen mögest.

Die Verse geben den Entwurf im Notizbuch fast unverändert wieder.
Auch sie beziehen sich einerseits auf eine klar umrissene dramatische
Situation, spiegeln aber anderseits einen „sehnlichen" Wunsch des
Dichters, der sich nun nicht mehr erfüllen läßt: „Rom ohne Hoffnung
der Ruckkehr". Oder wie es Lieselotte Blumenthal nach einem berühmten *Tasso*-Vers ausdrückt:[15] „ [...] durch Tasso konnte er sagen,
wie er litt". Es verhielt sich eben so, wie er in der ersten Fassung des Abschieds von Rom geschrieben hatte (972): „[...] der Gedanke an Tasso

ward angeknüpft und ich bearbeitete die Stellen mit vorzüglicher Neigung, die mir in diesem Augenblick zunächst lagen". Was ihm aber am nächsten lag, sagt er wenige Zeilen später:

> Wie mit Ovid dem Lokal nach [gemeint ist das Kapitol], so konnte ich mich mit Tasso dem Schicksale nach vergleichen. Der schmerzliche Zug einer leidenschaftlichen Seele, die unwiderstehlich zu einer unwiderruflichen Verbannung hingezogen wird, geht durch das ganze Stück.

Als Verbannung empfindet der „eingebürgerte Italiener" (481) die Trennung von Rom, so wie Tasso und Ovid das Schicksal der Verbannung erfahren hatten. An seiner Wahlverwandtschaft mit ihnen läßt er keinen Zweifel. Einen Monat vor der Abreise, am 22. März, bewegt ihn Tassos Gemütskrankheit bis zur Angst (585):[16] „In jeder großen Trennung liegt ein Keim von Wahnsinn, man muß sich hüten, ihn nachdenklich auszubrüten und zu pflegen." Bei der Betrachtung der Kunstschätze, die seine Wohnung zieren, fühlt er sich „wie einer, der sein Testament überdenkt" (602), und der Rat Reiffenstein nennt sich bald nach Goethes Abreise scherzend seinen „Executor testamentarius",[17] wahrscheinlich der Reflex einer ernster gemeinten Bemerkung Goethes. Seine Tasso-Gestalt ist wirklich, wie er zu Eckermann sagte,[18] „Bein von meinem Bein und Fleisch von meinem Fleisch", und es waren gewiß nicht nur die Weimarer „Hof-, Lebens- und Liebesverhältnisse", auf die er hier anspielt, sondern das Tasso-Schicksal der Verbannung aus einer zur Heimat gewordenen Welt.

Um so merkwürdiger mutet es daher an, daß in der endgültigen Fassung des Abschieds von Rom der Name Tassos fehlt. Getilgt ist auch die Erinnerung an Florenz, wo Goethe am Drama arbeitete, sowie der harmonisierende Schluß mit dem Hinweis auf das Weimarer Belvedere, der sanft in die nachitalienische Zeit hinüberführt. Der endgültige Schluß klingt härter: Die trostlosen Verse Ovids rufen dem Leser unwillkürlich das unwirtliche Tomi am Schwarzen Meer ins Gedächtnis, das ihm – zu Unrecht oder nicht – Weimar als Ort der ‚Verbannung' suggeriert. Das allzu subjektive Bekenntnis zum Gleichklang mit Tassos Schicksal aus der ersten Fassung wird in der endgültigen Fassung durch zwei andere Stimmungsmomente ersetzt: ein erhabenes und ein unheimliches. Diese Tatsache spricht gegen die Vermutung von René Michéa,[19] Goethe sei hier einem Gattungszwang unterlegen. Auffällig ist zwar in der Tat, daß beispielsweise auch der Abschied aus Rom von Germaine de Staëls *Corinne ou l'Italie* (XV 4; erschienen 1807) teilweise am Kolosseum und zwischen mondbeglänzten Ruinen stattfindet. Indessen unterscheiden sich die beiden Darstellungen wesentlich. Abgesehen von Corinnes Seufzern nach Oswald, abgesehen auch von der musizierenden Gesellschaft, welche der Dichterin durch das nächtliche Rom das Geleit gibt, weckt „die Unform der Ruinen" (445) in Goethe keineswegs melancholische Gefühle, wie das präromantische Verhalten es fordert; durch die Betrachtung des Zerstörten fühlt er sich vielmehr zur Freude am Erhaltenen oder Restaurierten und zu „edler Tätigkeit" ‚aufgeregt' (503 f.). Noch eindringlicher bezeugt die Schilderung des Mondlichtes den Abstand Goethes vom Schimmer des romantischen Gestirns, dessen trüben Zauber er sehr wohl kannte.[20] Bei s e i n e m Abschied aus Rom hat drei Tage zuvor der Vollmond geschienen; Himmel und Lichtmassen präsentieren sich dem Wanderer in äußerster Klarheit, die Schatten heben sich scharf ab, und alles setzt den Betrachter „in einen Zustand wie von einer andern einfachern größern Welt" (611). Es wiederholt sich zum letzten Mal eine Naturerscheinung, die er so oft mit Entzücken genossen und in Zeichnungen und Aquarellen festzuhalten versucht hatte.[21] Die sentimentale Stimmung des literarischen Themas ‚Abschied von Rom' hat sich unmerklich in eine erhabene verwandelt, die ‚romantische' in eine „einfachere größere", welche man ‚klassisch' nennen mag; sie bedeutet auf jeden Fall den Bruch mit einem Klischee und verwirklicht eine neue Bewußtseinsstufe. Autobiographische Zuverlässigkeit darf man jedenfalls nicht erwarten, wo die prästabilierte Stilisierung durch Tasso und Ovid oder – in der zweiten Fassung – durch Ovid allein so offen zutage liegt. Die Abschiedsszene ist eine bewußte Komposition, aber nicht nach dem Schema bereitliegender Konventionen, sondern gleichsam gegen die Tradition.

Das zeigt sich noch deutlicher an der Art, wie Goethe das musikalische Element einführt. Corinne folgt einer anonymen Sängerschar; vom Gesang an die irdische Vergänglichkeit gemahnt, gibt sie sich der Melancholie mit Wollust hin. Goethe fühlt sich hingegen durch das Reiterstandbild des Mark Aurel auf dem Kapitol an die Reiterstatue des Commendatore im *Don Giovanni* erinnert – bezeichnenderweise also durch ein plastisches Werk an eine der im musikalischen Ausdruck dramatischsten Szenen der Weltliteratur. Dabei gibt ihm das Bildwerk zunächst nur „zu verstehen, daß er etwas Ungewöhnliches unternehme" (611). Trotz dieser leisen Warnung wandert er über das Forum zum Kolosseum und erlebt nun – zum zweiten Male nach dem Karneval (572 f.) – die Schauer des Unheimlichen in der geliebten Stadt. Die Architektur erscheint ihm „fremdartig und geisterhaft", beim Anblick

des Kolosseums überläuft es ihn (611). Was hat ihn angerührt? Gewiß
keine literarische Ruinensentimentalität, vielmehr die Erinnerung an
die Grabesstimme des erschlagenen Commendatore im geisterhaften
Mondlicht, an die Todesschauer, die sein gespenstischer Auftritt vorwegnimmt. Der vertraute Anblick von Kapitol und Kolosseum wird
durch die Erinnerung an das ungeheure Finale des Musikdramas un-
heimlich verfremdet, die das Gemüt reinigende und befreiende Wirkung, bisher mit immer neuem Entzücken gepriesen, durch eine plötzlich hereinbrechende neue Ansicht der Dinge ganz und gar verdrängt.
Und wie das übermütige „Dramma giocoso" im schrecklichsten Höl-
lensturz endet, so mündet das Übermaß des Wohlbefindens, welches
Goethes römischen Aufenthalt begleitet, in die trostlose Gewißheit,
daß diese Trennung von Rom so endgültig ist wie die Ovids – so unwi-
derruflich wie der Tod. Die *Italienische Reise*, ein Buch des Glückes
und Genusses, endet in der resignierten Gewißheit, daß dem Glück und
Genuß des Menschen enge Schranken gezogen sind.

    Das andere Element, das den Eindruck der uneinheitlichen und zufäl-
ligen Komposition und der Typisierung von Menschen und Ereignissen
mildern soll, ist das die letzten Monate begleitende und über mehrere
Berichte verstreute Abenteuer mit der „schönen Mailänderin" Maddalena Riggi.[22] Ein flüchtiger Hinweis auf die Begegnung mit ihr findet
sich in einem frühen Schema der ges amten *Italienischen Reise* (also
einschließlich der beiden ersten Bände; 976): „Villegiatur. [sic] Artige
Mayländerin." Mehr war offenbar nicht nötig, um die schöpferische
Phantasie in Bewegung zu setzen – allenfalls noch die Erinnerung an die
merkwürdige Duplizität der Begegnungen: Fast ein halbes Jahrhundert
zuvor hatte Johann Caspar Goethe mit einer Mailänderin namens Maria Merati einen imaginären Briefwechsel geführt.[23]

    Die erste, vielleicht noch unbeabsichtigte Vordeutung auf das Aben-
teuer findet sich im Juli-Bericht der endgültigen Fassung. Goethe erzählt (416f.), wie er mit seinen Künstlergesellen für Angelica Kauffmann, den britischen Kunsthändler Jenkins und andere Freunde ein
Konzert veranstaltet hat und dadurch bei der Nachbarschaft am Corso
in den Ruf eines „reichen Mylordo" geraten ist. Dies hat zur Folge gehabt, daß „eine gar hübsche römische Nachbarin [...] mit ihrer Mutter"
seine Grüße „freundlicher als sonst" erwiderte (465), ohne daß es zu einer Annäherung gekommen wäre. Auch als er während der Villeggiatur, die er im Oktober bei Jenkins in Castel Gandolfo verlebt, den bei-

den Frauen von neuem begegnet, gestalten sich die Beziehungen infolge des „wahrhaften Matronenernstes" der Mutter eher kühl (466).

Doch der Leser gewinnt ohnehin bald den Eindruck, als wäre die junge Römerin nur mit der Absicht eingeführt, den Auftritt ihrer mailändischen Freundin vorzubereiten. Aus der abwägenden Schilderung der beiden Mädchen läßt sich erkennen (466), daß Goethe dem „offnen, nicht sowohl ansprechenden als gleichsam anfragenden Wesen" Maddalenas den Vorzug geben wird. Die Vermutung, daß es „ein Wunder wäre", wenn sich aus der Muße und den sonstigen günstigen Umständen einer Villeggiatur „nicht die entschiedensten Wahlverwandtschaften zunächst [= demnächst] hervortun sollten", erweist sich als zutreffend (464); sie gehört ebenso wie der Hinweis auf Maddalenas „anfragendes Wesen" zu den listigen erzähltechnischen Vordeutungen auf die Hauptperson. Diese aus ihrer natürlichen weiblichen Reserve zu locken, ergibt sich alsbald die Gelegenheit. Sie beklagt die puritanische Erziehung der jungen Italienerinnen (467); man habe sie zwar lesen gelehrt, damit sie das Gebetbuch studieren könnten, aber nicht schreiben, „weil man fürchtet, wir würden die Feder zu Liebesbriefen benutzen". Und mit dem Fremdsprachenunterricht, zumal dem englischen, liege es gar im argen. Der „blitzschnell und eindringlich genug" Verliebte (466) erfaßt die Gunst des Augenblicks, findet in einer griffbereiten englischen Zeitung eine empfindsame Reportage, übersetzt der „Schülerin" zuerst die Substantiva und „examiniert" sie alsdann, „ob sie auch ihre Bedeutung wohl behalten". Nachdem die Zwischenprüfung zu seiner Zufriedenheit verlaufen ist, wendet er sich den anderen Satzteilen zu und „katechisiert" die Lernwillige, bis sie schließlich in der Lage ist, die Geschichte ins Italienische zu übersetzen. An ihrem „allerliebsten Dank" und seiner wachsenden Zuneigung kann es nun nicht mehr fehlen (467 f.).

Ich bin nicht sicher, ob eine solche Methode des Fremdsprachenunterrichts sich in jedem Falle so bewähren würde wie in diesem; aber ich zweifle nicht daran, daß sich hier eine pädagogisch-erotische Ursituation in poetischer Sublimierung spiegelt. Zwar verläuft die Szene hier nicht wie beim sogenannten Religionsgespräch im *Faust*, wo der „Herr Doktor" von Gretchen „katechisiert" wird,[24] sondern mit umgekehrter Rollenverteilung; doch das Lehrer-Schüler-Verhältnis wiederholt sich mehrmals im Leben und im Werk des Dichters. Goethe hatte Frau von Stein Englisch-Unterricht erteilt und schickte ihr, als er selbst verhindert war, Lenz als Vertreter. Der aber schrieb ihm im September 1776:[25] „Mit dem Englischen gehts vortrefflich. Die Frau von Stein findet meine

Methode besser als die deinige." Ins Poetische übertragen, wenngleich nicht mit dem prosaischen Lehrgegenstand Englisch, findet sich die Situation zuerst in dem späten *Divan*-Gedicht (1818) „Behramgur, sagt man, hat den Reim erfunden".[26] Neben der Legende von der Entstehung des Reimes gibt es zugleich seine Deutung: Wie der Herrscherpoet Dilaram, „die Freundin seiner Stunden", anregte, seine Lieder „mit gleichem Wort und Klang" zu erwidern, so wurde Suleika-Marianne dem Dichter Hatem-Goethe „beschieden, / Des Reims zu finden holden Lustgebrauch"; dem Gleichklang der Silben aber entspricht der Gleichklang der Seelen. – Das schönste Zeugnis der pädagogisch-erotischen Situation ist die Art, wie Helena von Faust das Reimen lernt (v. 9367–84). Die soeben angelandete Heroine wünscht von dem deutschen Ritter „Unterricht", warum die Rede des Lynkeus ihr so „seltsam klang, seltsam und freundlich". Da übernimmt Faust die Rolle des Poetiklehrers, erklärt Helena, daß es der ungewohnte Reim gewesen sei, der ihrem Ohr geschmeichelt habe, und schlägt ihr vor, das Reimen gleich einmal zu üben. Als gelehrige Schülerin ergänzt sie nun die Halbverse, die Faust ihr vorspricht, durch untadelige Reime, und schließt mit der Versicherung, ihre Hand besiegle das gemeinsame Glück. Abgesehen von ihrem Abschied, der sie in die Unterwelt zurückführt, spricht Helena von nun an nicht mehr in klassischen Trimetern oder in Blankversen, sondern in deutschen Reimversen, zum Zeichen dafür, daß sie sich Faust und seiner mittelalterlichen Welt zugehörig fühle. Die Kunst des Dramatikers hat in achtzehn knappen Versen poetologische und pädagogisch-erotische Motive dem Fortschreiten der Handlung dienstbar gemacht: dem Verlöbnis von Faust und Helena.[27]

Die gängigen *Faust*-Kommentare verweisen zu dieser Stelle auf die *Divan*-Verse und umgekehrt, ziehen aber das zuletzt entstandene Zeugnis, eben die Maddalena-Episode, zum Vergleich nicht heran. Zu Unrecht, wie mir scheint. Zwar ist ein Poetik-Seminar etwas anderes als eine Englisch-Lektion auf Klippschulniveau, und ein *Divan*-Gedicht oder eine *Faust*-Szene hat eine andere literarische Qualität als ein Stück Autobiographie. Doch in allen Fällen dient der Unterricht der Vertiefung einer Liebesbeziehung; überdies aber fragt es sich, ob man das Abenteuer mit der Mailänderin überhaupt noch als Bestandteil einer Autobiographie verstehen darf, ob es sich nicht vielmehr um fiktionale Prosa, genauer: um eine regelrechte Novelle handelt. Ihr dürfte zwar ein autobiographisches Substrat zugrundeliegen, welches jedoch unlösbar in die literarische Form eingeschmolzen ist. Während man beim Abschied von Rom nur metaphorisch von einer „féerie", einem „splendide finale d'opéra" sprechen sollte,[28] trifft für die Begegnung mit der Mailänderin die Bezeichnung ‚novellistisch' auch im literarhistorischen Sinne zu.[29]

Dabei ist freilich nicht ohne weiteres zu erkennen, in welcher Weise die Episode dem überwiegend autobiographischen Charakter der *Italienischen Reise* zugeordnet ist. Nach der Szene des Englisch-Unterrichts erzählt Goethe, wie er bei Tisch zwischen Maddalena und Angelica Kauffmann zu sitzen kommt, deren weibliche Klugheit alsbald bemerkt, „daß hier was vorgegangen sein müsse und daß ein zeither bis zur trockenen Unhöflichkeit von den Frauen sich entfernender Freund wohl selbst sich endlich zahm und gefangen überrascht gesehen habe" (468). Die Charakterisierung eines zeitweise misogyn gestimmten Dichters entspricht nicht nur einer Äußerung Goethes zu Charlotte von Stein vom Januar 1787,[30] als er die Juno Ludovisi ihre einzige „Nebenbuhlerin" nennt, sondern erst recht einem offenherzigen Brief an den Herzog vom 29. Dezember des gleichen Jahres (also etwa zweieinhalb Monate nach der Bekanntschaft mit Maddalena). Hier beklagt er sich über den „bösen Weltwinckel", in den ihn „der süße kleine Gott [. . .] relegirt" habe:[31] Die „öffentlichen Mädchen" seien „unsicher wie überall",[32] die „unverheuratheten" aber „keuscher als irgendwo" und immer gleich auf Heirat aus, in summa: „Was das Herz betrifft; so gehört es gar nicht in die Terminologie der hiesigen Liebeskanzley." Daraus mag die Enttäuschung, ja das „Entsetzen" sprechen, in das sein „aufgeregter Zustand" noch am Abend des Tages geriet, da er Maddalena kennengelernt hatte (469 f.): Seine „kurz erst so liebgewonnene", seine „heimlich geliebte Schülerin" (470, 472) war bereits verlobt. Er erfährt die Nachricht während des Sonnenuntergangs, und auch diese Koinzidenz versinnbildlicht wohl eher die Übereinstimmung von Naturereignis und Seelenzustand, als daß sie der Fixierung eines Zeitpunktes diente. Doch er beherrscht seinen Schmerz und tröstet sich (470): „Es wäre wunderbar genug [. . .], wenn ein wertherähnliches Schicksal dich in Rom aufgesucht hätte, um dir so bedeutende, bisher wohlbewahrte Zustände zu verderben."

In dieser Reflexion scheint der Schlüssel zur Verbindung des Abenteuers mit der Autobiographie zu liegen. Wie an bestimmten Tagen des *Zweiten römischen Aufenthaltes* Naturstudien als „störend" empfunden werden konnten, so noch mehr Liebesabenteuer, denn Goethes „ganze Neigung" war gerade in Castel Gandolfo „auf die Kunst gerichtet" (458), d. h. auf die Vervollkommnung der Zeichenfähigkeit. Erst

Anfang Februar 1788 kam er zu der resignierten Überzeugung (569, 571), zur bildenden Kunst sei er „zu alt", er sei „eigentlich zur Dichtkunst geboren" und müsse dieses Talent in Zukunft „exkolieren".[33] Noch im Oktober 1787 hatte er ja der „falschen Tendenz" gehuldigt und die amouröse ,Störung', die ihn freilich für die „Fülle der Körperlichkeit", d. h. die künstlerische Plastizität der Gegenstände sensibler gemacht hatte, durch eifriges Zeichnen zu beschwichtigen gesucht (470). Das Cupido- und das Amor-Gedicht (wir kommen sogleich auf sie zurück) sind nicht nur die ersten Zeugnisse der Rückwendung zur Dichtung, sie sind auch dem Thema der Spannung von Kunstübung und Liebe gewidmet. Indem er der Kunst oblag, einem ungestörten Beisammensein mit Maddalena auswich und sich vorstellte, wieviel würdiger sie doch als „künftige Gattin" denn im „trivialen Mädchenzustande" erscheine, gewann der Autor allmählich jene Haltung wieder, die er dreimal nacheinander mit einem Lieblingswort als ,behaglich' bezeichnet (472). Dieses Wohlbefinden beförderten nicht zuletzt die „Absurditäten" eines Liebhabertheaters, die ihn „in die so höchst behagliche Nullität des Daseins zu versetzen" vermochten. So schien das Abenteuer sein wenig aufregendes Ende gefunden zu haben.

Doch wie etwa im *Wilhelm Meister* eine Figur bald in den Hintergrund tritt, ja vom Autor vergessen zu sein scheint, dann aber plötzlich wieder im Mittelpunkt der Handlung steht, so taucht auch Maddalena im Dezember unerwartet wieder auf: „Der Dichter bringt sie, wie er's braucht, zur Schau."[34] Nun stört sie seine Kreise zwar nicht, weckt aber durch ein unerwartetes Ereignis doch „ein schmerzliches Gefühl" in ihm (504). Maddalenas Bräutigam hat sich von ihr losgesagt, worauf das Mädchen in ein lebenbedrohendes Fieber verfallen ist. Der Autor erkundigt sich nach ihrem Befinden und verschiebt sogar einen Ausflug, bis er der Besserung gewiß ist (505). Solche Besorgnis kann jedoch das Erstaunen des Lesers über die Bemerkung nicht beschwichtigen (504), es sei dem Schreiber zwar „höchst empfindlich" gewesen, „das artige Bild [des Mädchens] [...] nunmehr getrübt und entstellt zu sehen", doch preise er sich glücklich, seiner „Neigung nicht nachgehangen" und sich „sehr bald von dem lieben Kinde zurückgezogen zu haben [...]". Solcher Rückzug spricht den Autor von jeder auch nur mittelbaren Schuld am Bruch des Verlöbnisses gewiß frei; doch veranlaßt ihn die für einen Liebhaber so günstig veränderte Situation keineswegs, nun eine Verbindung mit dem Mädchen in Erwägung zu ziehen. Rom und die Zeit haben Goethe für eine endgültige Bindung vorbereitet, lassen ihn aber noch immer zögern, sie einzugehen. Noch empfindet er jede Bindung als Störung und Ablenkung von dem, was er so lange für seine eigentliche Aufgabe hält. Erst als er den Irrtum erkannt hat, findet er die Kraft, sich von Maddalena wie von Charlotte zu lösen und – fern von Rom – die Bindung mit Christiane einzugehen. Der Verzicht auf Kunstübung und auf die Liebe zur Mailänderin steht in innerem Zusammenhang.

Der Januar-Bericht beginnt mit dem Gedicht „Cupido, loser eigensinniger Knabe", Goethes „Leibliedchen", dem bald darauf *Amor als Landschaftsmaler* folgt (527 f., 570 f.).[35] Dieses ist das schlichtere: eine rokokohafte Tändelei in Blankversen, die dem Leser zwar die Harmonie von Malerei und Liebe vorgaukeln möchte,[36] aber in der Schlußwendung – Faszination des Künstlers durch den „zarten Fuß der Allerschönsten" (v. 65) – die Spannung zwischen beiden Mächten und die leidige Störung der Kunstübung durch Amor ahnen läßt. – Beim Cupido-Gedicht suggeriert Goethe selbst dem Leser durch eine distanzierte Interpretationsanleitung (527 f.), er möge das „Liedchen nicht in buchstäblichem Sinne nehmen", vielmehr „jenen Dämon, den man gewöhnlich Amor nennt" – so wird Cupidos Name diskret umschrieben –, als „eine Versammlung tätiger Geister sich vorstellen [...], die das Innerste des Menschen ansprechen, auffordern, hin und wider ziehen und durch geteiltes Interesse verwirren"; dann werde er „auf eine symbolische Weise" am damaligen Zustande des Autors teilnehmen können. Eine solche Interpretation dient der Verschleierung des Erlebnishintergrundes; selbst die Ursache des ‚Hin und Wider', das zwischen Kunst und Liebe geteilte Interesse, wird nur an zwei Versen (9 f.) deutlich:

> Du hast mir mein Gerät verstellt und verschoben,
> Ich such' und bin wie blind und irre geworden,

wobei man freilich wissen müßte, ob mit „Gerät" in der Tat das Malgerät gemeint ist. Der Tendenz zur symbolträchtigen Entgegenständlichung eines harmlosen Liedchens durch den alten Goethe steht jedenfalls die bald nach dem Cupido-Gedicht (wahrscheinlich Ende Februar 1788)[37] entstandene zweideutig-eindeutige Prophezeiung Mephistos über die Folgen von Fausts biologischer Verjüngung in der Hexenküche gegenüber, wo gewiß nicht zufällig, wenngleich in anderer Bedeutung die Wendung „hin und wieder" nochmals gebraucht wird (v. 2597 f.):

> [...] Und bald empfindest du mit innigem Ergetzen,
> Wie sich Cupido regt und hin und wieder springt.

Aus mephistophelischem Aspekt wird es leicht verständlich, weswegen Goethe dem Leser seiner Autobiographie Cupidos Namen entrückt. –

Während des Karnevals begegnet der Autor der unterdessen genesenen Maddalena in Angelicas Kutsche (573 f.). Sie schaut ihn „mit einer Freudigkeit" an, die beiden die Sprache verschlägt, bis Angelica als Dolmetscherin von Maddalenas Gefühlen ihm den Dank des Mädchens für seine Anteilnahme an ihrer Krankheit ausspricht. Die Leidenschaft ist noch nicht erloschen; doch der Autor lenkt die Aufmerksamkeit des Lesers sanft auf die Beschützerin des Mädchens hin. –

Der letzte Bericht vom April 1788, der mit dem melodramatischen Abschied von Rom endet, hebt mit der Rechtfertigung der rückschauenden Darstellung an (598): „Meine Korrespondenz der letzten Wochen bietet wenig Bedeutendes; meine Lage war zu verwickelt zwischen Kunst und Freundschaft [...]. Ich fasse daher in gegenwärtigen nachträglichen Bericht manches zusammen [...]." So hinterläßt dieser Bericht zunächst den Eindruck jener unruhigen Zerstreutheit, die jeder kennt, der an einem Ort „noch [...] mit dem Leibe, nicht mit der Seele" ist (597). Der Ton ändert sich erst in den beiden letzten Episoden, dem gescheiterten Ankauf einer antiken Statue und der Trennung von Maddalena. Im Zusammenhang des *Zweiten römischen Aufenthaltes* kommt ihnen die Funktion von retardierenden Momenten vor dem Finale zu. Wie Goethe die Geschichte der Statue von Colombrano bearbeitet hat, lehrt der Vergleich der endgültigen Fassung (605–609) mit einem Entwurf (968–971): Es fehlen hier noch die entscheidenden Sätze, welche die Funktion der Episode verdeutlichen. Kurz vor der Abreise wird der Autor durch „eine [...] Versuchung geprüft", die ihn an Rom zu fesseln droht (605). Ein Kunsthändler bietet ihm, vielleicht nicht ganz legal, die Statue einer Tänzerin oder Muse an, die Goethe vom Palazzo Caraffa Colombrano in Neapel kennt und die sein Entzücken erregt. Der Preis ist mäßig, der Händler bereit, auf Ratenzahlung einzugehen, Goethe so unschlüssig wie sein Betreuer Meyer. Angelica und ihr kunsthandelsachverständiger Gatte raten aber vom Kauf ab. Und hier folgt die Reflexion, welche die Episode als kompositorisches Element erkennen läßt (607 f.):

Wie aber denn doch zwischen einer leidenschaftlichen Liebesneigung und einem abzuschließenden Heiratskontrakt noch manche Gedanken sich einzudringen pflegen, so war es auch hier, und wir durften ohne Rat und Zustimmung unsrer edlen Kunstverwandten [...] eine solche Verbindung nicht unternehmen, denn eine Verbindung war es im ideell-pygmalionischen Sinne, und ich leugne nicht, daß der Gedanke, dieses Wesen zu besitzen, bei mir tiefe Wurzel gefaßt hatte. Ja, als ein Beweis [. . .] mag das Bekenntnis gelten, daß ich dieses Ereignis als einen Wink höherer Dämonen ansah, die mich in Rom festzuhalten und alle Gründe, die mich zum Entschluß der Abreise vermocht, auf das tätigste niederzuschlagen gedächten.

Es waren mißratende „Dämonen" und nicht jenes fördernde „Dämonische", „das man anbetet, ohne sich anzumaßen, es weiter erklären zu wollen".[38] So widerstand Goethe der Versuchung, in Rom seine „Hütte zu bauen", wie Winckelmann es getan hatte. Das Wort von den „größten Entsagungen", das er im Entwurf gebraucht hatte (968), vermied er im endgültigen Text. Dennoch ist in den abschließenden Episoden der *Italienischen Reise* der Weg zur Weisheit des Entsagens deutlich vorgezeichnet.

Es läßt sich nicht mit Sicherheit sagen, ob die Bedenken, die sich zwischen eine „leidenschaftliche Liebesneigung" und den mit kühlem Verstande abzufassenden Ehekontrakt schieben, ob vor allem die merkwürdige Wendung von der Verbindung mit der Statue „im ideell-pygmalionischen Sinne"[39] als bewußte (oder auch unbewußte) Vordeutungen auf den nun folgenden Abschied von Maddalena zu verstehen sind; ganz unbegründet ist die Vermutung gewiß nicht. Zunächst heißt es in der Goethe vertrauten Pygmalion-Geschichte aus Ovids *Metamorphosen* (X 245 f.):[40]

> [. . .] sine coniuge caelebs
> vivebat thalamique diu consorte carebat –

eine Situation, welche der des damals 38jährigen Goethe genau entsprach. Bereits bei der Wiederbegegnung mit Maddalena in Angelicas Kutsche fällt dem Leser aber die Dankbarkeit des Autors gegen Angelica auf, „die sich des guten Mädchens [. . .] anzunehmen gewußt und, was in Rom selten ist, ein bisher fremdes Frauenzimmer in ihren edlen Kreis aufgenommen hatte [. . .]" (574). Bei der letzten Begegnung heißt es nun (609), er habe gehört, wie Maddalena „mit Angelica immer vertrauter geworden und sich in der höhern Gesellschaft [. . .] gar gut zu benehmen wisse". Auch die Bemerkungen über das „reinliche Morgenkleid", das sie beim Abschiedsbesuch des Autors trägt, und über die Art, wie sie ihrem Bruder den Haushalt „ordentlich" führt (610), lassen an eine soziale Herkunft des „guten Kindes" aus dem Kleinbürgertum, an ein gretchenhaftes Geschöpf denken. Freilich hat nicht Goethe selbst die pygmalionische Aufgabe weitergeführt, die er mit dem Englisch-Unterricht begonnen hatte, sondern sie der befreundeten Angelica überlassen. Diese hat im übrigen auch für einen „wohlhabenden

jungen Mann" gesorgt, der für Maddalenas „Anmut nicht unempfindlich" und bereit ist, sie zu heiraten (609). Während es sich aber bei der
Statue von Colombrano nur um ein ideelles pygmalionisches Verhältnis handeln kann, zielen Angelicas Bemühungen, ähnlich wie die von
Shaws Professor Higgins bei Eliza Doolittle, auf die Niederlegung sozialer und bildungsmäßiger Schranken. Daß solche vorhanden waren, geht
nicht nur aus Maddalenas halbem Analphabetentum hervor, sondern
auch aus der Reaktion des Mädchens, als ihr Verehrer ihm die Route
seiner Rückreise schildert (610): „Ihr seid glücklich so reich zu sein, daß
ihr euch dies nicht zu versagen braucht; wir andern müssen uns in die
Stelle finden, welche Gott und seine Heiligen uns angewiesen." Nicht
oft in der *Italienischen Reise* wird der soziale Status als menschliches
Problem so deutlich wie hier. Seumes Sensibilität für das Soziale war
Goethe nicht gegeben.

Wohl aber vermochte er auch dieser römischen Abschiedsszene eine
literarische Funktion zuzuweisen: Sie dient ebenfalls als retardierendes
Moment. Bei der unerwarteten Gesprächigkeit des Mädchens empfindet er neu aufkeimende Neigung. Dann aber tritt, ein Deus ex machina
eigener Art, ihr Bruder hinzu, „und der Abschied schloß sich in freundlicher mäßiger Prosa". Doch eine neue, im Vergleich mit dem kommer-
ziellen Statuenkauf emotionaler gefärbte Art der Verzögerung ergibt
sich: Der Kutscher, mit dem der Besucher wegzufahren beabsichtigt, ist
verschwunden, und während er gesucht wird, findet zwischen Tür und
Angel das „anmutigste Gespräch" statt,

das, von allen Fesseln frei, das Innere zweier sich nur halbbewußt Liebenden offenbarte
[. . .]; es war ein wunderbares, zufällig eingeleitetes, durch innern Drang abgenötigtes la-
konisches Schlußbekenntnis der unschuldigsten und zartesten wechselseitigen Gewo-
genheit [. . .].

Und nochmals widersteht er der Versuchung eines reizenden Dä-
mons, die Heimreise zu verschieben oder gar aufzugeben. Nun erst ist
die großartige Schlußszene gehörig vorbereitet: nach dem Abschied von
den Kunstwerken und den Menschen die Trennung von der Stadt, in der
er „zum Römer eingeweiht" worden war (385). Neben den retardierenden Momenten bestimmt das Prinzip der Steigerung die Komposition
des Schlusses der *Italienischen Reise*. Doch die Kunstprinzipien sind so
dezent angewandt, daß der unvorbereitete Leser sie kaum wahrnimmt.
Er wird nur den schmerzlichen Zug von Entsagung, Resignation, Verzicht sogleich gewahr, der den seligen Glückszustand ablöst und den
Heimgekehrten nun für immer begleitet.

Anmerkungen

[1] Vgl. Herbert von Einem: „Die ital. Reise", in: *Goethe-Studien*, München 1972 (= Collectanea artis historiae, Bd. 1), 68 (zit.: von Einem); Ndr. aus: Goethe: *Werke, HA* XI, ¹1950, ⁷1967.

[2] 8.7. '17, hier nach: René Michéa: Le „Voyage en Italie" de Goethe, Aubier 1945, 189 (zit.: Michéa).

[3] Ebd. 184–189; vgl. ferner Ernst Beutler in: „Einführung" zu Goethe: *Gedenkausg.* XI – *Die ital. Reise* [...], Zürich 1950, 1000–1002 (nach dieser Ausg. wird die *Ital. Reise* im Text mit bloßer Seitenzahl zitiert, die anderen Werke Goethes nach derselben Ausg. mit Bandtitel, röm. Band- und arab. Seitenzahl); Christoph Michel in: „Nachwort" zu Goethe: *Ital. Reise* [...] I–II, hg. v. Christoph Michel, Frankfurt/M. 1976 (= it 175), 749–752 (zit.: Michel); Eckermann: *Gespräche* [...], XXIV, 358; das folg. Zitat ebd. 358 f.

[4] Hier nur einige Stellen aus dem *Zweiten röm. Aufenthalt*: 433 = 3.9.'87 (auch schon 137 = 1.11.'86 oder 159 = 2.12.'86); 423 = 11.8.'87, 425 = 23.8.'87: „[...] ich bin wirklich umgeboren und erneuert [...]"; 387 = 20.6.'87: „[...] mein Geist reinigt und bestimmt sich", 435 =6.9.'87: „[...] fast kann ich hoffen radikaliter kuriert zu werden"; 424 f. = 18.8.'87; zu ,Licht' vgl. von Einem (s. Anm. 1) 13, Anm. 14. – Vgl. jetzt auch H. G. Haile: *Artist in Chrysalis – A Biogr. Study of Goethe in Italy*, Urbana/Chicago/London 1973, passim.

[5] *Briefe der Jahre 1814–1832*, XXI 865 = 2.9.'29.

[6] Ebd. 939 = 19.10.'30; vgl. auch 861, 871, 941 an Zelter.

[7] Friedrich Rochlitz, in: *Briefe an Goethe* II, ges. [...] v. Karl Robert Mandelkow, Hamburg 1969, 535.

[8] Vgl. Beutler (s. Anm. 3) 1008, 1013 f., 1017. Für Beutler ist ,das Typische' ein bißchen das Sesam, öffne dich! der *Ital. Reise*.

[9] Michéa (s. Anm. 2) 190: „remplissage". Vgl. auch 191: „[...] les emprunts, les démarcages, les rafistolages, les souvenirs plus ou moins ,romancés' [...]".

[10] Ebd. 93–99 ist Sternes ,Einfluß' wohl überschätzt.

[11] *Tag- und Jahreshefte* – 1789, XI 623.

[12] Hier nach: *Auch ich in Arcadien – Kunstreisen nach Italien 1600–1900*, [...] hg. v. Bernhard Zeller, [...] Katalog von Dorothea Kuhn [...], o.O. 1966 (= Sonderausstellung des Schiller-Nationalmuseums, Katalog Nr. 16), S. 104, Nr. 126.

[12a] P. Ovidii Nasonis *Tristia Epistulas ex Ponto* [...] ed. [...] Georgius Luck – *Briefe aus der Verbannung* [...], übertr. v. Wilhelm Willige [...], Zürich/Stuttgart 1963 (= Die Bibl. der Alten Welt, Röm. Reihe), 22, 24.

[13] Lieselotte Blumenthal: *Ein Notizheft Goethes von 1788*, Weimar 1965 (= Schr. der Goethe-Ges., 58. Bd.), S. XXVIII, 113–116 (zit.: Blumenthal).

[14] Torquato Tasso: *Aminta – Ital./Dt.*, [...] übertr. v. Otto von Taube, Frankfurt/M.–Hamburg 1962 (= Exempla class. 57), 56 f.

[15] Blumenthal (s. Anm. 13) 115, nach *Torquato Tasso*, v. 3433, in: *Die Weimarer Dramen*, VI 313 (von Goethe, leicht verändert, als Motto der Marienbader *Elegie* wiederholt: v. 3432 f.); die vorangehenden Stellen ebd. 242, 295.

[16] Vgl. *Gespräche*, XXII 166, Caroline Herder am 7.8. '88 an Herder, u. a. habe Goethe ihr gesagt, „daß er vierzehn Tage vor der Abreise aus Rom täglich wie ein Kind geweint habe". Vgl. ferner Goethes Briefe an Meyer vom 19.9. '88 und 27.4. '89, in: *Goethes Briefwechsel mit Heinrich Meyer* I, hg. v. Max Hecker, Weimar 1917 (= Schr. der Goethe-Ges., 32. Bd.), 10, 36.

[17] 10.5. '88 an Goethe, in: *Zur Nachgesch. der ital. Reise* [...], hg. v. Otto Harnack, Weimar 1890 (= Schr. der Goethe-Ges., 5. Bd.), 14.

[18] 6.5. '27, in: *Gespräche*, XXIV 635.

[19] (S. Anm. 2), 54–58, bes. 58: „autre genre, autres sentiment".

[20] Z. B. *An den Mond*, v. 2: „Nebelglanz", in: *Sämtl. Gedichte*, I 70 f.; *Faust* I, v. 468 f., 3851–54, in: *Die Faust-Dichtungen*, V 158, 263; dagegen die südlichen Szenen, *Faust* II, v. 7031 f., oder Bühnenanweisung zu „Felsbuchten": „Mond, im Zenit verharrend", ebd. 364, 395.

[21] Vgl. die Abbildungen bei Michel (s. Anm. 3) nach S. 408, 412, 684. Neben den in Anm. 20 nachgewiesenen südlichen Szenen vgl. auch *Röm. Elegien* VII, v. 9 f., in: *Sämtl. Gedichte*, I 169: „[. . .] Und mir leuchtet der Mond heller als nordischer Tag".

[22] Ihr Portrait von Angelica Kauffmann im Frankfurter Goethe-Museum; Abb. in: Goethe: *Ital. Reise* [. . .], München o. J., 417.

[23] Vgl. zuletzt *Goethes Vater reist in Italien* – „*Reise durch Italien" von J. Caspar Goethe*, hg. v. Erwin Koppen, Mainz/Berlin 1972, 23, 126 f.

[24] v. 3523, in: *Die Faust-Dichtungen*, V 253.

[25] *Goethes Briefe an Charlotte von Stein* III, hg. v. Jonas Fränkel, Berlin 1962, 30, zu Nr. 100, 1, vom 10. 9. '76, in: I (1960) 49; vgl. auch Nr. 102 vom 16. 9. '76, ebd. 51, sowie Nr. 1618 vom 20. 12. '86, in: II (1960) 322 f., mit dem Traum vom „englischen Parnaß", dazu die Anm. zu 207 f. in: Goethe: *Tagebuch der ital. Reise* [. . .], hg. [. . .] v. Christoph Michel, Frankfurt/M. 1976 (= it 176), 346 f. (zit.: *Tagebuch*).

[26] *Epen – West-östl. Divan* [. . .], III 360 f.

[27] Die *Faust*-Kommentare sprechen von ‚Hochzeit', so z. B. *Goethes Faust* II, hg. v. Georg Witkowski, Leiden ⁹1936, 366 (zit.: Witkowski II); Goethe: *Faust und Urfaust*, erläutert von Ernst Beutler, Leipzig 1939 (= Sammlung Dieterich, Bd. 25), 613, und nochmals in *Die Faust-Dichtungen*, V 805; *Goethes Faust* [. . .] – Kommentiert von Erich Trunz, Hamburg 1963, 591. Daß es sich nicht um die Hochzeit Fausts und Helenas handelt, sondern um das Verlöbnis, habe ich nachgewiesen in: „Weltlit. in Goethes ‚Helena' ", in: *Jb. der Dt. Schiller-Ges.* 8 (1964), 185, Anm. 42, wo noch weitere Amönitäten der *Faust*-Forschung zu dieser Stelle zitiert sind.

[28] Michéa (s. Anm. 2) 188, auch 56. Besser trifft das „plus ou moins ‚romancés' " (s. Anm. 9).

[29] Beutler (s. Anm. 3) XI 1001 glaubt schon im *Zweiten Teil* der *Ital. Reise* ein Zurücktreten des „Momentanen" vor dem „Epischen und Novellistischen" feststellen zu können. Zum *Zweiten röm. Aufenthalt* vgl. von Einem (s. Anm. 1) 67, 69 und Richard Friedenthal: *Goethe* [. . .], München 1963, 312.

[30] *Briefe der Jahre 1786–1814*, XIX 58. Über die „italienischen Mäuschen" auch *Die ital. Reise*, XI 411, vom 30. 7. '87.

[31] Hier nach *Tagebuch* (s. Anm. 25) 228.

[32] Vgl. *Röm. Elegien* XXII, von Goethe nicht veröffentlicht: „Zwei gefährliche Schlangen[. . .]", in: *Sämtl. Gedichte* II 111–113.

[33] Vgl. *Gespräche*, XXIV 153, vom 20. 4. '25, und 359 f., vom 10. 4. '29.

[34] *Faust* II, v. 7429, in: *Die Faust-Dichtungen*, V 377.

[35] *Sämtl. Gedichte*, II 48, I 387–389.

[36] So z. B. Beutler (s. Anm. 3) 1018 f.: „[. . .] daß jetzt das Malen [. . .] sich mit der Liebe vereint".

[37] Vgl. *Ital. Reise*, XI 578 f., vom 1. 3. '88; dazu Witkowski II (s. Anm. 27) 71, 235. Auf weitere Zusammenhänge zwischen den in Rom entstandenen *Faust*-Szenen und den *Römischen Elegien* weist Dominik Jost hin: *Dt. Klassik – Goethes „Röm. Elegien"*, Pullach bei München 1974, 20 f.

[38] Eckermann: *Gespräche*, XXIV 455 vom 18. 2. '31.

[39] Goethe erwähnt „Pygmalions Elise" und ihre Verwandlung schon in *Ital. Reise*, XI 137, vom 1. 11. '86.

[40] P. Ovidii *Nasonis Metamorphoseon libri XV – Metamorphosen* [. . .], hg. und übers. v. Hermann Breitenbach, Zürich 1958 (= Die Bibl. der Alten Welt – Röm. Reihe), 684.

Wolfdietrich Rasch

Die Gauklerin Bettine

Zu Goethes *Venetianischen Epigrammen*

I

„Gauckler 5 Soldi" – das notierte unter dem Datum des 21. März
Goethes Diener Goetze in dem Ausgabenheft, das er, zugleich mit einem Tagebuch, als Reisebegleiter Goethes 1790 in Venedig führte. Der
Eintrag ist eine sehr flüchtige, dennoch dokumentierende Spur für eine
Begegnung, die sich literarisch in den *Venetianischen Epigrammen*
reich entfaltet hat: in einer kleinen Folge von zwölf Epigrammen,
Nr. 36–47, die kaum beachtet und deren besonderer Reiz und Wert,
soweit ich sehe, nicht wahrgenommen oder wenigstens in der Goetheforschung nicht verdeutlicht worden sind.

Die Vernachlässigung dieser Epigramme, die einen geschlossenen
Teilzyklus innerhalb der Gesamtfolge bilden und der kleinen, in einer
Gruppe von Straßenakrobaten sich produzierenden Artistin Bettine
gelten, mag damit zusammenhängen, daß die *Venetianischen Epigramme* insgesamt im Urteil der Goetheforschung nicht hoch im Kurs
stehen. Man fand die Sammlung dieser Distichen als einzigen dichterischen Ertrag des Aufenthaltes in der anziehenden Stadt Venedig
(31. März bis 22. Mai 1790) unbeträchtlich, vermißte wohl ein spezifisch lyrisches Echo und sah die Sammlung „zum großen Teil nur ganz
als Nebenwerk, ja fast als rein spielerische Arabeske" an, „weitgehend
ein Werk des Unmuts".[1] Man hat diese Epigramme eher entschuldigt
als gewürdigt, hat sie zu rechtfertigen versucht als Ausdruck der Enttäuschung über Venedig und der inneren Verfassung Goethes, da „eine
unbehagliche, gallige Laune ihn quälte."[2] Emil Staiger, der die übliche
Deutung der Epigramme als Äußerungen des „Unmuts" wiederholt
und sie abwertend „nicht viel mehr" als einen „Zeitvertreib" für den
heutigen Leser nennt, formuliert die Enttäuschung: „Keine Lieder an
die ferne Geliebte und keine Hyperiongesänge entwinden sich der be-
klommenen Brust."[3]

Die Geringschätzung der Epigramme war, so scheint es, so wirksam,
daß man Gebilde von poetischer Anmut hier gar nicht erwartete und sie

auch im Bettine-Zyklus nicht bemerkte. Auch hat vielleicht ein schon bei den Zeitgenossen bezeugtes Vorurteil gegenüber dem als geringwertig angesehenen Gegenstand dieser Verse, der bescheidenen Gauklergruppe, mitgewirkt. Über Goethes Darstellung der Produktionen einer als weit berühmter deklarierten Akrobatentruppe in dem Roman *Wilhelm Meisters Lehrjahre*, in den sie aus der Urfassung übernommen wurde, schrieb Christian Garve in seiner Rezension des Romans, es sei schwer begreiflich, „daß ein Mann von solchem Geist das Leben von – Gauklern habe beschreiben können."[4] Daß sich in den Epigrammen „Abneigung, Widerwillen, Verachtung und Haß" äußern,[5] trifft für einen Teil dieser Verse, aber bei weitem nicht für alle zu. Aus vielen kritischen, ironischen, Mißstände und Fragwürdigkeiten bloßstellenden Epigrammen sprechen weniger „Verachtung und Haß" als Skepsis, Enttäuschung durch Welt und Menschen in der beobachtbaren Wirklichkeit. Man hat solche oft bittere Skepsis, die zu dem traditionellen Bild Goethes als „Lichtgestalt"[6] nicht paßt, nur als vorübergehende Stimmung gelten lassen wollen, aber nicht als Komponente des Goetheschen Wesens und seines Verhältnisses zur Wirklichkeit, die in den venetianischen Wochen zeitweise dominierte, so daß er epigrammatisch aussprach, was er sonst oft verschwieg. Mit überraschender Schärfe bekannte sich Goethe in einem von ihm nicht veröffentlichten Epigramm gleichsam als Sohn seines Jahrhunderts, sofern es ein Jahrhundert der Kritik war:[7]

> Dich betrügt der Staatsmann, der Pfaffe, der Lehrer der Sitten,
> Und dies Kleeblatt wie tief betest du Pöbel es an.
> Leider läßt sich noch kaum was rechtes denken und sagen
> Das nicht grimmig den Staat, Götter und Sitten verletzt.

Von diesem Ton, von Aggressivität oder Spott sind die Epigramme auf Bettine fast ganz frei. Sie sind von liebenswürdigstem Reiz, halten eine erfreuliche, offenbar immer wieder faszinierende Erfahrung des durch die Straßen Venedigs wandernden Goethe fest. Von der besonders durch Martial geprägten Gattungsnorm des Epigramms entfernen sie sich. Sie haben kaum etwas von jener argutia, als deren Meister Martial berühmt war, sind auch nicht in der Weise auf „Begriff und Lehre" gestellt, wie sie Gundolf dem Epigramm zuspricht,[8] sondern anschaulich, gegenständlich, mit dem Gestus eines reflektierenden Erzählens. Der kleine Zyklus der zwölf verschieden langen Epigramme, in dem Eingang und Abschluß deutlich akzentuiert sind, ließe sich beinahe auch als *ein* Gedicht lesen, von der Art der *Römischen Elegien*.

36.

Müde war ich geworden, nur immer Gemälde zu sehen,
　Herrliche Schätze der Kunst, wie sie Venedig bewahrt.
Denn auch dieser Genuß verlangt Erholung und Muße;
　Nach lebendigem Reiz suchte mein schmachtender Blick.
Gauklerin! da ersah ich in dir zu den Bübchen das Urbild,
　Wie sie Johannes Bellin reizend mit Flügeln gemalt,
Wie sie Paul Veronese mit Bechern dem Bräutigam sendet,
　Dessen Gäste, getäuscht, Wasser genießen für Wein.

37.

Wie von der künstlichsten Hand geschnitzt das liebe Figürchen,
　Weich und ohne Gebein, wie die Molluska nur schwimmt!
Alles ist Glied, und alles Gelenk, und alles gefällig,
　Alles nach Maßen gebaut, alles nach Willkür bewegt.
Menschen hab' ich gekannt und Tiere, so Vögel als Fische,
　Manches besondre Gewürm, Wunder der großen Natur:
Und doch staun' ich dich an, Bettine, liebliches Wunder,
　Die du alles zugleich bist, und ein Engel dazu.

38.

Kehre nicht, liebliches Kind, die Beinchen hinauf zu dem Himmel!
　Jupiter sieht dich, der Schalk, und Ganymed ist besorgt.

39.

Wende die Füßchen zum Himmel nur ohne Sorge! Wir strecken
　Arme betend empor; aber nicht schuldlos wie du.

40.

Seitwärts neigt sich dein Hälschen. Ist das ein Wunder? Es träget
　Oft dich Ganze; du bist leicht, nur dem Hälschen zu schwer.
Mir ist sie gar nicht zuwider, die schiefe Stellung des Köpfchens:
　Unter schönerer Last beugte kein Nacken sich je.

41.

So verwirret mit dumpf-willkürlich verwebten Gestalten,
　Höllisch und trübe gesinnt, Breughel den schwankenden Blick;
So zerrüttet auch Dürer mit apokalyptischen Bildern,
　Menschen und Grillen zugleich, unser gesundes Gehirn;
So erreget ein Dichter, von Sphinxen, Sirenen, Centauren
　Singend, mit Macht Neugier in dem verwunderten Ohr;
So beweget ein Traum den Sorglichen, wenn er zu greifen,
　Vorwärts glaubet zu gehn, alles veränderlich schwebt:
So verwirrt uns Bettine, die holden Glieder verwechselnd,
　Doch erfreut sie uns gleich, wenn sie die Sohlen betritt.

42.

Gern überschreit' ich die Grenze, mit breiter Kreide gezogen.
　Macht sie Bottegha, das Kind, drängt sie mich artig zurück.

43.

„Ach! Mit diesen Seelen, was macht er? Jesus Maria!
  Bündelchen Wäsche sind das, wie man zum Brunnen sie trägt.
Wahrlich, sie fällt! Ich halt' es nicht aus! Komm, gehn wir! Wie zierlich!
  Sieh nur, wie steht sie, wie leicht! Alles mit Lächeln und Lust!"
Altes Weib, du bewunderst mit Recht Bettinen! du scheinst mir
  Jünger zu werden und schön, da dich mein Liebling erfreut.

44.

Alles seh' ich so gerne von dir; doch seh' ich am liebsten,
  Wenn der Vater behend über dich selber dich wirft,
Du dich im Schwung überschlägst und, nach dem tödlichen Sprunge,
  Wieder stehest und läufst, eben ob nichts wär' geschehn.

45.

Schon entrunzelt sich jedes Gesicht: die Furchen der Mühe,
  Sorgen und Armut fliehn, Glückliche glaubt man zu sehn.
Dir erweicht sich der Schiffer und klopft dir die Wange; der Säckel
  Tut sich dir kärglich zwar, aber er tut sich doch auf,
Und der Bewohner Venedigs entfaltet den Mantel und reicht dir,
  Eben als flehtest du laut bei den Mirakeln Antons,
Bei des Herrn fünf Wunden, dem Herzen der seligsten Jungfrau,
  Bei der feurigen Qual, welche die Seelen durchfegt.
Jeder kleine Knabe, der Schiffer, der Höke, der Bettler
  Drängt sich, und freut sich bei dir, daß er ein Kind ist, wie du.

46.

Dichten ist ein lustig Metier! nur find' ich es teuer:
  Wie dies Büchlein mir wächst, gehn die Zechinen mir fort.

47.

„Welch ein Wahnsinn ergriff dich Müßigen? Hältst du nicht inne?
  Wird dies Mädchen ein Buch? Stimme was Klügeres an!"
Wartet, ich singe die Könige bald, die Großen der Erde,
  Wenn ich ihr Handwerk einst besser begreife wie jetzt.
Doch Bettinen sing' ich indes: denn Gaukler und Dichter
  Sind gar nahe verwandt, suchen und finden sich gern.

Der Eingang vergegenwärtigt eine ähnliche innere Situation Goethes
wie die erste der *Römischen Elegien:* „Noch betracht' ich Kirch' und
Palast, Ruinen und Säulen", heißt es dort, „Doch bald ist es vorbei".
Nur die Liebe, so ahnt es der Dichter voraus, wird ihn künftig beschäftigen. Jetzt, in Venedig, soll ihn vom Überdruß am Besichtigen der Gemälde nicht die Liebe erlösen, sondern er sucht, auf „Erholung und
Muße" bedacht, nach „lebendigem Reiz", einer weniger bestimmten
Ablenkung also, in der das Erotische zwar mitklingen, aber nicht herr-
schen wird.

Für diese Situation gibt es auch in Goethes Briefen einen Reflex. Am
4. Mai 1790 schreibt er rückblickend an Caroline Herder: „An Gemäl-
den habe ich mich fast krank gesehen, und würklich eine Woche pau-
sieren müssen". Einem Brief an Knebel legt Goethe eine Abschrift von
den meisten der Bettine geltenden Epigramme bei. Das Tagebuch Goet-
zes verzeichnet vom 19. bis 26. April keine Besichtigungen von Gemäl-
den und vermerkt häufig: „spazieren gegangen". Goethe durchstreift
also die Plätze und Gassen von Venedig, um „Erholung" zu finden vom
Betrachten der Bilder in Kirchen und Galerien. Er bleibt stehen bei der
kleinen Gauklertruppe, bei der ihn besonders das noch halb kindliche
Mädchen Bettine anzieht. Sie arbeitet, so ist anzunehmen, auf der Riva
degli Schiavoni. Das läßt sich aus einigen Bruchstücken von weiteren,
nicht vollendeten Epigrammen über Bettine erschließen. In einem dieser Fragmente ist vom „Gestade" die Rede, an dem der Schiffer die Segel
trocknet, von den Masten, die sich drängen und den Hintergrund bilden
an der Stelle, wo sich „alles das Volck" um die kleine Bettine drängt;
auch heißt es, daß sie „auf den Ellenbogen bald ... am Strande" geht.[9]

Es gab viele solcher Truppen in Venedig. Friedrich Leopold von Stolberg berichtet 1792 in seiner Reisebeschreibung:

> Der Markusplatz und der neue große Kai am Meere werden besucht von Marktschrei-
> ern, Luftspringern, Gauklern und Leuten, die herzbrechende Liedlein mit lebhafter Ge-
> stikulation vorsingen. Es behauptet jemand, daß die Regierung solche Leute heimlich be-
> solde, um das Volk bei guter Laune zu erhalten.[10]

Neben solchen bescheidenen Straßenartisten gab es, besonders im
Karneval und an Festtagen, großartig kunstvolle Darbietungen waghal-
siger Seiltänzer und Akrobaten. Die graphische Sammlung im Civico
Museo Correr in Venedig besitzt viele Blätter, auf denen solche Gauklertruppen dargestellt sind, auch Schauspielertruppen, die auf einem
Brettergerüst spielen. Manche Stiche präsentieren große Seiltänzer-
künste auf der Piazza San Marco. Schon 1610 z. B. zeigt ein Stich von
Giacomo Franco akrobatische Vorführungen auf der Piazzetta, wo ein
Schaugerüst aufgestellt ist.[11] In Venedig waren solche Akrobaten seit
jeher überaus beliebt und, so scheint es, von besonderer Anziehungskraft für die schaulustige Menge. Der spezifische venezianische Sinn
für das Wagnis der Akrobaten läßt sich verstehen aus der Geschichte
der Stadt, deren Gründung im Sumpfgebiet der Lagune selbst ein Wagnis war, deren Häuser gleichsam auf Pfählen balancieren, deren Existenz stets bedroht war und lange erfolgreich behauptet wurde in den

immer erneuten Wagnissen der Seefahrer und erobernden Kriegsschiffe. Wagemut, Kühnheit, Nerv, der konzentrierte, genau berechnete Einsatz begrenzter Kräfte: darin ist Venedigs Dasein mit der Kunstfertigkeit der Artisten verwandt. Goethe folgt also, wenn er als müßiger Spaziergänger sich an den Gauklern freut, nicht nur einer privaten Laune, sondern er ergreift damit ein charakteristisches Stück Venedig. Das geschieht auch sonst in den Epigrammen. Venedig galt damals, ehe es, seit Byron, als Stadt des Untergangs, als Symbol des Verfalls dargestellt wurde, als ein Ort zwielichtiger Abenteuer und lauernder Gefahren, besonders als Stadt der verbotenen, lasterhaften Liebe, der Kurtisanen und Straßendirnen, auch der Spielsäle. Auch dieses Venedig erscheint bekanntlich in mehreren Epigrammen, und in denen, die Bettine gelten, wird die erotische Motivik als Beiklang vernehmbar.   Daß Bettine mit den „Bübchen" auf italienischen Bildern gleichgesetzt wird, verweist auf jene Zweideutigkeit des Geschlechts, die sofort an Mignon erinnert, die Gauklerin in *Wilhelm Meisters theatralischer Sendung*. Deren Geschlechtscharakter ist nicht eindeutig. In einem nicht in Druck gegebenen Epigramm (WA Bd. 53, S. 16, Nr. 40) verrät Goethe freimütig den erotischen Reiz, den eine fiktive Zweigeschlechtigkeit für ihn hat.

Bettine ist deutlich eine zweite Mignon. Goethe beschreibt den Eiertanz Mignons, die er in der *Theatralischen Sendung* zuweilen noch als Knaben bezeichnet, ebenso genau und ausführlich wie die akrobatischen Künste Bettines. „Behende, leicht, rasch, präzis führte sie den Tanz."[12] „Wilhelm war von dem sonderbaren Schauspiele ganz hingerissen ..." Im zweiten Kapitel des dritten Buches werden die Vorführungen der „Gesellschaft von Seiltänzern, Springern, Gauklern", die Wilhelm auf einer Reise trifft, mit vielen Details auf mehreren Seiten beschrieben. Manche Motive des Bettine-Zyklus finden sich schon hier. Auch die hübsche Seiltänzerin Landerinette erweckt das erotische Interesse der männlichen Zuschauer, und „einige von der Truppe" sammeln Geld mit einem Zinnteller; „die Beutel taten sich auf", wie im Epigramm 45. Goethes Interesse an den Künsten der Gaukler ist also nicht erst in Venedig erwacht, und wenn es sich bereits im Urmeister bezeugt, so ist auch dort schon die Analogie zur literarischen Kunst angedeutet:

Welcher Schriftsteller, welcher Schauspieler würde nicht glücklich sein, wenn er einen solchen allgemeinen Eindruck erregte, welche köstliche Empfindung müßte das werden, wenn man gute, edle, der Menschheit würdige Gefühle eben so allgemein durch einen elektrischen Schlag ausbreiten und ein solches Entzücken dadurch unter den Menschen erregen könnte, wie diese Leute es durch ihre sichtbaren Stücke gethan haben ...[13]

Es ist die sichere Wirksamkeit der Gauklerkünste, die Goethe fesselt. Man kann es artistisch nennen, wie im Epigramm Nr. 38 mit ganz leichter, ganz sicherer Hand, mühelos und unaufdringlich mit der Darstellung der kleinen Artistin nicht nur das Motiv der Bilderschätze Venedigs, sondern gleichzeitig zwei andere, für die Epigramme zentrale Motive kombiniert werden: das Erotische und die Ironisierung der christlichen Überlieferung. Nach ihr verwandelte Jesus bei der Hochzeit zu Kana das Wasser zu Wein, für Goethe aber werden die Gäste „getäuscht": so deutet er das große Bild Paolo Veroneses, das heute im Louvre hängt.

Beim folgenden Epigramm (Nr. 32) spürt man, wie stark es Goethe reizte, die behende Beweglichkeit und Geschmeidigkeit Bettines ins Wort zu bringen, in jenes sprachliche Medium zu transportieren, das, wie andere Epigramme versichern, ihn zwingt, „in dem schlechtesten Stoff" zu arbeiten und Leben und Kunst zu verderben (Nr. 29). Mit großem Ernst nimmt er (in Nr. 76) den Gedanken noch einmal auf, mit der Frage „Was mit mir das Schicksal gewollt?" und der bedrückten Antwort:

> Einen Dichter zu bilden, die Absicht wär' ihm gelungen,
> Hätte die Sprache sich nicht unüberwindlich gezeigt.

Bettine ist nicht angewiesen auf diesen „schlechtesten Stoff", sie benutzt ihren Körper, „wie von der künstlichsten Hand geschnitzt das liebe Figürchen". Auch deshalb mag Goethe, von Sprachskepsis gequält, die nicht mehr weit von ‚Lord Chandos' entfernt ist, die sprachlosen Künste Bettines, so bescheiden sie sein mochten, erheiternd gefunden haben. Aber sie provozierten auch seine eigenen sprachlichen Formkräfte, er sucht den Widerstand der Sprache zu überwinden, die körperliche Kunstfertigkeit Bettines ins Wort zu bringen, und das gelingt, mit artistischer Anstrengung, brillant: „Alles ist Glied, und alles Gelenk, und alles gefällig..." Das Knochenlose des jeder Absicht gehorchenden Körpers wird anschaulich in der Sprache. Die Virtuosität der beiden ersten Distichen erhält ein glückliches Gegengewicht in den beiden letzten durch das Ernsthafte und Herzliche der Huldigung an die kleine Gauklerin, ein „liebliches Wunder".

In den beiden folgenden Epigrammen (Nr. 38 u. 39), die zusammengehören, lockert sich die Formspannung etwas. Die scherzhaft warnende Anrede mit mythologischer Anspielung bringt den erotischen Reiz der Gauklerin wieder ins Spiel. Der Vergleich der emporgestreck-

ten Beine Bettines mit dem Betergestus läßt wiederum die Ironisierung
der Religiosität anklingen. Überraschend ist die Freundlichkeit, mit der
der sonst gegen Entstellungen des Menschen empfindliche Goethe den
etwas schiefen Hals Bettines als „déformation professionelle" rechtfer-
tigt und ohne Mißfallen betrachtet (Nr. 40). In dieser Apologie wird
wiederum eine von Bettines akrobatischen Vorführungen erkennbar,
bei der sie am Kopf hängt; der Hals muß das Gewicht des Körpers tragen. Seine Deformation ergibt gleichsam das Stichwort für das nächste
Epigramm, das wieder das Kunst-Motiv einblendet, erweitert um die literarische Kunst. Verwirrende Abweichung von der Norm naturhafter
Bildung oder Bewegung ist das tertium comparationis zwischen Bettine
und einer bestimmten Art der Malerei. Ausgangspunkt ist, wie immer,
eine Beobachtung. Bettine vertauscht die Funktion der Gliedmaßen,
indem sie auf den Ellenbogen geht. Über dieses Kunststück informiert
ein nicht vollendetes Epigramm, wo es heißt:[14]

> Fuß und Haupt sind eins, denn stehst du über (? neben ?) derselben
> Gehst auf den Ellenbogen bald ... am Strande (?)

Goethe hat dieses Kunststück in einen bedeutsamen Zusammenhang
mit gewissen Kunstwerken gestellt, nämlich mit solchen, die ebenfalls
auf Verwirrung ausgehen. Bettines Vertauschen ihrer Gliedmaßen ruft
die Assoziation von – in ursprünglichem Sinn – grotesken Motiven der
Malerei hervor, die Verbindung des organisch nicht Zusammengehö-
rigen, etwa Tier- und Menschenformen, wie die „dumpf-willkürlich
verwebten Gestalten" des Höllen-Breughel. Auch Dürers Holzschnitt-
folge zur Apokalypse (1498) wird erwähnt. Heinrich Wölfflin nennt sie
„trübe und schwer"[15] und spricht vom „Monströsen" des Themas, bei
dem die Visionen des schreckenvollen Untergangs und der Verwüstung
zu gestalten waren. Goethe denkt vielleicht an die Pferde mit Löwen-
köpfen und Skorpionenschwänzen auf dem Blatt *Die Engel vom Euph-
rat* oder an den Drachen mit sieben Köpfen. Man erkennt Goethes
durch seinen klassizistischen Geschmack bestimmte Abneigung gegen
diese naturfernen Phantasien, die er in der Dichtung noch eher akzeptiert, wenn sie von Sphinxen oder Zentauren spricht. Auch der Traum
versetzt auf ähnliche Weise in Verwirrung, indem er die Dinge sich
ständig verändern, die Formen ineinander übergehen läßt und die greif-
bare Nähe in die Entfernung rückt. Wenn aber Bettine die Zuschauer in
dieser Art irritiert, so löst sie die unbehaglich werdende Verwirrung
rechtzeitig auf, stellt die natürliche Ordnung wieder her, und so „er-

freut sie uns gleich, wenn sie die Sohlen betritt." In kunstvoller Anlage steigert sich in den vier ersten Distichen, die vier Vordersätze bilden, die Beklemmung, die die quälenden Entstellungen vertrauter Wirklichkeiten hervorrufen, bis Bettine von ihr befreit. Goethe läßt das Groteske, das Verzerrte, Verrenkte, das die Bildkunst quälend fixiert, nur gelten als Vorstufe, als aufzulösende Dissonanz. Die wiederhergestellte Norm natürlicher Formen „erfreut" bei ihrer Wiederkehr.

Auf dieses bedeutende, mit Kunstanschauung befrachtete Epigramm folgt ein ganz kurzes, das nur die Situation der Gaukler auf der Riva verdeutlicht und, sehr diskret, neuerlich das erotische Thema anklingen läßt. Das Distichon läßt, ebenso wie z. B. Nr. 44, erkennen, daß Goethe sich mehrmals als Zuschauer einfand. Er bemerkte, daß Bettine jene Zuschauer, die den als Absperrung gemeinten Kreidekreis übertraten, zurückdrängte, und er liebte diese Berührung durch das reizvolle Mädchen, – darum ging er gern über den Kreidestrich. Das Distichon benennt dieses Platzschaffen für die Vorführung mit einem bei den Gauklern üblichen Ausdruck „far bottega", den Goethe in seinem Brief an Knebel vom 23. April 1790 erläutert:

Far bottegha heißt bei Taschenspielern und Gauklern: die zudringenden Zuschauer vor Anfang des Spiels nach Verhältnis entfernen und sich den nötigen Raum verschaffen, den einige vorher mit Kreide bezeichnen. Bettine läßt gewöhnlich den jüngeren Bruder auf ihre Schultern treten und so geht sie auf der weißen Linie umher und reinigt den Platz.

Daß auch die Gefährlichkeit der Kunststücke, nicht nur die grotesken Verrenkungen der Gauklerin zuweilen Beklemmung erzeugen, verdeutlicht das Epigramm Nr. 43. Zum ersten Mal ist hier ein anderer Gaukler, offensichtlich der Vater Bettines und Prinzipal der Truppe, einbezogen, der Bettine und andere Kinder „wie Bündelchen Wäsche" herumschleudert und Goethe damit ängstigt. Der rasche Wechsel von nervöser Spannung zu plötzlicher Lösung, wie er schon im Epigramm Nr. 41 vorgeführt wurde, wiederholt sich hier. Sehr kunstvoll ist der Höhepunkt der Erregung und ihre Auflösung in *einer* Verszeile untergebracht: „Wahrlich, sie fällt! Ich halt' es nicht aus! Komm gehn wir! Wie zierlich!" Der Leser wird einbezogen, wird selbst fast zum Zuschauer, der aufatmet, wenn das gewagte Spiel elegant glückt. Der Reflex im Publikum, das bald noch umfassender in den Blick gerückt wird, wird gezeigt an der Alten, die vor Freude über Bettines Anmut sich verjüngt und verschönt.

Goethe ist unermüdlich im Beschreiben immer neuer Kunststücke seines „Lieblings". Im nächsten Epigramm (Nr. 44) wird nochmals der

Vater gezeigt, der Bettine über sich selbst wirft, so daß sie sich im Salto mortale, dem „tödlichen Sprunge", überschlägt. Das Nachzeichnen dieses Saltos und des gelassenen, nonchalanten Weiterlaufens nachher, „eben ob nichts wär' geschehn", hat wieder ein Höchstmaß an Anschaulichkeit.

Es scheint Goethes Absicht gewesen zu sein, das ganze Programm Bettines, alles was sie konnte und zeigte, in diesen Epigrammen festzuhalten. In Goethes Nachlaß finden sich vier bruchstückhafte Ansätze zu Epigrammen, die weitere Kunststücke beschreiben.[16] Eines wurde schon erwähnt; ein anderes schildert die Umgebung, den Hintergrund der Gauklerspiele:

> Masten stehen gedrängt an Masten, es trocknet die Segel
> In dem Sonnenschein ruhig der Schiffer am Gestade der Stadt.
> Deine Paläste zeigen sich hier du edles Venedig
> ··················· wie drängt sich
> Alles das Volck...
> Die fremde Kl...
> Alles verschwindet dem Blicke Bettine wenn du kleine
> Tische und Leuchter besteigst...

Ein weiteres Epigramm wollte das Motiv der Gefährlichkeit wieder aufnehmen:

> Was ist oben was unten an dir was vorne was hinten?
> Voller Gefahr scheint jede Bewegung Sorge
> Und so zierlich du's machst wünscht die Gefahr man erneut.

In der veröffentlichten Folge wird die Darstellung der Gauklerszene abgeschlossen durch ein Epigramm (Nr. 45), das die scharf beobachtete Reaktion der Zuschauer wiedergibt. Das Volk von Venedig erscheint, auch die Bettler, die christliche Wunder und Vorstellungen für „weltliche" Interessen mißbrauchen, – eine neue Variante des antichristlichen Themas. Die Wirkung der Gauklerin aber besteht nicht vorwiegend in Sensation und Nervenkitzel, sondern was Bettine hervorruft, ist Beglückung. Das zweckfreie Spiel der Körperkräfte und anmutiger Geschicklichkeit, der frei eingesetzte Wagemut: das entlastet das Bewußtsein der Zuschauer von den Bedrängnissen der „Mühe, Sorgen und Armut"; man „freut sich" bei Bettine. „Glückliche glaubt man zu sehn."

Emil Staiger verkennt, wie groß Goethes Entzücken, wie intensiv sein Interesse an den Gauklern war, wenn er bei ihm nur „ein spärliches Vergnügen an den gelenkigen Gliedern Bettinas" vermutet.[17] Er nahm als Künstler diese Vorführungen durchaus ernst und hat später ausdrücklich dem jungen Künstler den Rat gegeben, die Gaukler zu studieren.

Ferner, wenn sich Seiltänzer und Kunstreiter einfinden, versäume er nicht, auf diese genau zu achten. Das Übertriebene, Falsche, Handwerksmäßige lehne er ab; aber er lerne auffassen, welcher unendlichen Zierlichkeit der menschliche Körper fähig ist.[18]

Das folgende kurze Epigramm (Nr. 46) hat keinen direkten Bezug auf die Gaukler, sondern erhält diesen erst durch die Placierung und bereitet das abschließende Epigramm vor. Dieses beginnt damit, daß Goethe Freunde und Leser mahnend zu sich sprechen läßt, irritiert über die wachsende Zahl von Epigrammen auf Bettine. Sie fordern ihn auf, „was Klügeres" anzustimmen. Daß Goethe solche Mahnung erwartete, wird um so begreiflicher, wenn man bedenkt, daß erheblich mehr Epigramme als die zwölf gedruckten entstanden waren. Sechs Epigramme sind im Nachlaß erhalten, sie wurden vom Druck ausgeschlossen. Nimmt man die vier unvollendeten hinzu, so verdoppelt sich fast die Anzahl der gedruckten Epigramme. Was nach Goethes Voraussicht den Unwillen der Leser erregen muß, ist die Häufung von Versen über einen, wie sie meinen, zweitrangigen, bedeutungslosen Gegenstand. Aber hier widerspricht der Dichter sehr entschieden. Mit der ironischen Bemerkung, daß er das Handwerk der Könige und Großen nicht genügend begreife, will er natürlich nicht seine Unfähigkeit dazu erklären, sondern die Fragwürdigkeit der herrscherlichen Praxis andeuten. Er insistiert auf der Absicht, Bettine zu besingen, ihm ist sie darstellenswert. In der Begründung, die er dafür gibt, erscheint die Pointe des ganzen Bettine-Zyklus: „denn Gaukler und Dichter / Sind gar nahe verwandt..." Daß Goethe dabei an die Heimatlosigkeit der Fahrenden dachte und an „die Sehnsucht nach der nicht mehr aufzufindenden Heimat seines Geistes", wie Staiger vermutet[19], wird im Text nirgends auch nur angedeutet. Verwandt sind Dichter und Gaukler im Metier. Das empfindet Goethe offenbar stärker als Dichter früherer Zeiten. Vergleichbar sind Dichter und Gaukler in der Unentbehrlichkeit des Könnens, das Goethe in den Angriffen auf die Pfuscher in den Epigrammen hervorhebt. Der Deutsche lerne alle Künste redlich, sagt Epigramm Nr. 33, aber

Eine Kunst nur treibt er, und will sie nicht lernen, die Dichtkunst.
Darum pfuscht er auch so: Freunde, wir haben's erlebt.

Der Vergleich des Dichters mit dem Gaukler, schon in der *Theatrali-*

schen Sendung ausgesprochen, legt das Künstliche sowohl wie die Wir-
kungsabsicht der Dichtkunst frei. Beides will Goethe auf etwas provo-
zierende Weise akzentuieren. Aber auch als Außenseiter fühlt sich
Goethe mit den Gauklern offenbar verwandt. Als Favorit des Weimarer
Herzogs gut versorgt – die Epigramme 34a und b rühmen es dankbar –,
in Amt und Würden, seßhaft und durchaus kein „Fahrender", weiß sich
Goethe zugleich doch nicht so fest eingefügt in die gesellschaftliche
Ordnung wie irgendein anderer Hofbeamter, sondern als Dichter im
Grunde losgelöst und am Rande dieser Gesellschaft, wie die Gaukler
auch. Soziale Randfiguren, auch und vielleicht gerade solche in der
Maske des geadelten Hofmannes und Ministers, „suchen und finden"
gern andere Außenseiter. Sehr deutlich macht Goethe seinen Abstand
von der sozialen Oberschicht im Epigramm Nr. 75, das wiederum auf
einen imaginierten Vorwurf antwortet:

> „Hast du nicht gute Gesellschaft gesehn? Es zeigt uns dein Büchlein
> Fast nur Gaukler und Volk, ja was noch niedriger ist."
> Gute Gesellschaft hab' ich gesehn: man nennt sie die gute,
> Wenn sie zum kleinsten Gedicht keine Gelegenheit gibt.

Mit Trotz beharrt er darauf: „Doch Bettinen sing' ich indes." Er sagt es
als Außenseiter, und hier wird klar, daß die Venetianischen Epigramme
überhaupt als Äußerungen eines Außenseiters zu verstehen sind, kaum
als Bekundungen eines momentanen Unmuts. Gewiß gab es für Goethe
in Venedig Verdrießlichkeiten, ungeduldiges Verlangen nach Christiane und dem Söhnchen, Langeweile, Regen. Er war bekanntlich
nicht aus eigenem Antrieb gereist, sondern um die Herzoginmutter in
Venedig zu treffen und nach Weimar zurückzubegleiten, im Auftrag des
Hofes also; und er mußte länger als vorausgesehen auf Anna Amalia
warten. Aber das Aggressive und Provozierende der Epigramme ist
kaum als Ausdruck gereizter Stimmung zu verstehen. Auch war die
Mißstimmung nicht gar so arg. Die Bilanz, die Goethe in einem Brief an
Caroline Herder am 4. Mai 1790 zieht, ist positiv.

> Ich kann nicht leugnen, daß manchmal diesen Monat über sich die Ungeduld meiner
> bemächtigen wollte, ich habe aber auch g e s e h e n, g e l e s e n, g e d a c h t, g e d i c h t e t, wie
> sonst nicht in einem Jahr . . .

Goethes Zustand in Venedig ist gekennzeichnet durch eine große innere Freiheit. Er spricht aus, was er denkt, in der Situation des Außenseiters: ganz subjektiv, rücksichtslos, die Formung im Epigramm ge-
nügt, das Ausgesprochene dichterisch zu legitimieren. Was die „gute

Gesellschaft" für dichtungswürdig hält, ist ihm gleichgültig. Indem er im unbekümmerten Aussprechen sein Außenseitertum bezeugt, vergewissert er sich gleichzeitig selbst seiner Unabhängigkeit. Nicht erst die Revolution von 1789 hat diese innere Unabhängigkeit herbeigeführt, die Goethes Existenz vom herkömmlichen Hofdichtertum trotz Bewahrung mancher äußeren Formen unterscheidet, aber sie hat sie ihm vielleicht stärker bewußt gemacht. Sein Dank gilt dem Herzog, der ihm diese Freiheit ermöglicht, gleichzeitig mit ironischer Distanzierung von der „guten Gesellschaft", mit der von ihr vertretenen Rangordnung der Wirklichkeiten.

Das letzte der Bettine-Epigramme ist in mancher Hinsicht das wichtigste; es wird noch davon zu sprechen sein. „Gauckler 5 Soldi", vermerkt das Ausgabenbuch: das ist gewiß nicht viel für die so nachhaltig bewunderte Bettine. Aber vielleicht wollte Goethe nicht mehr geben als die Umstehenden, der Schiffer, der Höke, die Alte. Er fühlte sich nicht als der soignierte Fremde, der Minister, der eine unterhaltsame Gauklerin gönnerhaft belohnt, sondern er fühlte sich solidarisch mit ihr, „gar nahe verwandt".

2

Auch die nicht veröffentlichten Epigramme, die scharf antiklerikalen und blasphemischen, die erotisch anstößigen oder obszönen, bezeugen, daß Goethe als Außenseiter spricht, ganz ungehemmt. Daß er sie nicht hat drucken lassen, ist die Konzession an seine gesellschaftliche Stellung, die gewisse Rücksichten forderte. In der Weimarer Ausgabe sind im 53. Band der ersten Abteilung die unterdrückten Epigramme mitgeteilt und laufend numeriert worden. Der Text der Bettine betreffenden Epigramme wird hier mit der Numerierung der Herausgeber angeführt.

30

Vier gefällige Kinder hast du zum Gaukeln erzogen,
　　Alter Gaukler, und schickst nun sie zum Sammlen umher.
„Meine Güter trag' ich bei mir!" so sagte der Weise;
　　„Meine Güter", sagst du, „hab' ich mir selber gemacht."

31

Amerikanerin nennst du das Töchterchen, alter Phantaste.
　　Glücklicher, hast du sie nicht hier in Europa gemacht?

32

„Ich empfehle mich euch! Seid wacker!" sagst du und reichest
Mir das Tellerchen dar, lächelst und dankest gar schön.
Ach, empfohlen bist du genug, und wärst du nur älter,
Wacker wollten wir sein, wach bis zum Krähen des Hahns.

33

Zürnet nicht, ihr Frauen, daß wir das Mädchen bewundern:
Ihr genießet des Nachts, was sie am Abend erregt.

34

Was ich am meisten besorge: Bettina wird immer geschickter,
Immer beweglicher wird jegliches Gliedchen an ihr;
Endlich bringt sie das Züngelchen noch ins zierliche F...,
Spielt mit dem artigen Selbst, achtet die Männer nicht viel.

35

Auszuspannen befiehlt der Vater die zierlichen Schenkel,
Kindisch der liebliche Teil ... den Teppich herab,
Ach, wer einst zuerst dich liebet (?), er findet die Blüte
Schon verschwunden: sie nahm frühe das Handwerk hinweg.

Die ersten beiden dieser Epigramme sind unbedeutend. Nr. 32 verrät
eindeutig die erotische Anziehung, die die Gauklerin für Goethe hatte.
Mit souveränem Freimut bekennt er, daß sie seine Begehrlichkeit
weckt, ein Motiv, das in Nr. 33 mit anderer Wendung wiederkehrt.
Diese beiden Epigramme hat Goethe einem Brief an Frau von Kalb aus
Venedig vom 30. April 1790 beigelegt, und auch im abschriftlichen
Widmungsexemplar an die Herzogin Anna Amalia sind sie enthalten.
Die beiden folgenden sind obszön, es sind sexuelle Phantasien, die
durch die geschmeidige Artistik Bettines angeregt sind. Von der Ge-
schlossenheit des gedruckten Bettine-Zyklus aus gesehen, erscheinen
in diesen Distichen Nebenmotive, abgezweigt vom Hauptast des eigentlichen Themas. So ist ihre Streichung auch künstlerisch berech-
tigt.

Der gehaltvolle und wichtige Aufsatz von Ernst Maaß über „Die *Venetianischen Epigramme*"[20], der auch der Bedeutung dieser Dichtung
gerecht wird, zeigt genau und umfassend, wie die Epigramme in der von
der römischen Dichtung ausgehenden Tradition stehen, und daß sie
nicht nur an Martial, sondern gleichzeitig an Horaz anknüpfen. In der
von Martial vorgeprägten Form erscheinen manche Motive der Horazischen Satiren abgewandelt. Aber es geht um mehr als um die Übernahme einzelner Motive. „Die venetianischen Epigramme", schreibt

Maaß, „gleichen trotz der Verschiedenheit der Form dem ersten Satirenbuch des Horaz..."[21] In der Tat, inhaltlich sind diese Epigramme Satire im alten Sinn, satura, die bunt gemischte Fruchtschüssel, in der sich die verschiedensten Dinge zusammenfinden, in der auch Großes und Kleines, Hohes und Alltägliches Platz haben, ohne auf ein Wertsystem bezogen zu werden: das Große kann verspottet, das Geringe gerühmt werden. Spott, Aggression, Bloßstellung im späteren Sinn von Satire sind möglich, doch nicht überall nötig, Lob und Bewunderung sind in gleicher Weise legitim für diese Gattung.

Daß das Prinzip der Mischung für den Gattungscharakter solcher lanx satura entscheidend ist, bestätigt das Epigramm Nr. 60, in dem Goethe einer Erzählung der Apostelgeschichte (10, 11–15) ein Gleichnis entnimmt, ein Gesicht des Petrus nämlich, durch das Gott ihn belehrt, „keinen Menschen gemein oder unrein zu heißen" (10, 28) und auch Heiden zu taufen. Er „ward entzückt", heißt es von Petrus, „Und sahe den Himmel aufgetan, und herniederfahren zu ihm ein Gefäß, wie ein großes leinenes Tuch, an vier Zipfeln gebunden, und ward niedergelassen auf die Erde,

Darinnen waren allerlei vierfüßige Tiere der Erde und wilde Tiere und Gewürm und Vögel des Himmels." Davon soll Petrus auf Gottes Geheiß essen. Eine ähnliche vielfältige Mischung ist das Prinzip der Epigramme:

> Wie dem hohen Apostel ein Tuch mit Tieren gezeigt ward,
> Rein und unrein, zeigt, Lieber, das Büchlein sich dir.

„Diese bunte Fülle aller menschlichen Dinge mit und ohne Kritik",[22] Beobachtungen, Reflexionen, Erinnerungen, Urteile: in eine solche Mischform fügt sich der Bettine-Zyklus ohne Bruch ein.

Die Rückbindung der Epigramme an eine bedeutende Tradition, an die römische Poesie, ist klar erkennbar. Doch es gilt, sie zugleich als Vorwegnahme späteren dichterischen Verhaltens zu sehen, das sich in ihnen deutlich ankündigt, aber bisher nicht wahrgenommen wurde. Die Frage, aus welchem Antrieb, in welcher Haltung diese Epigramme entstehen, ist durch den Hinweis darauf, daß sie unbedenkliche Äußerungen eines sich hier als Außenseiter verstehenden Autors sind, noch nicht vollständig beantwortet. Gerade vom Bettine-Zyklus läßt sich die Verhaltensweise, in der die Epigramme zustande kommen, am besten ablesen. Es ist die Haltung des Beobachters, der die Wirklichkeit wie ein Schauspiel betrachtet, teils bejahend, teils ablehnend, neugierig, reflektierend, kritisch, aber ohne sich persönlich bei einer der Erscheinungen dieser Realität zu engagieren. Er bleibt der kritische Betrachter, der Distanz wahrt und sich freihält, sich nicht einläßt, nicht verstrickt in die wahrgenommenen Vorgänge, keine persönliche Beziehung aufnimmt zu den beobachteten Menschen. Das bedeutet nicht, daß er zuweilen nicht auch mit Emotionen reagierte. Aber es sind Emotionen, wie sie ein Schauspiel erregt. Das aber ist die Haltung des Flaneurs, die sich im 19. Jahrhundert konstituiert und bedeutsam wird. Baudelaire versteht sich bekanntlich als Flaneur, aber es gab diesen Habitus schon vor ihm, etwa bei E. A. Poe und bei Heine.[23] Schon Heine bewegt sich ganz bewußt als Flaneur durch die Pariser Straßen.[24] Selbst ohne Beschäftigung, genießt der Flaneur als Zuschauer das Leben in den Straßen, in denen die Menschen im Interesse des Erwerbs, der Tätigkeit, der Geschäfte unterwegs sind, und sie alle werden zu Figuranten des großen Schauspiels. Diese Haltung ist schon bei Goethe erkennbar. In den siebziger Jahren sah er sich selbst als den ,,Wanderer''. 1790, in der Großstadt Venedig – sie hatte etwa 160 000 Einwohner, Weimar 6000 – wandelte sich der Wanderer in den Flaneur, in seine urbane Gestalt.

Natürlich haben immer schon fremde Besucher die italienischen Städte schaulustig durchstreift. Goethe tat das bereits auf seiner ersten Italienreise. Zu Rom hatte er freilich ein anderes Verhältnis, als es der durch die Straßen Schlendernde gewinnt; es war bestimmt durch die Aufgabe, die Welt des Altertums und der Kunst sich anzueignen. Aber in Venedig bewegte er sich 1786 schon bisweilen flanierend, und er hörte auf der gleichen Riva degli Schiavoni, wo ihn später Bettine fesselte, ein paar Erzählern und Rednern zu. ,,Öffentliche Redner habe ich nun gehört: drei Kerle auf dem Platze und Ufersteindamme, jeder nach seiner Art Geschichten erzählend, sodann zwei Sachwalter, zwei Prediger, die Schauspieler ...''[25] Noch lebhafter zeigt sich Goethe als Flaneur in Neapel, wo für ihn auch schon das später im 19. Jahrhundert überaus wichtige Erlebnis der anonymen Menschenmenge bedeutsam wird. ,,Hier wissen die Menschen gar nichts voneinander, sie merken kaum, daß sie nebeneinander hin und her laufen...'', so heißt es unter dem Datum des 17. März 1787 in der *Italienischen Reise.* ,,Zwischen einer so unzählbaren und rastlos bewegten Menge durchzugehen, ist gar merkwürdig und heilsam. Wie alles durcheinander strömt und doch jeder einzelne Weg und Ziel findet. In so großer Gesellschaft und Bewegung fühl' ich mich erst recht still und einsam`...''[26] Auch Poes ,,Mann der Menge'' sieht in den Menschenmassen, die er beobachtet, viele, die gestikulierten, ,,so als ob sie sich gerade in der unzähligen Menge, von der sie umgeben waren, allein vorgekommen wären.''[27]

Am 19. März berichtet Goethe aus Neapel:

Man darf nur auf der Straße wandeln und Augen haben, man sieht die unnachahmlichsten Bilder.

Am Molo, einer Hauptlärmecke der Stadt, sah ich gestern einen Pulcinell, der sich auf einem Brettergerüste mit einem kleinen Affen stritt, drüber einen Balkon, auf dem ein recht artiges Mädchen ihre Reize feilbot.[28]

Die Stelle ist von höchstem Interesse. Der Spaßmacher auf der Bretterbühne gibt ein Schauspiel, aber das Mädchen auf dem Balkon darüber wird dem Pulcinell gleichgeordnet, mit ihm zu *einem* Bild zusammengesehen. Denn für den Flaneur ist *alles* Schauspiel, nicht nur die Vorführung des professionellen Komödianten. Der benützt für seinen Auftritt sozusagen eine Bühne auf der Bühne; denn die gesamte Wirklichkeit wird dem schlendernden Beobachter zur Bühne. Goethe selbst verwendet hier nicht diese Metapher, sondern sieht die geschilderte Szene, zu der auch noch ein Wunderdoktor gehört, als Bild, wie „von Gerhard Dow gemalt". Auch damit ist die Realität in ein Objekt der Betrachtung verwandelt, wird als solches fixiert. Noch zutreffender läßt sich die in dieser Weise begegnende Wirklichkeit als szenisch bezeichnen.

Goethe ist in Venedig der passionierte, aber im Grunde persönlich unbeteiligte Beobachter einer Welt, die ihre Existenz als Schauspiel aufführt. Neu aber ist, daß sich dieses früher nur im Reisebericht gespiegelte Wirklichkeitsverhältnis jetzt in Dichtung umsetzt. Der Dichter spricht dabei als letztlich unbeteiligter Zuschauer. Für den venezianischen Flanierer Goethe ist z. B. nicht nur die Darbietung der Gaukler Schauobjekt, sondern ebenso sind es die Zuschauer (vgl. Nr. 43 u. 45). Indem die Passanten der Gauklerin Bettine zuschauen, spielen sie für Goethe, werden Mitspieler beim Schauspiel der Welt und als solche genauso anschaulich und intensiv in den Epigrammen vergegenwärtigt wie Bettine selbst. Dank Goethes großer Bewunderung und herzlicher Sympathie für die Gauklerin scheint es zuweilen so, als würde doch ein persönliches Verhältnis zu ihr aufkommen. Aber solche vermutbaren Impulse werden abgefangen, die Zuschauerrolle wird strikt eingehalten, ohne persönliche Annäherung. Daß Goethes erotisches Interesse mitklingt und in den ungedruckten Epigrammen dominiert, dient gerade der Distanzierung von ihrer Person. Denn nicht als solche erscheint darin Bettine, sondern nur als unpersönliches, sexuelles Schau- und Reizobjekt. Diese Entpersönlichung bestimmt auch die anderen erotischen Epigramme; sie gelten immer nur den käuflichen Mädchen, die wie Lazerten durch Venedigs Gassen huschen. Nur die Epigramme an den Herzog und an Christiane durchbrechen die distanzierte Zuschauerrolle. Aber das bedeutet nur, daß deren Voraussetzungen in den Zyklus einbezogen werden: die Muße gewährende Versorgung durch den fürstlichen Mäzen und das häusliche Glück mit der Geliebten und dem Söhnchen, das dem wandernden Beobachter einen festen Standort und Rückhalt sichert.

„Man darf nur auf der Straße wandeln und Augen haben", dann sieht man vielerlei, was Gegenstand der Dichtung werden kann. So fand Baudelaire viele seiner Motive buchstäblich auf der Straße, und fünfzig Jahre nach dem Erscheinen der *Fleurs du Mal* wiederholt sich diese Art des dichterischen Verhaltens bei Rilke, der Paris durchstreift. Was den dichterischen Formulierungswillen erweckt, ist nicht mehr nur das Bedeutende und Wertvolle, sind nicht nur die „Großen der Erde", nicht nur die Erscheinungen der Natur, sondern mit gleichem Recht das Geringe, die unscheinbaren Gegenstände und Vorgänge: bei Baudelaire etwa alte verhutzelte Frauen, ein Lumpensammler, die in der Menge vorübergehende fremde Frau, der eines der herrlichsten und repräsentativsten Gedichte des Jahrhunderts gilt *(A une passante)*, und bei Rilke der Bettler, der Blinde, das Kinderkarussell, ein paar anonyme Menschen auf einem Balkon in Neapel, wie schon Goethe ihn sah. Auch Venedig war eine von den alten Hauptstädten, in denen, wie Baudelaire in dem Gedicht *Les petites vieilles* sagt, alles der Verzauberung fähig ist:[29]

> Dans les plis sinueux des vieilles capitales,
> Où tout, même l'horreur, tourne aux enchantements, ...

Die *Venetianischen Epigramme* von 1790 sind ein erstaunlich frühes Vorspiel der mit Baudelaire vollstimmig einsetzenden modernen Dichtung. Die tiefe Sprachskepsis der Epigramme Nr. 29 und 76 nimmt etwas von Hofmannsthals *Brief des Lord Chandos* vorweg, und die überraschend radikale Skepsis gegenüber der menschlichen Natur (etwa in Nr. 62, 73) scheint dem modernen Pessimismus näher zu stehen als dem Menschenbild des 18. Jahrhunderts:

> Wundern kann es mich nicht, daß Menschen die Hunde so lieben:
> Denn ein erbärmlicher Schuft ist, wie der Mensch, so der Hund.

Wenn Goethe (Epigramm Nr. 27) erklärt, daß die Langeweile jetzt die Stelle der Musen bei ihm einnimmt, so ist das noch nicht jener Ennui, der zur Zeit des spätromantischen Weltschmerzes als Überdruß und Ekel erfahren wird, und gewiß nicht der alles zerstörende Ennui, „ce monstre délicat", im berühmten Eingangsgedicht der *Fleurs du Mal*. Immerhin erscheint in Goethes von der Langeweile inspirierten Epigrammen meist nicht gerade ein freundliches Bild der Welt, und es ist bemerkenswert, daß Langeweile von Anfang an beteiligt ist bei der Entstehung jener Beobachter-Haltung des Flaneurs, die Werner Hofmann in ihrer Spätform auch auf den Bildern Manets erkennt; er sagt von den Gesten dieser Beobachter, sie „kommen aus dem romantischen ‚ennui' ". Hofmanns Erhellung dieses Flaneur-Typus ist ungewöhnlich ergiebig, auch seine Interpretation des Großstadt-Erlebnisses. „Die Metapher der Großstadt ist das endlose, ausweglose und undurchschaubare Labyrinth."[30] Das erfährt schon Goethe in Venedig: ich „warf mich ohne Begleiter, nur die Himmelsgegenden merkend, ins Labyrinth der Stadt . . ."[31] Hier beginnt dann die Rolle der „Großen der Erde" und der Mitglieder der „guten Gesellschaft" als bevorzugtes Personal der Dichtung sich aufzulösen: eine Entwicklung, in deren Spätphase etwa Emile Zola feststellt: „Der erste Mensch, der vorübergeht, reicht zum Helden aus."[32] Daß in den *Venetianischen Epigrammen* ein frühes Vorspiel der modernen Dichtung erkennbar ist, wird vollends klar am Thema der Bettine-Epigramme. „Denn Gaukler und Dichter sind sich gar nahe verwandt": das ist wie ein Stichwort, ein Losungswort für die moderne Dichtung, für die, ebenso wie für die Malerei, die Gaukler ein wichtiges Thema werden. Baudelaire nennt seine Muse eine nüchterne Gauklerin, die sich verkaufen muß, um der Menge Vergnügen zu bereiten.[33] Eines der Prosagedichte in Baudelaires *Le Spleen de Paris* gilt dem „alten Gaukler". Der Dichter durchwandert die Reihe der Schaubuden und Gauklertruppen, die an einem Pariser Festtag das Volk anlocken. „An solchen Tagen, scheint mir, vergißt das Volk alles, Schmerz und Arbeit; es wird den Kindern gleich." Das wiederholt genau die Darstellung Goethes im Epigramm Nr. 45. Ganz am Ende der Budenreihe sieht Baudelaire in einer ärmlichen Hütte einen alten, abgetakelten Gaukler, bei dem niemand mehr stehen bleibt, und auf diesem haftet sein Blick. Trotz der Abwandlung des Themas in ein melancholisches Moll ist der Zusammenhang mit Goethes Bettine sichtbar im Gleichniswert, den die Gauklerfigur für den Dichter gewinnt. „Auf dem Heimweg" sagt sich Baudelaire: „Ich habe das Bild des gealterten Schriftstellers gesehen, der die Generation, deren glänzender Unterhalter er war, überlebt hat: ein Bild des alten Dichters ohne Freund, ohne Familie, ohne Kinder . . ."[34] Seit der Mitte des 19. Jahrhunderts wird das Gaukler-Motiv in

der Literatur geläufig, und es gewinnt zunehmende Bedeutung um die
Jahrhundertwende und auch noch im 20. Jahrhundert. Zu den Straßenakrobaten gesellen sich, den Themenkreis erweiternd, die Zirkusarti-
sten, die gleichzeitig in der Malerei zu den „Schlüsselthemen" zählen,
schon bei Renoir, Degas, Toulouse-Lautrec und Seurat, dann bei Bon-
nard, Rouault und sehr vielen anderen,[35] auch bei Picasso in den berühmten *Saltimbanques* von 1905. Deutsche Maler wie Macke und die
Expressionisten nehmen das Thema auf. Der Artist wird eine Symbol-
figur, etwa bei Hermann Bang, bei Wedekind, bei Hofmannsthal als
Clown Furlani im *Schwierigen*, bei Kafka (*Auf der Galerie*) – das sind
nur ganz wenige Beispiele. Thomas Mann hat in einer ironischen autobiographischen Skizze *Im Spiegel* (1907) sich selbst als Dichter, trotz
bürgerlicher Reputation und behaglichen Wohlstandes, durchaus als
Außenseiter gesehen und sich nicht gerade als Gaukler, aber als „anrü-
chiger Scharlatan" bezeichnet.[36] In den *Bekenntnissen des Hochstaplers Felix Krull* steht die glanzvoll instrumentierte und höchst präzise
Beschreibung einer Galavorstellung des Zirkus Stoudebecker in Paris.
Den Höhepunkt bildet die große Nummer der am Hochtrapez arbeiten-
den Akrobatin Andromache, die übrigens auch, ähnlich wie Mignon
und Bettine, die Frage nahelegt, ob sie nicht „vielleicht heimlich ein
Jüngling sei".[37] Ihre hochgetriebene Leistung ist ein Gleichnis für jegliches Artistentum, das des Künstlers wie auch das des Hochstaplers.

  In der konkreten Situation steht Rilkes Aufzeichnung über die
Truppe des Père Rollin (1907) Goethes Schilderung der venezianischen
Gauklertruppe am nächsten. Die Pariser Artisten arbeiten auf der Straße, der flanierende Rilke bleibt gern bei ihnen stehn, ebenso wie bei anderen Gauklern, etwa einem Schlangenbeschwörer, dem eines der
Neuen Gedichte gilt. „Vor dem Luxembourg, nach dem Pantheon zu,
hat wieder Père Rollin mit den Seinen sich ausgebreitet. Derselbe Teppich liegt da. . ."[38] Der Alte, der als Artist ausgedient hat und nur noch
trommeln darf, ist eine melancholische Figur wie Baudelaires Gaukler.
Die subtile symbolistische Auslegung der Vorführung dieser Saltimbanques in der fünften Duineser Elegie entfernt sich sehr weit von Goethes Epigrammen, weist aber dennoch auf sie zurück.[39]

Anmerkungen

[1] Die *Venetianischen Epigramme* werden hier zitiert nach der Jubiläumsausgabe, *Goethes Sämtliche Werke*, Stuttgart u. Berlin o. J., Bd. 1 (JA). Die ungedruckten und fragmentarischen Epigramme erscheinen nach dem Text der Weimarer Ausgabe (WA), die sonstigen Goethetexte nach der Hamburger Ausgabe: *Goethes Werke*, Hamburg 1948 ff. (HA). – Die zitierte Stelle im Kommentar von Erich Trunz, HA Bd. 1, S. 496.

[2] So Eduard von der Hellen in JA, Bd. 1, S. 358. – Die These Max Nußbergers („Goethes Venetianische Epigramme und ihr Erlebnis", *ZfdPh* Bd. 55, 1930, S. 379 ff.), die Epigramme seien als Ausdruck der Enttäuschung Goethes über den geringen Erfolg der ersten Gesamtausgabe seiner Schriften zu verstehen, ist angesichts einzelner Epigramme beachtenswert, aber doch wohl nicht haltbar.

[3] Emil Staiger, *Goethe*, Bd. 2, Zürich u. Freiburg 1956, S. 86 f.

[4] Vgl. die Anmerkungen W. von Loepers in der Ausgabe der *Werke* Goethes von 1882, Bd. 1, S. 449 f.

[5] So formuliert es von der Hellen, JA Bd. 1, S. XV.

[6] Von der Hellen, JA Bd. 1, S. 358.

[7] WA Bd. 53, S. 10.

[8] Friedrich Gundolf, *Goethe*, Berlin 1920, S. 454.

[9] WA Bd. 5, 2. Abt., S. 376 f.

[10] *Gesammelte Werke der Brüder Christian und Friedrich Leopold Grafen zu Stolberg*, Bd. 9, Hamburg 1827, S. 440.

[11] Eine Abbildung findet sich in dem Buch von Fritz Schillmann, *Venedig. Geschichte und Kultur*, Leipzig u. Wien 1933, S. 192.

[12] *Wilhelm Meisters theatralische Sendung*, Hg. v. Harry Maync, Stuttgart u. Berlin 1927, S. 219.

[13] Ebd. S. 148 f.

[14] WA Bd. 5, 2. Abt., S. 377.

[15] Heinrich Wölfflin, *Die Kunst Albrecht Dürers*, München 1920, S. 42.

[16] WA Bd. 5, 2. Abt., S. 276 f.

[17] Emil Staiger, *Goethe*, Bd. 2, S. 87.

[18] JA Bd. 35, S. 324.

[19] Staiger, *Goethe*, Bd. 2, S. 87.

[20] *Jb. d. Goethe-Ges.*, Bd. 12, Weimar 1926, S. 68 ff.

[21] Maaß, „Die Venetianischen Epigramme", S. 88.

[22] Maaß, „Die Venetianischen Epigramme", S. 90.

[23] Vgl. Walter Benjamin, *Charles Baudelaire. Ein Lyriker im Zeitalter des Hochkapitalismus*, Frankfurt 1969, besonders Kap. II.

[24] Heine beschreibt z. B. in seinen Berichten aus Paris am 11. Dezember 1841, wie er die Pariser Straßen durchwandert und von den Auslagen der eleganten Läden gefesselt wird. „Der Anblick derselben kann dem müßigen Flaneur den angenehmsten Zeitvertreib gewähren . . ." (Heinrich Heine, *Sämtliche Schriften*, München 1969 ff., Bd. V, S. 41).

[25] *Italienische Reise*, HA Bd. 11, S. 778.

[26] *Italienische Reise*, S. 211.

[27] Vgl. Benjamin, *Charles Baudelaire*, S. 133.

[28] *Italienische Reise*, S. 213.

[29] Charles Baudelaire, *Les Fleurs du Mal. Die Blumen des Bösen*, Französisch und Deutsch, Frankfurt 1966, S. 152.

[30] Werner Hofmann, *Nana. Mythos und Wirklichkeit*, Köln 1973, S. 104, 102.

[31] HA Bd. 11, S. 68.

[32] Vgl. F. W. J. Hemmings, *Emile Zola*, Oxford 1966, S. 34.

[33] Charles Baudelaire, *Les Fleurs du Mal*, S. 26.

[34] Charles Baudelaire, *Le Spleen de Paris*, übers. von Dieter Moser, Tübingen u. Stuttgart 1946, S. 41.

[35] Robert L. Füglister, „Fernand Léger: ,Akrobaten im Zirkus'," in: *Jahresbericht 1964–66 der Öffentlichen Kunstsammlung Basel.* – Ferner vom selben Autor „Wer aber sind sie, sag mir, die Fahrenden?", in: *Bulletin Annuel de la Fondation Suisse*, XII, Paris 1964.

[36] Thomas Mann, *Das essayistische Werk*, Taschenbuchausgabe, Bd. MK 119, Frankfurt 1968, S. 26.

[37] Thomas Mann, *Werke*, Taschenbuchausgabe, Mk 110, Frankfurt 1967, S. 147–153.

[38] R. M. Rilke, *Sämtliche Werke*, 6. Bd., Frankfurt 1966, S. 1137 ff.

[39] Rilke hat mit äußerster Entschiedenheit die Forderung vertreten, daß ausnahmslos alles Wirkliche darstellenswert sei. Er erinnert in einem Brief vom 19. Oktober 1907 Clara Rilke an Baudelaires Gedicht *Une charogne* und seine Wirkung auf Cézanne. „Erst mußte das künstlerische Anschauen sich so weit überwunden haben, noch im Schrecklichen und scheinbar nur Widerwärtigen das Seiende zu sehen, das, mit allem anderen Seienden, *gilt*. Sowenig eine Auswahl zugelassen ist, ebensowenig ist eine Abwendung von irgendwelcher Existenz dem Schaffenden erlaubt . . . Das Buch von Malte Laurids . . . wird nichts als das Buch dieser Einsicht sein . . ."

Eric A. Blackall

The Contemporary Background
to a Passage in the *Lehrjahre*

The famous comparison of novel und drama in the fifth book of *Wilhelm Meisters Lehrjahre* has often been accepted as Goethe's most explicit statement on the subject. But Lieselotte E. Kurth has justifiably issued a word of warning: „Jeder Satz dieser Zusammenfassung [bedürfte] eigentlich einer sorgfältigen Analyse, ehe man sie – wie das fast ohne Ausnahme bisher geschehen ist – als Goethes eigenen Beitrag zur Romantheorie betrachtet.‟[1] Elsewhere I have argued that this passage is essentially part of the fiction in which it occurs, and is not to be taken as a statement of general theoretical validity, because, both by what it says and what is consciously omits, it is tailored to fit the character of Wilhelm himself and the views of the actors on *Hamlet,* and also because most of the distinctions it makes were elsewhere withdrawn or denied by Goethe.[2] The passage was composed sometime in the first half of 1795[3] and reflects various preoccupations regarding the form and stature of the novel as a literary genre which were current in Europe during the second half of the eighteenth century.

To demonstrate this, let me first recall the passage in its entirety before discussing the terms it uses:

Im Roman sollen vorzüglich Gesinnungen und Begebenheiten vorgestellt werden; im Drama Charaktere und Taten. Der Roman muß langsam gehen, und die Gesinnungen der Hauptfigur müssen, es sei auf welche Weise es wolle, das Vordringen des Ganzen zur Entwickelung aufhalten. Das Drama soll eilen, und der Charakter der Hauptfigur muß sich nach dem Ende drängen, und nur aufgehalten werden. Der Romanheld muß leidend, wenigstens nicht im hohen Grade wirkend sein; von dem dramatischen verlangt man Wirkung und Tat. Grandison, Clarisse, Pamela, der Landpriester von Wakefield, Tom Jones selbst sind, wo nicht leidende, doch retardierende Personen, und alle Begebenheiten werden gewissermaßen nach ihren Gesinnungen gemodelt. Im Drama modelt der Held nichts nach sich, alles widersteht ihm, und er räumt und rückt die Hindernisse aus dem Wege, oder unterliegt ihnen.

So vereinigt man sich auch darüber, daß man dem Zufall im Roman gar wohl sein Spiel erlauben könne; daß er aber immer durch die Gesinnungen der Personen gelenkt und geleitet werden müsse; daß hingegen das Schicksal, das die Menschen, ohne ihr Zutun, durch unzusammenhängende äußere Umstände zu einer unvorhergesehenen Katastrophe hindrängt, nur im Drama statt habe; daß der Zufall wohl pathetische, niemals aber tragische Situationen hervorbringen dürfe; das Schicksal hingegen müsse immer fürchterlich sein, und werde im höchsten Sinne tragisch, wenn es schuldige und unschuldige, voneinander unabhängige Taten in eine unglückliche Verknüpfung bringt.[4]

The first thing that strikes one is that the novel is here unquestiona-
bly considered as worthy of comparison with drama. This was not so
self-evident in the eighteenth century, not even by the end of the century, for the novel had not yet attained the respect that it commands today. In 1780, for instance, Johann Carl Wezel had declared in the preface
to his novel *Herrmann und Ulrike*: „Der Roman ist eine Dichtungsart,
die am meisten verachtet und am meisten gelesen wird." In 1784
Choderlos de Laclos made a similar statement in his review of Fanny
Burney's *Cecilia*: „De tous les genres d'Ouvrages que produit la Littéra-
ture, il en est peu de moins estimés que celui des Romans; mais il n'y en
a aucun de plus généralement recherché et de plus avidement lu."
Fanny Burney herself had said much the same a few years earlier in the
preface to *Evelina* (1778): „In the republic of letters, there is no member
of such inferior rank, or who is so much disdained by his brethren of the
quill, as the humble Novelist; nor is his fate less hard in the world at
large, since, among the whole class of writers, perhaps not one can be
named of which the votaries are more numerous but less respectable."[5]
The arguments against the novel were of two kinds: aesthetic and moral. The aesthetic argument ran roughly as follows: the novel has no established form and therefore no recognized artistic discipline, it viol-
ates probability in both personages and incidents, it is often stylistically
sloppy or light-weight, it provides distraction rather than worthy occu-
pation for the mind. The moral argument asserted that the novel con-
fused the mind and the feelings by sensational adventures which were
either too idealistic or too crass (according to whether the particular
novel was heroic or realistic) to conform to the Horatian canon of *mis-
cere utile dulci*. All defenders of the novel, and particularly the
novelists themselves, had had to deal with these two arguments. Laclos, in the review referred to above, counters assertions regarding „la
facilité du genre", its „affranchissement de toutes règles", by ironically
suggesting that if the novel is said to have no rules, it cannot thereby be
easier to write. And he rejects the moral argument of „l'inutilité des
Ouvrages" by maintaining that no other form of literature can so fully
express „les mœurs, les caractères, les sentiments et les passions de
l'homme." This leads him on to a comparison with drama, a comparison which ends with a statement of reception aesthetics.

Un des principes qui séparent le plus le talent de l'Auteur Dramatique de celui du Romancier, est que l'un doit regarder comme superflu tout ce qui n'est pas nécessaire, tandis que
l'autre doit recueillir comme utile tout ce qui n'est pas superflu. Il est encore à remarquer
qu'on peut, qu'on doit peut-être dans un Roman donner aux tableaux qu'on présente toute

la force de la vérité, tandis qu'au Théâtre on est presque toujours forcé d'en affaiblir l'expression. Cette nécessité, qu'on a très peu sentie de nos jours, est une suite naturelle de la différence entre l'action réprésentée et l'action décrite. Il suit de là que le caractère le plus heureusement mis au Théatre, laisse encore au Romancier une vaste carrière à parcourir. Molière avait peint le Tartuffe quand Marivaux peignit M. de Climal et l'un de ces tableaux n'a pas nui à l'autre.[6]

Laclos' assertion that the novel has more forceful truthfulness than drama because its descriptive mode obviates the necessarily restricted presentation of drama is the reverse of most eighteenth-century statements on this subject. For in general the novel was considered to be less immediately affecting because of the need for a mediating narrator. As a result various devices had been employed to overcome this obstacle: first-person narration, extensive use of dialogue, epistolary form. There had been frequent claims that the novel should approximate more to drama, for instance by Blanckenburg in his *Versuch über den Roman* of 1774 and by Mme. de Staël in her *Essai sur les fictions* of 1795 (which Goethe himself translated in that same year).[7] Blanckenburg argues for extensive use of dialogue and for concentration on inner life rather than external events, and in so doing touches on the relation between characters and events which is one of the central points in the *Wilhelm Meister* passage. Blanckenburg wants novels that show the inner development of a character under the impact of external events. It should therefore deal with developing characters, rather than with established characters, which belong in drama. Drama has more immediacy and concentration, says Blanckenburg, but the novel has more completeness and expansion. To be effective, however, the novel must embody the same logic of cause and effect that characterizes drama. Blanckenburg wants the personages to characterize themselves, to reduce the role of the mediating narrator – in Henry James' terms the novel should „show" and not „tell." The desire for dramatic immediacy conflicts in Blanckenburg with the desire for greater inclusiveness. Essentially it comes down to how the story is to be communicated. Laclos says nothing about how one should narrate, Blanckenburg is much concerned with this, Mme. de Staël wants the same logical progression as in drama but does not say how this is to be obtained. Goethe, in the passage we are considering, says nothing at all about how to narrate but does say something about the nature and course of a novelistic narrative. Mme. de Staël excludes the workings of chance from a novel-plot; Goethe does not.

Behind all this there lie two divergent views of the novel: the novel as story and the novel as drama, the novel as narrative of events and the novel as portrayal of characters. As a result we find, in the course of the eighteenth century, the novel moving either closer to drama or further away from it. These tendencies are visible already in the divergent aims and narrative methods of Richardson and Fielding. Basically it came down to whether one concentrated on events or on characters. Blanckenburg admits that there are these two possibilities. He distinguishes between „historische Romane" (*Begebenheitsromane*) und „Charakterromane",[8] but prefers the latter. Laclos suggests a difference in national taste. He says that English novelists start from characters whereas French novelists start from events: „c'est par les événements qu'on s'intéresse aux personnes ... et, même en lisant Richardson, presque tout Lecteur Français est tenté de laisser là les personnages pour aller s'informer de leurs aventures."[9] But Blanckenburg asserts that it is the character of Tom Jones rather than the events that holds our attention,[10] and deplores those novel-readers with a „Sucht nach Abentheuren" and those novelists who „ein Abentheuer über das andre [häufen], um nur den Leser warm zu erhalten."[11] He is against novels of surprise events, for why should one read such works twice if one has already been surprised? And he is against unusual, unnatural events.[12]

This brings us to the question of the Marvelous and whether it may legitimately figure in the novel. Both Mme. de Staël and Wezel recognize its legitimate place in the epic, but she would exclude it from the novel whereas he admits it in a different form. She asserts that the modern world lacks the essential basis of belief,[13] and anyhow she would move the novel in the direction of drama rather than consider it as a sort of modern epic. Wezel on the other hand characterizes the novel as „wahre bürgerliche Epopee" which should follow the „Regeln des epischen Gedichts" and yet be „menschlich" rather than heroic or supernatural and convey „die Stimmung des wirklichen Lebens". He rejects improbable situations and characters but admits the extraordinary in the *train of events* rather than in the individual events themselves, „eine Reihe von Begebenheiten, die nicht täglich vorkommt."[14] Behind this statement lies the urge to be more interesting than life without being unnatural, to achieve what Thomas Hardy was to describe as „a balance between the uncommon and the ordinary, so as on the one hand to give interest, on the other to give reality."[15] The problem was not new. It had been recognized, for instance, by Mlle. de Scudéry who stated it quite clearly in 1660 and in terms of the prevailing classicistic aesthetic: „Il faut presques esgalement s'esloigner des choses impossibles & des choses basses & communes, & chercher les voyes d'en inuenter qui soient merueilleuses & naturelles tout à la fois, car sans cette derniere qualité, il n'y a point de merueille qui puisse plaire à vne personne raisonnable."[16] Eighteenth-century novelists faced the question squarely. Fielding quoted Pope's dictum to the effect that „the great art of all poetry is to mix truth with fiction, in order to join the credible with the surprising," and added „every writer may be permitted to deal as much in the wonderful as he pleases; nay, if he thus keeps within the rules of credibility, the more he can surprise the reader the more he will engage his attention and the more he will charm him."[17]

Fielding himself set great store by such surprises, but recognized that these could manifest themselves in either surprising revelations of character or in surprising incidents.[18] In Rousseau's *Entretien sur les romans* (1761) the Publisher demands „des hommes communs et des événements rares" whereas the Author wants unusual characters and ordinary events. Rousseau may be overstating as he often did when in polemical mood – he is here defending himself against the charge levelled by the (fictitious) publisher against *La Nouvelle Héloïse*: „Des événements si naturels, si simples qu'ils le sont trop: rien d'inopiné; point de coup de Théâtre. Tout est prévu long-temps d'avance; tout arrive comme il est prévu. Est – ce la peine de tenir registre de ce que chacun peut voir tous les jours dans sa maison, ou dans celle de son voisin?"[19] Diderot in his encomium on Richardson, having rejected the „tissu d'événements chimériques et frivoles" which had been characteristic of the old romance, heralded the reality of what Richardson himself, in the 1747 preface to *Clarissa*, had called his „new species of writing", praising (as Goethe was later to do in his plan for an obituary of his sister Cornelie) his cumulative use of details, but also making the interesting point that although we notice extraordinary events it is only the great author who can convey ordinary events and thereby makes the ordinary meaningful.[20]

Other novelists however recognized that there was some value to the extraordinary events of the old romances. Thomas Holcroft, for instance, in the preface to his novel *Alwyn* (1780), writes: „In a Romance, if the incidents be well marked and related with spirit, the intention is answered; and adventures pass before the view for no other purpose than to amuse by their peculiarity." Clara Reeve stated, in *The Progress of Romance* (1785): „The Romance in lofty and elevated language describes what never happened nor is likely to happen – The Novel gives a familiar relation of such things as pass every day before our eyes, such as may happen to our friend, or to ourselves."[21] The second half of the

eighteenth century saw a revival of the romance in England, dating
from Horace Walpole's *The Castle of Otranto* of 1764. Clara Reeve recognized in Walpole's story „an attempt to unite the various merits and
graces of the ancient Romance and the modern novel," namely „a suffi-
cient degree of the marvellous, to excite the attention; enough of the
manners of real life, to give an air of probability to the work; and enough
of the pathetic, to engage the heart in its behalf."[22] For Holcroft the
novel is characterized by „unity of design", the romance by „detached
and independent adventures" – in other words the romance depends on
incidents, the novel on design. In his treatise *Über Handlung, Gespräch
und Erzehlung* (1774) Johann Jakob Engel had asserted that „mere events" (*Begebenheiten*) only become action or plot (*Handlung*) when
their „geheimen Triebfedern" are clearly revealed.[23] Blanckenburg demanded that we shall see „das ganze innre Seyn der handelnden Personen, mit all' den sie in Bewegung setzenden Ursachen ... wenn der
Dichter sich nicht in den bloßen Erzehler verwandeln soll."[24] We note
that, for Blanckenburg, *Erzähler* is a derogatory appellation. Not so
however for the advocates of the romance. Sir Walter Scott in 1824 was
to recognize the validity of the narrative of unusual events as well as
that of common experience. He distinguished between the romance,
„the interest of which turns upon marvellous and uncommon incidents" and the novel where „the events are accommodated to the ordinary train of human events," and justified both.[25]

What does the *Lehrjahre* have to say on this point? We note that the
passage in question does not disdain *Begebenheiten* but links these
with *Gesinnungen* as characteristic of the novel. Throughout the passage *Begebenheiten* are contrasted with *Taten*, and *Gesinnungen* with
Charaktere, *Taten* and *Charaktere* being characteristic of the drama.
Let us look a little closer at these oppositions. *Begebenheiten* implies
„was sich begibt", events; *Taten* indicates „was man tut", deeds. *Begebenheiten* does not in itself imply an agent, *Taten* always does. *Begebenheiten* are what befalls one and are therefore external events, „adventures" in the sense that Diderot, Rousseau, Holcroft, Clara Reeve,
Engel, Blanckenburg and Sir Walter Scott had used the term. The objec-
tion to the novel of „adventures" had been that these events were too
extraordinary to be credible, given the characters, and this was why Diderot and Blanckenburg had rejected this type of plot, each in his own
way demanding that the action of a novel should be internal rather than
external, every step in the developing action being not only motivated
but psychologically motivated. But the discussants in the *Lehrjahre* are

not prepared to go that far. They do not move the novel in the direction of drama as Diderot, Blanckenburg, and Mme. de Staël had done. They admit the value of what is not accounted for by causality, whether psychological or external, they recognize the existence of chance happenings for which one is not prepared, and declare that this truth of experience is renderable in the novel though not in the drama. What we have here is a survival of the Marvelous, legitimized. Mme. de Staël rejected fictions of the Marvelous and asserted that the Gods of the epic were personified Chance.[26] She rightly sensed that Chance belongs to the epic rather than to the drama. Goethe in this passage is saying the same, but giving the novel this much epic quality.

And yet with reference to the eighteenth-century dispute as to whether the novel should follow the „rules" of the drama or those of the epic, the passage does not come down wholly on one side or the other. It admits *Begebenheiten*, external events, and even chance events, as belonging to the novel, whereas it only allows *Taten* in drama, acts of will and therefore psychologically motivated events, and eschews all chance in favor of fate in the dramatic action. External events are not excluded from drama, for the speakers in this discussion recognize as the medium of fate „unzusammenhängende äußere Umstände" which drive the characters „ohne ihr Zutun" into an unforeseen catastrophe. *Unzusammenhängend* does not mean that the external factors are independent of each other, but that they are not dependent on, or provoked by, the characters. This is another basic distinction to the novel, for in a novel the external events, including chance events, should be „gelenkt und geleitet" by the *Gesinnungen* of the personages. Not by their actions, notice, but by their sentiments. Earlier in the passage we have been told that drama is constantly pressing on whereas the action of a novel is always being held back. The one is progressive, the other retarding. Drama is quick, the novel moves more slowly. The agent of dramatic progression is *Charakter*; the agent of novelistic retardation is the *Gesinnungen*.

These terms derive ultimately from Aristotle, as I have pointed out elsewhere.[27] By *Charakter*, Goethe means Aristotle's „ēthos", basic character, permanent disposition (Butcher), moral predisposition (O. B. Hardison). This is something constant, whereas the *Gesinnungen* (Aristotle: „dianoia") are changing reactions to contingencies. Since the novel is to deal with persons and what *befalls* them rather than their attempts to *fall upon* the hindrances to their natural dispositions toward action (which is the domain of drama) novel heroes are more receptive, and therefore to a certain extent more passive than the heroes of drama. But: „alle Begebenheiten werden gewissermaßen nach ihren Gesinnungen gemodelt." If *Gesinnungen* are reactions to what befalls one, how can events be modelled or shaped or fashioned according to one's *Gesinnungen*?

Anyone who considers this passage to be Goethe's ultimate statement on the aesthetics of the novel and therefore (being Goethe's) a major contribution to the theory of the genre, must surely have overlooked (perhaps consciously) the imprecision of the wording. As a discussion between self-satisfied but second-rate actors it rings true, but not as the oracular wisdom of the epistolary sparring-partner of Schiller. Yet something is being said here, albeit imprecisely. Namely that there should be *some* connection between the *Begebenheiten* and the *Gesinnungen* of a novel, though not the connection that those advocating a „dramatic" novel demanded. The events should not appeal in their own right without plausible connection with the inner lives of the personages affected by them; but the events should not proceed from the interaction of the personages. Ultimately what is here being rejected is *both* the pure adventure-novel *and* the psychological novel. The *Begebenheiten* constitute the external action, the *Gesinnungen* the internal action, the latter not advancing but retarding the external action. The external action is therefore not unrelated to the internal action, but the relationship between the two is different from what advocates of the romance and advocates of the novel had demanded. In drama fate works on dispositions (*Charaktere*) through external hindrances which arise *ohne Zutun* of the personages and impel them to *Taten*; in the novel chance works through external *Begebenheiten* producing *Gesinnungen* which then constitute the internal action and in turn *modeln* new *Begebenheiten* – one could therefore say *with* participation of the characters, *mit ihrem Zutun*, because the sentiments are the essential force which both retards but also propels action. The basic idea presented here is that the sentiments are reactions to the events, but the events are the results of the sentiments. That, as here presented, is the basic configuration of the structure of a novel. But all this only becomes clear when we consider the contemporary value and context of the terms used in the discussion.

Anmerkungen

[1] Lieselotte E. Kurth, „Formen der Romankritik im achtzehnten Jahrhundert", *MLN*, LXXXIII (1968), p. 686.

[2] Eric A. Blackall, *Goethe and the Novel*, Cornell University Press, Ithaca, New York 1976, pp. 109–110.

[3] See Heinz Nicolai's chronology of Goethe's life and works in volume XIV of the Hamburger Ausgabe.

[4] Text quoted from the Artemis Ausgabe, volume VII, pp. 330–331.

[5] Wezel, *Herrmann und Ulrike*, Leipzig 1780, Vorrede, p. i.; Laclos, *Oeuvres Complètes*, Pléiade edn., Paris 1951, p. 499; Burney, *Evelina*, Everyman's Library edn., London 1958, p. xiii.

[6] Laclos, pp. 500–501. M. de Climal is a character in Marivaux's novel *La Vie de Marianne*. Like Tartuffe he is a dissembler of piety, but Climal repents on his deathbed and leaves Marianne a considerable inheritance.

[7] It was published in *Die Horen* under the title *Versuch über die Dichtungen* in 1796. Text in volume XV of the Artemis Ausgabe.

[8] Blanckenburg, *Versuch über den Roman*, Leipzig and Liegnitz 1774, pp. 254–256, 305–310, 336–355.

[9] Laclos, p. 504.

[10] Blanckenburg, p. 18: „Sind es Thaten und Begebenheiten, die uns so sehr angenehm in Tom Jones unterhalten; oder ist es nicht vielmehr dieser Jones selbst, dieser Mensch mit seinem Seyn und seinen Empfindungen?"

[11] Blanckenburg, pp. 309, 353.

[12] Blanckenburg, pp. 307–308: „Außerordentliche Zufälle, Entführungen, Blutschande, Verwechselungen unter Dreyfachen Namen, Einbrüche, Zweykämpfe, Verkleidungen, Gefahren zu Wasser und zu Lande" are considered by Blanckenburg as „scheußliche und lächerliche Ausschweifungen."

[13] Staël, *Essai sur les fictions*, in *Oeuvres Complètes*, Paris 1861, volume I, pp. 63–64.

[14] Wezel, *Vorrede* zu *Herrmann und Ulrike*, pp. ii–iii.

[15] Florence Emily Hardy, *The Early Life of Thomas Hardy*, New York 1928, pp. 193–194.

[16] Mlle. de Scudery, *Clélie*, Paris 1660, volume VIII, p. 1131.

[17] Fielding, *Tom Jones*, Book VIII, Ch. 1.

[18] See *Tom Jones*, Book X, Ch. I.

[19] Jean-Jacques Rousseau, *Oeuvres Complètes*, Bibliothèque de la Pléiade, volume II, Paris 1964, p. 13.

[20] Denis Diderot, *Oeuvres Esthétiques*, ed. Paul Vernière, Paris 1965, pp. 29 and 35.

[21] Holcroft, *Alwyn*, London 1780, volume I, pp. vi–vii; Reeve, *The Progress of Romance*, Colchester 1785, volume I, p. 111.

[22] Reeve, *The Old English Baron*, London 1778, Preface.

[23] Engel, „Über Handlung, Gespräch und Erzehlung", in *Neue Bibliothek der schönen Wissenschaften und der freyen Künste*, Leipzig 1774, volume XVI, Part II, p. 188.

[24] Blanckenburg, p. 265.

[25] Scott, *Miscellaneous Prose Works*, Edinburgh and London 1827, volume VI, pp. 155–156.

[26] Staël, p. 64: „le hasard personnifié"; Goethe, Artemis Ausgabe XV, p. 339: „personifizierter Zufall".

[27] Blackall, *Goethe and the Novel*, pp. 80–81.

Oskar Seidlin

Melusine in der Spiegelung der *Wanderjahre*

Längst haben wir uns abgewöhnt, *Wilhelm Meisters Wanderjahre* mit der Mischung von Respekt, Verlegenheit und Unbehagen zu betrachten, mit der sich, von wenigen Ausnahmen abgesehen, Goethe-Leser fast ein Jahrhundert lang vor des Dichters letztem großem Erzählwerk versteckten,[1] herzlich fassungslos vor seiner Fülle, deren didaktisch präzeptorialer Alters- und Lebensweisheit man beileibe nicht zu widersprechen wagte, aber doch voller Bedauern über die greise Müdigkeit, die nicht mehr zu gestalten vermochte und darum beliebig, bisweilen gar unverantwortlich, den Proviantreichtum aus einer wohlbestellten Vorratskammer plünderte und zu einem nicht recht bekömmlichen Ragout verkochte. Goethes eigenem Geständnis,[2] daß die große Maschine „nicht aus Einem Stück sei", konnte man lautstark beistimmen; über den Nachsatz, sie sei aber „doch aus Einem Sinne", durfte man mehr oder weniger großzügig hinweglesen. Das hat sich gründlich geändert;[3] und einer der klügsten und bedeutendsten Novellisten unseres Jahrhunderts, Hermann Broch, hat das, was so lange zum altersschwachen Trümmer abgewertet wurde, als „den Grundstein der neuen Dichtung, des neuen Romans" deklariert.[4]

Merkwürdig freilich, wie fest abgesichert das „offenbare Geheimnis" des Buches, seiner Formstruktur nicht weniger als seines Sinngefüges, verborgen blieb, da doch Goethe häufig genug auf den Schlüssel zu seinen späten Dichtungen verwiesen hat und die Hoffnung hegte, „durch einander gegenüber gestellte und sich gleichsam ineinander abspiegelnde Gebilde den geheimren Sinn dem Aufmerkenden zu offenbaren".[5] Was seine gute Zeit gebraucht hat; was Broch als das radikal Neue und Moderne empfand, ein „Geschlinge" „schwer durchschaubar in seinen kunstvollen Symmetrien und Asymmetrien",[6] ist jetzt erkannt; und es könnte leicht überflüssig scheinen, das allbeherrschende Gestaltungsprinzip der „wiederholten Spiegelungen" noch einmal demonstrieren zu wollen. Aber wenn von diesen Refraktionen, die das Gesamt der Figur und des Gehalts stiften, gehandelt wird, läßt sich leicht vergessen, daß ein Spiegel nicht nur ein Ebenbild, sondern im gleichen Maße ein Gegenbild erschafft, daß was sich uns darbietet den Umriß nicht nur klar, und in der Wiederholung immer klarer, proji-

ziert, sondern ihn auch umkehrt, also eine „enharmonische Verwechs-
lung" bewirkt, die „die ins Wort tretenden Bilder anklingend ineinander übergehen läßt und in Vieldeutigkeit verwandelt".[7] In einer der
letzten Aufzeichnungen aus Makariens Archiv wird diese Vertau-
schungsfunktion des Spiegels ausdrücklich betont: „Nichts wird leicht
ganz unparteiisch wieder dargestellt. Man könnte sagen: hievon mache
der Spiegel eine Ausnahme, und doch sehen wir unser Angesicht niemals ganz richtig darin; ja, der Spiegel kehrt unsre Gestalt um und
macht unsre linke Hand zur rechten".[8] Wenn das aber so ist, dann wird
durch das Spiegelbild unser Orientierungssinn relativiert und aufgehoben, und was wir für „unparteiisch" gesichert hielten wird überlagert
von Vieldeutigkeiten, die, das Wort beim Wort genommen, in viele und
entgegengesetzte Richtungen deuten mögen. Hierher wohl gehört auch
eine eigentümliche Anweisung, die Goethe sich selbst in seinen zahlreichen Schemata für die Weiterarbeit an den *Wanderjahren* gegeben
hat. Da zählt er (Schema 508) die verschiedenen Materialien und The-
menkreise auf, die im Zweiten Buch des Romans zu bewältigen seien.
Das Rezept, das er sich vorschreibt, ist seltsam genug: „alles gegeneinander zu arbeiten" – gegeneinander, nicht miteinander und zusammen,
so also daß in der Spiegelung sehr wohl die rechte Hand zur linken gemacht werden kann und Parallel- mit Gegenbild zusammenfällt.

Dieses Vexierspiel, das das Konterfei in und mit Hilfe seiner eigenen
Um- und Verkehrung entstehen läßt, mag ein Blick auf das Märchen
von der „Neuen Melusine" verdeutlichen. Es belegt, als Märchen, einen ganz einmaligen Platz in der Kette der novellistischen Einschübe,
die Einlagen zu nennen grundfalsch wäre, falsch weil ja einige von ihnen, etwa „Der Mann von funfzig Jahren" oder „Das nußbraune Mädchen" aus dem Handlungsgewebe herauswachsen und wieder dahin
einmünden, falsch aber vor allem, weil eine solche Kennzeichnung
dem intrikaten „Geschlinge" des Romans, Zettel und Einschlag, Vor-
wärtsspinnen und Rückwendung nicht Genüge tun würde. Ein enhar-
monischer Faden in dem verwickelten Erzählgespinst des großen Romans, radikaler enharmonisch als jeder andere, ist das Stück von der
neuen Melusine nun allerdings: Zauberwesen und Märchenwelt mit so
vertrauten Requisiten wie einem Geldbeutel, der sich immer aufs Neue
füllt, einem Ring, der verwandelt und umgestaltet, Elementarspuk und
tellurische Magie, all dies eingesprengt in den Bereich praktisch nüch-
terner Lebensführung und -bewältigung, auf die der Kreis, in dem die
Geschichte vorgetragen wird, ebenso eingeschworen und ausgerichtet
ist wie das Alters- und Weisheitswerk als Ganzes.

Es gilt, ihren genauen Standort zu bestimmen, um den Gegenschlag, der sich hier vollzieht, deutlich zu machen. Das Märchen erweist sich im ganz wörtlichen Sinne als Einbruch und Unterbrechung. Es füllt das 6. Kapitel des Dritten Buches. Im vorangegangenen, dem fünften, war uns Lenardos Tagebuch vorgelegt worden, sorgfältig datiert von Montag dem 15. bis Donnerstag dem 18., wobei wohl nicht ganz zufällig ist, daß wir erst von rückwärts her, bei der letzten Eintragung, also dort wo die Aufzeichnung abbricht, die genaue Zeitfixierung „September" verraten bekommen. Dann lesen wir: „Hier endigte das Manuskript, und als Wilhelm nach der Fortsetzung verlangte, hatte er zu erfahren, daß sie gegenwärtig nicht in den Händen der Freunde sei" (352). Aufgenommen wird das Tagebuch erst wieder nach einer großen Lücke, im 13. Kapitel, mit der ausdrücklichen Angabe „Fortsetzung" und mit dem genau sich anschließenden Datum: „Freitag den 19ten" (415). Als erstes Füllsel der langen Suspension erscheint nun unser Märchen, und seine Welt, Märchen- und Zauberwelt, ist in der Tat eine radikale Umkehrung des Tons, den wir noch im Ohr haben. Was das Tagebuch an dem Punkt, da es fallengelassen wird, zu verzeichnen hatte, war das Phantasiefernste und Nüchternste, was uns der Dichter überhaupt zumutet: die genaue und bis ins trockenste Detail gehende Beschreibung der Spinn- und Webmanufaktur im Gebirge, bei der sich auch der gutwilligste Leser eines Gähnens schwer wird enthalten können, bis er endlich solchen Schlußsatz erreicht: „Wenn während der Arbeit das Gewebe kräftig angespannt wird (das Kunstwort heißt dämmen), so verlängert es sich merklich, auf 32 Ellen $^3/_4$ Ellen und auf 64 etwa $1^1/_2$ Elle; dieser Ueberschuß nun gehört der Weberin [...]" (350). Nach so minutiös statistischer Akribie, einem technischen Handbuch der Weberei entnommen,[9] Szenenwechsel und – ein Märchen.

Aber der Umschlag erweist sich als noch drastischer. Erzählt wird das Märchen von einem Mitglied und im Kreise des „Verbands", der Gruppe praktisch tüchtiger Handwerksburschen, die sich um Lenardo gesammelt haben, Keimzelle der Auswanderer, zu denen jetzt Wilhelm gestoßen ist, um nach abgeschlossener wundärztlicher Ausbildung Teil der Mannschaft zu werden, die in Amerika Neuland und Neuleben, dem Alten und Verworrenen entsagend, kultivieren wollen. Was sie auf ihr Panier geschrieben haben, wissen wir längst: „Und dein Leben sei die Tat!" und „Frisch gewagt und frisch hinaus! Kopf und Arm mit heitren Kräften Ueberall sind sie zu Haus". Ganz aufs Sachliche und Fachliche ausgerichtet, ganz ergeben dem Gebot des Nützlichen und Nötigen, lassen sie sich jetzt, wenn sie gesellig zusammenkommen, von der Gegen-Welt unterhalten, von Phantastischem und Erfabeltem, von der eigenen „Polarität", Kontrapunkt und „Gegeneinander"-Wirken, die ich als Struktur- und Sinnprinzip des großen Romans deutlich machen möchte.

Erfabeltes? Natürlich doch – wie könnte denn die Geschichte der Melusine, und sei es auch einer ganz und gar neuen Melusine, etwas anderes sein als dies? Aber gleich wieder tritt die Rückbewegung ein, das ironische Zwielicht, das, indem es den Gegenstand setzt, ihn auch im selben Zuge aufhebt. Denn Lenardo führt den Burschen, der die Tafelrunde mit der Melusinen-Fabel unterhalten wird, so ein: „Mit besonderer Kunst und Geschicklichkeit weiß er wahrhafte Märchen und märchenhafte Geschichten[10] zu erzählen" (353), und wir können, so oxymorisch verwirrt, nur feststellen, daß rechts links geworden ist und uns eine erstaunliche Spiegelung bevorstehen mag. Nicht genug der Verwirrung! Der junge Mann, Barbier seines Zeichens, hat, seitdem er dem Verband der tüchtig Tätigen beigetreten, gelobt, dem Grundübel seiner Zunftgenossen, der Geschwätzigkeit, zu entsagen und hat darum „auf die Sprache Verzicht getan" (353), freilich so, daß sich, als gegenläufiges Resultat, gerade dadurch die „Gabe der Erzählung" in ihm auf das Erfreulichste entwickelt hat, von der er nun, wenn von der Brüderschaft und ihrem Führer aufgefordert, Gebrauch machen wird – der große Schweiger also[11] als der Fabulierer, der jetzt, wenn er das Märchen zu erzählen, zu fabulieren beginnt, ausdrücklich darauf verweist, es sei eine „wahrhafte Geschichte" (354), deren er manche schon dem Kreis vorgetragen hat, allerdings noch nie eine, die das was er jetzt zu bieten hat, übertreffen könnte, eine extrem „wahrhafte Geschichte" denn: das Märchen von der neuen Melusine.

Wie wahrhaft sie ist, wird sich gleich erweisen; denn Wunder über Wunder!, die Märchen-Geschichte mit der Melusine ist seine eigene Geschichte, er selbst ihr Held, ihm selbst ist das alles zugestoßen: die Begegnung mit einem rätselhaft auftauchenden weiblichen Wesen, das sich im späteren Verlauf als eine Zwergenprinzessin entpuppt; ihre kuriose Verbindung, die dazu führt, daß er selbst in einen Gnom verwandelt wird; schließlich ins Unterirdische, das Liliputaner-Reich entrückt, das aber nichts anderes ist als ein kleines geheimnisvolles Kästchen, das er, solange er noch Menschengestalt besaß, auf Anweisung der Prinzessin sorgsam mit sich herumzutragen hatte. All das will er selbst erlebt haben, das Melusine-Märchen ist also ein erinnerter Ausschnitt aus seiner Vergangenheit,[12] in seiner Wahrhaftigkeit verbürgt durch das erzählende Ich, womit die phantastische Geschichte überdies

noch besonderen Nachdruck, besondere Auszeichnung erfährt, weil
sie, von einer Ausnahme, über die gleich zu sprechen sein wird, abgesehen, die einzige Ich-Erzählung im Gesamtroman ist, die einzige „Novelle", in der jede auktoriale Zwischeninstanz ausgeschaltet wird und
der Bericht die eigene und selbsterlebte Vergangenheit heraufholt.[13]
Womit wir aber wieder mit einer Umkehrung konfrontiert werden, einem Verstoß gegen das Existenzgelübde und Lebensgesetz, dem sich die
Entsagenden – und wir sind doch hier in ihrer organisierten Kerngrup-
pe, die alle noch auf dem Wege und der Wanderschaft Befindlichen in
sich aufnehmen wird – freiwillig unterstellt haben. Ganz am Anfang
des Romans nämlich, in den Gesprächen zwischen Wilhelm und Jar-
no-Montan, dem Verbindungsglied zur Gesellschaft vom Turm und ersten Mentor, der den Helden dem neuen Ziel zuführt, hatten wir erfahren, es gehöre „zu den sonderbaren Verpflichtungen der Entsagenden" –
das allverbindliche und allverbindende Schlüsselwort des Buches erscheint hier zum ersten Mal – „daß sie, zusammentreffend, weder vom
Vergangenen noch Künftigen sprechen durften, nur das Gegenwärtige
sollte sie beschäftigen" (38). Aber nun, zusammentreffend im Kollek-
tiv, breitet der Kollektivist – und so gründlich sind sie Kollektivisten,
daß ihnen noch nicht einmal Eigennamen zugestanden werden – sein
seltsames Privatleben aus und spricht ausführlich von seiner Vergangenheit, einer Vergangenheit, die freilich ganz abgetan und überwunden scheint und, gerade weil so gründlich abgetan, jetzt hervorgeholt
wird, doch wohl um zu zeigen, daß der Entsagende, einst ein Nichts-
nutz und Bruder Leichtfuß, den Weg in ein nützliches und verantwort-
liches Leben gefunden hat.[14] Radikal abgetane Vergangenheit also –
aber gibt das Lizenz, sie der Gegenwartsverpflichtungen zuwider in Erinnerung zu bringen? –, jedoch, der dialektischen Selbstaufhebung gemäß, ist sie so abgetan auch wieder nicht, denn der Erzählende gesteht,
daß sie „mich noch immer unruhig macht", mehr noch, daß sie, so sehr
Teil des wirkenden und formenden Lebensprozesses, ihn „sogar eine
endliche Entwicklung hoffen läßt" (354).

Es sei hier, um das Umkehrungsmodell weiter zu verdeutlichen, die
andere Ich-Erzählung des Romans, „Die gefährliche Wette", kurz ge-
streift, auch sie eine, die ein anonymes Mitglied des Verbands als Erinnerung eines Streiches aus seiner leichtfertigen Jugendzeit „am heitern
Abend einem Kreise versammelter lustiger Gesellen vortrug" (378).
Aber weil in unserm Roman nichts einfach Wiederholung und Parallel-
gefüge sein darf, erscheint sie nicht als direkter Bericht wie das Melusi-
nen-Märchen, sondern als eine jetzt eingeschaltete Aufzeichnung, ein

transkribierter Schwank, aufgefunden „unter den Papieren, die uns zur Redaktion vorliegen".[15] Auf den ersten Blick scheinen die beiden Ich-Erzählungen, abgesehen davon, daß sie verbotene Heraufbeschwörungen des Vergangenen sind, gar keine Beziehung zu einander zu unterhalten: die „Melusine" das Verfallensein an mysteriöse Elementargeister, „Die gefährliche Wette" ein dummer Studenten-Jux mit freilich sehr ernsten Folgen. Aber geheimnisvolle Verbindungen, in der uns nun längst vertrauten Vexierspiegelmanier gestiftet, gibt es allerdings. „Die gefährliche Wette" ist eine Barbier-Geschichte – der Erzähler schmuggelt sich bei einem vornehmen Herrn als Bartschneider ein, um, darum wurde die Wette abgeschlossen, den Würdigen bei der Nase fassen zu können, und so schielt der Schwank hinüber zum Melusine-Märchen, den Erlebnissen eines Barbiers, der damals freilich noch gar keiner war, so wie natürlich der freche Wettbruder auch gar keiner ist, wenn er sich auch ebenso meisterhaft wie der andere aufs Rasieren versteht. Was er eigentlich ist, ist schwer auszumachen. Sicher nur, daß er von enormer Statur und ein Lastenschlepper von „Riesenkraft" (382), weswegen er ja auch von den Mitgliedern des Verbands den Beinamen St. Christophorus bekommen hat – wobei uns dann einfällt, daß das Melusine-Märchen unter Pygmäen spielte und der Held, jetzt Barbier, sich schließlich in einen Zwerg verwandelte. Und vielleicht ist es auch nicht bloß belangloser Zufall, daß der Erzähler, wenn er ans Ende seines Schwankes gelangt, ihn als ein „Märchen" (383) bezeichnet, was er natürlich gar nicht ist, genau so wenig wie das Melusine-Märchen eine „wahrhafte Geschichte" war, als die der Erzähler es angekündigt hatte.

So eingespannt in das verschlungene Koordinatensystem von schwebenden Bezügen, von Fixierungen, die, indem sie festgelegt werden, gleich auf die Gegenseite rücken, erscheint das Märchen von der neuen Melusine. Als Paraphrase eines Stückes allvertrauten und von weither überlieferten Erzählgutes stellt es als ein *exemplum* das beherrschende Prinzip und Phänomen der „wiederholten Spiegelung" dar, in sich Bericht einer Begebenheit, der eine einmal zusammengefügte Konstellation in einer und als eine Variante abbildet, nicht unähnlich einem Palimpsest, in dem auf dem Grunde der neuen Schrift die alte mitgelesen werden kann. Derartige Neubelebungen gibt es bei Goethe auch anderwärts: *Der neue Paris*, *Der neue Amadis*. Aber gerade ein solcher Parallelenverweis macht die Sonderstellung unseres Märchens deutlich. Im *Neuen Paris* ist das Modell so verschlüsselt und an die Peripherie gedrängt, daß von einer Spiegelung schlecht gesprochen werden kann; *Der neue Amadis* bietet nur ein vages Stichwort, mit dem ganz unspezi-

fisch auf allgemeine Wesenszüge der galant-abenteuerlichen Erzählli-
teratur angespielt wird. Mit der Melusinen-Kontrafaktur aber steht es
anders. Der alte Text bleibt kenntlich genug, daß er in der Neufiguration mitgelesen werden kann, und die Neufiguration wird in ihrer Peripetie nur dadurch einsichtig und durchsichtig, wenn wir die alte parat
und im Gedächtnis haben.

Im Gedächtnis freilich so, daß wir die Vorlage gerade in den Verkeh-
rungen und durch sie hindurch wiedererkennen. Dieses gegenläufige
Spiel beginnt schon mit der Haupt- und Titelfigur. Die „alte" Melusine
war eine Wassernymphe, dem Brunnen entstiegen, an dem der Graf von
Lusignan sie sitzend fand, als er sich durch einen mißglückten und
zweifelhaften Kampf in eine Lebenskrise gestürzt sah, aus der ihn die
Nixe, wenn er sie als Gattin zu sich nähme, herauszuführen versprach.
Aus dem Fabelwesen, dem feuchten Element zugehörig, ist nun eine
Zwergenprinzessin geworden, beheimatet im Erdinnern, wo die Kleinen hausen. So scheint denn – rechts ist links und links ist rechts – die
Elementarebene einfach vertauscht. Aber dem Gesetz der Vieldeutigkeit, dem wir auf der Spur sind, getreu, ist die Vertauschung so einfach
nicht. Die Urschicht bleibt bei aller Überlagerung erhalten: die neue
Melusine ist ein Zwitterwesen, denn als sie dem Erzähler, nachdem er
ihr Geheimnis, ihre Zugehörigkeit zum Zwergenvolk, einmal entdeckt
hat, in Menschengestalt wieder erscheint, erinnert er sich „gehört zu
haben, daß alle vom Geschlecht der Nixen und Gnomen bei anbre-
chender Nacht an Länge gar merklich zunähmen" (365). Das ist noch
unverbindlich und ganz allgemein gehalten, aber im späteren Verlauf
wird das Ineinanderfließen der Gegenbilder deutlicher. Es kommt der
kritische Moment des Verrats, wo er, seinem Versprechen entgegen,
das Geheimnis seiner Gefährtin preisgibt. Das geschieht in einem großen geselligen Kreis, dessen munteres Treiben unsern Helden zu exzes-
sivem Weinkonsum stimuliert hat. Als nun Melusine „lieblich dro-
hend" (362) vor weiteren Ausschreitungen warnt, bricht er in den trot-
zigen Ausruf „Wasser ist für die Nixen!" aus, und gleich darauf in die
höhnische Abweisung „Was will der Zwerg?" So erfolgen Verleugnung
und Bloßstellung in beiderlei Gestalt: Verrat an dem Miniaturwesen
aus dem Erdinnern, das die neue Melusine ist, und an der traditionellen
Wassernymphe, die die neue Melusine nicht ist, die aber, wenn man in
das Spiegelbild schaut, auf dem Hintergrund sich abzeichnet.[16]

Nicht anders unser Held. Ein Vagabund und Luftikus, der seine Zeit
in Wirtshäusern und Schenken mit schweren Jungen und leichten
Mädchen verbringt, ist er kaum ein neuer Graf von Lusignan. Und ist

es, wenn man unser Märchen gegen den Strich liest, freilich wieder doch. Denn der lockere Bursche ist nun einmal der „Ritter", den die Zwergenprinzessin erkoren hat, damit er ihr in ihrer Lebensnot helfe – wobei das Schema der alten Vorlage erneut in seiner Umkehrung erscheint –, nicht nur ihr, sondern dem ganzen Pygmäenvolk, das von Zeit zu Zeit einer Blut- und Staturauffrischung durch normal Gewachsene bedarf, weil es von Generation zu Generation immer kleiner wird, Melusines nachgeborener Bruder, der prospektive Thronfolger, schließlich so klein, daß „ihn die Wärterinnen sogar aus den Windeln verloren haben und man nicht weiß, wo er hingekommen ist" (369). Von der Prinzessin als „ehrsamer Ritter" designiert und angesprochen, kommen dem Bruder Leichtfuß selbst einige Zweifel, und er fragt sich, nicht weniger als der Leser, ob sich die unterirdische Dame nicht gründlich in ihrer Wahl vergriffen habe. Offenbar hat sie es – aber sie hat es auch wieder nicht; denn dank seiner forschen Männlichkeit wird er ihr und ihrem Volk zu einem Erbprinzen von durchaus annehmbarer Zwergenstatur verhelfen, und diese Rettungsaktion ist in der Tat ein ritterliches Unternehmen, als solches nichts weniger als die Erfüllung des von Gott selbst entworfenen und verfügten Schöpfungsplanes und -prozesses. Nach der bizarren Kosmologie, die uns vorgetragen wird, waren die Zwerge nämlich die ersten Lebewesen, mit denen der Herr die Erde, oder besser das Erdinnere, bevölkert hat, die sich freilich leider bald so frech aufführten, daß Gott ihnen die Drachen vor die Nase setzen mußte, die nun ihrerseits das Kleinvolk so arg schikanierten, daß Gott in seiner Güte die Riesen schuf, um die Feuerspeier in Schach zu halten. Die aber machten sehr bald mit den Drachen gemeinsame Sache, und so mußten denn schließlich als vierter Schöpfungsakt die Ritter herbei, die „die guten Zwerglein" schützten und vor Unbill bewahrten. Wer also den Kleinen in ihrer Lebensnot hilft, gehört zum Geschlecht der Ritter, und da der Held unsres Märchens dank seines männlichen Gebahrens genau dies tut, ist er wohl doch einer, mag er noch so viel und in zweifelhafter Gesellschaft in Kneipen herumliegen und selbst seine sehr berechtigten Zweifel bezüglich seines Rittertums haben.

Ganz der ironischen Irrlichterei gemäß: der Falsche als der Richtige, der Richtige als der Falsche; und so falsch wie richtig ist denn das ganze Liebesabenteuer. Man wäre versucht zu glauben, es handele sich dabei nur um eine Variante und Parallele der Verwirrungen und Verworrenheiten, die wir aus den zahlreichen novellistischen Einschüben, von der „Pilgernden Törin" bis zu „Nicht zu weit" hinlänglich kennen. Denn immer wieder geht es ja um falsche Partnerschaft, ob nun um die Ver-

wechslung von Valerine und Nachodine im Falle des nußbraunen Mädchens, um die generationsmäßige Schiefheit zwischen Hilarie und dem
Mann von fünfzig Jahren, um die unglückselige Placierung Lucidors
zwischen Julie und Lucinde in „Wer ist der Verräter?" Innerhalb der Abfolge solcher ungemäßen Partnerwahl scheint das Melusine-Märchen
einen Gipfel zu bieten, da hier der Liebende den Bereich des Menschlichen ganz verläßt und einem Elementarwesen anheimfällt. Aber der
entscheidende Unterschied liegt darin, daß in unserem Märchen nicht
nur die Wahl des Liebesobjekts problematisch ist – darum kann in den
anderen erwähnten Beispielen die Verwirrung durch Gefühls- und Bewußtseinsklärung behoben werden – sondern daß die Beziehung der
beiden als solche schief und problematisch ist. Denn hier verhält es sich
nicht nur so, daß die Empfindung sich auf einen falschen und ungeeigneten Fixierungspunkt richtet; das Gefühl selbst ist fehlgeleitet und
gebrochen. Die Bindung erweist sich von allem Anfang an als getrübt
durch unlautere Motive, durch zweckhaftes Denken, das eine Liebesbeziehung, selbst eine mißgeleitete, von vornherein in Frage stellt,
womit sich dann wieder die dialektische Aufhebung ergibt, daß gerade
einer Liebesgeschichte, die Elementargeister bemüht, das dem Erotischen zugehörige Ingredienz des Geheimnisvollen und Elementaren
mangelt. Was Melusine sucht, ist der „Ritter", der ihr, mag er auch
noch so dubios sein, in der Liebesnacht zu der Blutauffrischung verhilft,
deren das Pygmäenvolk zu seinem Weiterbestand bedarf, weshalb sie
denn auch, wenn sie ihm zum ersten Mal in Menschengestalt in einem
Wirtshaus erscheint, „alles abzulehnen" suchte, „was sich auf Neigung
und Liebe bezog", bis zu dem Punkte, daß sie dem Enthusiasmierten
und stürmisch Werbenden den nüchternen und diplomatisch vernünftigen Verweis erteilt: „Halten Sie solche Ausbrüche einer plötzlichen
leidenschaftlichen Neigung zurück, wenn Sie ein Glück nicht verscherzen wollen, das Ihnen sehr nahe liegt, das aber erst nach einigen
Prüfungen ergriffen werden kann" (356).

Ihm einen solchen Dämpfer aufzusetzen, hat sie allen Anlaß, da er bei
der ersten Annäherung schon ganz außer Rand und Band gerät und sich
in eine Liebesaufwallung steigert, der gerade die extremsten Apostrophien: „englisches unwiderstehliches Wesen [...] englischer Geist"
Genüge tun können, wobei der beharrliche Griff in die obersten, himmlischen Bezirke auch nicht frei von verschlagener Ironie sein mag, da
der Liebende und wir doch bald erfahren werden, welchem Bereich die
so Geliebte eigentlich zugehörig ist. Wie auch immer, er ist ihr, so hören wir gleich, „ganz leibeigen", also hilflos einer übermächtigen Lei

denschaft verfallen. Aber schon im nächsten Satz schleicht sich ein
ominös irdischer Ton in die Himmelsstürmerei ein, wenn sie ihm nämlich beim Abschied und zum Beschluß der ersten Begegnung einen Beutel mit Gold in die Hand drückt, der für den feurigen Liebhaber nicht
weniger schwer wiegt als ihr englisches Wesen, so schwer, daß er bald
selbst nicht mehr ausmachen kann, ob es das englische Wesen oder die
sehr handfesten Vermögenswerte sind, denen die leidenschaftliche Zuneigung gilt. Nachdem sie ihn das erste Mal verlassen und er den Inhalt
des Beutels verjuxt hat, gesteht er treuherzig: „Doppelt sehnte ich mich
nach ihr und glaubte nun, gar nicht mehr ohne sie und ohne ihr Geld leben zu können" (357). Diese ebenso unwiderstehliche wie dubiose Per-
sonalunion der Melusine als Liebesobjekt und Einkommensquelle
bleibt bis zum Ende erhalten. Wenn nach seinem Verrat und seiner In-
diskretion die endgültige Trennung droht, stellt sich ihm der Zusam-
menbruch der Liebesgemeinschaft in recht geschäftsmäßiger Nüchternheit dar: „Der Beutel würde bald aufhören zu zahlen, und was sonst
noch alles entstehen könnte. Da ich hörte, daß uns das Geld ausgehen
dürfte, fragte ich nicht weiter, was sonst noch geschehen möchte. Ich
zuckte die Achseln, ich schwieg, und sie schien mich zu verstehen"
(370). Die gänzliche Leibeigenschaft des rasanten Liebhabers ist fraglos
von herzhaft leiblich-kommerzieller Natur.

Eine wahre Liebes- und Lebenstragödie ist unter solchen Umständen
kaum zu erwarten, und so verkehren sich Ton und Existenzfragen des
ursprünglichen Märchens in ihr Gegenteil. In der alten Melusine-Geschichte wurde ein Glück und eine Gemeinschaft verspielt, weil der
Mann, der Warnung und seinem Gelöbnis uneingedenk, das Wesensge-
heimnis der Gefährtin antastete und es leichtfertig in einem Zornesan-
fall öffentlich preisgab. Damit hatte er sie aus der Menschenwelt vertrieben und sie, jammernd und den Ungetreuen verwünschend, in das
Reich der Elementargeister zurückgejagt; damit hatte er sich selbst des
Glückes beraubt, das sie ihm ins Haus gebracht hatte. Da aber die neue
Melusine und ihr Ritter mit falschen oder wenigstens anrüchigen Karten spielen, trifft die Katastrophe nicht mehr ins Herz und löst sich „befriedigend" in einem possenhaften Kompromiß auf. Gewiß, nachdem
er die wahre Natur der Nixe und Zwergin bloßgestellt hat, ist ihres
Bleibens in der Menschenwelt nicht länger; aber auswegslos tragisch
wird die Situation darum noch lange nicht. Es bleibt eine Ausweich-
möglichkeit: da er sich von ihr – oder ist's vielleicht von der einträgli-
chen Einkommensquelle? – nicht trennen mag, kann sie ihm vorschlagen, sich mit Hilfe des Zauberringes, dem sie ihre menschliche Gestalt

verdankte, in einen Gnom verwandeln zu lassen und ihr – eine Hand wäscht die andere – in das Zwergenreich zu folgen. Daß er sich dort auf die Dauer nicht behaglich fühlt, versteht sich, zumal er jetzt zur Heirat gezwungen wird, einer Verbindlichkeit, die ihm zutiefst widersteht; und da es um Existenzeinsatz und echte Lebensbindung ohnehin nie ging, sinnt er darauf, und schließlich mit Erfolg, wie er sich wieder in seinen früheren Zustand zurückversetzen kann. Aber selbst dieser Befreiungsentschluß wird in einem Ton vorgetragen, der jede ernsthafte Entscheidungsbereitschaft untergräbt, wobei denn, um die Persiflage[17] voll zu machen, eine ganze ehrwürdige Denktradition mit ironischem Zwinkern verabschiedet wird: „Ich empfand in mir einen Maßstab voriger Größe, welches mich unruhig und unglücklich machte. Nun begriff ich zum ersten Mal, was die Philosophen unter ihren Idealen verstehen möchten, wodurch die Menschen so gequält sein sollen" (375). Die Qual ist in seinem Falle kurz, und nachdem der „Maßstab voriger Größe" wieder glücklich erreicht ist, löst sich das ganze „wahrhafte" Abenteuer in Nichts auf, dies im buchstäblichen Sinne, denn am Schluß, nachdem der Inhalt der aus der Unterwelt mitgenommenen Schatulle verbraucht und diese selbst zuletzt versetzt ist, findet sich der Ritter wieder genau in der Anfangssituation, an einer Wirtshaustür und im Begriff, sich von einem mitleidigen Küchenwesen durch fragwürdige Ritterlichkeit ein Abendessen zu ergattern, „und so kam ich denn endlich, obgleich durch einen ziemlichen Umweg, wieder an den Herd der Köchin, wo ihr mich zuerst habt kennenlernen" (376). Welcher Aufwand ist hier vertan!, wahrhaft geschehen ist und ist ihm also gar nichts, nicht mehr als ein Umweg von Küchenherd zum gleichen Küchenherd, und doch hatte er seinen Zuhörern am Anfang versichert, das Melusinen-Erlebnis sei so folgenschwer gewesen, daß es mit der Zeit „sogar eine endliche Entwicklung hoffen läßt".

Ob man bei dieser Schlußpointe des Erzählers, die auf nichts als Leer- und Kreislauf weist, davon reden kann, er sei um eine Erfahrung reicher, eine Erfahrung, die ihn auf den richtigen Weg und zu den praktisch Tüchtigen bringt,[18] ist doch sehr zweifelhaft. Und Goethes Neufassung des Märchens, seines Herzstückes, zeigt nun besonders eklatant die unschlüssige und sich selbst aufhebende Zweideutigkeit, die wir als Sinn- und Gestaltungsprinzip deutlich machen möchten. Auf den ersten Blick würde es scheinen, als passe – *ex contrario* gewissermaßen – die Melusinen-Geschichte vorzüglich in das Themengewebe des großen Romans: das Fehl-Erlebnis eines Menschen, der nicht reif ist zur Entsagung und nicht bereit zur Einsicht, daß ein „jeder, der unter uns leben

will, sich von einer gewissen Seite bedingen muß" (353), mit welchen
Worten Lenardo den erzählenden Barbier eingeführt hatte, so daß man
schließen könnte, das Märchen stelle, von der Kehrseite her, die Kern-
lehre des Romans heraus. „Die neue Melusine" aber tut dies keineswegs, oder sie tut es nur dann, wenn wir gegen den Strich lesen, die alte
Melusine wieder aufleben lassen gerade durch die Aufhebung, die „die
neue Melusine" an ihr vollzieht, und in dem Palimpsest das entziffern,
was von der Neuschrift zugedeckt wird. Das alte Märchen nämlich er-
füllte das erforderte Modell exemplarisch: da ist einer der sich der Bedingung unterwirft, einmal in der Woche der Gefährtin zu entsagen und
nicht nachzuforschen, wohin sie sich an diesem Tage zurückgezogen,
und der, als er, aufgestachelt durch die Einflüsterungen eines heimtük-
kischen Gegners, dieses Gelübde in den Wind schlägt, sich wenigstens
reumütig verpflichtet, das gelüftete Geheimnis nicht öffentlich preis-
zugeben. Die Lebenstragödie geschieht, als er sich auch diesem zweiten
Anspruch, daß man „sich von einer gewissen Seite bedingen muß",
nicht gewachsen zeigt. Ein Lehrstück und Muster-Gegenbeispiel, so
möchte man meinen, für einen Roman, der den programmatischen Untertitel *Die Entsagenden* führt.

Und genau dies hat Goethe durch seine enharmonische Umgestaltung aufgehoben und contrekarriert. Auch die neue Melusine erlegt ihrem Ritter Prüfung und Bedingung auf: ein Kästchen, das sie ihm vor ihrem ersten Verschwinden anvertraut, habe er sorgfältig auf seinen weiteren Reisen mit sich zu führen, es nicht aus den Augen zu lassen und
nachts in einem besonderen Zimmer unter strengem Verschluß zu halten. Und diesen Auftrag führt er auch, so wie ausbedungen, auf das Ge-
wissenhafteste aus. Das Verbot, ihr nachzuspüren, ergeht gar nicht, und
darum kann er es nicht übertreten, zumal auch ein solches Nachfor-
schungsbedürfnis in ihm nur sehr kümmerlich entwickelt ist, da er
sich, nach kurzer Mißstimmung über ihr wiederholtes Verschwinden,
im Kreise seiner Zech- und Spielkumpane schnell und leichtherzig über
sein Verlassensein tröstet. Er „entsagt" ihr mühelos und erfüllt gehorsam die Bedingung, das Kästchen zu hüten. Gewiß, er entdeckt das Geheimnis ihres Wesens und den Ort, wo sie sich während ihrer Abwesenheit aufhält. Aber gerade an dieser entscheidenden Peripetie hat
Goethe die Geschichte wieder umgekehrt. Das Geheimnis wird nicht
ans Licht gezerrt, sondern – es verrät sich selbst. Nicht, entsagungsun-
willig und gegen die Bedingung, ein verbotener Blick durch ein Schlüs-
selloch in das Zimmer, in dem die Nixe regelmäßig in ihr wäßriges
Element zurückkehrt, sondern eine Zufallsentdeckung, die sich dem

Ritter, ganz ohne sein Zutun und von ihm unbeabsichtigt, darbietet.
Eines Nachts, im dunklen Reisewagen, platzt ganz plötzlich und un-
provoziert der Deckel des Kästchens, durch den Spalt bricht strahlendes
Licht, und als der Bursche hineinsieht, enthüllt sich ihm die ganze
Zwergenmaschinerie und -kulisse: er erblickt im Kästchen ein pracht-
voll ausgestattetes Zwergenzimmer mit „niedlichstem" Zwergenka-
min und daran seine winzige Geliebte. Die Entdeckung ist geschehen,
aber eben nicht durch seine Unfähigkeit zur Entsagung und seine Be-
dingungsübertretung; ein Unglück hingegen ist keineswegs geschehen.
Denn als die Prinzessin sich besorgt zeigt, seine Liebe – wir wissen ja,
wie es damit bestellt ist – könne durch die Enthüllung ihrer Zwergen-
haftigkeit Schaden leiden, weiß er sie gemütlich und gemütvoll zu trösten: „‚Bestes Herz', versetzte ich, ‚laß uns bleiben und sein, wie wir
gewesen sind. Könnten wir's beide denn herrlicher finden! Bediene dich
deiner Bequemlichkeit, und ich verspreche dir, das Kästchen nur desto
sorgfältiger zu tragen. Wie sollte das Niedlichste, was ich in meinem
Leben gesehn, einen schlimmen Eindruck auf mich machen?'" (363).
Wobei sich der Witz, ganz im Sinne der ironischen Selbstaufhebung,
überschlägt: sie hat sich ja, wenn sie sich von ihm entfernte, gar nicht
von ihm entfernt, sondern er hat sie brav die ganze Zeit in dem ihm an-
vertrauten und von ihm sorgsam gehüteten Kästchen mit sich herum-
getragen. Jedes Detail des alten Melusine-Märchens erscheint wieder,
aber in Spiegelschrift – bis zum bittren Ende, das, wir sahen es, ein ganz
und gar unbittres Ende ist. Denn als der Bursche, und dies allerdings gegen die eingegangene Bedingung, Melusinens Geheimnis ausplaudert,
ist das Ergebnis hocherfreulich: keine Trennung unter Jammerrufen
und Verwünschungen, sondern ständiges, von keiner Quarantäne mehr
getrübtes Zusammensein, freilich in Zwergengestalt, die ihn aber, anfangs jedenfalls, keineswegs beunruhigt und sich als so komfortabel
erweist, daß er nach der ersten Nacht im Pygmäenreich befriedigt feststellen kann: „meine kleine Person hatte sehr gut geschlafen" (374).

Die neue Melusine also klammert das Thema Entsagung, das in dem
alten Märchen angelegt war und seine Spiegelung sinnvoll mit dem
Leitgedanken des Romans hätte verbinden können, geflissentlich aus.
Und ebenso unterminiert erscheint das handgreiflichste Verbindungs-
stück zwischen der eingeschobenen Geschichte und dem Handlungs-
geschlinge des Gesamterzählwerkes, das Kästchen. Es ist natürlich ein
Geschwister des anderen, das Felix, geleitet oder verleitet von dem
gnomenhaften Knaben Fitz, am Anfang des Romans aus dem Erdinnern, aus „Höhlen und Klüften", den „Hallen des Riesenschlosses" (42)

hervorgeholt hat – wir würden es als solches wiedererkennen, selbst wenn Goethe nicht direkt auf das Melusine-Märchen Hersiliens Bericht hätte folgen lassen, daß das Kästchen sich wiedergefunden habe und jetzt in ihren Händen sei, so als wäre es aus der eben gehörten Nebengeschichte in die Hauptgeschichte hinübergeglitten. Gerade das Wiedererscheinen und die Spiegelung des Kästchens in dem sich selbst persiflierenden Märchen verhindert, daß das entscheidende und durchgängige Sachsymbol des Romans „eindeutig gehaltlich fixiert werden" kann,[19] eine Fixierung, die Goethes Auffassung dessen, was ein Symbol ist und was es als konstitutives Element eines jeden Dichtwerks bewirkt und vermag, grundsätzlich widersprechen würde. Das Kästchen in dem Märchen trägt dazu bei, das Kästchen des Romans vieldeutig und schwebend zu machen, unterstreicht, was Hersilie, da es nun wieder zu ihr zurückgekehrt ist, als seinen rätselreichen und -vollen Sinn bezeichnet, das „was damit gemeint sei, mit diesem wunderbaren Finden, Wiederfinden, Trennen und Vereinigen" (378), Worte, die, wenn auch auf das Kästchen gemünzt, auf Sinn und Komposition des Buches im Gesamt verweisen könnten. Deutlicher noch als an den anderen Beispielen, die wir gesammelt haben, zeigt sich an dem Kästchen das Vexierspiel des großen Romans, der kunstvolle Balance-Akt des Setzens und Aufhebens, des Festhaltens und Verwischens: hier wie dort rätselumwittertes Stück aus der elementaren Sphäre, aber während es auf der konkret-„prosaischen" Ebene der *Wanderjahre* sein Geheimnis eifersüchtig und beharrlich hütet und nie seinen Inhalt preisgibt, öffnet es sich auf der Zauber-Ebene des Märchens willig zur Inspektion, ja mehr noch, es erweist sich, dem komisch parodistischen Stil der Melusine-Geschichte gemäß, als ein raffiniert ausgetüftelter technischer Mechanismus, so etwas wie ein „Schreibtisch von Röntgen... wo mit einem Zug viele Federn und Ressorts in Bewegung kommen, Pult und Schreibzeug, Brief- und Geldfächer sich auf einmal oder kurz nacheinander entwickeln" (372), mit welch nüchternem Vergleich die Verwandlung des fabulösen Kästchens in den Palast und Haushalt des Zwergenkönigs erklärt wird, technologische Demaskierung und Desillusionierung des Geheimnisses, als dessen Symbol das Kästchen doch in dem Roman fungiert und funktioniert.

Die besondere Art des Funktionierens und Umfunktionierens der erzählerischen Mittel wollte dieser genauere Blick auf das Melusine-Märchen erschließen – als eine bescheidene und dankbare Gabe an den Freund und Kollegen, der uns durch seine Veröffentlichungen so oft die Augen für Erzählweisen und -perspektiven im 18. Jahrhundert und in der Goethezeit geöffnet hat. Die uneingestandene und unausgeführte Absicht dieses Versuches aber zielt weiter. Andeutungsweise und im Hintergrund wenigstens sollte das hier aufgezeichnete vexatorische Spiel als Mahnung verstanden werden, daß wir vorsichtig sein sollten, den Goetheschen Roman als Lehr- und Traktatenbuch zu lesen, das uns fertige und eindeutig fixierbare Lebensweisheiten und Problemlösungen anbietet und uns der Mühe enthebt, das Fragezeichen hinter jeder Antwort zur Kenntnis zu nehmen. „Das Geheimnis der Dichtung öffnet sich uns grade weil der Eine Sinn als eine künstlerisch sinngebende Funktion, nicht als ein eindeutig formulierbarer weltanschaulicher Gehalt verstanden ist."[20] Der Weisheit letzter Schluß ist nicht eine schlüssige und abschließende Weisheit, sondern im Formalen wie im Gedanklichen Gestaltung im Prozeß unendlicher Umgestaltung. So hat Goethe es als diskrete Warnung schon 1821, als die erste Fassung der *Wanderjahre* abgeschlossen war, dem Kanzler Müller gegenüber selbst ausgesprochen: „Alles ist in dem Roman ja nur symbolisch zu nehmen und überall steckt noch etwas anderes dahinter. Jede Lösung eines Problems ist ein neues Problem" (8. Juni 1821).[21] Und wir sollten uns daran erinnern, daß es Makarie ist, die Mutter aller Weisheit, sie, die aus unserer Welt hinaufreicht in die Gefilde kosmischer Ordnung, der sich im Lichte der höchsten Erkenntnis die Vieldeutigkeit und paradoxe Verschlungenheit alles Existierenden erschließt: „Alles ist gleich, alles ungleich, alles nützlich und schädlich, sprechend und stumm, vernünftig und unvernünftig" (461).

Anmerkungen

[1] Eine knappe Übersicht über die kritische Rezeption der *Wanderjahre* in Hans Joachim Schrimpf, *Das Weltbild des späten Goethe* (Stuttgart 1956), S. 8 ff; in Bernd Peschken, *Entsagung in „Wilhelm Meisters Wanderjahre"* (Bonn 1968), S. 1 ff; in Christian H. Schädel, *Metamorphose und Erscheinungsformen des Menschseins in „Wilhelm Meisters Wanderjahre"* (Marburg 1969), S. 298 ff; jüngsten Datums in Anneliese Klingenberg, *Goethes Roman Wilhelm Meisters Wanderjahre* (Berlin/Weimar 1972), S. 14 ff, verhältnismäßig frei von den marxistischen Entstellungen, die andere Teile des sonst klugen Buches verunzieren.

[2] An Josef Stanislaus Zauper, 7. IX. 1821; dieselben Stichworte schon vorher in einem Brief an Sulpiz Boisserée (28. VII. 1821).

[3] Freilich nicht ganz radikal; denn selbst Emil Staiger bemerkt noch: „Die *Wanderjahre* wurden zum Gefäß, in dem der Dichter alles Mögliche unterzubringen gedachte, was sich sonst in seinen Papieren verloren oder in unerfreuliche Einzelschriften verzettelt hätte" (*Goethe III*, Zürich 1959, S. 29).

[4] „James Joyce und die Gegenwart" in *Essays* I (Zürich 1955), S. 206. Vgl. dazu auch Joseph Strelka, „Goethes *Wilhelm Meister* und der Roman des 20. Jahrhunderts", *GQ* 41 (1968), S. 338 ff.

[5] An Carl Jacob Iken, 27. IX. 1827.

[6] Arthur Henkel, *Entsagung, eine Studie zu Goethes Altersroman* (Tübingen 1954), S. 12, bei aller Kürze sicher die subtilste und geordnetste Analyse des Buches, jedenfalls seines Hauptthemas.

[7] Diese glückliche Formulierung in einem jüngst erschienenen, mit *Faust II* befaßten Aufsatz von Arthur Henkel, „Das Ärgernis Faust" in *Versuche zu Goethe. Festschrift für Erich Heller* (Heidelberg 1976), S. 295.

[8] S. 486, Bd. VIII der Hamburger Ausg., der alle Seitenangaben folgen. Der vorzügliche und ausgiebige Kommentar von Erich Trunz war mir an vielen Punkten hilfreich.

[9] Über den Webprozeß und die Webmanufaktur hatte sich Goethe die genauesten Aufzeichnungen von Heinrich Meyer verschaffen lassen. Vgl. dazu A. Klingenberg, S. 75.

[10] Gemeint natürlich im Sinne eines wirklichen Geschehens als Gegensatz zu Märchen.

[11] Ein wie gründlicher Schweiger er ist, beweist Wilhelms und unsere erste Bekanntschaft mit dem Barbier, der seine Rasierkunst an Wilhelm übt, „ohne daß er irgendeinen Laut von sich gegeben hätte" (315). Nach vollbrachtem Geschäft verabschiedet er sich „schalkhaft lächelnd, den Finger auf den Mund legend".

[12] Auf dieses seltsame Phänomen, daß einer ein Märchen als selbsterlebte Geschichte erzählt, hat nur Gouthier-Louis Fink flüchtig hingewiesen („Goethes ‚Neue Melusine‘ und die Elementargeister", *Goethe* 21, 1959). Seiner Behauptung, „dadurch wird eine Verbindung zur Wirklichkeit hergestellt" (S. 148), ist aber gewiß nicht zuzustimmen.

[13] Es ließe sich dagegen einwenden, daß auch die Geschichte von St. Joseph dem Zweiten von der Hauptfigur selbst erzählt wird. Aber in diesem Falle stellt sich nachträglich heraus, daß wir, was wir soeben von St. Joseph als Eigengeschichte hörten, als einen Bericht Wilhelms in einem Brief an Natalie zu lesen bekommen haben.

[14] So, als abschreckendes, didaktisches Gegenbeispiel zu echter menschlicher Lebensführung – gegen eine solche Deutung richtet sich im Folgenden zum Teil meine Argumentation – wird das Märchen fast ausschließlich verstanden, etwa auch in Trunz' Kommentar (693 f) und von Deli Fischer-Hartmann, *Goethes Altersroman. Über die innere Einheit von „Wilhelm Meisters Wanderjahren"* (Halle 1941), S. 50 ff. Eingehendere Untersuchungen über „Die neue Melusine" liegen nicht vor. E. F. von Monroy, „Zur Form der Novelle in ‚Wilhelm Meisters Wanderjahren‘ ", GRM 31 (1943), S. 1 ff, erwähnt sie überhaupt nicht. G.-L. Fink geht hauptsächlich der Herkunft des Zwerg-Motivs nach. Bei Friedrich Ohly, „Zum Kästchen in Goethes *Wanderjahren*", ZfdA 91 (1962) findet sich nur ein ganz kurzer Hinweis (S. 260). Das sonst aufschlußreiche Buch von Karl Schlechta, *Goethes „Wilhelm Meister"* (Frankfurt 1953) bietet, wenn es zum Melusine-Märchen kommt (S. 148), seltsame Spekulationen.

[15] Damit rückt das Stück durch seine Darstellungsform in die Nähe der St. Joseph-Biographie, freilich nur in die Nähe, denn dort war es nicht ein „Redaktions"einschub, sondern ein als Briefbeilage weitergegebener Bericht Wilhelms an Natalie.

[16] Schon als Goethe an eine erste Niederschrift des Märchens dachte, erschien Melusine in dieser doppelten Gestalt. An Schiller (12. VIII. 1797): „ein undenisches Pygmäenweibchen".

[17] A. Henkel (*Entsagung*, S. 86 und 92) erkennt als einziger den Grundzug der Persiflage und Parodie, der sich auch in dem humoristischen Ton, in dem hier erzählt wird, verrät. Die sprachliche Komik ist gewiß an einigen der zitierten Stellen deutlich geworden. Angeführt sei noch das humorige und für die ganze Liebesaffäre charakteristische Zeugma: „Sie drückte mir zuletzt einen Beutel mit Gold in die Hand, und ich meine Lippen auf ihre Hände" (356).

[18] Trunz-Kommentar, S. 694.

[19] Wilhelm Emrich, „Das Problem der Symbolinterpretation im Hinblick auf Goethes *Wanderjahre"* in *Protest und Verheißung* (Frankfurt 1960), S. 62. Zu dieser unübertroffenen Studie über das Wesen und die Funktion des Goetheschen Symbols möchte meine Arbeit eine kleine Fußnote beisteuern.

[20] Ebd., S. 64.

[21] Diese Formulierung findet sich bei Goethe auch an anderer Stelle, so etwa im Brief an Heinrich Meyer (20. VII. 1831) mit Hinblick auf *Faust II*, der „noch Probleme genug enthält, indem, der Welt- und Menschengeschichte gleich, das zuletzt aufgelöste Problem immer wieder ein neues, aufzulösendes darbietet".

Wilhelm Emrich

Goethes Trauerspiel
Die natürliche Tochter

Zur Ursprungsgeschichte der modernen Welt

> Nun wird sich gleich ein Greulichstes eräugnen,
> Hartnäckig wird es Welt und Nachwelt läugnen:
> Du schreib' es treulich in dein Protokoll.
> Faust II. V. 5917 ff.

Goethes Auseinandersetzung mit der französischen Revolution im Trauerspiel *Die natürliche Tochter* beschränkt sich keineswegs auf dieses gravierende politische Ereignis, nimmt zudem nur sehr verdeckt und höchst verklausuliert auf es Bezug. Vielmehr arbeitet das Trauerspiel scharf heraus, was sich später, im 19. und 20. Jahrhundert, folgerichtig ereignete und heute auf entsetzenerregende Weise unser Dasein bestimmt, mag es auch „Welt und Nachwelt" hartnäckig leugnen. Denn, wie der Weltgeistliche sagt:

> Der Irrtum soll im ersten Augenblick,
> Auf alle künftge Zeit gewaltig wirken.
> An ihrer Gruft, an ihrer Leiche soll
> Die Phantasie erstarren. Tausendfach
> Zerreiß ich das geliebte Bild [. . .
> . . . .]
> Sie ist dahin für alle, sie verschwindet
> Im Nichts der Asche. Jeder kehrt schnell
> Den Blick zum Leben und vergißt, im Taumel
> Der treibenden Begierden, daß auch sie
> Im Reihen der Lebendigen geschwebt. (V. 1176 ff.)

Das „Vergessen" Eugenies, ihre Vernichtung im Bewußtsein von Welt und Nachwelt, ist die eigentliche Katastrophe, von der Europa bis heute heimgesucht wurde und wird. „Der Irrtum", daß Eugenie, dieses „Götterbild" (V. 1535), dieses „Wundergut" (V. 68), diese Dichterin und zugleich kühne „Amazonentochter" (V. 127) endgültig tot ist, daß ein „Leben" ohne sie „im Taumel treibender Begierden" hemmungslos geführt werden kann und darf, wird „auf alle künftge Zeit gewaltig wir-

ken" und jenen Zustand herbeiführen, den gegen Ende des Trauerspiels
der Mönch beim Anblick der rastlos tätigen Handels- und Massenge-
sellschaft prophetisch beschwört, wissend, daß niemand aus dieser
„Menge gewerksam Tätiger" jemals die Wahrheit dieser Gesellschaft
begreifen wird, blind ist gerade dadurch, daß er nur noch dem „offnen
Blick der Sinne, des Verstands" vertraut:

> Im Dunklen drängt das Künftge sich heran,
> Das künftig Nächste selbst erscheinet nicht
> Dem offnen Blick der Sinne, des Verstands.
> Wenn ich beim Sonnenschein durch diese Straßen
> Bewundernd wandle, der Gebäude Pracht,
> Die felsengleich getürmten Massen schaue,
> Der Plätze Kreis, der Kirchen edlen Bau,
> Des Hafens masterfüllten Raum betrachte:
> Das scheint mir alles für die Ewigkeit
> Gegründet und geordnet; diese Menge
> Gewerksam Tätiger, die hin und her
> In diesen Räumen wogt, auch die verspricht,
> Sich unvertilgbar ewig herzustellen.
> Allein wenn dieses große Bild bei Nacht
> In meines Geistes Tiefen sich erneut,
> Da stürmt ein Brausen durch die düstre Luft,
> Der feste Boden wankt, die Türme schwanken,
> Gefugte Steine lösen sich herab,
> Und so zerfällt in ungeformten Schutt
> Die Prachterscheinung. Wenig Lebendes
> Durchklimmt bekümmert neuentstandne Hügel,
> Und jede Trümmer deutet auf ein Grab.
> Das Element zu bändigen, vermag
> Ein tiefgebeugt, vermindert Volk nicht mehr,
> Und rastlos wiederkehrend füllt die Flut
> Mit Sand und Schlamm des Hafens Becken aus. (V. 2783 ff.)

Diese Vision nimmt die vielen modernen Visionen vom Ende unserer
Gesellschaft durch einen Atomkrieg bis in die Details vorweg: das auf
Schutt und Asche kümmerlich dahinvegetierende „tiefgebeugte und
verminderte Volk" usw.

Die Ursache dieser Selbstvernichtung der modernen Gesellschaft
wird vom Vater Eugenies, dem Herzog, klar formuliert. Mit dem Verschwinden Eugenies wird die Welt „ein geistverlaßner, körperlicher
Traum!" (V. 1288). Sie verwandelt sich in pure, materielle Körperlichkeit, die unwirklich und zugleich fürchterlich ist wie ein Alptraum,
weil der Geist sie „verlassen" hat, genauer: aus ihr vertrieben wurde.

Das zentrale Thema des Trauerspiels lautet daher: Kann in der modernen, seit der französischen Revolution total politisierten, von öko-

nomischen Machtinteressen dirigierten Gesellschaft die „natürliche
Tochter", Eu-Genie, der göttergleiche Genius, die wahrhaft – nicht
durch gesellschaftliche Konvention – Wohlgeborene legitim wirken?
Die Antwort ist negativ: die Gesellschaft ist unfähig, die „natürliche"
Tochter zu legitimieren, und erweist sich damit selbst als illegitim, als
eine Gesellschaft, der jede geistige, wahrhaft ordnungstiftende, gesetz-
gebende Instanz mangelt. Der Genius wird für tot erklärt, ausgestoßen
aus der menschlichen Gesellschaft, in die Wildnis, in den „Höllenwin-
kel" (V. 1993) tropischer, von todbringenden Sümpfen bedeckter Inseln
verbannt. Und nur die leise Hoffnung – oder auch Zuversicht – bleibt
am Schluß, daß die totgeglaubte Eugenie in Wahrheit unsterblich ist,
verborgen als „reiner Talisman" (V. 2853) künftigen Glücks im Hause
des „Gerichtsrats", der das wahre Gesetz hütet, alle Zeiten überdauert,
vielleicht auch eine bessere Welt und Gesellschaft hervorbringen wird.
Aber diese Hoffnung hat Goethe redlicherweise nicht mehr konkret zu
gestalten vermocht, da er für die kommende, von ihm voraussehbare
Zeit nicht mehr an eine Realisierung solcher Hoffnungen glaubte. Die
geplante Fortsetzung des Trauerspiels hat er nicht geschrieben, obgleich er wiederholt von einer solchen Fortsetzung träumte und sprach.

Die Reihe seiner auf konkrete geschichtliche Phänomene bezogenen
Dramen hat er mit der *Natürlichen Tochter* endgültig verlassen und
wandte sich stattdessen seinen urphänomenologisch-kosmologisch
konzipierten Festspielen zu, in denen alles irdisch-politische Geschehen transponiert wird in einen Reigen ewig wiederkehrender Mächte.
Das gilt nicht nur für das Festspiel *Pandora*, sondern mit geradezu ver-
blüffender Drastik auch und gerade für das Festspiel, das ausdrücklich
ein aktuelles politisches Ereignis, den Sieg über Napoleon, gestalten
sollte: *Des Epimenides Erwachen*, in dem nur noch mythologische und
allegorische Figuren erscheinen, die das „Urphänomen" aller Kriege
und Tyranneien wie auch seine Überwindungsmöglichkeiten repräsentieren, nicht anders als später in den großen allegorischen Revuen im
Inneren der *Faust II*-Dichtung.

Und blickt man von der *Natürlichen Tochter* zurück auf die früheren
Dramen, so wird das Ausmaß der Verzweiflung Goethes angesichts
dessen, was mit der französischen Revolution in Europa heraufzog,
noch krasser deutlich. Bereits *Götz von Berlichingen* schließt mit den
Sätzen: „Edler Mann! Edler Mann! Wehe dem Jahrhundert, das dich von
sich stieß! Wehe der Nachkommenschaft, die dich verkennt!" Bereits
hier werden also Gegenwart und Zukunft der Menschheit daran gemessen, ob und wieweit sie das einzigartige „Naturgenie", als das ja Götz

dargestellt wird, in sich aufnehmen und wirken lassen können oder nicht. Aber in dieser frühen „Geniezeit" Goethes glaubte er noch emphatisch an ungebrochene, unmittelbare schöpferische Wirkungsmöglichkeiten des Genius auch in der – wenn auch noch so kritisch und negativ gesehenen (Werther!) – zeitgenössischen Gesellschaft. Im Egmont wird vom „Daimonion" des Protagonisten geradezu die politische Befreiung der Niederlande erhofft und visionär trotz und inmitten seines Untergangs am Schluß apotheosenhaft vorgeführt, gerade weil er nicht wie Oranien mit Berechnung und politischer Klugheit handelt, sondern selber in seiner Person „Freiheit" repräsentiert: „Könnt ihr denn leben? Werdet ihr, wenn er zu Grunde geht? Mit seinem Athem flieht der letzte Hauch der Freiheit" (5. Akt, 1. Szene). Ohne Egmont, ohne sein Daimonion, das selber Freiheit ist, kann kein sinnvolles, menschliches Leben mehr gelebt werden. Wiederum der gleiche Aspekt wie in der Natürlichen Tochter, nur mit emphatisch hoffnungsvollem Akzent. In der Iphigenie gar wird der Fluch, der auf der ganzen Menschengeschichte lastet mit ihren permanenten Morden und Gegenmorden, aufgelöst durch die reine Heldin, die – wie Eugenie – das „Bild" der Götter in ihrer „Seele" trägt.[1] Im Tasso wird dann das Verhältnis zwischen Genius und Gesellschaft bis zum äußersten problematisiert, bis hin zur ausweglosesten Tragödie, die Goethe schrieb, bis hin zu jenem paradoxen Schluß, in dem der schiffbrüchige Dichter sich am Staatsmann festklammert, „an dem er scheitern sollte".[2]

Dieser höchstgesteigerte tragische Konflikt, der beide Positionen, die des Genius und die der politischen Macht, in einem fast irrsinnig zu nennenden, widersprüchlichsten Balanceakt in schwebend unfaßbarem, undeutbarem Gleichgewicht hielt, schlägt um in der Natürlichen Tochter ins resignativ-geschichtliche „Trauerspiel" und Stationendrama, das auch in der Form den Typus der Stationendramen des 20. Jahrhunderts vorwegnimmt.[3] Der Genius wird hier aus der Geschichte vertrieben, die damit selbst zur „Trümmerstätte" und Wüste wird (Vision des Mönchs).[4]

Man könnte daher die fünf Dramen Goethes vom Götz bis zur Natürlichen Tochter selber als ein einziges, großes geschichtliches Drama begreifen, in dem Aufstieg, Höhepunkt und Untergang des Genius innerhalb der europäischen Geschichte gestaltet wird.

Der Blick aber, den Goethe im Trauerspiel Die natürliche Tochter auf die nach ihm kommende geschichtliche Wüste warf, ist bis heute kaum begriffen worden und soll im folgenden nachgezeichnet werden.

Er umfaßt primär zwei Aspekte: 1) die Struktur des Genius, die völlig anders geartet ist als das, was wir heute als „Geist" oder „Genie" zu bezeichnen pflegen, 2) die Struktur der „Kultur" und „Zivilisation", die nach der Austreibung des Genius im 19. und 20. Jahrhundert entstand.

Erster Aspekt: Eugenie ist die einzige Person im Trauerspiel, die einen Namen trägt. Alle anderen, auch ihr Vater, sind namenlos, erscheinen als anonyme Funktionäre einer personenlos gewordenen Gesellschaft, als Repräsentanten rein gesellschaftlicher Positionen: König, Herzog, Graf, Hofmeisterin, Sekretär, Weltgeistlicher, Gerichtsrat, Gouverneur, Äbtissin, Mönch. D. h. mit dem Verschwinden Eugenies verschwindet auch Personalität aus der Gesellschaft. Sie wird zum Tummelplatz sozialpolitischer Interessen.

Wie aber erscheint Eugenie, die als einzige Personalität ermöglicht und bewahrt? Sie wird bezeichnet als „Wundergut" (V. 68), als „Karfunkelstein", der „in dunklen Grüften" leuchtet (V. 64 f.), als „ein anderes Gestirn, ein andres Licht" (V. 63), ein „neuer Stern" (V. 107), ein „Meteor" (V. 1971), als „Amazonentochter" (V. 127), die mit „überkühnem Mut" (V. 589) „wie ans Pferd gewachsen, voll Gefühl der doppelten, zentaurischen Gewalt durch Tal und Berg, durch Fluß und Graben" (V. 590 f.) sich schleudert, ja sich wie „ein Vogel durch die Lüfte wirft" (V. 593).

> Zur unbedingten Freiheit ließ man ihr,
> Zu jedem kühnen Wagnis offnes Feld. (V. 1369 f.)
> Zu Pferde sollte sie, im Wagen sie,
> Die Rosse bändigend, als Heldin glänzen.
> Ins Wasser tauchend, schwimmend schien sie mir
> Den Elementen göttlich zu gebieten. (V. 1386 ff.)

Zugleich ist sie Dichterin. Schon als „Kind" (V. 1291) – wie Mignon – „drückte" sie sich „dichtrisch oft in frühen Reimen aus" (V. 1295) und repräsentiert zugleich selbst in ihrer eigenen Gestalt höchste ästhetische Form, göttliche Schönheit als ewiges, unzerstörbares „Götterbild" (V. 1535):

> Laß uns den schönen Körper der Verwesung
> Entreißen, laß mit edlen Spezereien
> Das unschätzbare Bild zusammenhalten!
> Ja, die Atomen alle, die sich einst
> Zur köstlichen Gestalt versammelten,
> Sie sollen nicht ins Element zurück. (V. 1491 ff.)

> Hast du entzückt es jemals angestaunt?
> O hättest du's! du hättest diese Form,
> Die sich zu meinem Glück, zur Lust der Welt
> In tausendfältgen Zügen auferbaut,
> Mir grausam nicht zerstümmelt ... (V. 1521 ff.)

In ihrer Substanz, ihrem Wesen ist sie unsterblich:

> Du bist kein Traumbild, wie ich dich erblicke;
> Du warst, du bist. Die Gottheit hatte dich
> Vollendet einst gedacht und dargestellt.
> So bist du teilhaft des Unendlichen,
> Des Ewigen, und bist auf ewig mein. (V. 1721 ff.)

Auch nach ihrem leiblichen Tod „wirkt" sie „als hohes Vorbild, schützet vor Gemeinem, vor Schlechtem dich" (V. 1705 f.).

In dieser Metaphorik sind fast alle Elemente versammelt, die im Gesamtwerk Goethes das Wesen des göttlichen Genius im Menschen bestimmen: der „wie ans Pferd gewachsene" Egmont, der unbeirrbar seinem „Daimonion" folgt,[5] der sich wie „ein Vogel"[6] in die Lüfte werfende und abstürzende Euphorion, aber auch der Genius Mignon, der äußerste Widersprüche in sich vereint: formsprengende, sich in die Sterne erhebende Unbedingtheit der Poesie und göttlich geformte, ewige Schönheit in Mignons als unverwesliche Leiche aufgebahrtem Körper. Der Wunsch des Vaters Eugeniens, ihre Leiche einzubalsamieren, und der spätere, sie zu verbrennen, auf daß ihr Geist sich von ihrem Körper trennen und in den Himmel steigen möge (V. 1545 ff.), erinnert bis ins Detail an die Exequien Mignons in Goethes *Wilhelm Meister*.

Die Metapher vom „Karfunkelstein" taucht bereits 1782 im Maskenzug *Amor mit Treue verbunden* auf. Hier wird Amor, „der freie Geist der ewgen Jugend",[7] in die „tiefste Gruft verschloßner Steine"[8] gebannt, sodaß die ganze Welt nun „alt" und freudlos dahinsiecht. Amor wird verschlossen in einen „Karfunkelstein", der auf geheimnisvolle Weise mit den „Sternen" in Verbindung steht und selber „gleich einer glühenden Sonne Strahlen um sich wirft":

> In verworrenen grausevollen Klüften . . . in einer Gruft wo Gold und Silber und edle Steine Säfte von den Wänden triefen . . . dort liegt ein Stein, der nie an dem Gebürg gehangen, den kein Eisen je berührt, der undurchdringlich ist, bis daß die Sterne, zusammentreffend, selbst den geheimen Knoten lösen. Wie ihn die Götter nennen, wag' ich nicht zu sagen, wenn ihn ein Sterblicher erblicken dürfte, wie er, gleich einer glühenden Sonne Strahlen um sich wirft, er würde, tief verehrend, was von Karfunkeln das Alterthum erzählt, mit seinen Augen anzuschauen glauben.[9]

Als schließlich Amor bei günstiger Sternstunde[10] aus dem Karfunkelstein springt, verjüngt sich wieder die Welt.

Ein ganzer Welterlösungsmythos wird also mit dieser Karfunkelsteinmetapher verknüpft. Die Vorstellung, daß in schlimmen, verworrenen Epochen der Genius geheimnisvoll verborgen im „Untergrund" weiterlebt und auf die günstige Stunde der Befreiung harrt, durch die zugleich die Welt befreit wird, zieht sich durch viele Werke Goethes[11] und wird auch am Schluß der *Natürlichen Tochter* angedeutet im Bild des Talismans:

> [...] Im Verborgnen
> Verwahr er [der Gerichtsrat] mich, als reinen Talisman.
> [...]
> Das alles wird ein günstiges Geschick
> Zu rechter Zeit auf hohe Zwecke leiten. (V. 2852 ff.)

Auch die Schmuckmetapher wird – wie in *Amor mit Treue verbunden* – oft mit dem Genius verbunden. Euphorion holt „Schätze", „Goldschmuck", leuchtend wie die „Flamme übermächtiger Geisteskraft" aus der „Spalte rauher Schlucht" (Faust II, V. 9614 ff.). Der Knabe Lenker, Genius der Poesie wie Euphorion, in ursprünglichen Skizzen sogar mit Euphorion identisch, versprüht flammendes Gold und Schmuck:

> Schon glänzt's und glitzert's um den Wagen.
> Da springt eine Perlenschnur hervor
> (Immerfort umherschnippend.)
> Nehmt goldne Spange für Hals und Ohr;
> Auch Kamm und Krönchen ohne Fehl;
> In Ringen köstlichstes Juwel;
> Auch Flämmchen spend' ich dann und wann,
> Erwartend, wo es zünden kann. (Faust II, V. 5583 ff.)

Der gleiche, aus dem Unterirdischen hervorbrechende Goldschmuck bringt aber auch das Verderben, ja eine Weltkatastrophe hervor, jenes „Greulichste", was „Welt und Nachwelt" „hartnäckig" zu „leugnen" versuchen: Von der flammenden Goldkiste, die Faust-Plutus aus dem Wagen, den der Knabe Lenker „gelenkt" hatte, herantragen läßt, heißt es, nachdem Faust-Plutus den Knaben Lenker in die „Einsamkeit" entlassen hatte, „wo Schönes, Gutes nur gefällt" (Faust II, V. 5695 f.):

> [...] in ehrnen Kesseln
> Entwickelt sich's und wallt von goldnem Blute,
> Zunächst der Schmuck von Kronen, Ketten, Ringen;
> Es schwillt und droht ihn schmelzend zu verschlingenn (Faust II, V. 5711 ff.)

Der Kaiser, als „großer Pan" verkleidet, d. h. allegorischer Vertreter der ganzen irdischen Welt – er wird ausdrücklich als „das All der Welt" (Faust II. V. 5873) bezeichnet – durchbricht mit seinem „wilden Heer" den Kreis, den Faust-Plutus zum Schutz um die flammende Goldkiste gezogen hat, beugt sich in maßloser Gier über die Kiste und beschwört damit eine Weltkatastrophe herauf, den „allerseitigen Untergang" (Faust II. V. 5957) durch Feuer.

Damit erst wird das komplizierte Verhältnis zwischen Genius und politischen Weltkatastrophen bei Goethe durchsichtig:

Die zentrale Szene in Goethes Trauerspiel *Die natürliche Tochter* ist ja die verhängnisvolle, übereilte Öffnung des Schmuckkastens durch Eugenie. Eugenie will und muß „geschmückt" in aller Öffentlichkeit am Hof des Königs erscheinen. Denn dieser Schmuck ist ihr nichts Äußerliches. Er ist das Signum gerade ihrer ureigensten Genialität und personalen Besonderheit genau wie bei Amor, Euphorion, dem Knaben Lenker u. a.:

> Nun sprich vom Tode nur! sprich von Gefahr!
> Was zieret mehr den Mann, als wenn er sich
> Im Heldenschmuck zu seinem Könige,
> Sich unter seinesgleichen stellen kann?
> Was reizt das Auge mehr als jenes Kleid,
> Das kriegerische lange Reihen zeichnet?
> Und dieses Kleid und seine Farben, sind
> Sie nicht ein Sinnbild ewiger Gefahr?
> Die Schärpe deutet Krieg, womit sich, stolz
> Auf seine Kraft, ein edler Mann umgürtet.
> O meine Liebe! Was bedeutend schmückt,
> Es ist durchaus gefährlich. Laß auch mir
> Das Mutgefühl, was mir begegnen kann,
> So prächtig ausgerüstet, zu erwarten.
> Unwiderruflich, Freundin, bleibt mein Glück.
> Hofmeisterin (beiseite) Das Schicksal, das dich trifft, unwiderruf-
> lich. (V. 1133 ff.)

Das entspricht genau den Worten Euphorions:

> Träumt ihr den Friedenstag?
> Träume wer träumen mag.
> Krieg! ist das Losungswort.
> Sieg! und so klingt es fort
> . . . .
> Welche dieß Land gebar
> Aus Gefahr in Gefahr,
> Frei, unbegränzten Muths,
> Verschwendrisch eignen Bluts;
> Dem nicht zu dämpfenden
> Heiligen Sinn,
> Alle den Kämpfenden
> Bring' es Gewinn!
> . . . .
> Keine Wälle, keine Mauern,

Jeder nur sich selbst bewußt;
Feste Burg um auszudauern
Ist des Mannes ehrne Brust.
Wollt ihr unerobert wohnen,
Leicht bewaffnet rasch ins Feld;
Frauen werden Amazonen
Und ein jedes Kind ein Held. (Faust II, V. 9835 ff.)
Und der Tod
Ist Gebot,
Das versteht sich nun einmal. (Faust II, V. 9888 ff.)

Der Genius ist also bei Goethe charakterisiert durch den Mut, ganz aus sich selbst heraus und ganz auf sich selbst gestellt, ohne jeden äußeren Schutz, ohne Wälle und Mauern, das Leben *ganz* zu bestehen bis in den Tod, ja unter ausdrücklicher Bejahung des Todes, der sogar „Gebot" ist. „Nun sprich vom Tode nur! Sprich von Gefahr!" äußert Eugenie. Von Götz von Berlichingen über Egmont und Phileros (im Festspiel *Pandora*) bis hin zu Euphorion ist *dies* ein fundamentales Signum des Genius für Goethe: die absolute Selbstbestimmung („Jeder nur sich selbst bewußt") unter Einschluß des Todes und im Kampf und Krieg gegen jede äußere Fremdbestimmung. Sogar der sonst so schwache Kaiser wird als großer Pan durch die Berührung mit der flammenden Goldkiste durch dieses autonome „Mutgefühl" Eugenies durchtränkt, fühlt sich als Herr aller vier Elemente, ja aller „Völker" (Faust II, V. 5998):

Selbständig fühl' ich meine Brust besiegelt,
Als ich mich dort im Feuerreich bespiegelt.
Das Element drang gräßlich auf mich los,
Es war nur Schein, allein der Schein war groß.
Von Sieg und Ruhm hab ich verwirrt geträumt,
Ich bringe nach, was frevelhaft versäumt (Faust II, V. 10417 ff.)

Selbständigkeit, die angstlos allen Gewalten – den „Elementen"[12] des irdischen Daseins entgegentritt, dem Tod furchtlos ins Auge blickt, ist für Goethe die Voraussetzung jeder wahren Personalität.[13] Personalität wird von Goethe verstanden als unbedingte Autonomie des Menschen unter Abschüttelung aller „Sorge" und Angst. Das Daimonion, das „Dämonische", ist bekanntlich für Goethe eine „die moralische Weltordnung [...] durchkreuzende Macht", die den „Kampf" mit „dem Universum" aufgenommen hat und daher auch allein durch das Universum „überwunden" werden kann.[14]

Die Paradoxie der Goetheschen Position besteht nun darin, daß die unbedingte Autonomie des Genius einerseits die Katastrophe der Selbstvernichtung wie auch eine Weltbedrohung auslöst, andererseits aber gerade unabdingbar ist für den Bestand einer lebendigen „moralischen Weltordnung", ja eine solche erst im innersten Kern ermöglicht. Ohne einen Götz, einen Egmont, eine Eugenie wird die Welt sinnlos, kahl, tot, leer, von permanenter „Sorge" und „Angst" um Leben, Besitz, geistige und materielle Güter und Interessen regiert. Die „Angst" und „Sorge" wird geradezu zum „Existenzial" des modernen Menschen, was fast die gesamte moderne Philosophie und Literatur in trostloser Monotonie unaufhörlich verkündet.

Eugenie aber will sich nicht ins „Netz" der „Sorgen" „verstricken" lassen (V. 467, 475): „Das Glück und nicht die Sorge bändigt die Gefahr!" (V. 605 f.). „Dem Ungemessnen beugt sich die Gefahr, Beschlichen wird das Mäßige von ihr." (V. 597 f.)

Eugenie muß unbedingt darauf dringen, von der Gesellschaft legitimiert zu werden, in ihr zu „erscheinen". Erst dadurch kann sie sich selbst verwirklichen, ganz sie selbst sein. Ausdrücklich erklärt ihr Vater dem König, Eugenies Legitimation bedeute nichts anderes, als „sie zu sich[15] heraufzuheben" (V. 98), ihr die ihr adäquate Würde auch nach außen zu verleihen. Denn „das Wesen wär es, wenn es nicht erschiene?" (V. 1067). Ein außergesellschaftlicher Genius wäre irreal, ein Phantom, pure weltlose Innerlichkeit. Aber auch umgekehrt: „Der Schein, was ist er, dem das Wesen fehlt?" (V. 1066). Was wäre eine Gesellschaft ohne das Wesen, ohne den „eignen, inneren Wert" Eugenies, wie es unmittelbar zuvor (V. 1065) heißt?

Die Diskrepanz zwischen Genius und Gesellschaft ist unaufhebbar. Zugleich aber sind beide unlösbar aneinander gebunden. Keine Sphäre ist wahrhaft existent ohne die andere.

Die Problematik dieser paradoxen Wahrheit hat das gesamte Schaffen Goethes begleitet bis hinein in seine späte Theorie der „Entsagung", die man nur sehr eingeschränkt als eine „Lösung" dieser Problematik interpretieren kann. Auch der Schluß des Trauerspiels *Die natürliche Tochter* ist vom Thema der Entsagung bestimmt: „Vermagst du, hohen Muts, Entsagung der Entsagenden zu weihen?" (V. 2887 f.) Aber bereits die Formulierung „hohen Muts" bezeugt, wie ungebrochen auch und gerade in dieser Entsagung der unbedingte Anspruch Eugenies aufrecht erhalten wird. Gerade in der Entsagung und durch sie bewahrt Eugenie ihre personale Autonomie und Integrität, bleibt ihr die „Hoffnung einer künftgen beglückten Auferstehung" (V. 2913) und wird sie auch für den Gerichtsrat „sein Leben lang" zur „unsichtbaren Gottheit [...], die im beglückten Augenblick vor ihm als höchstes Musterbild vorüberging" (V. 2942 ff.). Ihre Entsagung ist gerade keine Resignation, kein kümmerlicher, kompromißbereiter Rückzug in eine bergende bürgerliche Ehe. Vielmehr begründet Eugenie ihren Entschluß, nicht auf die Inseln zu gehen, sondern den Gerichtsrat zu heiraten, damit, daß sie beim kommenden „jähen Umsturz" des Reiches aktiv und „kühn" eingreifen müsse:

> Und solche Sorge nähm ich mit hinüber? [auf die Inseln]
> Entzöge mich gemeinsamer Gefahr?
> Entflöhe der Gelegenheit, mich kühn
> Der hohen Ahnen würdig zu beweisen,
> ....
> an ihn [den Gerichtsrat] will ich mich schließen! Im Verborgnen
> Verwahr er mich, als reinen Talisman". (V. 2839 ff.)

Entsagung bedeutet bei Goethe nicht Preisgabe des Wagemuts des Genius, sondern Einsicht in die Grenzen und Bedingungen, die jeder menschlichen Existenz, auch dem Genius, gesetzt sind. Nicht ohne Grund hat Goethe bis in sein höchstes Alter – etwa in der Euphoriongestalt und in dem mit ihr assoziierten, von Goethe bewunderten Dichter Lord Byron – immer wieder die Geniusfiguren beschworen, als zwar tragische, aber zugleich auch essentielle, für jede menschenwürdige Gesellschaft unentbehrliche Phänomene.[16]

Wie aber sieht eine Gesellschaft aus, aus der der Genius entwich, bzw. aus der er durch diese Gesellschaft selbst vertrieben wurde?

Das ist der zweite, noch wichtigere Aspekt des Trauerspiels.

Auch die moderne Gesellschaft pocht auf die Autonomie des mündig gewordenen Menschen. Das wird scharf formuliert im Gespräch zwischen dem Sekretär und der Hofmeisterin. Als sich die Hofmeisterin weigert, ihren Schützling Eugenie zu den wilden Inseln zu entführen, und sich auf Gott, das höchste, alles „rettend, rächend Wesen" (V. 852) beruft, erwidert der Sekretär, „Gesetz und Regel" Gottes seien für den Menschen unerkennbar und daher auch unverbindlich:

> Verstand empfingen wir, uns mündig selbst
> Im irdschen Element zurechtzufinden,
> Und was uns nützt, ist unser höchstes Recht. (V. 859 ff.)

Gott ist abgeschafft. Der Mensch bestimmt kraft seines „Verstandes" selbst als „mündiges" Wesen sein irdisches Dasein, dessen höchste Rechtsinstanz der Eigennutz ist. Dem hemmungslosen Konkurrenzkampf werden damit die Tore geöffnet. Vergeblich setzt die Hofmeisterin dem entgegen eine Mahnung, die von Iphigenie gesprochen sein könnte:

Und so verleugnet ihr das Göttlichste,
Wenn euch des Herzens Winke nichts bedeuten. (V. 862 f.)

Das „Göttlichste" im Innern des Menschen selbst, das wäre für den modernen, „autonom" gewordenen Menschen das wahre bestimmende Gesetz.[17]

Aber auch die Hofmeisterin ist verführbar durch das, was ihr „nützt", und vertreibt die Vertreterin des „Göttlichsten" im Menschen, Eugenie, aus der Gesellschaft.

Auch an den Vater Eugenies, an den Herzog, treten Verführungen heran. Der Weltgeistliche, der selber darüber klagt, daß er zum „gefühllosen Werkzeug" (V. 1234) des Sekretärs geworden sei, verführt durch dessen Angebote von „Gütern, Ehren, Pfründen" (V. 1231), bietet dem Herzog als „Ersatz" für die verlorene Eugenie folgendes an:

Er solle in den bald ausbrechenden Staatswirren selber das bis jetzt „falsch gelenkte Steuer" ergreifen (V. 1662), sich an die Spitze des Volkes stellen:

Zum Wohle deines Vaterlands verbanne
Den eignen Schmerz; sonst werden tausend Väter,
Wie du, um ihre Kinder weinen [··········
································]
O bringe deinen Jammer, deinen Kummer
Auf dem Altar des allgemeinen Wohls
Zum Opfer dar! und alle, die du rettest,
Gewinnst du dir als Kinder zum Ersatz. (V. 1663 ff.)

Hinter diesem ungeheuerlichen Angebot des Weltgeistlichen verbirgt sich nichts geringeres als die vielleicht schärfste, boshafteste Kritik, die jemals an den politischen Ideologien aller Couleurs in der Neuzeit geübt worden ist. Politische Führung, der Volkstribun, die jubelnden Massen usw. werden zum Ersatz für den vertriebenen Genius. Der Begriff „allgemeines Wohl" ist die entscheidende Vokabel nicht nur der französischen Revolution, sondern auch aller späteren politischen Strömungen linker wie rechter Observanz, paart sich auch immer prächtig mit der Parole „Zum Wohle deines Vaterlands", da Nationalismus und Internationalismus bis heute nur Scheingegensätze waren.

Die totale Politisierung des Lebens, das ist eine der weittragenden Folgen, die Goethe „für alle künftge Zeit" aus der französischen Revolution hervorgehen sah.

Aber der Herzog lehnt ab. Er kann und will Eugenie nicht vergessen. Er will Eugenie ein „Denkmal" (V. 1580) setzen, ihre Erinnerung pflegen, alle Gegenwart und Zukunft auslöschen, „versteint, am Steine ruhen" (V. 1584), die Vergangenheit gleichsam verewigen mitten in der Zeit: „Ich fühle keine Zeit; denn sie ist hin, an deren Wachstum ich die Jahre maß" (V. 1592 f.). Allein Eugenie hatte der Zeit ihr Maß gegeben. Ohne sie wird Zeit ein sinnlos-unmeßbar dahintreibender Strom.

Schon sein Plan im ersten Akt, an der Absturzstelle Eugenies ein „ewges Denkmal [. . .] der Genesung" (V. 615) zu errichten, das wie ein „Paradies" dem Tod und dem geschichtlichen Wandel entrückt ist – „hier soll kein Schuß, so lang ich lebe, fallen, hier kein Vogel [. . .] geschreckt, verwundet, hingeschmettert werden" (V. 624 ff.) – offenbarte das Wahnhafte des Herzogs, seinen Versuch, die Zeit stillzulegen.[18]

Die Flucht aus der real gegenwärtigen und real kommenden Zeit in das, was der Genius einst *war*, das ist die Antwort der „Geistigen" auf die total politisierte Gesellschaft, auf den geglaubten Tod des Genius, auf die geglaubte Unmöglichkeit des Genius, in dieser politisierten Gesellschaft noch wirken zu können. Goethe hat damit genau den Historismus des 19. und 20. Jahrhunderts vorausgesehen, den Versuch der Geistigen unserer Zeit, ein künstlerisches und geistiges Leben vorzutäuschen durch ständiges Eintauchen ins Vergangene, in die „Denkmäler" des Genius, die *museal* vergötzt und in endlosen Interpretationen „verlebendigt" werden sollen, um wenigstens den Schein geistigen Lebens aufrechtzuerhalten, während in Wirklichkeit ein solcher Geist „versteint am Steine ruht".

Daß der Herzog hier tatsächlich den Typus des „Geistigen" vertritt, geht eindeutig aus dem Schluß dieser Szene hervor. Als der Herzog das Angebot des Weltgeistlichen abgelehnt hat, als politischer Volksführer zu wirken, und resigniert ins „Kloster" gehen, also völlig aus der Gesellschaft ausscheiden will, da weist ihn der Weltgeistliche auf den Ausweg hin, als „Geistiger" innerhalb der Gesellschaft zu leben, Eugenie nämlich in sein Inneres zu nehmen und als unzerstörbaren Besitz in sich zu bewahren, ihr dadurch ein „unzerstörlich Leben" (V. 1711) zu verleihen, ja sie sogar allen anderen Menschen als „hohes Vorbild" (V. 1706) zu präsentieren: „Er [der verzweifelte Herzog] kehrt in sich zurück und findet staunend in seinem Busen das Verlorne wieder" (V. 1691 f.).

Die radikale „Verinnerlichung" im Namen des „Geistes" ist also die Lösung, die der Weltgeistliche vorschlägt und – die auch der Herzog annimmt.

Man hat diesen Lobpreis des „Geistes" ausgerechnet im Munde dieses hinterhältig lügnerischen Weltgeistlichen, der ja auf satanisch-sadistische Weise den Herzog mit der fingierten Schilderung des Todes und der zerfetzten Leiche Eugenies quält, in der Forschung zurecht vielfach umrätselt. Dieser Lobpreis scheint in gar keiner Weise dem Charakter dieses Weltgeistlichen zu entsprechen, sodaß man sich damit half, hier habe Goethe am Ende des dritten Aktes, in dem er dem Herzog einen Trost und Ausweg geben wollte, gleichsam seine eigenen Vorstellungen über das Wesen und Wirken des Geistes notgedrungen dem Gesprächspartner, dem Weltgeistlichen, in den Mund legen müssen. Denn diese Worte des Weltgeistlichen über den „Geist" scheinen tatsächlich spezifisch Goethesche Überzeugungen zum Ausdruck zu bringen. Nach der verzweifelten Frage des Herzogs:

> Getrenntes Leben, wer vereinigt's wieder?
> Vernichtetes, wer stellt es her?

antwortet der Weltgeistliche:

> Der Geist!
> Des Menschen Geist, dem nichts verlorengeht,
> Was er von Wert mit Sicherheit besessen.
> So lebt Eugenie vor dir, sie lebt
> In deinem Sinne, den sie sonst erhub,
> Dem sie das Anschaun herrlicher Natur
> Lebendig aufgeregt; so wirkt sie noch
> Als hohes Vorbild, schützet vor Gemeinem (V. 1699 ff.).

Nach allem jedoch, was Goethe selbst in der Gestaltung seiner Eugeniemetaphorik zum Ausdruck brachte, muß diese Deutung der Forschung als ein Irrtum, wenn auch als ein verständlicher Irrtum, bezeichnet werden. Der Weltgeistliche preist den Rückzug des Geistes in sich selbst, dem der Herzog auch willig folgt. Er tötet damit jedoch Eugenie in Wahrheit mit seinen Worten zum zweitenmal. Er verlangt ein „Wesen", das „nicht erschiene", nicht mehr nach außen in „Erscheinung" treten darf. Er hebt gerade die Goethesche Einheit von „Wesen" und „Erscheinung" auf, fordert eine radikale „Verinnerlichung" des Geistes, gegen die auch Goethe selber ständig – etwa in seiner Polemik gegen die Romantik, gegen den Platonismus, gegen den Grundsatz „Erkenne dich selbst!"[19] – polemisierte. Kurz, der Weltgeistliche bejaht die Trennung zwischen „Geist" und „Macht", die so symptomatisch und typisch für das Bewußtsein des 19. und 20. Jahrhunderts geworden ist. Die beiden Alternativen, vor die er den Herzog stellt: politischer Volksführer oder verinnerlichter geistiger Mensch, sind keine Widersprüche im Bewußtsein oder Charakter des Weltgeistlichen, sondern entsprechen genau seiner Position:

Schon seine Bezeichnung deutet das stringent symbolisch an: Welt-Geistlicher. Er sollte zwischen Welt und göttlich Geistlichem vermitteln, verrät aber das Göttliche an die Welt, durch die er sich korrumpieren läßt, und will zugleich das Göttlich-Geistliche weltlos machen, es pervertieren zum puren, verinnerlichten „Geist", dem imgrunde beides, Welt und Göttlichkeit, mangelt. Nichts geringeres drückt hier Goethe aus als die Depravation des göttlichen Genius und Daimonion seiner Egmont-, Mignon- und Euphoriongestalten zum bloß kontemplativen oder raisonnierenden „Geist" des 19. und 20. Jahrhunderts, der weder Göttlichkeit, noch „hohen Mut" noch angstlose Todbereitschaft mehr kennt, sondern sich nur noch masochistisch in Angstorgien und gesellschaftskritischen Weltschmerztiraden wälzt, ohne an der kritisierten Gesellschaft auch nur das geringste zu ändern.

Die Folge ist die völlige Maßstablosigkeit nicht nur der „Geistigen", bzw. der „Intellektuellen", sondern auch der offiziellen rechtsetzenden und rechtausübenden politischen, juristischen und kirchlichen Instanzen. Das bekunden die zwei letzten Akte des Trauerspiels:

> Nicht ist von Recht noch von Gericht die Rede:
> Hier ist Gewalt! entsetzliche Gewalt. (V. 1747 f.)

Der Gerichtsrat, Vertreter der Justiz, ist ohnmächtig gegenüber den die Gesellschaft tatsächlich beherrschenden Gewalten. Auf die Frage Eugenies:

> Was ist Gesetz und Ordnung? Können sie
> Der Unschuld Kindertage nicht beschützen?
> Wer seid denn ihr, die ihr mit leerem Stolz
> Durchs Recht Gewalt zu bändgen euch berühmt? (V. 2005 ff.)

antwortet der Gerichtsrat:

> In abgeschloßnen Kreisen lenken wir,
> Gesetzlich streng, das in der Mittelhöhe
> Des Lebens wiederkehrend Schwebende.
> Was droben sich, in ungemeßnen Räumen,
> Gewaltig seltsam hin und her bewegt,
> Belebt und tötet ohne Rat und Urteil,
> Das wird nach anderm Maß, nach andrer Zahl
> Vielleicht berechnet, bleibt uns rätselhaft. (V. 2009 ff.)

Die das politische und gesellschaftliche Leben bestimmenden Mächte
sind unberechenbar, irrational geworden. Sie lassen sich auch in keiner
Weise mehr personalisieren. Ihre Vertreter sind selber gebunden, handeln gegen ihre eigene Überzeugung. Sowohl der Gouverneur, der Vertreter der weltlichen Macht, als auch die Äbtissin, die Vertreterin der
kirchlichen Macht, versagen, obwohl sie besten Willens sind. Der Anblick eines Papiers, des Schreibens des Königs, der selber nur gegen seinen Willen den Ausweisungsbefehl unterschrieb, lähmt jeden sittli-
chen Willen:

> Leider sind auch sie [die politisch Mächtigen]
> Gebunden und gedrängt. Sie wirken selten
> Aus freier Überzeugung. Sorge, Furcht
> Vor größerm Übel nötiget Regenten
> Die nützlich ungerechten Taten ab. (V 1796 ff.)

Niemand besitzt wirkliche Macht. Jeder ist Funktionär und Werkzeug
einander widerstreitender „Interessen" geworden, die selber zwar nicht
„irrational" sind, sich durchaus definieren lassen, aber ihre eigene Dy-
namik besitzen, die sich sogar gegen ihre eigenen Vertreter zu richten
vermag und zwar aufgrund des alles beherrschenden Nützlichkeits-
prinzips, das permanent „nützlich ungerechte Taten" hervorruft auch
innerhalb sozialpolitischer Richtungen, die nichts anderes als Freiheit,
Gleichheit, Gerechtigkeit für alle erstreben.

Auch das „Volk", von dem Eugenie ihre „Freiheit" (V. 2351) erwartet,
wendet sich gleichgültig von Eugenie ab, ja hält Eugenie für „des Wahn-
sinns Beute" (V. 2399). Das Ganze, Regierende wie Volk, ist zu einem
gesetzlos auseinanderstiebenden Explosionsherd geworden:

> Die zum großen Leben
> Gefugten Elemente wollen sich
> Nicht wechselseitig mehr mit Liebeskraft
> Zu stets erneuter Einigkeit umfangen.
> Sie fliehen sich, und einzeln tritt nun jedes
> Kalt in sich selbst zurück. (V. 2826 ff.)

Ein weiteres gravierendes Element der modernen Gesellschaft deckt
Goethe in Eugenies Gespräch mit ihrer Hofmeisterin am Beginn des
fünften Aktes auf: die Pervertierung der Sprache, genauer die Fesselung
des Menschen durch die gesellschaftlich vorgeprägte Sprache. Sie ist
das Diabolischste, das uns permanent angetan wird. Eugenie zur Hofmeisterin:

Mit welchen Ketten führst du mich zurück?
Gehorch ich, wider Willen, diesmal auch!
Fluchwürdige Gewalt der Stimme, die
Mich einst so glatt zur Folgsamkeit gewöhnte,
Die meines ersten bildsamen Gefühls
Im ganzen Umfang sich bemeisterte!
Du warst es, der ich dieser Worte Sinn
Zuerst verdanke, dieser Sprache Kraft
Und künstliche Verknüpfung; diese Welt
Hab ich aus deinem Munde, ja mein eignes Herz.
Nun brauchst du diesen Zauber gegen mich,
Du fesselst mich, du schleppst mich hin und wider,
Mein Geist verwirrt sich, mein Gefühl ermattet,
Und zu den Toten sehn ich mich hinab. (V. 2365 ff.)

Damit hat Goethe ein Phänomen formuliert, das immer wieder bis Karl Kraus und bis zu den modernen Linguisten und Sprachphilosophen höchste Beunruhigung ausgelöst hat: die Sprache als Kerker des Geistes, genauer als sein Verfälscher. Echte Sprache gibt es nicht mehr. Bruno Liebrucks[20] zieht daraus die Folgerung: wir leben in einer sprachlosen Zeit, gerade weil uferlos geredet wird. Wir haben keine Dichtung. Die Poesie ist verstorben.

Goethe hatte das Problem früh erkannt. Mignon, Genius der Poesie selbst, sträubt sich gegen die Sprache, genauer: gegen die gesellschaftliche Rede:

Heiß mich nicht reden, heiß mich schweigen;
Denn mein Geheimnis ist mir Pflicht.

Dichtung und gesellschaftliche Sprache sind nicht mehr verknüpfbar. Sogar das Innerste Eugenies, „mein eigen Herz", wurde korrumpiert durch den fatalen „Zauber" jener Sprache, die die Hofmeisterin ihr schon in ihrer Kindheit einflößte. Ihre gesamte Vorstellungswelt wurde vergiftet und geprägt durch „der Worte Sinn", den die Hofmeisterin ihr eingab: „diese Welt hab ich aus deinem Munde".

Damit ist das äußerste gesagt, was über die moderne Welt gesagt werden kann. Den Bann gesellschaftlicher Sprache zu brechen, sieht sich auch Eugenie außerstande. Darum sehnt sie sich hinab zu den „Toten".

Goethes angeblich „klassizistischstes" Drama *Die natürliche Tochter* – das eben wegen dieser scheinbar zeitentrückten Klassizität kaum beachtet und aufgeführt wird – ist auf eine merkwürdige Weise das wohl hellsichtigste „moderne" Drama, das je geschrieben wurde. Davon hat weder die Goetheforschung noch die moderne Literaturkritik jemals Kenntnis genommen. Aber auch das gehört wohl zu den Merkmalen jener „Kultur", deren Kommen Goethe voraussah, deren Genesis er beschrieb.

Anmerkungen

[1] Die enge innere Verbindung zwischen Iphigenie und Eugenie wurde mit beweiskräftigen, überzeugenden Argumenten nachgewiesen in dem Aufsatz von Theodore Ziolkowski: „The Imperiled Sanctuary: Toward a Paradigm of Goethe's Classical Dramas", *Walter Silz-Festschrift*: University of North Carolina 1974, S. 71–87. Darin wird auch die wichtigste neuere Literatur über *Die natürliche Tochter* angegeben.

[2] Die Paradoxie dieser Schlußformulierung rief notwendigerweise auch in der Forschung extrem kontroverse Interpretationen hervor. Die einen sehen in der Umarmung zwischen Tasso und Antonio eine „Lösung" des Konflikts, eine „Versöhnung" zwischen beiden Positionen. Die anderen halten an der tragischen Unversöhnbarkeit der Antinomien fest, da im Text nicht die geringste Möglichkeit angedeutet wird, wie die eine Position durch die andere vermittelt werden kann und umgekehrt. Da sämtliche anderen Tragödien und Dramen Goethes einen visionär befreienden oder hoffenden Schluß kennen, mag er auch irreal oder „opernhaft" sein: *Götz, Egmont, Clavigo, Iphigenie*, selbst die *Gretchentragödie* sowie die ganze „Tragödie" *Faust I und II*, muß m. E. *Tasso* als „ausweglosester" Sonderfall gesehen werden. Nicht ohne Grund nannte Goethe *Tasso* einen „gesteigerten *Werther*". Und möglicherweise hat Goethe dem Drama *Tasso* gerade deswegen nicht das Prädikat „Tragödie" verliehen, sondern es ein „Schauspiel" genannt, weil es dem Gesetz der Gattung Tragödie nicht gehorcht, das nach Goethe eine „höhere", abrundende Aussöhnung verlangt, die er diesem Drama nicht geben konnte. Wünschbar ist zwar die Versöhnung zwischen Tasso und Antonio, von denen es im Drama heißt, sie müßten eigentlich zwei Hälften *eines* Menschen sein. Daher die „Umarmung" am Schluß des Dramas. Aber *wie* sich die Verbindung zwischen beiden konkret vollziehen kann, bleibt rätselhaft offen, war für Goethe selbst redlicherweise nicht vorstellbar angesichts der Wirklichkeit, in der er lebte. Zum Problem der Tragödie, ihrem Verhältnis zur Oper usw. vgl. die Ausführungen in meinem Buch: *Die Symbolik von Faust II. Sinn und Vorformen*. Frankfurt a. M. – Bonn: Athenäum Verlag 1964 (3. Aufl.), S. 67–88.

[3] Es sei hier verwiesen auf die seit Walter Benjamins Trauerspielbuch auch in die Literaturwissenschaft eingedrungene Unterscheidung zwischen „Tragödie" und „Trauerspiel". In der *Natürlichen Tochter* existiert im strengen Sinne eigentlich kein „tragischer" Konflikt mehr, wie er etwa im *Tasso* zwischen dem Dichter und Staatsmann, im *Egmont* zwischen Egmont und Alba, bzw. Oranien, in der *Iphigenie* in Iphigenies Kampf zwischen zwei Pflichten (Thoas und Orest gegenüber) ausgetragen wird. Der eigentliche Gegenspieler Eugenies, ihr Bruder, der ihre Verbannung betreibt, fällt ganz aus. An die Stelle eines „tragischen" Konflikts tritt der „traurige" Lauf der irdischen und geschichtlichen Welt selbst, die – wie schon im barocken Trauerspiel – in ihrem tiefsten Grund als „Trümmerstätte" erscheint (Vision des Mönchs), verursacht – auch bei Goethe – durch die allen Menschen inhärente Erbsünde, aus der alles geschichtliche Übel hervorging (Eugenie: „Oh, so ist's wahr, was uns der Völker Sagen Unglaublich überliefern! Jenes Apfels Leichtsinnig augenblicklicher Genuß hat aller Welt unendlich Weh verschuldet", V. 1920 ff). Auch auf Eugenie lastet diese gleichsam prädestinierte „Schuld", da es gerade zu ihrem ureigensten „Wesen" gehört, in die „Welt", in die „Erscheinung" zu treten und daher die verhängnisvolle Schmuckkiste zu öffnen (vgl. dazu die späteren Ausführungen). Daher wird das Drama weniger bestimmt durch dramatische Handlungen als vielmehr primär durch die „Klage" über ein unerbittlich abrollendes Verhängnis (Sturz Eugenies

schon im ersten Akt, die endlosen Klagen ihres Vaters im dritten Akt usw.). Folgerichtig geht die dramatische Struktur in der *Natürlichen Tochter* bereits über in ein episches Stationendrama, das – wie Peter Szondi in seiner *Theorie des modernen Dramas* gezeigt hat – charakteristisch ist für das Drama des 20. Jahrhunderts.

[4] Die Welt als Wüste und Trümmerstätte ist geradezu ein Generalthema der Literatur des 20. Jahrhunderts: Samuel Beckett, W. H. Auden, T. S. Eliot usw.

[5] Die Pferdemetapher in Verbindung mit dem „Dämonischen" durchzieht fast das gesamte Schaffen Goethes. Der „Zentauer" Chiron führt Faust in die Unterwelt zu Helena: „Von Pferdes Hufe Erklingt die heilige Stufe, Halbgötter treten heran" (Faust II, V, 7471 ff.). Verwiesen sei ferner auf das Dramenfragment *Elpenor*, auf die pädagogische Bedeutung der Pferdezucht und des Reitens in der Pädagogischen Provinz in *Wilhelm Meisters Wanderjahre*, wo am Schluß Wilhelms Sohn Felix – wie Eugenie – aufgrund seiner Leidenschaft vom Pferd stürzt.

[6] Die Poesie wird von Goethe häufig mit einem „Vogel" verglichen, der sich über alles Irdische erhebt. „Wie ein Luftballon hebt sie uns mit dem Ballast, der uns anhängt, in höhere Regionen und läßt die verwirrten Irrgänge der Erde in Vogelperspektive vor uns entwickelt daliegen" (*Dichtung und Wahrheit*, Weimarer Sophienausgabe = WA, Abt. I, Bd. 28, S. 213). Ähnliche Belege in *Wilhelm Meister*.

[7] *Weimarer Sophienausgabe* = WA, Abt. I, Bd. 16, S. 446.

[8] ebd.

[9] ebd. S. 447.

[10] Die Vorstellung, daß eine günstige Sternstunde notwendig sei, damit ein großes Werk gelinge, ist bei Goethe verbunden mit der griechischen und christlichen Kairos-Vorstellung von der „erfüllten Zeit". Es sei erinnert an das Wort „Es ist an der Zeit" in Goethes *Märchen* (in den *Unterhaltungen deutscher Ausgewanderten*), das ja gleichfalls einen Welterlösungsmythos gestaltet, ferner an die Vorgänge im Festspiel *Des Epimenides Erwachen*, an Goethes *Zauberflöte II. Teil*, an das befreiende Meeresfest am Schluß der *Klassischen Walpurgisnacht*, das den Triumph des „Eros" feiert und unter der astrologischen Konstellation steht: „Mond im Zenith verharrend".

[11] In der *Klassischen Walpurgisnacht* überdauert verborgen „in Cyperns rauhen Höhle-Grüften" die Göttin der Liebe die Jahrtausende europäischer Kriege und Wirren, „unsichtbar dem neuen Geschlechte" (Faust II, V. 8359 ff), bis sie endlich beim Meeresfest wieder hervortretn kann. Ähnlich schläft Epimenides verborgen in Höhlen, während die Napoleonischen Kriege über Europa dahinrasen, bis er endlich „erwacht" und die Befreiung herbeiführt.

[12] Wenn es von Eugenie heißt, sie schien „den Elementen göttlich zu gebieten" (V. 1389), so wird hiermit eine Möglichkeit des Menschen formuliert, die Goethe positiv darstellte, z. B. im todbereiten Sprung der Kinder Phileros und Epimelaia in Wasser und Feuer, woraus eine göttergleiche Überlegenheit über die Elemente entspringt (in *Pandora*), ähnlich im Sprung des Liebenden ins Wasser in der in die *Wahlverwandtschaften* eingelegten Novelle *Die wunderlichen Nachbarskinder*. Dagegen wird der Versuch, sich ängstlich gegen die Elemente zu schützen, als verhängnisvoll dargestellt in den Figuren Eduard und Charlotte im gleichen Roman, aber auch in dem Bestreben des greisen Faust, die Elemente zu bändigen durch zivilisatorische Taten. Die Elemente haben sowohl positiv göttliche, segnende wie auch tödlich vernichtende Qualitäten bei Goethe (vgl. dazu mein Buch über *Faust II* (Anm. 2), S. 366 ff.).

[13] Die Figur des Kaisers hat natürlich nicht das geringste mit Personalität oder „Genius" gemeinsam. In seiner Begegnung mit den „Elementen" wird jedoch angedeutet, welche Möglichkeit er gehabt hätte bei furchtloser Berührung mit dem Feuerelement. Erst durch sie wäre er wahrer Souverän geworden, hätte auch die Gewalten des Krieges, die symbolisch mit der flammenden Goldkiste verknüpft werden, in den Griff bekommen können.

[14] *Dichtung und Wahrheit*: WA I, Bd. 29, S. 176 f.

[15] Gesperrt von mir.

[16] Selbstverständlich hat auch Goethe ständig gegen das „unbedingte" Streben, gegen den Geniekult der Romantiker, ihre „falschen Tendenzen" polemisiert. Es wimmelt in seinen Schriften geradezu von solchen Äußerungen. Innerhalb seiner Dichtungen erscheint solche Kritik wohl am eindrucksvollsten in der Beschwörung Mignons am Gardasee in *Wilhelm Meisters Wanderjahren*, wo die „Entsagenden" nochmals in eine fast hemmungslose, schmerzliche Sehnsucht nach Mignon verfallen, aber dann belehrt werden, alle Sehnsucht müsse im konkreten Tun verschwinden. Goethe war sich deutlich bewußt, daß Poesie – im Sinne Mignons – in der modernen arbeitsteiligen Gesellschaft unmöglich, ja geradezu gefährlich ist. Jedoch: warum beschwor Goethe nochmals – lange nach ihrem Tod – Mignon mitten in der von ihm dargestellten und bejahten arbeitsteiligen Gesellschaft? Offenbar, weil sie für ihn doch ein unauslöschbares, unverzichtbares Phänomen war, von dem er sich selber nie ganz losreißen konnte und durfte. Dieser Selbstwiderspruch in Goethe charakterisiert genau die Situation, in der wir uns imgrunde heute noch alle befinden. Der Konflikt ist unlösbar und bleibt auch redlicherweise für Goethe selbst unlösbar, so unlösbar, wie bereits die Antinomien zwischen Tasso und Antonio waren.

[17] Um dieses „Gesetz", um das „Unzerstörbare" im Inneren des Menschen hat sich im 20. Jahrhundert Franz Kafka verzweifelt bemüht.

[18] Ein ähnliches „wahnhaftes" Verhalten schildert Goethe in den *Wahlverwandtschaften* in Eduards und Charlottens Bemühungen, die Naturgewalten und den Tod zu vertreiben durch Parkanlagen, einen künstlichen Teich und Einebnung des Friedhofs.

[19] *Weimarer Sophienausgabe* = WA Abt. I, Bd. 2, S. 248.

[20] Bruno Liebrucks: *Sprache und Bewußtsein*, Frankfurt a. M.: Akademische Verlagsgesellschaft (Bd. I, II, III); Verlag Peter Lang GmbH (Bd. IV, V, VI, 1, 2, 3) 1964–1974. Das bis jetzt 8 Bände umfassende Werk ist noch nicht abgeschlossen.

Harry Levin

The Rhetoric of Revolution

> Wir sind die Erfinder der Revolution
> doch wir können noch nicht damit umgehen
> Im Konvent sitzen immer noch Einzelne
> jeder von seinem Ehrgeiz beseelt
> und jeder will etwas von früher übernehmen
>
> Peter Weiss, *Marat/Sade*

Revolution, at its two-hundredth year, has become almost synonymous with tradition – as some of our most conservative ladies have borne witness by proclaiming themselves its daughters. France, which has recast its government some fifteen times between the Ancien Régime and the Fifth Republic, has virtually built the revolutionary tradition into a way of life. It has taken Russia but a few years for insurrection to harden into orthodoxy, and that process has been even quicker and harder with the „cultural revolution" of China. Major changes have been acknowledged at every stage of such development, and sometimes the acknowledgment has been more conspicuous than the change. Often, however, those who cut themselves off from their own past have fortified themselves by appealing to traditions of a different order. When Louis XVI first heard about the fall of the Bastille, it is related, his instinctive question played down the challenge to his authority: „C'est une révolte?" The reported answer of the Duc de Rochefoucauld-Liancourt recognized the dawn of a new epoch by simply attaching an abstract suffix to the critical noun: „Non, Sire, c'est une révolution!" The courtier may well have been using the word in its fullest sense, meaning the completion of one cycle and the beginning of another, rather than a sudden break in continuity.

Revolutio is not classical Latin; the earliest usage instanced by Ducange is from Saint Augustine. Cicero, though his age was beset with movements of that kind, referred to them by such expressions as *mutatio rerum*. The term itself was literally used for the cycles of the physical universe, most notably in the treatise of Copernicus, *De revolutionibus orbium coelestium*, and then metaphorically transferred from astronomy to politics by way of astrology. As applied to science, it completed a circle of its own; for, as I. B. Cohen has shown in an illuminating article, ,,scientific revolution'' was not invented by recent intellectual historians, but had established itself in the vocabulary of the Enlightenment. History may retrospectively speak of the Cromwellian period as ,,the English Revolution.'' For Clarendon, its royalist historian, it was ,,the Great Rebellion''; both he and Hobbes, its sternest castigator, looked upon revolution as ,,a circular motion of the sovereign power'' which restored the Stuarts to their throne. Cromwell himself, once alluding to ,,this revolution,'' seems to have been employing the cyclical metaphor, as did his Latin secretary Milton, on referring to the Reformation and the Renaissance. Those who read his state correspondence in English should not be misled: ,,revolution'' there is a translation of the original *conversio rerum* or *res novae*.

Milton's earliest translator, his nephew Edward Phillips, could indeed offer that rendering with some propriety in 1694. By that time the historic event had occurred that would put an English stamp on future revolutions, the Glorious Revolution of 1688. Locke, its philosophical apologist, would bequeath a rationale to the American lawyers and merchants who broke their colonial ties, so that they could frankly come to look upon their actions as revolutionary. John Adams would repeatedly distinguish between revolution and war, arguing that the real American Revolution had already been effected in people's minds and hearts during the fifteen years before the war; and Benjamin Rush would extend the notion by adding that, as a consequence of the social and political permutations, this revolution in opinion must be continued after the war. Milton had been more radical than Locke or our founding fathers; his depiction of revolt–if not revolution–in heaven would be interfused with impressions of the French Revolution, for poetic witnesses like Blake and Chateaubriand. He had been an official propagandist for the Commonwealth, with the paradoxical assignment of defending regicide before the crowned heads of Europe and against their pamphleteering spokesmen. He was not above compromising his eloquence by occasional lapses into their vein of invective and pedantry.

He could console himself by the thought that his eyesight had been sacrificed ,,In liberty's defense, my noble task,/ Of which all Europe talks from side to side.'' And he could acknowledge the prime example of Demosthenes, even when the divine protagonist of *Paradise Regained* could not accept it:

Thence to the famous orators repair,
Those ancient, whose resistless eloquence
Wielded at will that fierce democraty,
Shook the Arsenal and fulmined over Greece,
To Macedon, and Artaxerxes' throne.

He could found his *Areopagitica* on a speech by Isocrates, framing it as an imaginary address to a Hellenized incarnation of Parliament. But though it followed a strictly classical pattern, though it cited ancient and modern instances, though it would inspire Roger Williams and Mirabeau among others, though it has been properly enshrined among the classics of free speech and civil liberties, it failed to achieve its immediate purpose. It did not succeed in convincing the Lords and Commons, dominated as they were by the Presbyterian party, that they should discontinue those licensing practises which constituted censorship of the press. Thus, as a rhetorician of revolution, Milton sensed the situation that would and should open up when opposing beliefs had access to print and increasing literacy had widened the audience. Yet he himself had to live in a transitional world, writing by the rules of Athenian oratory, formulating public issues in the learned language of humanistic controversy, and looking toward posterity as a forum for the democratic interchange of ideas.

The ideology of Milton and Cromwell drew breath from a religious atmosphere, which would be secularized by the Age of Reason. Some of their extremist contemporaries, moreover, fostered certain chiliastic expectations which would survive underground – as it were – and would not become less ardent while potential revolutionists waited longer for the postponed millennium to arrive. Paradise would take the secular form of utopia, as defined by totally negating the status quo and sharply breaking with every vestige of an establishment. ,,According to the prevailing notions all was to be natural and new." So William Hazlitt describes this state of mind.

Nothing that was established was to be tolerated. All the common-place figures of poetry, tropes, allegories, personifications, with the whole heathen mythology, were instantly discarded; a classical allusion was considered as a piece of antiquated foppery; capital letters were no more allowed in print, than letters-patent of nobility were permitted in real life; kings and queens were dethroned from their rank and station in tragedy or epic poetry, as they were decapitated elswhere; rhyme was abolished along with regular government. Authority and fashion, elegance and arrangement, were hooted out of countenance, as pedantry and prejudice.

Hazlitt was describing, with considerable distortion, the impact of the French Revolution on English writers of Wordsworth's generation. The notion that a clean institutional sweep would make a *tabula rasa* of literature was, of course, a deliberate reduction to absurdity. Roger Fry turned the reduction into a question, when he wondered why „the French Revolution and all its accompanying intellectual ferment had inspired no serious correspondence in art." Truly it was the revolution, and not the monarchy, that carried academic Neo-Classicism to its cold blooded consummation: in the art of David, the verse of Pindare-Lebrun, the criticism of LaHarpe, the drama of M. J. Chénier, and the acting of Talma. Not before the lag of another generation would that ferment overtake the arts and develop more appropriate modes of expression. These would emerge with the bourgeois revolution of 1830: in the painting of Delacroix, the music of Berlioz, the theater of Victor Hugo — in short, with Romanticism.

Living through this transition, Benjamin Constant could suggest an explanation to Alfred de Vigny: „In fear of seeming too eager to cast off all fetters, they preserved the lightest ones, *the literary rules.*" During the period of the religious wars, Protestants and Catholics by turn could justify the overthrow of rulers on doctrinal grounds: Huguenots with the *Vindiciae contra tyrannos*, Jesuits with Mariana's *De rege.* But, given the closeness of church and state under the Gallican dispensation, both were bound to be simultaneously overturned by the revolutionary cohorts. Hence Christianity, as a major cultural influence, fell into temporary abeyance, if not under direct attack. What was left to provide the paraphernalia of civilized discourse? Western education has traditionally combined the two disparate yet complementary cultures, the Judeo-Christian and the Greco-Roman. Puritans, both in seventeenth-century England and in eighteenth-century America, could interpret the course of events through scriptural prefiguration. Lord North would be identified with Haman, George III with Ahasuerus, Benjamin Franklin with Mordecai, and the colonists with Esther and the Jews. Even Thomas Paine drew a parallel between General Howe and the termagant of the Gospels: „None but a Herod of uncommon malice could have made war on infancy and innocence..."

Since the French were Latins, closer to Rome itself, and since they had never committed themselves so whole-heartedly to the Bible as the Anglo-Americans, they could immerse themselves all the more readily in the other great cultural stream. Classical antiquity would consequently become their definitive sourcebook for precepts and precedents. The lines I quoted from Milton set forth the powerful spell of the Greek orators, to be sure, and yet that was presented as a worldly temptation which the Son of God resists. On the other hand, a typical orator of the Convention, Camille Desmoulins, had pledged his allegiance to the ancients in youthful verses:

> Je vis avec ces Grecs et ces Romains fameux,
> J'étudie une langue immortelle comme eux.
> J'entends plaider encor dans le barreau d'Athènes;
> Au jourd'hui, c'est Eschine, et demain Démosthène.
> Combien de fois, avec Plancius et Milon,
> Les yeux mouillés de pleurs, j'embrassai Cicéron.

Similarly and even more passionately, Madame Roland at the age of eight or nine – as she tells us in her memoirs – shed tears because she had not been born a Spartan or a Roman. Greece and Rome, though symmetrically balanced in Plutarch's *Lives*, which was her substitute for a prayer-book, were not equally represented in the school curriculum. Most of the texts, while presupposing a common frame of reference, were those of Latin authors. These afforded models of declamation which the schoolboys would respectfully emulate when they grew up and got elected to the national assemblies. The speakers had also garnered a convenient typology of object-lessons and awful examples. Cato was the archetype of highest probity; Catiline was the epithet for the most perfidious behavior, flung by Saint-Just at the King himself; while poor Marie-Antoinette was promiscuously saluted as Cleopatra, Agrippina, and Messalina. Karl Marx succinctly observed that the French Revolution was performed in Roman dress. The Goncourt brothers would sketch a pictorial background, and reveal their aristocratic sympathies, when they commented that it took place against a setting for tragedy. A favorite hero, Lucius Junius Brutus, helped to prepare the way for the Terror, since his patriotic zeal had led him to immolate his sons. Voltaire's play about him, frequently revived, summed up the moral choice in an elegant zeugma:

> Je suis fils de Brutus, et je porte en mon coeur
> La liberté gravée, et les rois en horreur.

The revival of interest in classical antiquity, according to Hobbes, is likely to have a subversive effect on established regimes. He emphasizes this tendency, in *Behemoth*, while pointing out the causes of the British Civil Wars:

There were an exceeding great number of Men of the better sort, that had been so educated, as that in their Youth, having read the books written by famous men of the Grecian

and Roman common-wealths, concerning their polite and great Actions; in which Books
the Popular Government was extoll'd by that glorious Name of Liberty, and Monarchy
disgraced by the name of Tyranny, they became thereby in love with their Forms of Government; and out of these Men were chosen the greatest part of the House of Commons;
or if they were not the greatest part, yet by advantage of their Eloquence, were always able
to sway the rest.

Hobbes, as an arch-monarchist, was taking the negative attitude toward
all such motivation; but his diagnosis fits in well enough with the view
from the republican side. His most antithetical contemporary, Alger-
non Sidney, put the matter in positive terms: „The glory, virtue, and
power of the Romans began with their liberty." The Greeks, at a farther
distance, likewise exhibited vistas of idealized republics, and Demosthenes was a tutelary figure because he had fulminated against an
encroaching despotism. But the commanding oratorical stance was that
of Cicero, denouncing the treason of Catiline and the corruption of Ver-
res. Sallust aud Tacitus were read with special attention, because they
had chronicled the train of conspiracies that ended by reducing the up-
right republic to imperial decadence. Livy, all but prehistoric, had
dramatized the legendary origins of Roman republicanism. Patrick
Henry's magniloquence – which Jefferson likened to Homer's – was
strongly influenced by Livy's *Decades*. There the speeches had not been
literary versions of historical documents, like Cicero's; rather, they
were *contiones*, fictitious harangues put into the mouths of quasi-sym-
bolic personages. Above all, it was the belated Plutarch who moralized
the prototypes of civic leadership, whose bracketed Greeks and Romans
exemplified the heroic virtues as visualized from a retrospective and
nostalgic vantage-point.

   John Adams, who had relaxed from his legal studies by declaiming
the Catilinarian orations, declared his „revolution principles" in 1775.
„They are the principles of Aristotle and Plato, of Livy and Cicero, and
Sidney, Harrington, and Locke. The principles of nature and eternal
reason." That spectrum should be broad enough to accommodate the
variety of positions that a practical revolutionist might be called upon
to take. Sidney, the libertarian martyr, occupied a hallowed niche in the
pantheon of the Yankee republicans. His copybook maxim, *Ense petit
placidam sub libertate quietam,* was adopted as the motto of Mas-
sachusetts in 1778, and Adams had quoted it in his defense of the British
officers tried for the Boston Massacre. The names of the English ideo-
logues are habitually mingled with those of their ancient mentors in the
reading-lists of the patriots. „America hath in store her Bruti and Cassii,
– her Hampdens and Sidneys," prophesied Josiah Quincy. Tyrannicide

has its own canon of patron saints. John Hancock asked, rhetorically: ,,. . . where a degrading servitude is the detestable alternative, who can shudder at the reluctant poignard of a Brutus, the criminal axe of a Cromwell, or the reeking dagger of a Ravaillac?" Patrick Henry had deliberately introduced much the same roll-call of exemplary assassins in his famous speech on the Stamp Act:

Caesar had his Brutus – Charles the first, his Cromwell – and George the Third –

Notice how the suspense builds up to the interruption, animating what is no more than a series of standard tropes with Hancock. Then, amid cries of ,,Treason!" from the Virginia House of Burgesses, Henry deflects the final thrust, and the threat subsides into a warning:

– *may profit by their example.* If this be treason, make the most of it.

Like the French shortly afterward, the Americans dipped self-consciously into the annals of a more distant past, in the realization that they were entering the main stage of history, that the bourgeoisie were now daring to contend against royalty, and that their temerity would assume universality by being dignified with Roman dress. When Joseph Warren delivered his second oration on the Boston Massacre at the Old South Meeting House in 1775, it is reported that he wore ,,a Ciceronian toga," and that he adopted ,,a Demosthenian posture, with a white handkerchief in his right hand and his left in his breeches." It is not reported whether the breeches were regarded as Ciceronian or Demosthenian. The polemical armory included the usual stock of epithets and pseudonyms. Aaron Burr would be assailed as a Catiline, John Adams hailed as a Themistocles. ,,In looking over the periodical and literary publications of the past century," wrote H. H. Brackenridge, ,,I find innumerable entertaining and instructive pieces from the pens of Solon, Lycurgus, Numa, Mucius Scaevola, Camillus, Brutus, Pliny, and others equally respectable." The pages of Bernard Bailyn's invaluable collection, *Pamphlets of the American Revolution*, are thickly strewn with classical allusions, tags, and epigraphs. It is with some reason, then, that we call our upper house of legislature the Senate, and misquote Vergil on our dollar bills.

The grand style of the fathers would classicize their legend around the predominant image of George Washington: whether as *pater patriae*, or in the Livian role of Cincinnatus, or in a half-draped marble bust

by Houdon, or as the eponym of a colonnaded capital. The forensic tone
was not restricted to the rostrum; it pervaded election sermons, com-
mittees of correspondence, and torrents of poetry. The neo-Augustan
diction of Philip Freneau and the Connecticut Wits rocks back and forth
monotonously from „tyrants" to „slaves" and from „crowns" to
„shackles." But rhetoric, after all, is the art of persuasion, and these
rhetoricians had more to do than engage in ornamental flourishes. Sam
Adams underlined the pragmatic intent of their collective endeavor:
„by the Greeks and the Romans" they were seeking „to get at the Whigs
and the Tories." Yet the most effective of the pampleteers won his multitudinous readers by adjuring the verbal graces. Thomas Paine was a
plain stylist, albeit a pithy phrasemaker. Rather than by citing illustri-
ous analogies, he gained his points by making them seem obvious –
Common Sense, in his own titular phrase – at a moment when they still
must have seemed far from certainties to many. Paine supplied the argument to convince the average citizen, even as six months later Jefferson would draft the declaration that served notice to the world at large.

Jefferson, classicist though he was in literary taste and architectural
talent, did not indulge his pellucid prose in classical embellishments.
Among the resonant voices of the Continental Congress, he was con-
spicuously not an orator. His autobiography deplores what he terms
„the rhapsodies of the rhetor Burke," while presenting a vivid eye-wit-
ness account of the fall of the Bastille. Since the Declaration of Independence is a state-paper, and one that is thoroughly conscious of its
historic importance, its language operates on an elevated plane of ab-
straction. But Jefferson, like his coevals with similar interests, naturally tended toward Latinate English; he did not have Lincoln's feeling
for the countervailing force of Anglo-Saxon idiom. Later critics would
arise from the slaveholding states, who would retroactively try to dis-
miss his preliminary statement of natural rights – more especially the
first premise „that all men are created equal" – as a tissue of „glittering
and sounding generalities." He himself claimed no more nor less for the
document as a whole than that it was „an expression of the American
mind." The degree to which he formulated the popular will may be
judged by comparing the draft he printed in the *Autobiography* with the
final corrections of the Congress, as well as with what we know about
the earlier modifications made in consultation with Franklin and John
Adams.

Changes prompted by the committee are relatively slight, generally
moving toward greater clarity. Jefferson had initially written: „We hold

these truths to be sacred." The substituted adjective, „self-evident,"
displaces religious fervor with cool logic, which is actually more in
keeping with Jefferson's deistic temperament. He was not originally responsible for the explicit reference to „their creator," and it was the
Congress that inserted the concluding appeal for „the protection of divine providence." This may well have started a congressional trend toward obligatory benediction, and such pieties as the insertion of „under
God" in the Oath of Allegiance. If Jefferson's fellow committeemen
persuaded him to drop or change „independent," which had figured
twice in his first two paragraphs, it was probably so that this decisive
word could ring out more effectively at the end. Certainly the accusa-
tion was strengthened by changing „arbitrary power" to „absolute despotism." But inevitably the need for concurrence would weaken the
statement here and there, and the author would smart for the rest of his
life at the Congress's „depredations." Chief of these was the final
charge against George III, which was intended to climax the indict-
ment, frankly presented as „a vehement philippic against negro slavery." It is not surprising that this militant passage was struck out, in exchange for signatures from Georgia and South Carolina.

It is more significant that a protest and a commitment involving thirteen states, and leading directly to civil war and national autonomy,
could have been composed in eighteen days by a single individual with
advice from two others, and could have survived a three-day debate
with so little curtailment or interference. Granted, they were three of
the ablest individuals that a crisis may ever have brought together.
Their project, however, was the consolidation of a public discussion
which, as Adams noted, had been going on for fifteen years. The specific
enumeration of charges against the King stands in striking contrast to
the statements of principle that precede and follow. This is in the
British constitutional tradition, and recalls the grievances put forward
by John Pym at the opening of the Long Parliament in 1640. It always
smacks somewhat of war propaganda to center the animosity upon the
person of the monarch. The delegates knew what ministers were to
blame, and had muted Jefferson's criticism of the English people. Even
John Wilkes, in the controversy that cost him his political career, had
been careful to avoid *lèse-majesté*. What has survived without dating,
or fading into topicality, is what was most distinctively Jeffersonian,
the framework of exposition formulating the premises and the conclusions – or, to revert to technical terminology, the exordium and the per-
oration.

Though the introductory recapitulation touches upon the common-
places of democratic thought, the selection and arrangement are characteristic. It seems that there are various „unalienable rights," and
„among these" three are singled out. If Locke had been unreservedly followed, they would be „life, liberty, and property" – a triad of values
which had been endorsed in a declaration of the Congress two years before. „Liberty and property!" was the shout of the shop-keeping mob
that protested the Stamp Act. „Life" could hardly be questioned as the
primary desideratum. Jefferson had been dissuaded from writing „the
preservation of life," possibly to clarify a grammatical ambiguity. „Liberty" is the key-word, as it has continuously been for democracy from
Aristotle to Lord Acton. It was a Miltonic axiom, from *The Tenure of
Kings and Magistrates*, that „all men naturally were born free." But
freedom could not exist without equality, which – for Jefferson along
with Paine – is man's inherent precondition. The wisdom of the
medieval proverb,

> When Adam delved and Eve span,
> Who was then the gentleman?,

would be updated in a Pope-like couplet from Joel Barlow's *Columbiad:*

> Equality of rights is nature's plan;
> And following nature is the march of man.

Liberty is one of those concepts which derive their meaning from their
polar opposites: in this case from servitude or slavery, which was often
reprehended by the stalwart colonials, though seldom in connection
with their own black slaves. That it was oratorically regarded as a fate
worse than death Patrick Henry's winged words make clear. He was ex-
patiating upon a *topos* which goes back at least as far as to the
Agamemnon of Aeschylus. Addison's *Cato* won a great deal of unmer-
ited admiration for posing the rigid alternative:

> It is not now a Time to talk of ought
> But Chains, or Conquest; Liberty, or Death.

The dilemmas of our time have been faced with more flexibility: „Better red than dead." More affirmatively, the concept of liberty has em-
bodied itself in its sons and trees, its bell and statue, to say nothing of
the blessings promised in the preamble to the Constitution.

In displacing „property" with „the pursuit of happiness," Jefferson turned back from Locke to Aristotle, whose *Nicomachean* Ethics had its starting-point in the fundamental value, εὐδαιμονία. That this was compatible with the Christian ethos is stressed in an election sermon of 1754 by Jonathan Mayhew, which quotes Sir Thomas More upon the subject and affirms: „The end of government, then, as it is a divine ordinance, must be felicity." When Josiah Quincy mentioned „the greatest happiness of the greatest number" in 1774, he was anticipating the felicific calculus of Jeremy Bentham and the Utilitarians. Within a month before Jefferson's declaration, his native Virginia had promulgated a Declaration of Rights which specified „the enjoyment of life and liberty, with the means of acquiring and possessing property, and pursuing and obtaining happiness and safety." This may seem like having one's cake and eating it too, contrasted with the Jeffersonian choice, which raised the ethical standard by valuing happiness above property. That the phrase had been current in French may be inferred from a book published during that same articulate year, *La Recherche du bonheur*, signed with initials by a member of the Parlament. That pursuit of happiness would become a hedonistic credo for Stendhal; but his conception of it was intensely private and individualistic – a far cry from the „public happiness" about which Joseph Warren had orated at Boston in 1772.

Curiously enough, individual happiness was not a rallying-cry for the French Revolution. The *Droits de l'homme* declared in 1789, on the basis of freedom and equality, were „liberty, security, property, and resistance to oppression." The preamble to the Constitution of 1793 does refer to „le bonheur commun." This is more or less equivalent to the English „commonweal," and the adjectival component points back to the doctrine of „all things in common," the adumbration of Christian Socialism, and ahead to the Paris Commune and the Communist International. „Le bonheur commun", to Babeuf, was the aim of society, which was to be achieved by the abolition of property and „la communauté des biens." Babeuf had renounced his baptismal names and rechristened himself after Gracchus, the agrarian reformer who had been martyrized by his fellow Romans. Others had associated themselves with that patron saint, memorably Cola di Rienzi, the medieval insurrectionist, who – like Babeuf – styled himself a Tribune of the People. Babeuf, who was destined for a comparable downfall, voiced the extreme socialistic position of his day. Liberty was accorded priority in the prevailing slogans, life itself presumably being taken for granted –

even though it should not have been, given the fate of so many French revolutionists. „La liberté ou la mort" was the grim inscription on the tricolor flag, and all too often the odds against the happier option were dangerously high.

Alphonse Aulard, the historian of the French Revolution, came well equipped to his vocation, after teaching rhetoric in a *lycée*, and his commentary on the orators is particularly authoritative. „Liberty was something English," he notes. „Something new, and purely American, was equality." But, whereas equality had been presupposed by the Jeffersonian triad of rights, the French were more vocal about it, since they were engaged in levelling a monarchy. That levelling was verbally symbolized by the Duke of Orleans, when he changed his name to Philippe Egalité. A disquisition by Babeuf, *De l'égalité*, might be said to form a link between this egalitarian impulse and its absorption into the Marxist ideology. „Liberty, equality, fraternity!" The third member of that lay trinity was a more affirmative product of the effort to break down class barriers. In the 1840's the League of the Just would base its international slogan on a line from Schiller's *Ode to Joy*: „Alle Menschen werden Brüder." The first American capital had been named by its Quaker founder as a city of brotherly love, and the American revolutionists occasionally flaunted the Shakespearean tag about a „band of brothers." Their French confrères went much farther, doubtless because they had so many formalities to reject, signing their letters *fraternellement* and addressing every passer-by with the *tutoiement*. Yet, in suspending politer modes of address, they did not go quite so far as the Russians would in the direction of camaraderie. *Citoyen* and *citoyenne*, replacing *Monsieur* and *Madame*, romanized the *épicier* and the *portière*.

Michelet, in the preface to the 1847 edition of his history, shakes his head over the ironies of the fraternal catchword. He reminds us that it was not invented by Robespierre, but has been bandied about ever since the creation, though he refrains from naming Cain and Abel. The slogan of the Terror, „Fraternity or death," befits a fraternity of slaves, which would be a contradiction in terms. „Liberty alone... makes fraternity possible." And yet the cry of liberty has led so many of its proponents down the darker path. Here the interlocutor is Madame Roland on the scaffold: „O Liberty, what crimes are committed in thy name!" It seems incongruous that the Sans-culottes, that most plebeian of factions, did not include „fraternité" in their war-cry: „Liberty, equality, or death!" Their Manifesto of 1793 does reaffirm, in phraseology not unlike

Babeuf's, that the goal of the revolution is the happiness of the people. To the question, ,,What is a Sans-culotte?,'' a snarling pamphlet vouchsafes this response: ,,Un Sans-Culotte, Messieurs les Coquins! It is a being who always goes on foot, who does not have the millions that you are all after, has no country houses, no servants to wait upon him, and who dwells quite simply with wife and children – if he has any – on the fifth or sixth floor.'' Then, with relish, the pamphleteer quotes in English from ,,an English Sans-culotte,'' said to be a friend of Joseph Priestley's, ,,God Save the people! God-damn the Aristocrates!''

,,Vive le people! A bas les aristocrates!'' English might intensify such vicissitudes with its profanity, at any rate to French ears, not because the English were more profane than the French, but conceivably because they had more inhibitions to break through. The archetypal servant outsmarting his aristocratic master, Beaumarchais' Figaro, who was warmly applauded as a harbinger of the revolution, had spun out a bravura monologue demonstrating how a stranger in England could meet any conversational contingency with the expletive ,,God-damn!'' Speaking in his own person, the Sans-culotte interlocutor displays a naked animus against privilege borne out by his untraditional attire. His is the perennial complaint of the have-nots against he haves, insolently carried into the camp of the enemy, and it differs strikingly from the polished periods of the legislators. It was the latter that set the public tone, insofar as the French language has been officially controlled by the Académie Française ever since its founding by Richelieu. But academies must adapt themselves, if they are to outlive revolutions; and its adaptation to the changing vernacular is precisely recorded in the successive dictionaries of the Academy. The fourth edition, appearing in 1777, was dedicated to Louis XVI. It was the last lexicon of the King's French. The fifth edition dating from 1798 registered, in a special appendix, ,,The Words that the Revolution and the Republic have added to our Language.''

Compiled under rapidly altering pressures, the work was republished toward the close of the Napoleonic era. But, as the Academicians realized, alterations in the speaking habits of a people cannot be reversed. During the crucial period, they tell us, ,,seldom was the name of *king* pronounced, never was the odious name of *subject*.'' The copiousness of the new vocabulary reflected the experiments and expansions of intervening years: *aéronaute*, for example, or *Anglomane*. Some of these additions had overtones that connoted episodes in the revolution itself: *assignat, carmagnole, mitrailleuse, septembriser, tyrannicide*.

Some of these were coinages that had proved ephemeral, such as the seasonal months on the revised calendar: *Germinal, Pluviôse, Thermidor*. Others signalized innovations that had come to stay: parliamentary terms, by way of English, like *acclamation, ajournement*; public offices, *administration, bureaucratie*; educational institutions, *école normale, polytechnique*; metric categories, *centigramme, décade*. In the main section of the book, the words of long standing that had been politically sensitive were redefined and illustrated anew by sentences reflecting the government's policies. *Démocratie* is a touchstone, having been treated rather pejoratively in the older editions. Now the treatment is wholly favourable, and the illustration is triumphant: *Democracy has vanquished the Aristocracy*. A neologism, *démoraliser*, gives the lexicographers occasion to restore the moral balance: *Factions, evil laws demoralize the People.* *

The grandiloquence of the revolutionists, pivoting upon their Plutarchan habits of nomenclature, established a code, in two senses: it was a means of communication and it was a standard of morality. Robespierre exhorted his fellow deputies, „Let us elevate our souls to the height of the republican virtues and ancient examples," hoping more specifically that they „would serve liberty in the manner of Sidney, Socrates, and Cato." He himself was dubbed the Lycurgus of the Revolution, even as his fellow Jacobins were considered its Spartans, whereas the more moderate preferred to view themselves as Athenians, with many vying for the role of Solon. The Guillotine was naturally the Tarpeian Rock, and many of its victims cheered up their last moments by mentioning hemlock. Every time a faction was liquidated, Saturn could be said to have devoured another child. Saint-Just, always striving to outdo the others in polemical zealotry, climaxed his denunciation of Danton with so well-worn a comparison that it almost sinks into anticlimax:

Wicked citizen, thou hast conspired; false friend, the other day thou spokest evil of Desmoulins, a tool thou hast lost, and thou lentest him shameful vices; wicked man, thou hast compared public opinion to a woman of bad character; thou hast said that honor was ridiculous, that glory and posterity were folly; these maxims should conciliate the aristocracy; they were those of Catiline.

In this reduction of common-sense argument to ideological treason, it is easy to see just where the shoe happens to pinch, and it is significant that in Danton's own speeches the classic figurations are few and far be-

---

* An amusing poem about this supplement by C. H. Sisson has appeared in *The Times Literary Supplement* for May 21, 1976.

tween. Saint-Just likewise betrays his edgy commitment to the stepped-up philippic when, defending Robespierre, he tells the attackers: „Cato would have banished from Rome the wicked citizen who, in the public tribunal, called eloquence the tyranny of opinion."

Aulard has pointed out that Vergniaud, whose voice among these speakers is perhaps the most characteristic, imparts a peculiar sweep to his epical musters by frequently invoking *l'humanité*. That appeal has been perpetuated in the name of the French Communist newspaper. Vergniaud's notes show how he worked up his speeches by jotting down an abbreviated sequence of Greco-Roman references. For instance, a notation would remind him: „See the story of Caligula's sister." Thereupon, to opponents who charged him with voting for the King's death, he would elaborate an analogue: the dissolute emperor, after seducing his sisters, had exiled them for adultery. Saint-Just taunts his opponent for dropping the name of the Athenian tyrant Pisistratus, as if it were a touchstone of his ulterior motives. Danton waxes indignant and demands a vote of censure when a heckler shouts „Cromwell!", since to him the Lord Protector exemplified the man on horseback who put down the true revolution. Such evocations reveal the large extent to which a language of shibboleths had been generated, most of them more classical than the classics. The Jacobins of Limoges congratulated their brethren in Paris for performing the labors of Hercules: strangling the serpent on the fourteenth of July and proceeding systematically through eleven other strained similitudes. It is well nigh impossible to exaggerate the stylistic pervasion exerted by these litanies of the antique, though we may detect some slight reaction in favor of exorcising those troops of heroic ghosts.

By 1795 Volney was warning his students at the Ecole Normale against „that mania for citation from, and imitation of, Greek and Roman history which within a few years has struck us, as it were, with a vertigo." Dizzied thus from his earliest youth, Desmoulins had defended the practice in his periodical:

I ask pardon for my citations, dear reader. I am not unaware that this is pedantry in the eyes of some people; but I have a weakness for the Greeks and the Romans. It seems to me that nothing brings out the clarity of a writer's ideas so well as these associations and images.

Yet Sainte-Beuve, who praised Desmoulins for catching the revolutionary verve in his dashing rhythms, observed that he sometimes carries such excesses to the edge of self-parody. When he wonders whether the

members of the Convention want to be Catos or Vatinii, by pluralizing
his rhetorical question he renders it faintly ridiculous. Robespierre
casts a darkly ironic shadow on the familiar exemplars, when he calls
for a leader: „Where is he, this new Cato, this third Brutus, this hero
still unknown?" Mirabeau, who could move in consecutive sentences
from the justice of Aristides to the injustice of Draco, can flatly tell his
hearers that their problem is not Catiline at the faraway gates of Rome.
„Around us, surely, there is neither Catiline, nor dangers, nor factions,
nor Rome." What impends, as a matter of downright fact, is bankrupt-
cy! And inflationary elocution proves to be the herald of undeception,
as it was for Babeuf: „Les mots de révolution, de liberté, de république,
de patrie, n'ont pas changé en mieux [notre] manière d'être." Vergniaud
even paused once to question the classicistic principles of Montesquieu
and Rousseau: „Do you think that these maxims, applied by their authors solely to circumscribed states like the republics of Greece, within
narrow limits, should apply rigorously and without modification to the
French Republic?"

What Walter Friedlaender has entitled „ethical classicism," though
that designation may suit the verbal rhetoricians, was actually crystal-
lized in the sphere of the fine arts, most saliently in the sculpturesque
painting of Louis David. His unconsummated masterpiece, *The Oath of
the Tennis Court*, celebrating the decisive episode at Versailles in 1790,
could never be finished because too many of its numerous figures would
be proscribed so soon afterward. Its detailed studies were first sketched
in the neoclassical nude, to be subsequently dressed in eighteenth-century clothing. David was an academic artist to his finger-tips, starting
from the Prix de Rome, albeit he was destined to preside over the sup-
pression of the Royal Academy, and to proclaim that he would rather be
a member of the Convention. He had begun, and would end, as a court
painter; but during his middle period he professed his opportunistic allegiance to „liberty and equality, the happiest attributes of mankind."
With the rise of Napoleon, he would go from strength to strength, and
from the iconography of the Roman Republic to that of the Empire. As
long as France itself was republican, he had gloried in being known as
„le Raphaël des Sans-culottes." His subjects ranged from prototypical
situations – Socrates, Brutus, the Horatii – to the raw martyrology of
the Revolution. He dedicated his portrait of the slain Marat with a eu-
logy of the latter and of himself:

The people asked again for their friend, their sorrowful voices were heard, they stimulated my art, they wanted to see the features of their faithful friend once more. „David,

take up your brushes," they cried, revenge our friend, revenge Marat; may his enemies grow pale again on seeing his disfigured features, reduce them to envying the fate of him whom they, unable to corrupt, were cowardly enough to have assassinated. I have heard the voice of the people, I have obeyed.

Gather round, everyone! the mother, the widow, the orphan, the downtrodden soldier; all of you whom he defended at the risk of his life, approach, and contemplate your friend! he who watched is no more, his pen, the terror of traitors, his pen dropped from his hands. O despair! Your indefatigable friend is dead! . . .

It is to you, my colleagues, that I offer the homage of my brushes; your perceptions, surveying the livid and bloody features of Marat, will recall to you his virtues, which should never cease to be yours.

This maudlin bombast, expressed in a more demagogic vein than that of many politicians, reflects the activist part that David took in politics. His *civisme* as a deputy and sometime president of the Convention was a considerable influence in politicizing art. It was he who orchestrated the transference of Voltaire's remains to the Pantheon. He was chiefly in charge of the *mise-en-scène* for the *fêtes nationales*, collaborating with his comrade-in-arms, Robespierre, to produce the Festival of the Supreme Being, where – in the very ruins of the Bastille – a torch was set to the effigy of Atheism and the personification of Wisdom arose in its place. The quasi-religious character of such rituals was confirmed by the Festival of Reason at Notre Dame, where the statue of the Madonna was replaced by a living prima donna in a red bonnet, while patriotic hymns were chanted by an operatic chorus. The revolutionaries were highly conscious of the spectacles they had been presenting, and much interested in formalizing their efforts through deliberate pageantry, not forgetting the Olympic games and the various Attic ceremonials. They had no difficulty in adapting the theater to their own histrionic purposes; the stage-boxes were turned into niches for statues personifying Liberty and Equality. But the barricades constituted a kind of street theater, and the posters were gestures. Small wonder that Baron Haussmann would widen the streets, and more cautious governments would announce: *Défense d'afficher.*

In its turn, the French Revolution of 1789, despite its historic indecisions, became the classic model for all subsequent left-wing revolutions, bequeathing them its imagery and vocabulary; indeed the partisan connotations of *left* and *right* must be numbered among its legacies. The American Revolution – referred to in Russia as the War of Independence – engendered a tradition more closely to be linked with movements of nationalistic liberation, such as those of Kosciusko, Kossuth, Garibaldi, or Bolívar. It may be that the harsh immediacies of the Civil War tended to blur our revolution into a picturesque and pious memory.

Certainly the epoch that followed, the Gilded Age, set its highest priorities on the pursuit of private property rather than public happiness. When Jack London addressed his letters „Dear Comrade" and signed them „Yours for the Revolution," and claimed that nearly a million Americans were doing the same in 1905, he brashly overestimated the appeal that socialism would hold for his compatriots. Meanwhile, in nineteenth-century Europe the zigzags of revolution and reaction had converted a scattering of alienated intellectuals into a band of professional revolutionaries. Two of these, Karl Marx and Friedrich Engels, remarked that, since the revolutionary stalemate of 1830, political battle had yielded to literary battle. They themselves were formidably girded for such confrontations, not only by their radical dedication and insight but also by their powers of literary expression, to say nothing of an erudition sometimes overflowing into pedantry.

That remark appears in the midst of *The Communist Manifesto*, first published as their contribution to the international ferment of 1848, written by them in German and immediately translated into six other languages. An earlier draft had taken the shape of a catechism, some of which must be echoed in the finished passages that deal with objections to the program proposed; the pamphlet is dialectical in its form, as well as in its proposals. The central polemic against the bourgeoisie stands in high relief – an interesting counterpart to Jefferson's impeachment of George III – but it is introduced and balanced by the historical sketch for which Engels seems to have been mainly responsible. The principal doctrine propounded, that of the class struggle, is in itself a crudely powerful dramatization of history. The preamble starts from a metaphor which almost makes it sound like the opening of a Gothic novel: „Ein Gespenst geht um in Europa." This stalking ghost is quickly identified with the Communist movement, frightening crowned heads, diplomats, and politicians by resisting all attempts at exorcism. And the argument is framed at the other end with its reverberating call to action:

> Die Proletarier haben nichts in ihr zu verlieren als ihre Ketten. Sie haben eine Welt zu gewinnen.
> PROLETARIER ALLER LÄNDER, VEREINIGT EUCH!

It is noteworthy that the document ends by picking up the theme with which Rousseau began his *Social Contract*. „Man is born free" – his starting-point was the traditional premise for natural rights. „And everywhere he is in chains" – the image became habitual with revolutionists, both American and French, exhorting one another to unshackle themselves, „briser les chaines". For Rousseau these represented the institutionalized constraints of society itself; for Marx and Engels they stood for the subordination of the working class to the bourgeoisie. As a manifesto, their statement was the prospectus for the First International; in choosing to call it communist rather than socialist, they were stressing their strongly worded factional differences with other parties, sects, and splinter-groups. Commenting in 1850, Alexander Herzen predicted that Russia might well feel vulnerable to this new thrust. As he put it, „Communism is the Russian autocracy inside out."

The communal emphasis would be reinforced by the experience of the Communards at Paris in 1870. Though the Commune barely outlasted its terrible year, it passed on its messianic watchword, as did the abortive Russian revolution of 1905, when the Bolsheviks rallied to the cry: „All power to the Soviets!" The subjugated workers had presented a petition to the Tsar on what was to be Bloody Sunday, formulating their alternative as „freedom and happiness, or the grave." They characterized themselves as slaves, and were not very far from serfdom; and it is revealing that, in the pantheon of Marxism, the single Roman hero has been Spartacus, the gladiator who led a revolt of slaves. The concept that succeeded tactically, and imposed itself upon communist governments after 1917, was the „Soviet". This noun, which had no prerevolutionary adjective, and which conveys the double meaning of *counsel* and *council* – advice and assembly – in English, pertained to the workers' councils through which the Bolsheviks attained power, thereby fulfilling the Marxian prospect: a dictatorship of the proletariat. That would be a transitional stage for Marx, and would wither away with the state. But Lenin prolonged the transition in his *State and Revolution*, and Stalin redefined the party as „the weapon of the dictatorship of the proletariat." Leaving „communist" to the ruling party, the state rechristened itself with a monstrous tautology, four abstract collectivities: Union of Soviet Socialist Republics. What would Henry James have thought, who regretted that the United States had „barely a specific national name"?

Looking back toward the two great revolutions of the eighteenth century, we can gauge how much the slogans have changed with the changing objectives of revolutionists. „Liberty, equality, fraternity" shares its key-word with „life, liberty, and the pursuit of happiness." Russian crowds were shouting „Peace! bread! freedom!" in 1917, but it should not surprise us to observe that the Marxists have consistently played down freedom. Marx himself associated it with the free trade of the middle class, and Lenin frowned upon „freedom of criticism" as a course of leftist deviation. When the expatriate radical, Victor Serge, hopefully arrived at Petrograd in 1919, he felt a shock on reading his first newspaper: „We had never thought that the idea of revolution could be separated from that of freedom." Lenin chipped away at the libertarian values, most explicitly in a speech „On Deceiving the People with Slogans about Liberty and Equality." By equality Engels had meant the abolition of classes. The Soviets were to work out George Orwell's corollary, that some classes are more equal than others. Their slogan for 1920 was: „Long live labor discipline, enthusiasm for work, devotion to the cause of workers and peasants!" The formula for communism in 1961 was: „Soviet power and electrification of the whole country." Revolution was moving toward reification – faster and farther than its leading orator, Trotsky, could have anticipated when he announced: „Happy is he who in his mind and heart feels the electric current of our great epoch."

Marx too could have risen, and had, to the attraction of technological images. His idea that „revolutions are the locomotives of history" may not seem ultramodern today, when locomotives are virtual antiquities, but it was prophetic of the dramatic moment that would welcome Lenin to the Finland Station. Lenin quite advisedly, like any political leader, reserved the right to select from the backlog compiled by his predecessors. „It is not the term ‚Commune' that we must borrow from the great fighters of 1871," he decided, „nor must we blindly repeat every one of their slogans." In an article „On Slogans" – the Russian word derives from the German *Losung* – he wrote:

It has happened too often that, when history makes an abrupt turn, even the *avant-garde* position cannot, for a certain length of time, come to terms with the new situation and repeat slogans which were correct yesterday but have become meaningless for today – become meaningless just as *suddenly* as the abrupt turn of history has been *sudden*.

Insofar as history is a matter of opportunity, those who seek to control it have had to be opportunists, in spite of their respective engagements with ideology. We may try to make our peace with it by looking backward whenever we can, and may take some comfort in discovering well-established precursors for innovative departures. Hence Marx, who himself was something of a classicist and very much of a humanist, readily understood how the French revolutionists had

,,draped themselves alternatively on the Roman Republic and the Roman Empire." As he explained that fixation, ,,The beginner, who has learned a new language, always translates it back into the mother tongue." But the mother tongue, the reechoing language of accumulated humanism, has drastically shifted since his day, responding to even more drastic shifts among the various tensions that have forced their way into the human condition. There are bound to be further revolutions, but whether they will be able to justify themselves by appealing to the past will depend upon our jeopardized sense of continuity with the past.

Friedrich Sengle

Zur geschichtlichen Leistung und zum übergeschichtlichen Rang Jean Pauls

Zwei kleine Beiträge[1]

1. ,,Wer mich rein und recht beurteilen will..."
Zum 150. Todestag Jean Paul Richters

Man hat ihn gerne den Einzigen genannt. Man konnte sich bei dieser Mythisierung auf den Dichter selbst berufen, der die Ewigkeit und fast noch mehr die Vergänglichkeit gegen historische Größen auszuspielen liebte und dabei nicht einmal vor der christlichen Religion halt machte: ,,Eine Religion nach der andern lischt aus, aber der religiöse Sinn, der sie alle erschuf, kann der Menschheit nie getötet werden; folglich wird er sein künftiges Leben nur in mehr geläuterten Formen beweisen und führen".[2] Man darf den positiven Sinn dieses Zitats, nämlich Jean Pauls Bekenntnis zur Religion im allgemeinen, nicht überhören, da ohne den religiösen Hintergrund seines Weltbilds alle politischen und sozialen Festlegungen des Dichters Teilwahrheiten bleiben. Trotzdem belegt diese oftmals ähnlich wiederholte Äußerung deutlich, daß der Dichter, der vier Jahre jünger als Schiller und zehn Jahre älter als Tieck war, den romantischen Weg der christlichen, womöglich katholischen Religionserneuerung noch nicht gegangen ist, sondern der Vernunft- und Gemütsautonomie des 18. Jahrhunderts treu geblieben ist. Eichendorff hat vollkommen recht, wenn er sagt: ,,Das Princip ... ist es, was Jean Paul durchaus von den Romantikern scheidet; diese meinten das lebendige Christentum, Jean Paul eine abstrakte Religion der Humanität".[3] Leider begnügt sich der decidierte Katholik mit dieser religiösen Feststellung nicht. Er leitet aus der Humanitätsreligion ,,das Abgerissene, Unzureichende und Verschwommene"[4] von Jean Pauls Dichtung ab, und hier täuscht er sich vollkommen; denn es gibt kaum geformtere Werke als die, alle der ,,abstrakten Religion" der Aufklärung und Empfindsamkeit entstammenden, klassischen Humanitätsdichtungen *Nathan der Weise, Don Carlos, Iphigenie.*

Wenn Jean Paul die Formenstrenge der andern Humanitätsdichter nicht erstrebte, so liegt dies daran, daß ihm die Klassik, als Restauration der Antike, ebenso unmöglich erschien wie die von der Romantik ersehnte Rückkehr ins Mittelalter. Die Liberalen der nächsten Generation, Börne, Heine, Gutzkow usw., denen aller „Marmor", jede „kalte Vollkommenheit" ein Greuel war und die die „Kunstperiode" um 1800 verwarfen, standen im Gefolge Jean Pauls und der gesamten Spätaufklärung, soweit diese den Antikekult wie auch die überlieferte Gymnasialbildung bekämpfte und sich entschiedener der Moderne zu öffnen versuchte. Die Denkrede auf Jean Paul, die Börne nach dem Tod des Dichters (1825) veröffentlichte, steht in einem engen Zusammenhang mit seiner demokratischen Goethekritik. Börne hält den Höfling in Weimar für einen kalten, egoistischen, volksfremden Dichter. Dieser enthusiastische Nekrolog ist kein Kuriosum, sondern entspricht dem in allen Lagern herrschenden Jean Paul-Kult der Biedermeierzeit und belegt zugleich die Tatsache, daß die Spätaufklärung die Klassik und Romantik überlebte und zu einer der wichtigsten Grundlagen des 19. Jahrhunderts wurde.

Heute bilden Goethe und Jean Paul keine sinnvollen Alternativen mehr. Jean Paul ist für jeden vernünftigen Leser, nicht anders als Goethe, zum Inbegriff des Dichters geworden. Schon Stefan George rühmte in seiner *Lobrede auf Jean Paul* (1896) die beiden so verschiedenen Dichter im gleichen Satz:

Wenn Du höchster [!] Goethe mit Deiner marmornen hand und Deinem sicheren schritt unsrer sprache die edelste bauart hinterlassen hast so hat Jean Paul der suchende der sehnende ihr gewiß die glühendsten Farben gegeben und die tiefsten klänge.[5]

Trotz der Superlative, mit denen George die beiden großen Dichter schmückt, ist noch ein gewisser Vorrang des Klassikers von Weimar erkennbar. Dagegen darf man heute wohl bereits annehmen, daß Goethe und Jean Paul in der herrschenden Meinung der Literaturgeschichte und -kritik als gleichrangig gelten. Man bedenke aber, was es geschichtlich bedeutete, wenn ein so großer Dichter in der Zeit des *Nathan* und der *Iphigenie* mit Prosasatiren auftrat und wenn er im Jahrzehnt von Hölderlins Oden und Elegien, von Vossens Homer-Übersetzung, Goethes *Hermann und Dorothea*, Schillers *Wallenstein* sein Bekenntnis zur Prosa durch die ersten Romane bekräftigte (*Unsichtbare Loge, Hesperus, Titan*). Während Goethe, wie sein Briefwechsel mit Schiller beweist, sich der aus unklassischer Jugend übernommenen Romanform beinahe schämte und ohne Passion *Wilhelm Meisters Lehrjahre* vollendete, führte der jüngere Dichter mit elementarer Kraft den zukunftsträchtigen Beweis, daß man auch als Prosaerzähler, das heißt ohne Klassizist zu sein, ein Dichter von Gottes Gnaden sein kann.

Das war die Revolution, für die der Name Jean Pauls steht; denn Wieland, sein Vorgänger in dem die Satire kunstvoll überhöhenden Roman (*Agathon, Abderiten*), hatte noch mit dem Lorbeer des Versepikers geliebäugelt, und geringere Romanciers der Spätaufklärung, so der Pädagoge Christian Gotthilf Salzmann (*Carl von Carlsberg oder das menschliche Elend*, 6 Bde, 1783–1788), hatten in der heute so beliebten sozialen Analyse und damit auch im bürgerlichen Klassenkampf *unvergleichlich mehr geleistet* als der hochfliegende Poet des *Hesperus* und des *Titan*. Das Wort vom „linksstehenden Klassiker", das im Anschluß an Wolfgang Harichs marxistische Jean Paul-Aufwertung geprägt wurde (Wolfgang Lepenies, *FAZ* 10. 8. 1974), ist historisch irreführend, weil es diese überaus wirksame Auflehnung gegen die Prinzipien des Antikekults und damit der Weimarer Klassik verdeckt. Der Jean Paul, auf den sich Börne berief, war der Antiklassiker, und umgekehrt beruhte die heftige Jean Paul-Kritik nach 1848 auf den klassizistischen Regeln der Klarheit, des harmonischen Aufbaus und der stilistischen Stetigkeit, die das realistische Programm sich aneignete. Auch die Gymnasiallehrer, die im ganzen 19. Jahrhundert eine fast ungebrochene Macht in Deutschland besaßen, warnten vor Jean Paul. Nietzsche, der Jean Paul „das bunte starkriechende Unkraut" und ein „Verhängnis im Schlafrock" nannte,[6] war klassischer Philologe und bezeichnenderweise ein Lobredner des *Nachsommer*, in dem sich Stifter, ursprünglich ein Verehrer Jean Pauls, dem klassizistischen Gebot epischer „Stetigkeit" (Wilhelm von Humboldt) unterworfen hatte. Nicht nur in Weimar, wohin der Dichter eine Zeitlang strebte, auch an andern mitteldeutschen Höfen und in dem nach Jean Pauls Tod von König Ludwig I. überwiegend klassizistisch geprägten Kunst-Bayern und „Isar-Athen" hatte der große Dichter wenig Aussicht auf Anerkennung, während Graf Platen, der andere, so viel kleinere Franke aus Bayern, sich nach dem Regierungsantritt Ludwigs I. klassizistisch orientierte und dafür die Anerkennung des Hofes und aller Gymnasiallehrer in Deutschland gewann.

Als der bayerische Kultusminister Hans Maier, nach längerer Auseinandersetzung, im Jahre 1973 endlich einen marmornen Jean Paul in dem Tempel „rühmlich ausgezeichneter Teutscher", der Walhalla bei Regensburg, aufstellen lassen konnte, bemerkte er mit Bedauern, daß „der größte fränkische Dichter ... fast 150 Jahre auf Walhalla-Ehren warten" mußte.[7] Er widerstand der Versuchung, den Dichter, der erst mit 47 Jahren bayerischer Untertan geworden ist, für sein Land zu beanspruchen. Er nannte ihn „eine poetische Summa des älteren Deutschland".[8] Und es ist wahr: wenn man allgemeine historische Gründe für die „tausend Schnörkel und Nebenbauten", für den „fortlaufenden Schwulst", für den „langdarmigen Stil" (Heinrich Laube)[9] in Jean Pauls Romanen finden will, ist es recht verlockend, seine Dichtung als letzte geniale Spiegelung, als Schwanengesang des Heiligen römischen Reiches deutscher Nation zu sehen; denn dieses war bis zuletzt substanzstark, aber es war schließlich auch so zersplittert und vielgestaltig wie die Romane Jean Pauls.

Man muß dabei nur bedenken, daß im Ende immer auch schon der Anfang, vielleicht sogar die weitere Zukunft steckt. Der in seinem Ursprung barocke Hof- und Staatsroman wird von Jean Paul durch Satire, Witz und Ironie zerspielt und zu einem „bürgerlichen" oder jedenfalls antihöfischen Instrument umgestaltet. Mit einem gewissen Recht betont man heute den satirischen Ausgangspunkt des Erzählers (Wolfgang Harich s. u.). Die oft gebrauchte Formel von Jean Paul als dem großen deutschen Humoristen ist falsch, wenn man sich dadurch an Wilhelm Busch und an den alles relativierenden Humor der deutschen Realisten, z. B. Fontanes, erinnern läßt. Nicht nur das vom Klassizismus übernommene künstlerische Balanceideal der deutschen Realisten, sondern auch der Abfall von den universalen Normen der älteren Zeit gefährdete in der zweiten Hälfte des 19. Jahrhunderts das Ansehen des großen Poeten tödlich. Die alten, jedes ästhetische Spezialistentum überschreitenden Maßstäbe Jean Pauls wirkten sich freilich nicht nur in seiner Staats- und Sozialkritik, sondern auch in seinem Bekenntnis zu einem universalen Liebesprinzip aus. Dieses aktivierte das christliche Gedankengut zum humanen Ethos; es paßt gar nicht recht zum „notwendigen" Klassenkampf und wird daher von unsern Neomarxisten meistens vorsichtshalber verschwiegen. Allein, man kann nicht leugnen, daß sich der Dichter ganz bewußt von seiner jugendlichen „Essigfabrik" mehr und mehr entfernte. Der Grund dafür war der Anblick der „Dornenkrone", das heißt das niemals vollständig zu beseitigende Leiden der Menschen, das später auch den revolutionären Georg Büchner, einen seiner vielen stilistischen Schüler, so tief beeindruckt hat. Angesichts unserer fundamentalen Not – das gesteht der Dichter – „vergeht mir die Lust, mit satirischen Dornen um mich zu schlagen, und ich möchte lieber einige aus euern Füßen oder Händen ziehen".[10] Die Verkündung dieses Liebesprinzips als eines *letzten* Prinzips, unbeschadet allen Witzes und aller Satire, hat dem Dichter die Herzen seiner

Zeitgenossen, besonders der gebildeten und adeligen Frauen, gewonnen und das öffentliche Bewußtsein bis tief in die Biedermeierzeit hinein machtvoll geprägt. Wo einer den Haß predigte wie Arndt oder Herwegh, fand er das Ohr der Deutschen noch nirgends in ihrer Mehrheit. Erst in diesem Zusammenhang wird auch die heute unter vordergründigen Gesichtspunkten so stark betonte Sympathie für die franzosenfreundliche Rheinbundpolitik Dalbergs verständlich.

Man hat Jean Paul öfters den deutschesten Dichter genannt, und es gibt dafür ein unverfängliches Argument, nämlich die außerordentliche Schwierigkeit, ihn zu übersetzen. Angesichts der „Bocksprünge deutscher Syntax-Möglichkeiten" und der enzyklopädischen Zettelkasten-Kombinatorik Jean Pauls sagte man treffend: „Wehe dem Übersetzer" (Walter Höllerer).[11]

Neuerdings geriet sogar Hermann Hesse in die Schußlinie des Antinationalismus, weil er meinte, in den „Flegeljahren" habe „sich Deutschlands Seele am stärksten und charaktervollsten" ausgedrückt.[12] Aber auch Hesse, dieser unverdächtige Gewährsmann, bezeugt nur den Abstand des Dichters von Arndt, Herwegh und jedem späteren Chauvinismus oder Sozialismus. Die „altfränkische" Deutschheit Jean Pauls hatte mit der nationalistischen Ideologie, die sie mißbrauchte, nicht das geringste zu tun; sie widersprach niemals ernstlich dem universalistischen Weltbild, an dem der Dichter, im Widerspruch zu jeder Art von Verengung, bis zuletzt festhielt. Nationalismus, Ästhetizismus, Wissenschaftsvergötterung, Sozialismus, Parteilichkeit – alles dies sind Prinzipien, von denen Jean Paul nie beherrscht wurde. Sie verfälschen den Dichter nicht nur halb und halb, sondern total, sobald man sie so eigensinnig, wie dies in jüngster Zeit geschieht, bei ihm wiederfinden will, *um ihn sich anzueignen*. Der Dichter hätte uns, wie jede Vergangenheit, nichts zu sagen, wenn wir in ihm nur die Bestätigung unserer gegenwärtigen Bestrebungen und nicht auch den Widerspruch zur eigenen Existenz finden wollten. Man behauptet kaum zu viel, wenn man sagt, daß heute keiner dem ganzen Jean Paul gewachsen ist. Aber man sollte doch wenigstens aufhören, einzelne Teile aus diesem Universum herauszureißen und den immer wechselnden Interessenten zum Kauf anzubieten. Der Dichter hat selbst vor dieser heute sehr beliebten Verstümmelung gewarnt: „Wer mich rein und recht beurteilen will, muß mich in meinem *Ganzen* nehmen; denn sonst gibt und nimmt er mir im einzelnen zuviel und ist nie meiner Meinung über mich".[13]

2. Plädoyer für Jean Paul[14].
Zu Wolfgang Harich, Jean Pauls Revolutionsdichtung

Angesichts einer akademischen Jugend, die zu einem beträchtlichen Teil die Verbindung mit unserer nationalen Vergangenheit verloren hat, neigt man dazu, jeden Autor zu begrüßen, der kenntnisreich und beredt für unser dichterisches Erbe eintritt. Jean Paul ist zwar schon in der Weimarer Republik, mit Hölderlin und Kleist, neben die Klassiker von Weimar getreten; aber daß sein aufrührerischer *Titan*, die „größte Prosadichtung der Epoche" ist, konnte man bei dem Georgianer Max Kommerell nicht erfahren. Wenig Verständnis hatten die früheren Jean Paul-Forscher auch für die Tatsache, daß der junge Dichter vor allem Satiren geschrieben hat, daß seine besten Satiren nicht nur auszugraben, sondern als „verpflichtendes Kulturwerk zu betrachten" sind, weil die großen, heroischen Romandichtungen nur eine Fortsetzung der Satiren in erzählender Form bilden. „Für dieses Verdienst hat die Germanistik bisher kein Organ gehabt. Selbst den Verehrern Jean Pauls unter den Literarhistorikern pflegt sein satirisches Erbe fremd zu sein" (S. 23).

Wolfgang Harich betont bescheiden, daß er sich auf *die* Romane, die – nicht zufällig – nach der französischen Revolution entstanden sind, konzentrieren will: *Die unsichtbare Loge, Hesperus, Titan.* Dieses Roman-Trio meint der Titel „Revolutionsdichtung" (S. 10f.). Wie er aber auf die Satiren zurückgreift und sie im ganzen Buche als Interpretationshilfe verwendet, so greift er auch sonst nach allen Seiten aus. Wir erhalten sehr genaue Einblicke in das armselige, „plebejische" Leben des jungen Jean Paul und seiner Familie. Die Freunde werden vorgestellt, besonders der antiaristokratische Christian Otto, der, nach Harich, mit andern Freunden der Heimat, dem Dichter die Kraft gab, auch als Verfasser des *Hesperus*, das heißt als ein von den „genialen Weibern" zahlreicher Höfe umschwärmter, von Baronen und Fürsten geachteter Erfolgsautor der Sache der bürgerlichen Revolution treuzubleiben. Wir erfahren wenig von der ökonomischen Basis dieser Charakterstärke, nämlich von den Honoraren, die den vergötterten Romanautor von den Höfen unabhängig machten und ihm erlaubten, sich, im Unterschied zu Goethe, mit dem bloßen Titel eines Legationsrats zu begnügen. Da der literarhistorische Unterschied zwischen klassizistischen Versdichtern und Prosaschriftstellern dem kenntnisreichen Verfasser wohlbekannt ist, wüßten wir auch gerne den wirtschaftsgeschichtlichen Unterschied, nämlich wieviel ein vielgelesener Roman-

autor um 1800 verdiente, aber in solchen Fragen läge für den begeister-
ten Anwalt des großen Jean Paul wahrscheinlich schon eine gewisse
Profanierung. Über der Beschäftigung mit einem Dichter, der von hoch-
strebenden, ja geradezu idealen Romanhelden wie Gustav, Victor und
Albano erzählt, ist dem Verfasser auch die Biographie Jean Pauls ein
wenig heroisch geraten. Der charakterstarke Bürger soll sich von dem
anpassungswilligen und im „Wilhelm Meister" die Anpassung lehren-
den Geheimrat Goethe scharf abheben.

In den ersten Kapiteln hat man die Befürchtung, Harich könnte, wie
Börne in seiner berühmten Gedenkrede für Jean Paul, den republikanischen Erzähler, den enthusiastischen Anwalt der Armen gegen den kalten, berechnenden Höfling Goethe ausspielen und so den bürgerlichen
Klassenkampf unsinnigerweise noch im 20. Jahrhundert fortsetzen,
wie dies leider da und dort geschieht. Vor dieser Fehlhaltung ist er durch
gewisse Autoritäten, die wir beiseite lassen, aber auch schon durch
seine ausgreifende Methode geschützt. Er hat den Ehrgeiz, Jean Paul im
Kreise der großen philosophischen und dichterischen Genies um 1800
vorzustellen und *seinen geschichtlichen Ort in ihrer Mitte durch zahlreiche kurze Vergleiche exakt zu bestimmen.* Dazu gehört die Errich-
tung einer grandiosen literarischen Porträtgalerie mit Wieland, Schiller, Goethe, Voss, Hölderlin, Forster, Herder, F. H. Jacobi, Kant, Fichte
usw. Die Spezialisten werden an diesem großzügigen Verfahren – es
gleicht dem Friedrich Gundolfs – manches auszusetzen finden. So erinnert mich z. B. das Beiwort schlüpfrig, mit dem Wieland wiederholt bedacht wird, an meinen Deutschlehrer vor 50 Jahren. Harich scheint
nicht zu wissen, daß Wieland, obwohl 30 Jahre älter, in mancher Hinsicht schon weiter war als sein eigener Held. Bei Wieland, der auf allen
Gebieten ein konsequenter Aufklärer gewesen ist, hätte er es nicht nötig, darüber zu rätseln, warum ein politisch so progressiver und philosophisch so hochgebildeter Dichter mit Vehemenz für den Glauben an
die Unsterblichkeit eintrat, – ob er etwa ohne diesen Glauben ein
schlechterer Dichter gewesen oder gar in Wahnsinn verfallen wäre
(S. 69). Ebenso wird man es bedenklich finden, wenn Personen in Goethes *Wilhelm Meister*, der den realistischen Romanciers als Vorbild
diente, immer wieder mit dem Beiwort allegorisch versehen werden
(z. B. S. 319), während Jean Pauls Romane mit ihren verteufelten Für-
stenhöfen – ein Klassenkämpfer *muß* ja verteufeln! – und mit ihren
progressiven Lichtgestalten von einem „Pionier des kritischen Realismus" stammen sollen.

Trotz solcher Fehlurteile im einzelnen imponiert das Panorama der

Goethezeit, von dem Jean Pauls Riesengestalt abgehoben wird. Jean Paul, der sicher nicht der vollkommenste, aber vielleicht der rezeptivste und produktivste – der reichste Dichter der Nation gewesen ist, kann ohne ein wissenschaftliches und schriftstellerisches Wagnis dieser Größenordnung nicht befriedigend vergegenwärtigt werden. Auch hindert den Verfasser seine Antipathie gegen Wieland und Goethe nicht, den *Titan* sorgfältig mit der *Geschichte Agathons* zu vergleichen, Wielands bahnbrechende Leistung bei der Politisierung des Fieldingschen Romantyps anzuerkennen (S. 308) und herauszufinden, daß der musterhafte Albano, der Mann, der bereit ist, am französischen Revolutionskrieg aktiv teilzunehmen und der, unerwartet zum Fürsten avanciert, sich anschickt, die Duodez-Misere in seinem Ländchen zu liquidieren, daß eben dieser ungemein tugendhafte Bürgerfürst in punkto Erotik wahrscheinlich doch etwas von Wilhelm Meister gelernt hat (S. 449) und dadurch lebendiger als der Hesperus-Held Viktor geraten ist. Zur Revolution gehört bekanntlich auch die erotische Emanzipation, obwohl in dieser Hinsicht – es ist ein rechtes Kreuz für Klassenideologen – Goethe (S. 369) und die gesamte Hofkultur, nicht etwa so keusche Männer wie Jean Paul und Robespierre, die Pionierarbeit geleistet haben.

Der Verfasser fühlt sich überhaupt verpflichtet, neben der politischen die universalgeschichtliche Revolution fest im Auge zu behalten. Der Rang Goethes, den Jean Paul kalt, und der Schillers, den er eiskalt findet, ergibt sich für den Verfasser schon daraus, *daß sich die Klassiker vom Christentum entschieden distanziert haben.* Ganz wohl scheint er sich in diesem religionsgeschichtlichen Kontext nicht zu fühlen. Wie ein liberaler Theologe in Goethe und Schiller gar zu gern die „Christlichkeit" erspüren möchte, so würde Harich umgekehrt mit größter Bereitwilligkeit Jean Pauls Atheismus und Materialismus herausstellen, wenn sie irgendwo zu finden wären, gesteht jedoch, ehrlich genug, daß dieser Dichter für den Materialismus – „verloren" ist. So ergibt sich für die Klassiker, trotz ihres politischen Versagens, ein beträchtliches *universal*revolutionäres Gewicht. Harich baut die von Börne errichtete, „kleinbürgerliche" Schranke zwischen Goethe und Jean Paul in seiner Titan-Interpretation fast mehr als billig ab, wenn er etwa den Roman, weil er weniger humoristisch ist, dem „Klassizismus" zuordnet und schließlich sogar „eine Sophokles-Homer-Synthese" im *Titan* feststellen will (S. 442), weil verschiedene tragische Lebensläufe neben der Helden- und Siegergestalt Albanos zu finden sind.

Die Erinnerung an Homer und der Begriff „Prosaepen" (z. B. S. 321), den Harich mit Vorliebe für Jean Pauls heroische Romane verwendet, ist irreführend, weil man von Jean Paul stetiges und objektives Erzählen am wenigsten erwarten darf. Seine Romane sind kleinteilig, gestückelt, voll von Reflexionen, Einschüben, Anhängen und ändern häufig die Stillagen. Der Verfasser deutet dies selbst an, in seinem energischen Eintreten für die von der klassizistischen Poetik (z. B. Hegel) verurteilte „Reflexion" und in dem gelungenen Versuch, die drei Romane mit Hilfe wechselseitiger Erhellung als eine Art Universaldichtung zu interpretieren. Gerade der unhomerische Erzählstil des Dichters hat im Zeitalter Tolstojs und Gottfried Kellers zu seiner Verurteilung geführt. Wir erfahren im Schlußkapitel von Harichs Ehrgeiz, die traditionelle marxistisch-realistische Mißachtung Jean Pauls zu korrigieren; aber diese Umwertung ist nicht möglich, ohne das Dogma des „sozialistischen Realismus" selbst zu korrigieren.

Der mißverständliche Begriff Prosa-Epos ist vor allem deshalb zu bedauern, weil Harich, im Wetteifer mit Lukács und im Gegensatz zum Trivialmarxismus, formengeschichtliche Phänomene sorgfältig beachtet. Ohne das Wissen um die untrennbare Einheit der Formen und Inhalte hätte er die Bedeutung von Jean Pauls Satiren, als Grundlage der Romandichtung, kaum erkannt. Auch bei der Konfrontation des Dichters mit den Klassikern führt ihn gerade die formengeschichtliche Aufmerksamkeit zu der Erkenntnis, daß man in Weimar gar nicht so höfisch war, wie die grobe soziologische Deutung erwarten läßt. Schiller schrieb statt panegyrischer Oden, die sonst zur Hofkultur gehören, das im ganzen 19. Jahrhundert vielbewunderte populäre „Lied von der Glocke", und Goethe hat sogar, zusammen mit Voß, das völlig traditionswidrige bürgerliche Epos geschaffen (*Luise, Hermann und Dorothea*). Harich erkennt diese *denkwürdige Konkurrenz zum bürgerlichen Klassenkampf Jean Pauls*; aber nun hat er einen Trumpf, der seinen Helden von der allerstärksten Seite zeigt:

Durch alle Stufen der Gesellschaftshierarchie, von der Bauernkate über die Wohnstube des Provinzphilisters bis hinauf zum Fürstenhof, verfolgt der Dichter das Schicksal des um ein menschenwürdiges Leben betrogenen Weibes. Gleichzeitig räumt er mit der Vorstellung auf, daß die Gattin am häuslichen Herd der Inbegriff weiblicher Vollkommenheit sei. Radikal unterscheidet sich in dem Punkt seine Haltung von der der Weimarer Klassik. Es gibt bei ihm keine Analogie zu der Idealisierung der Hausfrauentugend in Schillers *Glocke*, nichts, was dem infamen Vers in Goethes *Hermann und Dorothea*: „Dienen lerne beizeiten das Weib" usw. entspräche. Sein Ideal sieht ganz anders aus: Es ist ohne den Drang nach Emanzipation nicht denkbar und findet seine höchste Verkörperung in einer sogar politisch aktiven Frau von revolutionärer Gesinnung, in der Idoine des *Titan* (S. 41 f.).

In der Tat, diese Prinzessin hat sich der ihr zugedachten Heirat tapfer entzogen und dafür ein Dorf zu einem Arkadien gemacht (S. 485 f.). Sie wird an Albanos Seite ein ganzes Land zum Arkadien machen. Wie aber steht es mit den niedrig gestellten Idyllenhelden Jean Pauls, mit dem Schulmeisterlein Wutz, mit Quintus Fixlein, mit dem armen Fibel? Was tun sie für die Revolution? Diese Anti-Helden haben ja für viele das Bild von Jean Paul geprägt, sie haben, zusammen mit *Siebenkäs* und den *Flegeljahren*, die drei heroischen Romane, für die Harich eintritt, beim großen Publikum verdrängt, an sie denkt Lukács, wenn er, zu Harichs Leidwesen, von Jean Pauls „Versöhnung mit der elenden deutschen Wirklichkeit" spricht.

Der Verfasser weiß, daß es sich bei diesen idyllischen Erzählungen um eine bedeutende Gattungsschöpfung handelt, welche das idyllische Epos an Modernität übertrifft und daher im 19. Jahrhundert noch viel stärker weiterwirkte. Doch als Anwalt des revolutionären Jean Paul hilft er sich einfach damit, daß er aus den Idyllenhelden „negative Figuren", nämlich „infantile Narren", „krankhafte Fälle" macht (S. 154f.). *Er stilisiert die Idyllen diplomatisch zu Satiren um*, und hier steht er, wenn ich richtig sehe, im Gefolge von marxistischen Germanisten unserer Bundesrepublik. Sein schlechtes Gewissen verrät sich, wenn er „den zumindest objektiv (!) revolutionären Gehalt der Idylle" (S. 158) gegen etwaige Zweifel geltend macht. Er weiß also, daß er hier die subjektive Ansicht des Dichters nicht wiedergibt, *daß er nicht interpretiert*. Lukács, den Harich widerlegen will, hat, marxistisch gesehen, schon recht: „Kleinbürgerliche Versöhnung mit der elenden deutschen Wirklichkeit" (zitiert S. 555). Christliche Versöhnung wäre noch treffender; denn Jean Paul wollte mit seinen „infantilen Narren" an das Bibelwort „Wenn ihr nicht werdet wie die Kinder..." erinnern.

Ich will mit diesem Hinweis auf eine schlecht geratene Partie des großen Gemäldes nicht sagen, daß Harich unrecht hat, wenn er die bürgerliche „Revolutionsdichtung" und die soziale Haltung Jean Pauls akzentuiert, wenn er zum neuen Studium der drei heroischen Romane auffordert und den erfolgreichen, nicht nur durch Frauengunst, sondern auch von einer starken Reformwelle emporgetragenen bürgerlichen Romandichter des ausgehenden 18. Jahrhunderts neben und manchmal auch über die Klassiker stellt. Es sollte nur deutlich werden, daß seine Voraussetzungen, zumal die Begriffe des „sozialistischen Realismus" und des „Geisteserbes der Linken" (S. 8) dem Verständnis und damit auch der legitimen Renaissance Jean Pauls Grenzen setzen. Die begeistertsten Leser des brillanten Buches werden unsere akademischen Rebellen sein. Ich begrüße es trotzdem, in der Hoffnung, daß es junge Leute, die sonst nur „Schulungsmaterial" studieren, auf den Dichter selbst aufmerksam macht. Wenn sie Jean Paul lesen, sorgfältig lesen – es ist nicht so einfach für eine um beinahe 200 Jahre jüngere Generation –, werden sie selber bemerken, daß er kein Revolutionär im strengen Sinne, kein Realist und kein Prosaepiker ist, sondern eben der Poet Jean Paul, den es nur einmal gibt.

Anmerkungen

[1] Die Wiederherstellung des ursprünglichen Wortlauts der hier folgenden Gelegenheitsarbeiten zu Jean Paul, die in erheblich verkürzter und durch die Titelgebung verschärfter Form in der *Welt* erschienen sind (14. 11. 1975 „Ein Poet mit Essigfabrik und Liebesprinzip"; 17. 7. 1974 „Wie revolutionär war Jean Paul?"), ist mir sehr willkommen, da sie den wissenschaftlichen Sinn meines Widerstandes gegen die politische Jean Paul-Verfälschung in Deutschland deutlicher macht. Die im Schatten der Klassik und Romantik stehende *Spätaufklärung* interessiert mich seit langer Zeit so brennend, daß ich eine Epochendarstellung der drei Jahrzehnte von 1785–1815 beabsichtigte. In dieser wären die Weimarer Klassik und die Romantik aus der historischen Isolierung, in die sie der Begriff Goethezeit brachte, wieder befreit worden, und die Spätaufklärung hätte sich in der Stärke, die sie tatsächlich und nicht ohne Grund besaß, erneut gezeigt. Für die Ausführung dieses Planes ist es nun zu spät. Vielleicht greifen ihn Jüngere auf. Zwei Jean-Paul-Dissertationen, die ich in den letzten Jahren betreute, seien bei dieser Gelegenheit wenigstens genannt: 1) Heidemarie Bade, *Jean Pauls politische Schriften*, Tübingen, Niemeyer 1974, 2) Wolfgang Pross, *Jean Pauls geschichtliche Stellung*, Tübingen, Niemeyer 1975. Typisch für die Spätaufklärung ist die einseitige Bevorzugung der Erzählprosa, die Jean Paul kennzeichnet. Die Prosa ist überhaupt die wichtigste formengeschichtliche Brücke zwischen der Aufklärung und dem Jungen Deutschland. Die beiden bescheidenen Artikel sind dem Jubilar in seiner Eigenschaft als Erforscher der Erzählkunst zugedacht.
[2] Jean Paul, *Weltgedanken und Gedankenwelt*, hg. v. Richard Benz, Stuttgart 1938, S. 104.
[3] *Jean Paul 1763–1963, Eine Gedächtnisausstellung zum 200. Geburtstag des Dichters im Schiller-Nationalmuseum Marbach a. N.*, Stuttgart 1963, S. 77.
[4] Ebd.
[5] Ebd., S. 80.
[6] Ebd., S. 79.
[7] Hans Maier, „Jean Paul, Richard Strauss und das Publikum," in: *Jahrbuch der Jean-Paul-Gesellschaft*, Jg. 8 (1973), S. 14.
[8] Ebd., S. 17.
[9] *Jean Paul, Gedächtnisausstellung, Marbach*, Stuttgart 1963, S. 75.
[10] Jean Paul, *Werke*, hg. v. Norbert Miller, Nachwort von Walter Höllerer, Bd. 1, München 1960, S. 1326.
[11] Ebd., S. 1328.
[12] Michael Töteberg, „Die Rezeption Jean Pauls in der Jean-Paul-Gesellschaft 1925–45," in: *Jahrbuch der Jean-Paul-Gesellschaft*, Jg. 9 (1974), S. 186.
[13] Jean Paul, *Werke*, hg. v. Norbert Miller, Bd. 1, München 1960, S. 1328.
[14] Wolfgang Harich, *Jean Pauls Revolutionsdichtung*. Akademie-Verlag, Berlin 1974, Lizenzausgabe bei Rowohlt, Hamburg 1974.

Gerhard Schulz

Jean Pauls *Siebenkäs*

Ungefüge und spielerisch, gemütlich und fremd zugleich tritt dieser
Roman vor den Leser. Kraus und barock ist der Titel: *Blumen-, Frucht-
und Dornenstükke oder Ehestand, Tod und Hochzeit des Armenadvokaten F. St. Siebenkäs im Reichsmarktflecken Kuhschnappel* stand auf
den drei Bändchen, die 1796 und 1797 bei Matzdorff in Berlin erschienen.[1] Jean Paul hatte sie in hektischer, hingerissener Arbeit niederge-
schrieben und erst im August oder September 1795 damit begonnen.
Jahrzehnte später hat er das Buch dann noch einmal erweitert, revidiert
und 1818 als zweite, heute gängige Auflage veröffentlicht; manches
von der Spannung und Erregtheit des ersten Wurfes ist darin verloren-
gegangen. Was Jean Paul vortrug, entfaltet sich nicht leicht zum Ganzen. „Die Kunst der Anordnung ist überhaupt wohl nicht die glänzend-
ste Seite von Jean Paul's Romanen. Die Begebenheiten scheinen in denselben oft nur ein Fachwerk darzubieten, in das er den Reichthum seiner Ideen ordnet",[2] schreibt ein Rezensent des *Siebenkäs* am 17. November 1796 in der *Allgemeinen Literatur-Zeitung*. In der Tat: es dau-
ert fast 50 Seiten, ehe die Geschichte beginnt. Ein skurriles Vorwort
und zwei Träume – der Angsttraum von der Rede des toten Christus
und der Versöhnungstraum von der Gottesmutter – leiten das erste
Bändchen ein; beschlossen wird es von einem seltsamen „Fruchtstück", in dem sich der Autor disputierend unter einige Romanpersonen aus früheren Büchern mengt. Der Rest gehört dann allerdings ganz
den Begebenheiten. Kleinbürgerfreuden und -qualen sind es, die Jean
Paul erzählt: Idyllisches, Kleines, Komisches, aber auch Kleinliches,
Häßliches und Böses. Tränenreiche Seelenaufschwünge stehen neben
grausamer Seelenanatomie, und ein groteskes, schwindelerregendes
Spiel mit Liebe und Tod wird getrieben. „Wenn wir hier noch etwas
wünschen möchten, so wäre es, daß einiges von dem Detail uns nicht so
gar nahe vor die Augen gerückt wäre", meinte der frühe Rezensent be-
ängstigt.

I.

Jean Pauls *Siebenkäs* enthält die Geschichte einer Ehe; das sagt schon der Titel. Die Darstellung des langsam sich ausbreitenden Zerfalls der Gemeinschaft zweier Menschen hat in der Literatur wenig Gegenstücke von gleicher Scharfsicht und Tiefe. Aus dem Alltäglichen, Selbstverständlichen und regelrecht Banalen wachsen Schritt für Schritt Nichtverstehen, Mißtrauen und Schmerz hervor. Gutgemeinte Liebesbezeigungen werden Beleidigung und das gleichgültige Wort zur Folterung. Die unentbehrliche Gegenwart des anderen wird als Qual genossen; die Idylle liegt neben der Hölle. Die das Zimmer fegende Lenette stört den schreibenden Siebenkäs, aber wenn sie still ist und Rücksicht zu nehmen versucht, wird das zu neuer Not des Mannes. „Der kleinste Tritt, jede leise Erschütterung griff ihn wie einen Wasserscheuen oder Chiragristen an". Die eigene Stube ist „Gehenna und Pönitenzpfarre":[3] die Trivialität des Alltags wird auf biblische Weite bezogen. Folterungen stehen neben Versuchen zur Liebe; Versöhnungen lassen die folgenden Risse noch breiter erscheinen. Das Versetzen und Wiedereinlösen des Verlobungsstraußes zum Beispiel bringt neue Mißverständnisse und Schmerzen; Eifersucht kommt auf und ist dann auch schon wieder als Stachel fast willkommen. „Der Boden, worauf die zwei guten Menschen standen, ging unter so vielen Erschütterungen in zwei immer entferntere Inseln aus einander."[4] Das Ende dieser Ehe ist so hart und endgültig, wie das kirchliche Bündnis es verlangt: erst der Tod scheidet die beiden. Der Tod des Mannes ist jedoch fingiert, und es ist behauptet worden, daß die Idee von Siebenkäs' Scheintodkomödie Jean Paul zum ganzen Buche erst gereizt habe. Im übrigen hätten Querelen mit der eigenen Mutter in den frühen Schriftstellerjahren und das Widerspiel von Frauenkenntnis und Ehescheu den Stoff gegeben, denn verheiratet war Jean Paul noch nicht, als das Buch zum erstenmal erschien. Das ist zu nehmen, wie solche Feststellungen zu nehmen sind: sie stimmen, aber sagen im Grunde nicht viel. Nur „ein geistiger Hämling", liest man im *Siebenkäs*, „kann nichts erzeugen, als was er erlebt, und seine poetischen Fötus sind nur seine Adoptiv-Kinder der Wirklichkeit."[5]

Lenette hatte, wie es heißt, die Unart, „übel erzogen zu sein." Von „geistigen Provinzialismen" ist bei ihr die Rede, allerdings auch davon, daß sie „sanft und still und geduldig" und eigentlich zu gut für diese Welt sei. Das junge Mädchen aus dem Augsburger Kleinbürgertum steht dem gebildeten, reflektierenden und zugleich geistig produktiven

Ehemann sowie der ganzen „Unerschöpflichkeit seines Kopfes"[6] fremd gegenüber, und sie muß ihm noch fremder werden, wenn die Gespenster der Armut jeden der beiden immer stärker auf seinen eigenen Bereich verweisen. Die intellektuelle Verachtung des Geistes für das Geld wird zur Verachtung der widerspenstigen Realität überhaupt, mit der sich wiederum die treusorgende Gemahlin herumschlagen muß; der Mangel am Nötigsten läßt in den Augen der Frau den Gemahl mit seinen uneinträglichen Exerzitien allmählich zum Luftikus werden.

Unter den Interpreten des *Siebenkäs* gibt es regelrecht zwei Parteien. Die dem „freien Geiste" Verschworenen pflegen Lenette hoheitsvoll zu bemitleiden, zu belächeln oder gar zu tadeln. Die der Gesellschaft unter fester Perspektive Verpflichteten haben Vorbehalte vor allem gegen Firmian. Wesentliche Fragen bleiben bei solcher Sichtweise unbeantwortet. Wie kommt es überhaupt zu dieser Ehe? Warum heiratet Siebenkäs und warum heiratet er gerade Lenette? Sie trifft am Morgen des Hochzeitstages aus Augsburg kommend ein, ist Haubenmacherin, „nicht unbemittelt" und des „verstorbenen lutherischen Rathkopisten *Egelkraut* einzige Tochter."[7] Eine Vorgeschichte dieses Bundes wird nicht nachgetragen. Man erfährt nicht, wo und wie diese beiden Menschen einander zuerst begegnet sind, was sie zueinander brachte und aneinander band. War es Neigung, war es Konvention oder eine Mischung von beidem? Über all dies sagt das Buch nichts und nährt nicht einmal Spekulationen. Es kann kein Zweifel bestehen: diese Ehe wird als eine Art Ritual vollzogen, nicht als Bindung zweier mehr oder weniger freier Individuen und auch nicht als Akt gesellschaftlicher Nötigung. Warum also heiratet Siebenkäs?

Daß Jean Paul diese Ehe geschlossen habe, um sie durch den Scheintod des Mannes trennen zu können, ist ein dürftiger Grund für die tiefen Verletzungen, die er zwei Menschen sich bis in den Tod hinein zufügen läßt. Denn nicht das groteske Spiel mit dem Tode endet für Jean Paul und dessen Helden den Bund, sondern erst der tatsächliche Tod der Frau, die sich ihrem Manne noch über eine andere Ehe hinaus verbunden fühlt. „Ich komme doch nach meinem Tod zu meinem Firmian?"[8] hatte sie bei der Krankenkommunion gefragt. Neben ihm will sie begraben sein und der Auferstehung harren. Welchen Sinn also hat das Ritual? Das läßt sich zunächst mit einem einfachen Bild ausdrücken: Siebenkäs will unter die Haube kommen. Er steht in seinem neunundzwanzigsten Jahre, hat nach dem Jurastudium ein bürgerliches Amt als Armenadvokat angenommen und ist außerdem und vor allem ein „Gelehrter",[9] wie Jean Paul das nennt. Siebenkäs ist also Bürger und Intellektueller, später tätig als Autor. Mit dem einen Amt wirkt er direkt auf die Gesellschaft, von unten her sozusagen; mit dem anderen erhofft er sich Wirkung von „oben", als Präzeptor in die Breite und Tiefe. Um sich dieser Gesellschaft verpflichtend zu binden, erfolgt, so läßt sich schließen, diese rituelle Hochzeit, denn mit der Ehe holt man sich die Gesellschaft ins Haus. „Die Ehe überbauet die poetische Welt mit der Rinde der wirklichen,"[10] heißt es skeptisch im Buche. Die unverbindliche Existenz des einzelnen gegenüber allen anderen ist nicht mehr im gleichen Maße möglich, wenn er sich einem einzigen von diesen anderen verbunden hat. Siebenkäs reinigt seinen Junggesellentempel, bevor die Braut eintritt. Auch das ist ganz offensichtlich eine rituelle Handlung; die Tempel-Metapher selbst legt es nahe. Daß er sich dann eine Haubenmacherin nimmt, die ihrerseits wieder mit ihren Produkten werte Mitglieder der Gesellschaft unter die Haube bringen kann, ist wohl nicht nur Ironie, sondern legt etwas vom Sinn dieser Verbindung dar. Zu den kurz nach dem *Siebenkäs* entstandenen *Palingenesien* hat Jean Paul seinen Firmian selbst eine Vorrede schreiben lassen, in der er von sich sagt: „Jetzt, da ich nun endlich nach langem Harren auf das Theater des Lebens hereingesprungen bin..."[11] Die Vorrede ist datiert „Kuhschnappel, im August 1785": es ist die Zeit seiner Heirat mit Lenette.

Wird auf diese Weise erkennbar, warum Siebenkäs heiratet, so bleibt noch offen, warum ihm Jean Paul unter allen möglichen Variationen der Weiblichkeit gerade jene Lenette beigesellt. Die „Haubenmacherei" ist im Grunde nicht mehr als ein Wortspiel, die kleinbürgerliche Abkunft zunächst nur eine Art gesellschaftlicher Bezugsrahmen, wenn auch ganz und gar nicht ohne Bedeutung. Aber die Charakteristika sammeln sich an. „Am 11ten Februar, am Euphrosinentag, 1767 war Lenette geboren."[12] Die Heilige Euphrosyne starb um 470, verehrt wegen ihrer Entschlossenheit, dem Herrn durch Zölibat und Askese zu dienen. Euphrosyne ist aber auch eine der drei Grazien, „welche vor allen andern Göttern den Menschen die süße Gabe zu gefallen erteilten," wie Karl Philipp Moritz schreibt, und er fügt hinzu: „Ihnen huldigten Künste und Wissenschaften." Im Vorspruch zum *Titan* wird Euphrosyne mit ihren Götterschwestern genannt; im *Siebenkäs* macht der Autor seine Lenette selbst zur Grazie, denn bei der Beschreibung ihrer Ankunft im Reichsmarktflecken sieht er sie tatsächlich „mit ihrem weißen Angesicht... mehr wie eine weiße Statue als wie ein Bild."[13] Der St. Euphrosynen-Feiertag der Karmeliter im Februar gibt das Stichwort für einen antiken Bezug; in der Sprache der Zeit hätte man dergleichen Verschmelzung „klassisch-romantisch" genannt. Das

Christliche meldet sich deutlicher im wirklichen Namen der Grazie: Magdalena, die Patronin der Büßerinnen und Friseure, hat ihn ihr gegeben. Der Akvokat und Schriftsteller Siebenkäs bedarf offensichtlich beider, der Grazie und der Büßerin; Lenettes Ehe wäre, ihrer doppelten „Berufung" zu entsprechen.

Eine nachdrückliche Bemerkung ist hier einzufügen: Jean Pauls *Siebenkäs* ist kein allegorischer Roman. Die Ehe zwischen Siebenkäs und Lenette ist nicht lediglich eine von Intentionen des Autors gestiftete „Vernunftheirat", sondern die Verbindung zweier wenn auch unsicher fühlender Menschen, denen der Erzähler dann noch mit seinen eigenen, sehr prononcierten Gefühlen zur Seite tritt: beim Anblick der Braut ist „der Bräutigam so gerührt wie ich, wo nicht stärker"![14] Jean Pauls Gestalten haben in ihrer Erscheinungs- und Handlungsweise ihr Eigenleben als die Geschöpfe eines Autors, der aus den Stücken seiner reichen Wirklichkeitskenntnis eine neue, künstlerische Realität zu schaffen vermag, wobei zweifellos der nachvollziehenden Einbildungskraft oft eine Menge zugemutet wird. Der Rang eines Schriftstellers erweist sich bekanntlich erst darin, daß er eine große geistige Konzeption entfalten kann, ohne die poetische Eigenexistenz seines Werkes zu beeinträchtigen oder gar zu zerstören. Dieser Konzeption soll hier nachgegangen werden, ohne zu übersehen, daß all das Menschliche und Schöne, das Gütige, Komische, Lustige, Häßliche, Kluge oder Dumme an Lenette, Siebenkäs, Stiefel, Leibgeber und den Menschen um sie herum das Buch erst lesenswert macht, sogar in der Hoffnung, daß sie alle aus der Kenntnis eines Zusammenhanges heraus noch menschlicher erscheinen mögen.

2.

In den unmittelbar vor dem Beginn der Arbeit am *Siebenkäs* abgeschlossenen *Biographischen Belustigungen* steht ein kritischer Satz des Autors über die Männer: „Am schlimmsten spielen wir jenen stillen Weiberseelen mit, deren Wärme sich nur durch Erdulden der Kälte, deren Liebe sich nur durch Treue offenbart und die dem Brunnen in der Baumannshöhle gleichen, welcher sich, *wenn man aus ihm schöpft, immer wieder füllt und der doch niemals überfließt.* Ihr Wert blüht erst *nach* den Flitterwochen, und man muß sie heiraten, um sie zu lieben."[15] Das ist nun in der Tat ein psychologischer Entwurf zum Typus der Lenette, aber wenn es an die Ausführung und an die Einpassung in

die Realität geht, stellen sich dann doch Hindernisse entgegen. Siebenkäs ist der Held von Jean Pauls Buch, das als Biographie erzählt wird; die
Frau erscheint unter dem Blickwinkel des Mannes und in Relation zu
ihm. Er wird durch sie der menschlichen Gemeinschaft und Gesellschaft enger verbunden, aber er wird durch sie auch von dieser selben
Gesellschaft erreicht, getroffen und in Frage gestellt. Das geschieht der
sozialen Struktur jener historischen Welt entsprechend, in der Siebenkäs lebt: Adel und Bürgertum im kleinstaatlichen Deutschland des Jahres 1785 erreichen ihn jeweils auf ihre Weise. Durch seinen „Vetter und
Vormund", den Geheimrat von Blasius, Heimlicher von Blaise genannt, wird Siebenkäs um sein Vermögen von 1200 Gulden gebracht.[16]
Die Mittel dazu sind eindeutig krimineller Natur; eine Art von „antipa-
thetischer," verschwindender Tinte spielt eine Rolle dabei. Die Ge-
richte helfen ihm nicht: der kleine Bürger kann sich gegen die Über-
macht von Besitzgier, Tücke und höherer sozialer Stellung nicht weh-
ren; erst nach seinem „Tode" soll Siebenkäs sein Recht erhalten. Der
dritte Stand und speziell der Intellektuelle bleibt dem Adel gegenüber
fragwürdige, gefährliche Canaille. „Mein Mann ist kein Vormund für
Lumpen," sagt Frau von Blaise; Jean Paul hat das in der zweiten Auflage
gemildert zu der Bemerkung, er sei „Vormund von den allernobelsten
Patriziern", und bei ihm gebe es „nichts zu siebenkäsen."[17] Mit seinem
Vermögen wollte Siebenkäs jedenfalls die ökonomische Grundlage für
seine Ehe schaffen und seiner jungen Frau „die Silberstangen der Vor-
mundschaftkassa, in Löschpapier eingerollt, als Sturmpfähle des Lebens in die Hände geben."[18] Die Armut, die nun über beide herein-
bricht, wird stattdessen der Sturmpfahl der Gesellschaft gegen die Ehe.
Jean Paul zeigt, wie gesagt, in allen groben und zarten Details, wie die
Bindung der beiden schwerer wird und bröckelt. Das geschieht aber von
genau dem Augenblick an, da Siebenkäs beginnt, als Schriftsteller freier
Lohnarbeiter zu werden, weil er von seinen Einkünften als Advokat
nicht existieren kann und offenbar überhaupt keine festen Bezüge aus
diesem Amt hat. Zwar ist von den „Silberadern" von „sieben gangbaren
Prozessen" und von der Unterstützung durch Leibgeber die Rede,[19] aber
die reale Welt widerspricht sehr bald dem gutgläubigen Optimismus
des Helden – und übrigens auch des Autors, der sich durch die Kontrastierung zwischen dem tatsächlichen Geschehen und seinen Kommentaren dazu von sich selbst distanziert. Oder anders ausgedrückt: auch
den Erzähler des *Siebenkäs* erschafft Jean Paul. Es ist eine Unterscheidung, die festzuhalten ist, besonders dort, wo zu urteilen versucht wird.
Siebenkäs jedenfalls beginnt, mit der Schriftstellerei sein Brot zu ver-

dienen. Er nimmt die Arbeit auf an den Satiren, die auch sein Schöpfer Jean Paul verfaßt hat: an der *Auswahl aus des Teufels Papieren.* Daneben verschafft ihm der Schulrat Stiefel noch Rezensionen. Die „Verachtung gegen das Geld, dieses metallne Räderwerk des menschlichen Getriebes", die ihm „aus den Alten und aus seinem Humor" anhing,[20] erweist sich einer realen Gesellschaft gegenüber als untauglich. Mit klassischer Bildung und freier Weltironie ist die Lage allenfalls vorübergehend erträglicher zu machen. Das geschieht denn auch zunächst auf eine Weise, die Jean Paul selbst veranlaßt hat, von den „fünf freudenreichen Geheimnissen" im „Lindenhonigmonat"[21] der Siebenkäsischen Ehe zu sprechen, und die Interpreten von einer Idylle. Aber mit dem Entzug der Vermögensgrundlage ist die Idylle für den bürgerlichen Schriftsteller schütter von Anbeginn. Existieren ist hinfort für ihn der beständige Zwang zum Eintausch materieller Produkte, um die Entstehung der geistigen Produkte zu sichern, deren Wert aber wiederum in den Sternen steht. Lenettes Verhältnis zu ihrem Mann wird weitgehend von Natur und persönlichem Wert jener Gegenstände bestimmt, die ihr Mann um des Lebensunterhalts willen nach und nach zum Pfandleiher trägt. Jean Paul entwickelt dabei eine ganze Skala subtiler Wertschattierungen im Hinblick auf diese Gegenstände; sie reicht vom Zinngeschirr über den Mörser (was immer man sich dabei denken will) bis zum Verlobungsstrauß. So bringt Siebenkäs schließlich seine ganze Ehe zum Trödler; das Lebenmüssen zerstört das Liebenkönnen.

Allerdings ist damit nur erst der eine, wenn auch größere Teil des Angriffs von oben gegen ihn und seine Ehe bezeichnet; der andere wird von dem Venner, d. h. Finanzrat, Everard Rosa von Meyern vorgetragen. Advokat Siebenkäs hat eine Kindermörderin zu verteidigen, und Rosa war ihr Verführer. Der Gewaltausübung und Niedertracht der Oberen tritt die Promiskuität zur Seite, denn Rosa setzt nun auch noch dazu an, Lenette zu verführen. Sowenig das gelingt, wenn sich bürgerlicher Tugendstolz dagegen auflehnt, sosehr gelingt doch eine weitere Störung des Ehebundes, wenn Rosa sein Wissen um den einstigen Namenstausch zwischen Siebenkäs und seinem Freunde Leibgeber als Waffe benutzt. Siebenkäs hatte bis dahin tatsächlich Leibgeber geheißen. Durch die Enthüllung nun wird Lenette an sich selbst irre, denn sie weiß nicht mehr, welchen Namen sie wirklich durch die Heirat erworben hat, und sie ist betroffen auch vom Vertrauensbruch ihres Mannes, der ihr dies alles verschwiegen hat. Spiel dieser Art verträgt sich, wie Siebenkäs-Leibgeber erfahren muß, schlecht mit den Bedingungen einer realen Gesellschaft. Überdies setzt der Verführer seine Mühen fort,

und Jean Paul inszeniert deshalb für seinen Helden ein Michaelis-
Kirchweih-Volksfest, das unmißverständliche Hinweise für Lebemän-
ner eines Ancien Régimes enthält. Der Fleischer wird zum „Septembri-
sierer", wenn er das Rind für das Fest zubereitet, und der Schuhflicker
läuft den ganzen Morgen ohne Hosen (sondern nur im Rock seiner Frau)
umher. Dem Aufzug der „Krüpel und Preßhaften" schließlich muß
Rosa mit Siebenkäs als ironischem Kommentator aus dem Fenster zuschauen.[22]

Die Ehe von Firmian und Lenette wird nun allerdings nicht nur durch
das Eingreifen der Gesellschaft vom höheren Stand her erschüttert.
Dem – erfolglosen – Verführer Rosa steht immerhin der Schulrat Stiefel
gegenüber, der ganz ohne Absicht in Lenette jene Wärme und Liebe erweckt, zu der sie Siebenkäs nicht bringen kann. Stiefel, offenbar der geistige Fußgänger und Pedant, erscheint als eine Art unschöpferisches
Seitenstück zu Siebenkäs; dieser war dafür in Stiefels Augen „zum einzigen Wesen erhoben, das einen Rezensenten noch übertrifft – zu einem
Autor."[23] Man hat allgemein davon gesprochen, daß hier und anderswo
Jean Paul die Beschränktheit des deutschen Kleinbürgertums anprange-
re, man hat aber auch andererseits seine Darstellung dieser Sphäre gern
als idyllisch verklärt. Triftig beweisen läßt sich wohl weder das eine
noch das andere, denn es bleibt der Eindruck einer unaufhebbaren Wi-
dersprüchlichkeit. Eine Welt der kleinen Leute hat es immer gegeben,
und Jean Pauls Werk verschafft uns das vollste und bunteste Bild davon,
wie sie gegen Ende des 18. Jahrhunderts in Deutschland aussah. Satire,
Ironie und herzliche Anteilnahme verbinden sich in ihrer Darstellung.
„Wir altjüngferlichen Deutschen bleiben die seltsamste Verschmelzung von Kleinstädterei und Weltbürgerschaft, die wir nur kennen",
hat er später in *Dr. Katzenbergers Badereise* geschrieben.[24] Der jeweilige Anteil an beidem charakterisiert die Personen. Siebenkäs reflektiert, stellt sich und die Welt, in der er lebt, in Frage und will durch seine
Arbeit vom Engen zum Weiten fortschreiten, weil ihn die Überzeugung
trägt, daß die Menschen arbeiten, „nicht blos, um zu leben, sondern um
zuweilen besser zu leben."[25] Das jedenfalls ist der Gedanke, der ihn bei
dem deutschen Revolutionsfest der Michaelismesse bewegt. Aber gerade seine Arbeit trennt ihn von den Menschen, für die sie bestimmt ist.
Lenette konnte nie „die menschliche Sozietät an seiner Seite" ausla-
chen, und ihre eheliche „Treue war vom Schlußstein der Religion fest
gewölbt".[26] Siebenkäs muß zusehen, wie sie – sozusagen unter diesem
Torbogen – dem Schulrat Stiefel zufällt, der der „Sozietät" nur im Re-
zensenteneifer gegenübertritt und nicht ums Besserleben besorgt ist,

weil er bereits als friedvoller Mensch gut lebt. Von ihrer Ehe mit ihm wird Lenette später bekennen, „daß sie es jetzo besser habe."[27] Siebenkäs' Ehe wird also nicht nur von dem Stand, der ihm übergeordnet ist, und von der Macht der Klassenprivilegien, des Geldbesitzes und des Lasters angegriffen und zerrüttet, sondern auch von der Enge, Konventionalität und Selbstgenügsamkeit im „spießbürgerlichen Marktflekken",[28] und sie attackieren ihn nicht nur von außen, sondern helfen, seine Ehe aus dem Herzen der eigenen Frau heraus zu zerstören. So verteilt sich, wie es aussieht, die Schuld für den Zerfall mehr oder weniger gleichmäßig auf die beiden Stände jener Gesellschaft, der sich Siebenkäs mit seiner Ehe gerade hatte verpflichten wollen.

Aber Lenette kommt zu Siebenkäs nicht als unselbständiges, beschränktes Kleinbürgermädchen, sondern hat sich mit ihrer Haubenmacherei ihr Brot bereits wohl zu verdienen gewußt. Sie macht auch nicht unbeträchtliche Anstrengungen, diese Ehe gelingen zu lassen, und ihre Achtung für den ihr offensichtlich überlegenen Mann schwindet nicht bei allen Zwistigkeiten und Schmerzen. So fällt schließlich das Licht auf den Helden selbst, und da wird sein eigenes Versagen gegenüber seiner jungen Frau nur allzu deutlich sichtbar. Denn der Bürger, Gelehrte und Autor Firmian Stanislaus Siebenkäs vermag – als neuer Pygmalion, sozusagen – keineswegs der „weißen Statue" seiner Grazie Leben einzuhauchen; sie bleibt unfruchtbar und kalt ihm gegenüber und nimmt für ihn nur Leben an, wenn er sie als Magdalena und „Kreuzschlepperin"[29] sieht. Ihre ganze Persönlichkeit weiß er nicht zu fassen, denn noch ein weiteres störendes Element wirkt auf diese Ehe, und das ist Siebenkäs selbst, so wie er ist und empfindet, aber mehr noch in der Gestalt seines Doppelgängers und Freundes Hoseas Heinrich Leibgeber, mit dem er einst den Namen tauschte. Am Hochzeitsabend ruhen die „zwei Freunde, von Engeln verknüpft, von Himmeln umgeben, liebestrunken in sprachloser weinender Umarmung. Und um das hohe Bündniß zu vollenden, zog im steigenden Taumel der Gatte seine Geliebte in das Umfassen seines Geliebten hinein – und drei Himmel in drei Herzen waren glänzend aufgethan – und nichts war darin als Gott, Liebe und Freude und die kleine Erden-Thräne, die an allen unsern Freudenblumen hängt."[30] Das ist enthusiastische Empfindsamkeit, aber zugleich wird doch auch einer jungen Frau allerhand zugemutet. In der zweiten Auflage hat Jean Paul dann diese Umarmung à trois gedämpft und vorsichtig zu trennen versucht. Der Bund wird aber auch dort Lenette nicht für den Freund des Mannes gewinnen: sie kann

aufkeimende Scheu und Abwehr nicht verdrängen und behält hinfort
die Antipathie. Wer also ist dieser Leibgeber?

3.

Trifft man in einem Roman einen hinkenden Doppelgänger, so liegt
es nahe, an den Gottseibeiuns zu denken. Hoseas Heinrich Leibgeber
hat sich solchem Verdacht bisher zu entziehen gewußt, aber daß er etwas mit dem Bösen zu tun hat, zeigt nicht nur sein Hinken, sondern
auch sein Handeln. Merkwürdig schon wird er von Jean Paul eingeführt. Bei Siebenkäs' Hochzeit macht der Autor eine Bemerkung über
die Swedenborgsche Vision der Verschmelzung von Eheleuten zu „Einem Engel" – auf Erden meist zu einem gefallnen, „woran des Weibes
Haupt, der Mann, den stößigen Kopf des Bösen vorstellt".[31] Damit aber
fällt sein Blick auf die Doublette des Ehemanns, auf Leibgeber also, der
gerade noch rechtzeitig zur Trauung eingetroffen ist und vom Chor der
Kirche herab einen Schattenriß vom Kopf der Ehefrau macht. Seinen
„Nebenchristen [...] schwarz abzubilden", nenne Leibgeber sogar seinen Lebensunterhalt – erläutert der Erzähler ungläubig – „da der seltsame Mann [...] nicht entdecken will, auf welchen Höhen sich die
Quellen sammeln, die ihm unten in den Thälern springen."[32] Denn
Leibgeber hat immer Geld, wo es gebraucht wird, um sich und schließlich auch seinem Freunde Siebenkäs Freiheit in der unfreien wirklichen
Welt zu erkaufen. Im übrigen wird er Urheber und Regisseur der sogenannten Scheintodkomödie, die demselben Zwecke dient. Jean Paul
selbst nennt ihn einen „Humoristen",[33] aber die Scherze, die er treibt,
kommen dem bedenklich nahe, was man heute schwarzen Humor zu
nennen pflegt. Gelegentlich spricht er auch selbst von sich als „diabo-
lus ex machina", und der Erzähler spricht von ihm sogar einmal freund-
schaftlich als vom „lieben hinkenden Teufel."[34] Man kann allerdings
eine solche Bemerkung nicht zu schwer nehmen, denn vom Teufel und
von Teufeln ist im *Siebenkäs* und überhaupt in Jean Pauls Werk nur zu
oft die Rede. Der Armenadvokat selbst schreibt bekanntlich an einer
Auswahl aus den Papieren des Teufels. Nicht immer ist also Leibgeber
gemeint, wo vom Teufel die Rede ist, und nicht immer ist der Teufel
gemeint, wenn Leibgeber auftritt. Im Gegenteil: ganz andere Identifika-
tionen werden außerdem heraufbeschworen. Hoseas ist ein alttesta-
mentarischer Prophet, der um die Sünden, besonders die Ehesünden,
seiner Zeit besorgt ist und verkündet: „Kommt, wir wollen wieder zum

Herrn; denn er hat uns zerrissen, er wird uns auch heilen." (Hoseas 6, 1)
Und seinem Freund Siebenkäs erscheint er gelegentlich sogar als der
Herr in der Wolkensäule, der Moses den rechten Weg führt.[35] Vor allem
aber ist Leibgeber ein Mensch, tiefer Freundschaft fähig zu seinem Firmian, die Welt um sich her kritisch-sarkastisch betrachtend, voller
Zorn gegen Ungerechtigkeit, Gemeinheit und den Amtsmißbrauch,
voller Verachtung gegen Dummheit und Arroganz der Privilegierten.
So scheint er sich jedem Versuch einer Beschreibung und Bestimmung
zu entziehen. Aber Leibgeber ist Siebenkäs' Doppelgänger. Wie dieser
ist er Bürger und Intellektueller, und beide sind auf ihre Weise kreativ
tätig, der eine mit seinen Teufelssatiren, der andere mit seinen Schat-
tenrissen. Leibgebers „Laune" jedoch „hatte eine stärkere Farbenge-
bung und freiere Zeichnung und einen poetischern, weltbürgerlichern
und idealern Umfang."[36] Siebenkäs dagegen ist Kleinbürger, begrenzt
durch Stand, Beruf, Ehe und die Not zum Geld. Deshalb will er dem
Freunde gleichen und läßt sich das „pyramidalische Muttermal",[37] das
ihn von Leibgeber unterscheidet, entfernen. Der Wunsch nach materieller, gesellschaftlicher Ungebundenheit und kreativer Freiheit
könnte nicht besser charakterisiert werden als durch solchen Versuch
des Zerreißens einer Art Nabelschnur. Auf den Freund auch wird der eigene, die Macht eines schöpferischen Geistes apostrophierende Name
übertragen; dem Freunde gleichzuwerden, auf diese Weise also den eigenen Namen zu verdienen, ihn zurückzuerobern und den „Siebenkäs"
ganz abzuschütteln, wird seitdem des Armenadvokaten ganzes Streben
und Ziel. Die Freundschaft der beiden ist nicht nur einem Ideal des
18. Jahrhunderts entsprechend bürgerlicher Männerbund zweier sich
ergänzender Charaktere, sondern baut auf viel tieferem Grund. Siebenkäs kann nicht leben, ohne sich der Wunschgestalt seines Leibgeber zu
versichern; Leibgeber wiederum existiert nur, weil er von Siebenkäs
gewünscht wird. Er kommt von Nirgendwo und geht auch wieder ins
Nirgendwo, nachdem er den Namen an Siebenkäs zurückgegeben hat.
Leibgeber ist Siebenkäs' Geschöpf und muß deshalb auch jünger als dieser sein, und er ist nicht, wie gern behauptet wird, der „Realist" gegenüber dem milderen Freunde. Er braucht nur nicht mehr hoffnungsvoll
nach Idealen zu suchen, weil er selbst schon ein Ideal ist, und gerade
weil er weniger „irdisch" und gebunden ist als Siebenkäs, kann er die
Menschenwelt außerhalb des Freundschaftsbundes kritischer betrachten und schärfer verurteilen. Auch derartiges erwartet man ja bekanntlich von Gestalten, in die man jene Erfüllung hineinträumt, die man
sich selbst nicht verschaffen kann. Das freie bürgerliche Individuum

Hoseas Heinrich Leibgeber übernimmt in diesem Sinne für den Armenadvokaten Firmian Stanislaus Siebenkäs stellvertretend jene Rolle,
die man sonst gewöhnlich einem Unsichtbaren zuweist, über dessen
Existenz aber schon in der Ouvertüre des ganzen Werks, der *Rede des
todten Christus vom Weltgebäude herab, daß kein Gott sey*, gewisse
Zweifel vorgetragen wurden.[38] Leibgeber nimmt auf sich, Gott und
Teufel zu sein; das Maß aller Dinge ruht in ihm und die Macht über Gut
und Böse, Leben und Tod. Aber zugleich bleibt er – und er macht kein
Hehl daraus[39] – dennoch „der alte Adam", das Urbild des Menschen,
immer fragend und suchend dem „Ewigen, All-Ersten" gegenüber, wie
Jean Paul noch im Nachruf auf den toten Leibgeber-Schoppe des *Titan*
schreibt.[40] Alles zu sein, ist vom einzelnen Wesen jedoch sehr viel verlangt.

Die Bewährung kommt in den entscheidenden Vorgängen des Romans. Siebenkäs versucht, wie erwähnt, seine junge Frau am Hochzeitsabend in die Freundschaft hineinzuziehen, aber das „hohe Bündniß" bringt sehr bald tiefe Trennung. Wie die „Sozietät" von außen, so
wirkt Leibgeber durch Siebenkäs von innen als zerstörendes Element
dieser Ehe und der mit ihr versuchten Absicht, gesellschaftlich Fuß zu
fassen. Die erste Handlung, die die beiden Doppelgänger gemeinsam
vornehmen, ist die Austragung der Visitenkarten des jungen Paars – „Es
empfiehlt sich und seine Frau, eine geborne Egelkraut, der Armenadvokat Firmian Stanislaus Siebenkäs"[41] –, eine Formalität, die durch das
Vexierspiel mit dem jungen Ehemann, der zugleich die Karten abgibt
und unten als Double auf der Straße im Wagen sitzt, zur Farçe wird. Jeder der beiden Freunde „war zugleich sein eigner komischer Akteur und
Kasperl und seine Frontloge." Das ist jedoch nicht nur eine Satire auf
„schöne bürgerliche Sitten", die den Advokaten bei den Begrüßten
nicht gerade empfiehlt, sondern eigentlich auch eine Verletzung der
jungen Frau, deren vier Tage alte Ehe eben jener Gesellschaft, aus der sie
kommt, zum erstenmal öffentlich als Gegenstand einer Art Narren-
spiel präsentiert wird. Pygmalion versagt. Nachdem Leibgeber Kuhschnappel wieder verlassen hat, verklärt sich das Bild des Freundes in
Siebenkäs immer mehr, während sich das der jungen Frau ständig ver-
düstert. Nach dem „ersten Kreuz ihrer Ehe", der Enthüllung des Na-
menstausches, senkt sich die Dunkelheit des Mißverstehens über beide, und nur selten fällt für Siebenkäs ein selbstkritisch-versöhnendes
Licht auf den „ganzen Krankheitbau seines Innern."[42] Einen Monat
nach der Hochzeit schreibt Leibgeber seinem Freunde aus Bayreuth, im
Gasthof zur Sonne logiere dort „ein schönes Frauenzimmer", sie „vor-

nen heraus, (ich hinten heraus)", die als „Bräutigamsgut" nach Kuhschnappel gehe.[43] Gemeint ist Natalie, die Braut des Rosa von Meyern
werden soll, aber die Anspielung ist doppelsinnig, denn Siebenkäs wird
sie einst zur Frau bekommen.

4.

Die zerstörenden Faktoren für den Ehestand des Armenadvokaten
Siebenkäs sind genannt. Seine Ehe wird ihm nun zum Brennpunkt aller
Widersprüche, in denen sich der junge Intellektuelle befindet, Widersprüche historisch-gesellschaftlicher Natur und Widersprüche im Bereich der inneren Orientierung, die mit den äußeren in Korrespondenz
stehen. Die Auflösung dieser unmöglichen, nicht führbaren Ehe vollzieht sich auf besondere Weise. Das Scheintodspiel ist als Rücksicht auf
die Frau interpretiert worden, der die Demütigung einer Scheidung
nicht zugemutet werden soll. Natalie selbst versichert Siebenkäs: „Ach
Sie haben sich blos für fremdes Glück geopfert, nicht für eignes."[44]
Meinungen von Romanpersonen sind cum grano salis zu nehmen.
Denn Siebenkäs erspart sich durch das Spiel schließlich vor allem
selbst die Demütigung, eigenes Versagen erkennen zu müssen. Mit anderen Worten: um sein Bild von sich zu retten und auf höherer Stufe
bewußt wieder Leibgeber zu werden, versteht Siebenkäs sein Leben
hinfort als Passion. Leibgeber aber wird Leiter und Lenker dieser Befrei-
ungsaktion seines „treuen guten Sohnes",[45] wie er ihn nennt; er hat allen Grund, an ihm Wohlgefallen zu haben.

Parallelen zu Christi Leidensgeschichte sind im Roman ganz unver-
hohlen und werden dem Lesenden vom Autor geradezu aufgenötigt.
„Am 12ten April verlor er seinen Prozeß zum zweiten mal; und am
13ten, am grünen Donnerstag, schloß er auf immer sein *Abendblatt*",
d. h. sein Tagebuch, um sich nun, vom Karfreitag an also, auf den Weg
zur „dritten Instanz"[46] zu machen, wie er an seinen Leibgeber schreibt.
An einem Himmelfahrtstage – allerdings ist es nicht der kalendarische
des Jahres 1786 – begegnet er zuerst Natalie, und Scheintod und Auferstehung sind mehr als nur eine Anspielung auf das Ostergeschehen,
auch wenn sie – aus gutem Grund – im August vor sich gehen. Andere,
weniger offensichtliche Bezüge sind eingestreut. Am Anfang des Buches ist Siebenkäs im 29. Jahr; Jesus war, „da er anfing, ungefähr dreißig
Jahre alt" (Luk. 3,23). Von Leibgeber trennt er sich zum erstenmal nach
der Hochzeit in einer erhebenden Szene auf dem Galgenberg, dem

„Gränzhügel so manches unglücklichen Lebens",⁴⁷ und er wird auf diesem Golgatha noch oft Kommunion suchen mit dem Freunde. Besitzlosigkeit und Beruf des Armenadvokaten bringen ihn ebenfalls dem Vorbild nahe, und schließlich macht Jean Paul am Beginn des 5. Kapitels eine weitere ganz direkte Anspielung, wenn er die „funfzehn Geheimnisse" im Leben Christi auch auf seinen Helden bezieht. In der Themen-Synopse dieses Kapitels ist dann auch noch die Rede von „Besen und Borstwisch als Passionswerkzeug":⁴⁸ gegenüber den undurchsichtigen großen Leiden verschafft ihm Magdalene-Lenette die kleinen, greifbaren und sichtbaren, an denen er sich verklären kann. Siebenkäs findet sich gut in seine Christusrolle; er wird für den Erzähler der „schreibende Dulder", eine „Dornenkrone" bedeckt metaphorisch „den blutenden Kopf", und auch seelischen „Marterinstrumenten" ist Firmian ausgesetzt.⁴⁹ Am Ende des Buches und der Passion steht der Satz: „Die Leiden unsers Freundes waren vorüber." In seinen Armen ruht Natalie. Ihr sagte er früher schon einmal das folgende: „Für die Erde und die Menschen sind schon mehre Erlöser als einer gestorben."⁵⁰ Hat Siebenkäs Aussichten darauf, mit seinem Scheinsterben solche Würden zu erwerben?

In den *Leiden des jungen Werthers* hatte Jean Paul bereits einen anderen bürgerlichen Helden finden können, der seine Konflikte, die ihn überwältigten, zu einer Passion stilisierte. Das Modell scheint dann später in mehr als einem deutschen Roman durch, wenn auch oft nur spurenhaft. Sensitivität und die Unmöglichkeit wie auch Unfähigkeit zu jeder gesellschaftlichen Integration haben etwas mit dieser Übersetzung ins Religiös-Mythische zu tun. Gegen Ende des 19. Jahrhunderts hat Nietzsche sogar die Passions-Stilisierung aus der Kunstphäre in die Realität seines Lebens übertragen und seine Autobiographie unter dem Titel *Ecce homo* publiziert. – Nun wird allerdings Siebenkäs' Passion nicht eigentlich von Jean Paul geschaffen, sondern nur von dem Erzähler berichtet. Und vor allem inszeniert nicht er den Scheintod, sondern eben Leibgeber. Hier spielt also nicht ein Autor Komödie mit Heiligem, sondern seine Gestalten, von denen ein Erzähler sympathisierend berichtet. Die Distanz erlaubt dem Lesenden wie dem Schreibenden, die Menschen im Buch gleichzeitig zu lieben und zu tadeln. Denn eben in dem Scheintod enthüllt sich die Gefahr dieses Theaters und die Gefährlichkeit der Akteure, die Spiel mit der Wirklichkeit vermengen. Der Tod „auf der Bühne", der gespielte Tod, ist etwas anderes als der Tod im Leben; für Lenette jedoch ist Siebenkäs' Tod so wirklich wie bald darauf ihr eigener: wo Theater als vom Menschen geschaffene künstliche oder auch künstlerische Realität und das tatsächliche Leben durcheinandergebracht werden, entsteht leicht Frevel. Die Grausamkeit der Sterbeszene macht das nur zu offensichtlich. Ein Jahr später stirbt Lenette als Frau Stiefels. Es gibt kaum eine erschütterndere Stelle in Jean Pauls ganzem Werk als die, wo Siebenkäs an das Grab seiner Lenette tritt, das neben seinem eigenen leeren liegt, in dem der Sarg nur Steinbrocken umschließt. Lenette wollte nach dem Tod zu ihrem seligen Firmian kommen, jetzt steht er lebend vor der Toten. Blasphemisches Spiel ist mit ihrem Glauben getrieben worden. Firmian hält jetzt im Anblick des eigenen leeren Grabes „seine Nachäffung der letzten Stunde für sündlich."[51] Denn auch er selbst ist geäfft, wenn er sich von nun an vielleicht einer monotonen Unendlichkeit, einem ewigen Kreislauf von Grab zu Grab ausgesetzt sieht. Der Glaube der toten Frau bleibt im Grunde so unwidersprochen wie die Furcht des lebenden Mannes unaufgehoben bleibt. In seiner Leichenrede am leeren Grab von Siebenkäs sagt Leibgeber: „Du verborgner Unendlicher, mache das Grab zum Soufflörloch und sage mir, was ich denken soll vom ganzen Theater!"[52] Diesen Gefallen tut ihm der Unendliche nicht; der über seine eigene Aktion reflektierende Akteur verlangt zu viel in seinem Durcheinander von Spiel und Ernst. Nur Verfasser und Zuschauer stehen auf einem ferneren Punkt, der ihnen einen klareren Blick auf die Wirrnis von Fragen gibt. Das ist nun allerdings das Positive, was das Spiel und die Kunst überhaupt wirklich können, solange man sie nicht mit der Bitte um Antworten belastet.

Nun läßt sich jedoch behaupten, daß auch der Tod Christi ein Scheintod ist, also ein vorübergehender Zustand. Die Aufhebung des Todes ist eine der Grunderfahrungen des Christentums. Aber wenn Firmian pro domo behauptet hatte, daß „für die Erde und die Menschen [...] schon mehre Erlöser als einer gestorben" seien,[53] so zeigt sich im Vergleich der Unterschied zum Spiel. Christi Tod ist für ihn und die ihn glauben, eine Tatsache; seine Auferstehung geschieht vor den Menschen und stellvertretend für sie; die Kraft dazu kam von der Sphäre, die sich der Erkenntnis verschließt und die viele Namen hat, gerade in Jean Pauls Werk. Nichts von solcher Transzendenz ereignet sich in Siebenkäs' Tod und Auferstehung. Die Kraft dazu kommt allein aus ihm selbst und bewährt sich auch nur an ihm selbst; das Theater, das zwei skeptische Intellektuelle veranstalten, hat wenig Aussicht, religionsstiftend zu sein. Mit Hilfe seines Wunschfreundes kann dieser Gelehrte und Erlöser nur sich selbst erlösen. Er erlöst sich von einer qualvoll gewordenen Ehe, die aber lediglich alles das in sich zusammenfaßte, womit er in seiner ersten Existenz nicht fertig wurde. Eine zweite Braut und eine zweite Existenz warten schon auf ihn – der Akt ist beliebig wiederholbar, wie Jean Paul auch in Fortsetzungsplänen angedeutet hat. Der Held hat sich lediglich aus einer Wirklichkeit, in der er nichts wirken konnte, hinauseskamotiert.

Nun ist das jedoch nicht seine Absicht, und auch sein Autor läßt ihn nicht einfach als Bankrotteur erscheinen – im Gegenteil. Zu Siebenkäs' Begräbnis kommt der Schulrat Stiefel mit der Nachricht, daß Friedrich II., „der alte König in Preußen",[54] genau eine Woche vor dem Advokaten gestorben sei. Jean Paul benutzt das zu einer Laudatio des Königs, dessen Mühen für Freiheit und Wahrheit er würdigt und von dessen Glauben er sagt, er habe sich „von der Hämlings-Philosophie der gallischen Enzyklopädisten nur die Ewigkeit, nicht die Gottheit verhängen" lassen. Es ist ein Gedanke, der fast wörtlich der Einleitung zur *Rede des todten Christus* entspricht, wobei Unsterblichkeitsglaube und Atheismus in Beziehung miteinander gebracht werden: mit der Unsterblichkeit verliere man nichts „als eine mit Nebeln bedeckte Welt", mit Gott jedoch das „ganze geistige Universum", in dem man existiere. Und die Schlußfolgerung dort, die dann von der Rede illustriert wird, heißt, daß mit dem „Glauben an den Atheismus sich ohne Widerspruch der Glaube an Unsterblichkeit verknüpfen lasse; denn dieselbe Nothwendigkeit, die diesem Leben meinen lichten Thautropfen von Ich in einen Blumenkelch und unter eine Sonne warf, kann es im zweiten wiederholen; – ja noch leichter kann sie mich zum zweiten male verkörpern, als zum ersten male."[55] Der Kommentar zu Siebenkäs' Sterben ist unüberhörbar.

Der große Friedrich litt „am grellen Kampfe" seiner Wünsche mit seinen Zweifeln, seiner „idealen Welt mit der wirklichen."[56] Reflektiert auch hier der Autor über seinen Helden? Denn Siebenkäs ist gleichfalls ein König. Beim Andreasschießen am 30. November und 1. Dezember 1785 im Reichsmarktflecken Kuhschnappel hatte er sich zuerst Zepter und Reichsapfel und dann schließlich den ganzen „römischen Adler" der deutschen Nation heruntergeschossen, der hier mit *einem* Kopfe eher dem preußischen ähnlich sieht.[57] Noch in seinem Testament bezeichnet sich Siebenkäs eindeutig als „regierender Schützenkönig" und versucht, für Senatus populusque Kuhschnappeliensis aufgeklärte Empfehlungen zu hinterlassen: sie sollten selig werden, „besonders auf dieser Welt".[58] Kein Zweifel, hier lebte nicht nur ein Dulder, sondern auch ein Herrscher ungewürdigt und im Bettlergewande unter den Menschen. Schon als er die erste Insignie, das Zepter, gewinnt, wird ihm die Achtung versagt. Mit einem gewonnenen Fisch und dem Herrschaftszeichen, das wie ein „Stück von einem Schäferstabe" aussieht, läuft der Christus und Held nach Hause. Er hielt den Zepter unterm Überrocke „straff und steif voraus", aber Lenette ist weder davon beeindruckt, noch erkennt sie den Dulder und König. „Jammern kann sie laut genug, aber jubilieren nicht, wenn unser einer mit Hechten und Zeptern unter den Armen heimkehrt!"[59] Aber da die kleine Welt den Helden nicht begreift, zeigt sich Trost anderswo. Im Volksglauben ist der Andreastag für vielfältige Orakel über die Zukunft von Liebe und Ehe bekannt. Auf einen bestimmten Apfelzauber geht Jean Paul sogar beiläufig ein – „ich sollte aber solche Winzigkeiten gar nicht berichten."[60] Am nächsten Morgen springt Siebenkäs „zum letzten mal als gemeiner Mann ohne Krone" aus dem Bett. Es ist der 1. Dezember und im Heiligenkalender der Natalientag; an ihm schießt er den „römischen Adler" – lateinisch „aquila" – herunter und wird zum König gekrönt. Seine zweite Frau Natalie Aquiliana wird Siebenkäs übrigens zum erstenmal am „Himmelfahrtstage" des 7. Mai als Unbekannte begegnen und ihm mit ihrem Namen am darauffolgenden 8. Mai vorgestellt: es ist der Stanislaustag.[61] Am Abend macht Leibgeber in einer Tischrede Anspielungen auf die Zeugung eines Kronprinzen. So vorsichtig man gegen Schlüsse zu sein hat, die sich nicht überall unmittelbar aus dem Text belegen lassen, so ist hier doch das Netz der Bezüge zu dicht, als daß es Zufall sein könnte. Nur ist sein Sinn noch nicht deutlich.

Siebenkäs trifft Natalie nach seiner Auferstehung und Neugeburt, seinem „dies natalis", als Leibgeber wieder; bei ihr soll er seiner Leiden ledig und mit Reichsapfel und Zepter wirklich anerkannt werden. Die finanziellen Sorgen sind dann gemildert, denn nach einem kleinen Versicherungsschwindel wird sie von der preußischen Witwenkasse als Siebenkäs' Witwe bezahlt. Fördert der große Friedrich auf diese Weise seinen Thronfolger? Wird der Mann des kritischen, aufgeklärten, freiheitshungrigen, kreativen Intellekts zum wahren König in Preußen und dem ganzen heiligen römischen Reich?

Natalie ist – wie alle literarischen Natalien – von der Kritik gern als „hohe Frau" gefeiert worden, die einem Ideal von der Frau als gleichberechtigter Partnerin oder sogar Erzieherin des Mannes gut entspricht, das in der deutschen Literatur des ausgehenden 18. Jahrhunderts, etwa in Werken wie dem *Wilhelm Meister*, dem *Hyperion* oder der *Lucinde*, vorzufinden ist. Auch in Jean Pauls eigenen Werken, im *Hesperus* oder *Titan*, hat Natalie in Würde und Idealismus Verwandte. Daß sie, wie einige ihrer Schwestern, aus höherem Stande kommt als der Held, aber diesen Stand verachtet, ist eine soziale Metapher für die ihr zugedachte erhebende und erhöhende Aufgabe. Natalie Aquiliana ist nun allerdings ein sehr viel komplizierteres Wesen. Vor allem ist sie mit dem Freunde Leibgeber verwandt; die Relation machte schon dessen früherer Bericht aus dem Gasthof zur Sonne deutlich – er hatte dort ihr gegenüber das Zimmer „hinten heraus". Denn wie Leibgeber, so ist auch sie eine Wunschprojektion von Siebenkäs, oder, um es zugespitzt im Bilde zu sagen: dem leidenden Christus wird der Freund zum heiligen Geist, die Gefährtin aber zur Gottesmutter. Die Sonne ist, nebenbei bemerkt, eines der Mariensymbole, und Siebenkäs beginnt seine Teufelspapiere, die ihn mehr und mehr von Lenette trennen, an einem „Marientage". Der Bezug ist nicht so hochgegriffen, wie es zunächst den Anschein hat. Der Roman wird immerhin durch zwei Blumenstücke eingeleitet, von denen das eine aus der Botschaft des toten Christus und das andere aus einem Traum von der versöhnenden Liebeskraft Marias besteht, die, da sie eine Mutter und ihr Kind sieht, dem eigenen Sohne gegenüber weinend bemerkt: „Ach, nur eine Mutter kann lieben, nur eine Mutter."[62] Das Mutter-Kind-Gleichnis wird dann von Natalie selbst in ihrem ersten Brief an den vermeintlichen Leibgeber im Hinblick auf den totgeglaubten Siebenkäs verwendet, und Marienmetaphorik wird von Jean Paul auch vorsichtig in den verklärten Schluß des Romans verwoben. Daß das Traumstück am Beginn des Romans also zusammen mit der Christusrede integraler Bestandteil des Werkes ist und nicht lediglich Auftragsarbeit für eine Gönnerin, wie behauptet worden ist, erweist sich dadurch vollends. Schwieriger ist schon die Frage nach dem Sinn und nach möglichen katholisierenden Tendenzen bei Jean Paul, die so wenig zu ihm passen. Daß psychologisch und in den Tiefen seines Wesens die Neigung zu Mütterlichem eine Rolle bei ihm gespielt und Auswirkungen auf seine Einstellung zu Frauen wie Männern gehabt hat, steht zu vermuten, ist aber hier nicht zu erörtern. Das Bild einer himmlischen oder geistlichen Hochzeit als Beginn einer neuen Zeit war Jean Paul aus pietistischem Gedankengut geläufig. In der Offenbarung Johannis fährt das neue Jerusalem aus dem Himmel herab und ist „bereitet als eine geschmückte Braut ihrem Mann", um durch die Hochzeit den „neuen Himmel und die neue Erde" einzuleiten (Offb. 21,1–2) – bei Jean Paul faßt das Erscheinen von Natalie Siebenkäs' „altes abgelebtes Leben" mit „einem neuen Himmel und einer neuen Erde" ein.[63] Die Himmelskönigin erhebt den „schreibenden Dulder" über sich hinaus und setzt ihm die Krone auf. Friedrich Schle-

gel hat mit seinem Scharfblick schon 1798 die Nähe von Kleinstadt und
Gottesstadt in „Friedrich Richters Romanen" gesehen.[64]

Aber Gottesstädtisches bleibt nur eine Seite des Ganzen. Wie Siebenkäs Christus und reflektierender bürgerlicher Künstler, Lenette
Büßerin und Grazie, so ist auch Natalie Aquiliana zweierlei: die Ma-
riengestalt wird erstaunlicherweise eingeführt als „ein weiblicher
Kopf, der vom Halse des vatikanischen Apollo abgesägt und nur mit
acht oder zehn weiblichen Zügen und mit einer schmalern Stirn gemildert war."[65] Auch die „Römerin" ist sie, und wie Christentum und die
Kunst der Antike sich in dieser Stadt treffen, so hier in dieser einen Person. In seinen Fortsetzungsplänen zum *Siebenkäs* hat Jean Paul den Begriff der „ästhetischen Frau" gebraucht.[66] Er ist nicht speziell auf Natalie gemünzt, trifft aber auch sie. Siebenkäs inszeniert seine Auferstehung als Spiel, um sich selbst zu befreien; Natalie akzeptiert ihre Rolle
darin, als sie den zu Leibgeber verwandelten Siebenkäs am Ende wie-
dertrifft und alles erfährt. Der Kunstwerkcharakter in ihr trennt sie von
der geistlichen Realität einer Maria, wie die „Komödie" der Auferstehung Siebenkäs von einem Christus trennt. Der alte Leibgeber ist verschwunden, der „heilige Geist" in sie beide eingegangen; mit seiner
Natalie wird der Gekrönte in die Zukunft hinken. Aber wirklicher König wird der neue Leibgeber und alte Armenadvokat allerdings nicht;
die Erhebung findet wie die Befreiung nur für die beiden Romanpersonen statt. Sie werden kein neues Jerusalem und Tausendjähriges oder
Römisches Reich regieren.[67] Am Ende bleiben Held und Heldin durchaus in der Wirklichkeit zurück, und sei es auch in der mild utopischen
des Fürstentums Liechtenstein. Für Jean Paul ist das Spiel ein Spiel geblieben. „Die Leiden unsers Freundes" waren in der Tat vorüber, aber
sie konnten auch wieder neu beginnen. Jean Paul hat sich lange mit
dem Plan getragen, die neue bürgerliche Ehe des Siebenkäs zu schildern. Er hat die Absicht dann aufgegeben – mit gutem Grund, denn das
Buch war bereits geschrieben: er brauchte nur die reichhaltigen Erfahrungen aus seiner eigenen Ehe nachzutragen und alles als zweite Auflage der *Blumen-, Frucht- und Dornenstücke* 1818 erneut zu veröffent-
lichen.

5.

Die Frage bleibt offen, wie ernst Jean Paul es mit der Apotheose seiner
Helden und mit den vergangenen Leiden gemeint hat. Lassen sich die

Analogien noch fortsetzen und taucht etwa im guten, wohltätigen, sich auf sich selbst zurückziehenden Grafen von Liechtenstein gar ein Bild des freundlichen Vaters im Himmel auf, der nun den verklärten Sohn zu sich nimmt? Natalie war ohnehin schon eine Freundin seiner Tochter, und Siebenkäs-Leibgeber wird, wie es ausdrücklich heißt, der Inspektor eines „Gerichtherrn".[68] Die Parallelen sind ebenso möglich wie unbedeutend. „Die Ewigkeit ist auf der Erde",[69] hatte Natalie am Ende zu Siebenkäs gesagt. Die Sakralisierung des bürgerlichen Helden wäre dann nicht nur die Säkularisierung eines heiligen Lebenslaufs, sondern ausgesprochene Travestie. Es fällt schwer, solche Vermutung mit dem tiefen Empfinden von Jean Pauls Gestalten zu vereinbaren, mit ihrem Suchen nach Antworten auf antwortlose Fragen, und dies alles dann schlechthin als Parodie oder Satire zu betrachten, entspricht es doch so stark Jean Pauls eigenem Denken und Wünschen. „In uns brent ein ewiger Durst nach einem höhern Glück, nach einer höhern Liebe, nach einer höhern Tugend, für den dieses Leben nicht einmal Tropfen zu reichen hat. Kurz ohne ein 2tes Leben könt' ich gerade in den *Minuten der Entzückung*, worin mir das Gespenst der Schwermuth aus 1000 Gräbern aufsteigt, nicht das erste ertragen," schreibt er seinem Freunde Emanuel Osmund während der Arbeit am *Siebenkäs*.[70] Wenn überhaupt etwas ernst gemeint ist, so diese Worte, die sich dann vielfach im Werk spiegeln.

Große Autoren sind, wie man sagt, genaue Beobachter der Wirklichkeit, sowohl der in ihnen wie der um sie herum. Die Leiden von Lenette und Siebenkäs sind so menschlich und wahr wie die Freuden des neuen Leibgeber und seiner Natalie. Ebenso wahr ist auch das Bild der Gesellschaft, die Leiden schafft und es den Freuden schwermacht. Wieviel Verantwortung für Leiden und Freuden der Zeit zuzumessen ist und wieviel auf den Menschen überhaupt mit seinen Trieben, Hoffnungen und Selbstüberhebungen fällt, läßt sich kaum bestimmen. Aber eben ein so genau beobachtetes Werk wie der *Siebenkäs*, in dem die sogenannten letzten Dinge zusammen mit einer ganzen Reihe von vorletzten im kleinsten Alltag auffindbar sind, gibt aus der Distanz des Verfassers und nicht nur des fiktiven Erzählers die beste mögliche und aussagbare Vorstellung von diesem Netz der Beziehungen. Zweifel und Hoffnungen eines Autors hat Jean Paul in der *Vorrede* und dem einzigen *Fruchtstück* des Buches sarkastisch und deutlich genug niedergelegt. Der Kaufmann Oehrmann, der „erzählen" mit „erzahlen" verwechselt, auf den als „Kaufpublikum" ein Autor aber doch nicht verzichten kann, muß eingeschläfert werden, ehe der Tochter – Johanne Pauline – „die

Hundposttage und gegenwärtige Blumenstücke etc. etc.'', vorgetragen werden können.[71] Und im *Fruchtstück* berichtet Jean Paul, wie ihm Viktor – gemeint ist der aus dem *Hesperus* – bekennt: ,,Vielleicht werden wir es können – wir werden überall glücklich sein, wo ein Mensch lächelt, sollt' ers auch nicht verdienen – wir werden nicht mehr aus Pflicht der höflichen Verläugnung, sondern aus Liebe freundlich mit jedem Bruder sprechen, und für Herzen, die keine innre Entrüstung mehr zu decken haben, wird es keine verwickelte Lagen mehr geben.''[72] Solche ,,wachsende Menschenliebe'', die ,,dem satirischen Vergnügen an fremder Thorheit'' immer mehr ,,abbricht'', wie Jean Paul sagt, wird übrigens auf einer im Rhein schwimmenden Insel in einer Gesellschaft des Autors mit einigen seiner Gestalten verkündet. Das revolutionäre Frankreich und die freie Schweiz sind irgendwo in der Nähe, die Alpen – wenn auch sehr fiktive – sehen herunter, und ,,die Stadt Gottes, die hoch über der Erde schwebt, erschien aus der ewigen Ferne''. Ein paar Kilometer rheinaufwärts liegt dann wohl übrigens auch Vaduz, als müßte es so sein. Jenseits der Alpen aber wartet der Lago Maggiore, von dessen Borromeischen Inseln Albano, der Held des *Titan*, seinen Bildungsgang zum idealen Fürsten beginnen soll. ,,Da er nun Friedrich II. nicht sukzedieren durfte, so wollt' er künftig wenigstens Minister werden [...] und in den Freistunden nebenbei ein großer Dichter und Weltweiser.''[73] Man kann ein Wort von Jean Paul über seine ,,Appendizes'' gut auf seine Werke übertragen, denn auch sie haben ,,sämtlich, wie größere Vulkane, eine geheime Verbindung.''[74] Der adlige Held würde die Freiheit haben, dort schon in der Realität zu beginnen, wo Siebenkäs im Enthusiasmus der Selbsterhöhung aufhören muß. Der Dichter würde nicht zum Fürsten, sondern der Fürst zugleich zum Dichter. Die Bewährung bleibt jedoch, wie man weiß, auch hier offen. Aber noch einmal wird in diesem Zusammenhang Jean Pauls Skepsis gegenüber einem ästhetischen Spiel mit dem Leben sichtbar, wie er es im *Siebenkäs* vorgeführt hat: im *Titan* ist Roquairol symptomatisch für die Gefahren, die daraus erwachsen können, und Leibgeber findet dort als Schoppe sein irres Ende.

Solche Bedenken, ja solche Warnung machen die besondere Bedeutung des *Siebenkäs* in der Geschichte der deutschen Literatur aus. ,,Eritis sicut Deus, scientes bonum et malum'', schreibt der als Faust verkleidete Mephisto dem Schüler ins Stammbuch. Es ist ein teuflischer Rat. Die Hypertrophie des bürgerlichen Intellektuellen, für den die Welt nicht ist, ehe er sie nicht erschuf – der frühere Schüler sagt es so als Bakkalaureus in Goethes *Faust* – erscheint als eine spezifisch deutsche

Aberration, die, wie sich versteht, von der besonderen sozialen Stellung des Intellektuellen, d. h. seiner Abhängigkeit wie beschränkten Wirksamkeit, bedingt ist.[75] Die Orientierung des Lebens an den Idealen einer über die Gegenwart ragenden Kunst als Essenz alles Menschlichen, Guten und Wahren sowie das damit verbundene Konzept einer ästhetischen Erziehung transzendierten seine historische Beschränkung und waren das Beste, was er vorschlagen und geben konnte. Das war nicht schon Verirrung, sondern wurde zusammen mit den geschichtsphilosophischen Entwürfen, die dazu führten oder daraus hervorgingen, von bedeutender Wirkung. Die jeweilige Realität einer menschlichen Ordnung konnte sich in der Tat davon Ziele weisen lassen. Aber seines Ortes in der Gesellschaft und seiner Wirksamkeit unsicher, versucht sich der bürgerliche Künstler und Intellektuelle zuweilen auch selbst zu heiligen, in dem er sich durch die Kunst als Religion zum Gotte macht. Das Individuum jedoch, das sich zum Maß aller Dinge setzt, wird für die anderen entweder uninteressant oder gefährlich. Esoterik hat man der deutschen Literatur gern nachgesagt, und nicht immer zu unrecht. Sucht man nach weiteren Perspektiven, so wird man schließlich erinnert an jenen deutschen Tonsetzer und Doktor Faustus, der sich um der Kunst willen dem Teufel verschrieb; Thomas Mann hat zu seinem Lebenslauf Material aus der Biographie Friedrich Nietzsches genommen, der sein eigenes Leben zur Passion stilisierte.

Die Geschichte von *Ehestand, Tod und Hochzeit des Armenadvokaten F. St. Siebenkäs* und seiner „Lebens-Spielparthie"[76] tritt im Erscheinungsjahr des letzten Bandes von *Wilhelm Meisters Lehrjahren* dem deutschen Bildungsroman bereits kritisch gegenüber. Tiefe Zweifel gegen die „Kunstperiode" werden erkennbar, ehe sie überhaupt erst recht begonnen hatte, Zweifel allerdings nur gegen eine Überforderung des kreativen Intellekts und eine Absolutsetzung der Kunst, nicht gegen die Kunst an und für sich. Denn schließlich ist der *Siebenkäs* selbst ein Kunstwerk von hohem Rang. König Friedrich Wilhelm III., dem Großneffen Friedrichs des Großen gegenüber, hat Jean Paul einmal erklärt, der Zweck seiner ästhetischen Werke sei, „den sinkenden Glauben an Gottheit und Unsterblichkeit und an alles was uns adelt und tröstet zu erheben und die in einer egoistischen und revoluzionairen Zeit erkaltete Menschenliebe wieder zu erwärmen."[77] Man mag von solchen zweckgeleiteten Bekenntnissen gegenüber Mächtigen nicht viel halten. Alle seine anderen und ganz privaten Bekenntnisse geben aber keinen Anlaß dafür, die Sätze Jean Pauls an die „königliche Majestät" als Heuchelei anzusehen. Für die Ehrlichkeit seiner Überzeugung ist letzten Endes sein ganzes Werk der Beleg. Man darf es nur nicht einfach auf die gleiche Weise wie manche anderen Romane der Zeit lesen, vor denen sich der *Siebenkäs* im übrigen nicht zu verbergen braucht. Das Studium Jean Pauls kann sich nicht mit der Feststellung und Definition von Spießbürgern, Humoristen, Revolutionären und hohen Menschen sowie ihrer existentiellen oder gesellschaftlichen Problematik begnügen, – so nötig solche Arbeit allerdings auch ist – denn ihre Gedanken, Gefühle und Gesinnungen stimmen nicht immer mit ihrer Handlungsweise überein. Seine Sprache und ihre Bilderfülle zwischen Antike und Christentum, also Klassik und Romantik im zeitgenössischen Sinne, fordert ebenso heraus wie das, teils verborgene, Bezugssystem seiner Romane und leitet hin zu der ganzen komplexen und bedeutungsreichen literarischen Verfahrensweise, für die der *Siebenkäs* ein triftiges Beispiel gibt. Er steht ihm wohl auch am nächsten und hat ihn nie losgelassen. ,,Ich werde sterben, eh' ich nur ein Paar Wände meiner Gehirnkammern abgeschrieben'', meint er unter der Arbeit an diesem Buch zu seinem Freunde Oertel.[78] Jede Studie seines Werks kann nur als Anfang betrachtet werden.

Anmerkungen

Jean Pauls *Siebenkäs* wird zitiert nach der 2. Auflage von 1818, wieder abgedruckt in Bd. 6 der historisch-kritischen Ausgabe (Jean Pauls *Sämtliche Werke*. I. Abt., 6. Bd., hrsg. von Kurt Schreinert. Weimar 1928 – abgek.: SW mit Seitenzahl). Daneben wurde die Erstausgabe von 1796/7 benutzt und bei Abweichungen zitiert (vgl. Anm. 1 – abgek.: EA mit Band- und Seitenzahl). Da sich in ganz Australien kein vollständiges Exemplar der *Sämtlichen Werke* befindet, wurden die anderen Werke Jean Pauls nach der Werkausgabe des Hanser-Verlags, München 1960 ff. zitiert (abgek.: H. mit Band und Seite). Der *Siebenkäs*-Band dieser Ausgabe ist leider für wissenschaftliches Zitieren unbrauchbar, da Umbruchverschiebungen zwischen den einzelnen Auflagen bestehen. Auf eine Auseinandersetzung mit der Jean-Paul-Literatur muß ich wegen des knappen Raums verzichten; sie soll an anderer Stelle versucht werden.

[1] In Carl Matzdorff's Buchhandlung, Berlin. ,,Erstes Bändchen'' 1796, ,,Zweites'' und ,,Drittes Bändchen'' 1797.

[2] *Allgemeine Literatur-Zeitung*, No. 361 (Donnerstags, den 17. November 1796), Sp. 425–428.

[3] SW 139, 142.

[4] SW 271.

[5] SW 370.

[6] SW 292, 66, 101 f., 190.

[7] SW 23.

[8] SW 531.

[9] SW 24.

[10] SW 518.

[11] H. 4, 734.

[12] SW 313, das Folgende Karl Philipp Moritz, *Götterlehre oder Mythologische Dichtungen der Alten*. 1791. Leipzig 1966, S. 244 f.

[13] SW 442, das Zitat nur EA 1, 29.

[14] SW 27.

[15] H. 4, 328.

[16] Vgl. SW 43 f.

[17] EA 1, 52 und SW 43.

[18] SW 39.

[19] SW 67.

[20] SW 24.

[21] SW 137.

[22] SW 79 ff.

[23] EA 1, 91; SW 71 hat „überragt" und „Schriftsteller".

[24] H. 6, 83.

[25] SW 84.

[26] EA 2, 211; SW 285 hat „menschliche Gesellschaft"; SW 104.

[27] SW 516.

[28] SW 433.

[29] EA 1, 29; SW 196.

[30] EA 1, 47.

[31] SW 29.

[32] SW 31; EA enthält den letzten Satz nicht.

[33] SW, III. Abt., 2. Band: *Briefe 1794–1797*. Hrsg. von Eduard Berend. Berlin 1958 (abgek.: Br.), S. 126.

[34] SW 496, 506.

[35] SW 507, vgl. 2. Mos. 13, 21. Die Dissertation von F. Diergarten, *Die Funktion der religiösen Bilderwelt in den Romanen Jean Pauls*, Köln 1967, enthält ein Verzeichnis biblischer Bilder im *Siebenkäs* und führt auch eine Reihe der offensichtlicheren Parallelen zur Leidensgeschichte Christi auf.

[36] SW 507.

[37] SW 30.

[38] Die Rede, die, wie bekannt, älteren Ursprungs als der Roman ist, erscheint zusammen mit dem „Traumstück" in der 2. Auflage erst am Ende des 2. Bändchens des dort auf 4 Bändchen aufgeteilten Werkes. Innerhalb der Romanhandlung ist es die Zeit nach dem Andreasschießen.

[39] Es finden sich verschiedene Belege im Werk; vgl. bes. „Adams Hochzeitrede", SW 104 ff.

[40] H. 3, 801.

[41] Dies und die folgenden 2 Zitate SW 41 f.; das zweite Zitat wird in der ausführlicheren Form von EA 1, 50 gebracht. SW hat nur „sein spielender Kasperl".

[42] SW 101, 157.

[43] EA 1, 161; SW 112 spricht von einem „reiz-, kraft-, geist- und seelenvollen Mädchen."

[44] SW 534.

[45] SW 111, vgl. Matth. 3, 17.

[46] SW 325.

[47] EA 1, 72; SW 55 hat „verunglückten Daseins". Vgl. auch SW 93.

[48] SW 137.

[49] SW 141, 242, 271, 435.

[50] SW 536, 243.

[51] SW 527.

[52] SW 488.

[53] SW 243.

[54] Dies und das folgende Zitat SW 486 f.

[55] Dies und das folgende Zitat SW 247 f.

[56] SW 487.

[57] SW 204 ff.

[58] SW 469 f.

[59] SW 207 f.

[60] SW 212; dort auch das folgende Zitat.

[61] SW 352. Jean Paul erwähnt diesen Tag selbst. Verschiedentlich wird der 7. Mai als Feiertag angegeben. Als besonderes Attribut wird dem Hl. Stanislaus „ein nur mit einem Tuch verhüllter, aus dem Grabe erstehender Toter beigegeben, den er als Zeuge für einen Rechtsstreit erweckte." (*Reclams Lexikon der Heiligen und biblischen Gestalten*. Stuttgart 1968, S. 467). Für Firmian konnte ich bisher keine einigermaßen plausible Motivation finden. Daß „Siebenkäs" auf den Nürnberger Juristen Johann Christian Siebenkees zurückgeht, ist allgemein bekannt. Er veröffentlichte 1793/4 *Nachrichten von den Nürnbergischen Armenschulen und Schulenstiftungen*.

[62] SW 257; der „Marientag" 68.

[63] SW 379.

[64] *Athenaeum*. Ersten Bandes Zweytes Stück [1798]. Nachdruck Darmstadt 1960, Bd. 1, S. 308.

[65] SW 338; die „Römerin" 361; zugleich ist das natürlich auch wiederum eine Rückverweisung auf den „römischen Adler".

[66] Karl Freye, „Die Studien zu Jean Pauls zweitem Eheroman". in: *Euphorion* 15 (1908), S. 73−99. Vgl. S. 79.

[67] Vgl. SW 336.

[68] SW 523.

[69] SW 536.

[70] Br. 2, 129.

[71] SW 7, 8, 15.

[72] Dies und das Folgende SW 402 ff.

[73] H. 3, 137.

[74] H. 4, 362.

[75] Auf die historischen, ökonomischen und politischen Zusammenhänge braucht hier nicht eingegangen zu werden. Der *Siebenkäs* macht ohnehin aus sich heraus genug davon deutlich. Verwiesen sei auf das jüngst erschienene Buch von W. H. Bruford, *The German Tradition of Self-Cultivation. ,Bildung' from Humboldt to Thomas Mann*. Cambridge 1975.

[76] EA 3, 204; SW 477 hat „Lebens-Partie". Leibgebers Behauptung dort, die Menschen seien nicht Spieler, sondern Spielsachen, steht im Kontrast zu seiner Handlungsweise.

[77] Br. 4, 68 (4. Mai 1801).

[78] Br. 2, 143 (6. Januar 1796).

Bernhard Böschenstein

Die *Bakchen* des Euripides in der Umgestaltung Hölderlins und Kleists

Was heißt es, wenn man immer wieder erklärt, in der deutschen Dichtung um 1800 seien griechische Götter auferstanden? Die vorliegende Studie versucht, dieser Frage nachzugehen. Sie wählt dazu die einzige uns erhaltene antike Tragödie, die einen Gott, Dionysos, in ihre Mitte stellt, – die *Bakchen* des Euripides –, und zwei fast gleichaltrige Dichter, Hölderlin und Kleist, die sich beide antiker Literatur und Religion in extremer Weise ausgesetzt haben. Beide haben die *Bakchen* genau gekannt und in eigene Werke integriert.

Hölderlin beschreibt in der Hymne *Wie wenn am Feiertage...* die „Seele des Dichters", der „die Frucht in Liebe geboren, der Götter und Menschen Werk, / Der Gesang, damit er beiden zeuge, glückt."[1] Und dieser Gesang wird alsbald der „Frucht des Gewitters", dem „heiligen Bacchus", gleichgesetzt. Ein solches Lied erlaubt den Menschen, „himmlisches Feuer jetzt ... ohne Gefahr" zu trinken. Dionysos ist also die Metapher für eine dem Menschen erfahrbare Form der Vermittlung elementaren Geistes. Eigenschaften scheinen ihm zugesprochen zu werden, die den Blitz des Zeus in eine ertragbare Gestalt umsetzen. Diese Auffassung des Gottes präzisiert sich dem Leser anhand des Prologs der *Bakchen*, von dem Hölderlin die ersten 24 Verse übersetzt hat und der, wie die Handschrift belegt, 1799 den Anstoß zur Hymne *Wie wenn am Feiertage...* gegeben hat.

Nun finden wir 1807 in Kleists *Penthesilea* Verse, die auf die gleichen *Bakchen* zurückgehen und in denen die Hauptgestalt mit anderen Aspekten des Dionysos identifiziert wird.

> Jetzt unter ihren Hunden wütet sie,
> Mit schaumbedeckter Lipp, und nennt sie Schwestern,
> Die heulenden, und der Mänade gleich,
> Mit ihrem Bogen durch die Felder tanzend,
> Hetzt sie die Meute, die mordatmende,
> Die sie umringt, das schönste Wild zu fangen,
> Das je die Erde, wie sie sagt, durchschweift.[2]

Hier ist Dionysos der Gott, der einen Menschen zum Tier, zum Jäger, zum Mörder macht. Und auch diese Auffassung kann sich auf die *Bakchen* berufen. Die beiden Gestalten des Dionysos scheinen einander entgegengesetzt zu sein: hier schützende Hülle, dort Inspirator in einem Prozeß grenzenlosen Identitätsverlusts.

Hölderlin eignet sich das Stück des Euripides von einer ganz anderen Stelle aus an als Kleist. Dem einen tritt ein ordnender Geist daraus entgegen, dem andern die Zerstörung in ihrer extremsten Form. Um diese Doppelheit zu verstehen, muß zunächst die antike Tragödie selbst betrachtet werden.

Im Prolog erklärt Dionysos, er komme als Rächer seiner Mutter Semele nach Theben, die von ihren Schwestern verleumdet werde, nicht Zeus, sondern einen Sterblichen empfangen zu haben. Deshalb werde von ihnen und von Pentheus, dem Enkel des Kadmos, seine Göttlichkeit nicht anerkannt. So habe er seine Verwandten in einen Wahn versetzt, der sie als Bacchantinnen in die Berge treibe. Die Handlung des Dramas zeigt diesen Wahn. Kleist läßt seine Heldin ihn teilen. Hölderlin dagegen begibt sich auf die Ebene der Selbstdarstellung des Gottes zu Beginn des Stückes, wo dieser seine kultstiftende Rolle betont.[3] Seine Übersetzung bricht sicher nicht zufällig an der Stelle ab, wo das Unrecht, das Dionysos geschah, beschrieben und zum Anlaß für sein Verhalten während der dramatischen Handlung genommen wird. Der Hölderlinsche Dionysos wird also von der Rache an seinen Verwandten und seiner Mutterstadt Theben durchaus ferngehalten, während der Kleistsche Dionysos im vernichtendsten Moment dieser Rache angeeignet wird. Hölderlin reflektiert den Gott, während Kleist Penthesilea als Opfer des Dionysos auftreten und sterben läßt. Im einen Fall liegt eine epische Distanz, im andern ein dramatischer Vollzug vor, wobei der Gott im ersten Fall benannt und definiert, im zweiten rein erlitten wird. Deshalb war für Hölderlin nur der Prolog, für Kleist nur der Höhepunkt des Dramas relevant. Aber Hölderlins Dionysos wird vom Grund seiner Ankunft in Theben, seinem Rachefeldzug, abgetrennt, während Kleists Dionysos umgekehrt ohne erkennbaren Grund in seinem Opfer wütet. Dort steht der Gott für sich selber da, hier zeigt sich die vernichtende Wirkung des Gottes ohne Voraussetzung. Beide übernehmen also gerade nicht das mythische Geschehen in seinem kohärenten Zusammenhang, sondern einen Aspekt des Stückes, der im Vergleich zum griechischen Text in zusammenhangloser Isolierung erscheint. Es ist, als ob jeweils *eine* Form der Gottesanwesenheit verabsolutiert werden sollte, als ob es um den Gott ohne seine Geschichte, ohne seine „Biographie" ginge.

Es mag paradox scheinen, daß die modernen Dichtungen im Gegensatz zum antiken Stück auf die Selbsterläuterung des Gottes verzichten. Denn der Zeit um 1800 ist Dionysos fremd geworden, so daß er einer umfassenderen Einführung und Exemplifizierung gerade bedürfte. Aber auf diese Abweichung kommt es gerade an. Durch die Weglassung der Fortsetzung wird Hölderlins Dionysos von denjenigen Zügen gereinigt, die ihn als barbarischen Vergelter zeigen. Seine Rachsucht, seine betörende Verführungskunst, seine strafende Härte und Grausamkeit entfallen. Dionysos wird nur als Wohltäter der Menschen vorgestellt. Umgekehrt ist Kleists Dionysos eine geheimnisvolle Figuration des Bewußtseinsverlusts, für die Kleist nicht wie Euripides eine rationale Erklärung gibt: „Erst versetze ihn (Pentheus) in einen leichten Wahnsinn. Denn wenn er bei Bewußtsein bleibt, wird er nicht Frauengewand anziehen, doch als Wahnsinniger wird er's tun."[4] Penthesileas Untat geschieht „in des Verstandes Sonnenfinsternis" (V. 2902), ohne daß dieses Außersichsein auf der Ebene der Handlung erläutert wird. (Daß ihr Wahnsinn aus der modernen psychologischen Perspektive verständlich ist, ändert daran nichts.) Hinterher zwar sagt sie, wie beiläufig, ohne zu wissen, wie sehr sie damit die Wahrheit trifft:

> Den Hirsch lock ich mit Pfeilen in den Park.
> Doch ein Verräter ist die Kunst der Schützen;
> Und gilts den Meisterschuß ins Herz des Glückes,
> So führen tücksche Götter uns die Hand.
>
> (V.2887–2890)

Der erlegte Hirsch ist eine Anspielung auf Aktaion, den Artemis in einen Hirsch verwandelt hat, damit ihn seine eigenen Hunde zerreißen. Die „tückschen Götter" sind hier nur eine rhetorische Verlegenheitsformel, die unser Problem beleuchtet: wie kann, ohne daß von den nicht mehr geglaubten Göttern die Rede ist, ein Geschehen dargestellt werden, das mythisches Ausmaß besitzt?

Hölderlin antwortet: Dionysos ist der Gesang, und zwar sein eigener Gesang. Kleist antwortet durch den Mund Penthesileas:

> So war es ein Versehen. Küsse, Bisse,
> Das reimt sich ...
>
> (V. 2981 f.)

Und

> Wie manche, die am Hals des Freundes hängt,
> Sagt wohl das Wort: sie lieb ihn, o so sehr,
> Daß sie vor Liebe gleich ihn essen könnte;

Und hinterher, das Wort beprüft, die Närrin!
Gesättigt sein zum Ekel ist sie schon.
Nun, du Geliebter, so verfuhr ich nicht.
Sieh her: als *ich* an deinem Halse hing,
Hab ichs wahrhaftig Wort für Wort getan;
Ich war nicht so verrückt, als es wohl schien.

(V. 2991–2999)

Das Versehen aus Reimzwang und das Wörtlichnehmen einer Redensart laufen auf dasselbe hinaus: auf die Ersetzung der Realität durch ihre Poetisierung. Mit der poetisierten Realität wird verfahren, als gäbe es keinen Abstand zwischen ihr und der nicht metaphorisch transformierten Realität. Die metaphorische Differenz wird aufgehoben. Der Status der steigernden Verinnerlichung der Außenwelt wird vom Inneren ins Äußere projiziert. Essen als Töten wird zur Handlung, die die Schranke zwischen Innen und Außen überbrückt. Was sonst der Leistung der poetischen Sprache zukommt, wird in ein Tun übersetzt, das zur Katastrophe führen muß, wenn die Übertragungsebene verlassen wird. Dafür wird aber nicht ein Gott, sondern dichterisches Sehen, „Ver-Sehen", verantwortlich gemacht. An die Stelle des Dionysos, der den Wahnsinn eingibt, rückt hier die realisierte metaphorische Sehweise, die das principium individuationis zeitweilig aufhebt, um es alsdann umso schroffer wieder fühlbar zu machen: wenn Penthesilea vor der Leiche des Geliebten steht.

Für Hölderlin ist Dionysos die Umsetzung von Geist (Blitz) und Stoff (Erde) in das dichterische Bild, das an beidem teilhat. In ihm einen sich Einfall und sprachlicher Vorrat zum Gedicht. Kleist ersetzt Dionysos durch die realisierte Metapher, die das real Getrennte in poetisch erzeugte Einheit überführt. So scheint der Gott beide Male nur im Akt des Dichtens zu überleben, unter freilich sehr verschiedenem Vorzeichen.

Warum ist nun die griechische Vorlage dagegen von so rationaler Transparenz, daß sie den Wahnsinn als Teil einer planvollen Strategie im voraus erläutert? Der griechische Gott will in seiner Macht anerkannt und geehrt werden. Wer sich dem widersetzt, muß vernichtet werden. Das soll klar hervortreten. Für Hölderlin und Kleist gilt es nun, den Gott, der nicht mehr geglaubt wird, neu zu konstituieren. Gemäß dem griechischen Muster kann dieser Gott nur als Steigerung gegenüber dem Maß des Menschen glaubhaft werden. Wo, wie schon um 1800, der Mensch als höchste Erscheinungsweise des Seienden gilt, muß der Gott im Menschen und zugleich als ein von ihm Verschiedener erscheinen. Dies geschieht für beide Dichter in der Dichtung. Hölderlin unterscheidet diese streng vom Menschen, von Semele, mit der er sich identifiziert. Kleist setzt sie in eins mit dem Wahnsinn, der zwischen dem Bild des Geliebten als Sonne und der Sonne selber nicht unterscheidet (V. 1338 f., 1384–88), wobei die Darstellung solchen Außersichseins einen Standort außerhalb voraussetzt. Diesen nimmt das Kleistsche Bewußtsein ein. Hölderlins Dichtungsgott Dionysos figuriert die Reflexion des unmittelbaren Feuers des obersten Gottes in den „Seelen der Dichter". Kleists Dionysos bringt tödliche Identifikation des Menschen mit dem Prinzip totaler Vereinigung und nachheriger radikaler Trennung: er gestaltet in seinem Drama, was Hölderlin in den *Anmerkungen zum Oedipus* bezeichnet als „das grenzenlose Eineswerden", das „durch grenzenloses Scheiden sich reiniget."[5]

Dieser Gegensatz steht in Wechselwirkung mit der jeweils gewählten Gattung: Lyrik oder Drama. Was aber bedeutet es, wenn beide Werke als Auslegungen dionysischen Geistes gelesen werden können? In einem stellenweise eindringenden Vergleich mit Euripides soll jetzt versucht werden, die moderne Ersetzung des Gottes durch die Dichtung selbst darzustellen.

Ich beginne mit Hölderlin.

Seine Übersetzung der ersten 24 Verse des Prologs der *Bakchen* lautet so:

Die Bacchantinnen des Euripides

Ich komme, Jovis Sohn, hier ins Thebanerland,
Dionysos, den gebar vormals des Kadmos Tochter
Semele, geschwängert von Gewitterfeuer,
Und sterbliche Gestalt, an Gottes Statt, annehmend
Bin ich bei Dirzes Wäldern, Ismenos Gewässer.
Der Mutter Grabmal seh ich, der gewitterhaften,
Dort, nahe bei den Häusern, und der Hallen Trümmer,
Die rauchenden, noch lebend göttlichen Feuers Flamme,
Die ewge Gewalttat Heres gegen meine Mutter.
Ich lobe doch den heilgen Kadmos, der im Feld hier
Gepflanzt der Tochter Feigenbaum. Den hab ich rund
Umgeben mit des Weinstocks Traubenduft und Grün,
Und ferne von der Lyder golderfülltem Land,
Der Phryger und der Perser lichtgetroffner Gegend,
Bei Baktras Mauern, durch das stürmische Gefild
Der Meder, durch Arabien, das glückliche,
Und die ganze Asia wandernd, die am salzigen
Gewässer liegt, für beede, Griechen und Barbaren,
Wie sie gemischt sind, reich an schöngetürmten Städten,
So kam ich hier in eine Griechenstadt zuerst,
Daselbst mein Chor zu führen und zu stiften mein

Geheimnis, daß ich sichtbar sei ein Geist den Menschen.
Zuerst in Thebe hier im Griechenlande,
Hub ich das Jauchzen an, das Fell der Rehe fassend.[6]

Hier gibt es mehrere Schlüsselstellen für Hölderlins eigene Dichtung, zumal die Hymnen. „Jovis Sohn" ist aller Hölderlinische Gesang, insofern er stets auf den Vater weist, dessen Geist das Gedicht auszulegen trachtet. „Sterbliche Gestalt, an Gottes Statt, annehmend", dies ist das Hauptmerkmal der Dichtung, die sich als Zeichen versteht, das auf den Gott und auf die Erde (die Mutter, den Stoff) zugleich deutet.

Das Grabmal der Mutter läßt – entgegen realistischer Wahrscheinlichkeit – noch immer die Flamme erblicken, die sie zerstört hat. Dionysos gehört für Hölderlin in diese Trümmerlandschaft, denn ihm ist aufgetragen, vergangenes antikes Feuer, vergangenen Geist antiker Kultur hinüberzuretten in die Gegenwart. Eine zurückliegende Epoche ist in dieser mythischen Sicht nicht endgültig vergangen, sondern warnendes Mal einer ungeschützten, tödlich endenden Begegnung mit dem göttlichen Feuer. Um die Gefährdung durch dieses Feuer abzuwehren, wurde – hier weicht nun Hölderlins Übersetzung vom Original irrtümlich ab – ein Feigenbaum (anstelle von „sekon", Heiligtum, liest er „suken", Feigenbaum) und weiterhin ein Weinstock angepflanzt, der die schützend-vermittelnde Funktion des Dionysos bestätigt. Die Fehlübersetzung ist, wie oft bei Hölderlin, von einer prägenden Vorstellung geleitet. Diese konkretisiert sich hier in den Gesängen *Andenken* und *Mnemosyne*, in denen der Feigenbaum zum Baum der Erinnerung wird. Er erscheint als Achills Grabmal, wobei auch der wilde Feigenbaum an den Mauern von Troja, wo Andromache Abschied von Hektor nahm, hereinspielt. Schließlich ist die Reise des Dionysos von Kleinasien und Arabien nach Griechenland die Präfiguration für seine weiteren Reisen ins Abendland, die er als Bringer des göttlichen Geistes unternehmen wird. *Am Quell der Donau* beschreibt diese Reise von „Asia" (Kleinasien), „Ionien" und „Arabia" nach Deutschland als erweckende Stimme des ost-westlichen Ganges der Kulturentwicklung. So wie in Kleinasien der Euripideische Dionysos „Griechen und Barbaren" vermischt findet, so wird er bei Hölderlin später seine Botschaft von den Griechen zu den Barbaren des Abendlands verpflanzen, wie es die berühmten Verse über die Kolonie in *Brot und Wein* aussprechen. Er vermittelt so auch zwischen vorgriechischer, griechischer und nachgriechischer Kultur, zwischen „asiatischem" Feuer des Ursprungs und homerischer Gestaltgebung, aber auch zwischen dieser und der neuen Form feuriger Gottespräsenz unter den Menschen des Abendlandes. Hölderlin bricht

seine Übersetzung dort ab, wo der Gott als Stifter des „Geheimnisses",
als Chorführer und als sichtbarer „Geist" seine kultische Bestätigung
anhebt. Alles Gewicht liegt also auf der festen Einrichtung und Gegenwart der sichtbaren Zeichen, durch die das väterliche Feuer in Grenzen
gehalten wird und in dauerhafter Gestalt den Menschen zugute
kommt, indem es sie zur Gemeinschaft zusammenfaßt. Der Chor, der
Wein, das Jauchzen sind Zeichen des „Gemeingeists", der Dionysos'
Wirkung unter den Menschen bestimmt. Als Chorführer, Stifter und
sichtbarer „Geist" ist Dionysos auch eins mit dem Gesang, dem Chorlied und seiner modernen, von Hölderlin geschaffenen Entsprechung,
die die Vermittlung des Vatergotts in sprachliche Erscheinung leistet.
Diese macht einen Teil der Hymne *Wie man am Feiertage...* aus. Andererseits ist Dionysos durch das „Geheimnis des Weinstocks"[7] mit
Christus verbunden. Diese berühmte Formel stammt vielleicht aus
dem Prolog des Euripides. Schließlich ist das Bild der „Grabesflam-
men", von denen „goldner Rauch" ausgeht[8] – eine Vorstufe zum „gold-
nen Rauche"[9] der heiligen Schriften, an denen in *Patmos* die Mönche
des Mittelalters sich üben mögen – auch von diesem Anfang herzulei-
ten. Hölderlin hätte also, wenn diese These zutrifft, die Spuren von
göttlichen Blitzen, die die Erde treffen, gleichgesetzt mit dem verpflich-
tenden Bibelwort, wodurch Dionysos und Christus noch einmal anein-
anderrücken.

Die Tatsache, daß aus diesem Prolog die Hymne *Wie wenn am Feiertage...* herausgewachsen ist, ist schon mehrmals bemerkt worden[10],
doch wurde der Zusammenhang nie im einzelnen dargestellt. Man
nennt diese Hymne, die sich in der Handschrift an die Euripides-Über-
setzung anschließt, oft auch die Dichterhymne. Wenn wir Dionysos
auch als Gott der Dichter ansehen dürfen, dann wäre von Anfang an ein
Bezug auf ihn gegeben. Die erste Strophe betont aber auch die Gegenwart des Dionysos als des Gottes des pflanzlichen Wachstums. Der
„Weinstock", der aus dem Prolog stammt, weist noch präziser darauf
hin. Der gewählte Zeitpunkt nach dem Gewitter nimmt das Gewitter-
motiv der Dionysoszeugung und -geburt wieder auf, wobei in ein Na-
turbild übersetzt wird, was als Begegnung zwischen Zeus und Semele
sich ereignete. Denn nicht um die Nachbildung des Mythos, sondern
um seine Transposition in eine gegenwärtige Vorstellungswelt ist es
Hölderlin zu tun. Diese führt in den Bereich der „Natur", die hier als die
maßgebende Instanz angerufen wird (V. 13). Neu gegenüber Euripides
ist sodann in dieser zweiten Strophe auch der Bezug auf die „Völker",
also auf die Gezeiten der Geschichte, denen der Dionysosmythos – in

einem modernen Verständnis – gleichfalls zugeordnet wird. Dies leitet zur vollen geschichtlichen Aktualität über, zu den von der Französischen Revolution herbeigeführten Koalitionskriegen, die als Erneuerung der Blitzgeburt des Dionysos in den „Seelen der Dichter" gedeutet werden. Mit Dionysos gemeinsam haben die Dichter den Bereich der Natur, über diesen hinaus sind sie Spiegel der geschichtlichen Bewegungen, deren „Gemeingeist" sich in ihrem „Lied" ausdrücken soll. Die einigende Kraft des Dionysos wird vom Chorlied, vom Kult, von der Begeisterung durch den Wein, von der verehrungswürdigen Offenbarung in Menschengestalt aus auf eine neue Ebene gerückt, die die Gewittergeburt zur geschichtlichen Erweckung in toter Zeit umdeutet. So beschreibt es die dritte Strophe von *Brot und Wein*: ein mitternächtlicher dionysischer Aufbruch führt die Sänger an die Stätten der *Bakchen*,

> auf die Höhe Cithärons,
> Unter die Fichten dort, unter die Trauben, von wo
> Thebe drunten und Ismenos rauscht im Lande des Kadmos . . .[11]

Die Dichter wiederholen in der Hervorbringung ihres Gesanges den Augenblick der Geburt des Dionysos. Wie der Gott im Prolog der *Bakchen* an seine „gewitterhafte" Entstehung erinnerte, wie er, als ein von Kleinasien Angekommener, zum Geist der Vermittlung zwischen Osten und Westen wurde, so sind auch die Dichter Zurück- und Vorausdeutende. Ihr Dichten, das aus dem Erinnern stammt, leitet in die Zukunft, deren Vorbereitung die erwachende „Geschichtsnatur" ansagt. In den *Bakchen* kehrt Dionysos an seinen Geburtsort zurück, angesichts des Grabmals seiner Mutter erinnert er sich seiner Herkunft, aber er kommt als Begründer eines neuen religiösen Ritus, der die Erinnerung an die Geburt fortsetzt und in festen gestalthaften Schranken sichtbar und fruchtbar macht, den Menschen zugänglich. Dieser Gott, angesiedelt am Schnittpunkt zwischen seiner Herkunft, seiner Abwesenheit in Kleinasien und seiner Rückkehr, rettet in Hölderlins Hymne die Menschen vor ihrer größten Gefährdung, dem sie tödlich treffenden Geist geschichtlicher Erweckung. Nach Hölderlins Glauben hilft ihnen der Gesang, dieser gewachsen zu sein. Das Ereignis der Französischen Revolution umgibt eine „allerschaffende" „Begeisterung", die vom „Gesetzlosen" der Rousseauschen Sprache[12] und der Menschenliebe Antigones[13] angekündigt wird. Dionysos ist für Hölderlin die dieses „Gesetzlose" integrierende, in eine schützende Institution bergende Instanz. Sein Existenzmodus, der sich an der Grenze zwischen dem

Feuer des Himmels und der Erde, zwischen Leben und Tod, zwischen
Vergangenheit und Zukunft bewegt, ist durchaus vermittelnder Natur.
Er ist der Übergang aus der Zerstörung in das Bleibende, aus den Extre-
men in die Fügung, aus dem Akzidentellen in das Institutionelle. Diese
Interpretation hat mit dem dramatischen Verlauf der *Bakchen* nichts
zu tun, nur mit dem Wesen dessen, der sich im Drama ex negatione
kundgibt, nämlich als Zerstörer überalterter Institution, als rächender
Bestrafer derjenigen, die seine göttliche Dimension verkennen. In der
Dionysos-Ode *Dichterberuf* wird das in der Feiertags-Hymne nur in den
Lesarten anklingende Motiv dieser Verkennung in deutlichem Anklang
an die *Bakchen* ausgeführt:

> Und darum hast du, Dichter! des Orients
> Propheten und den Griechensang und
> Neulich die Donner gehört, damit du
>
> Den Geist zu Diensten brauchst und die Gegenwart
> Des Guten übereilest, in Spott, und den Albernen
> Verleugnest, herzlos, und zum Spiele
> Feil, wie gefangenes Wild, ihn treibest?
>
> Bis aufgereizt vom Stachel im Grimme der
> Des Ursprungs sich erinnert und ruft, daß selbst
> Der Meister kommt, dann unter heißen
> Todesgeschossen entseelt dich lässet.[14]

Das ist – dies scheint bisher unbemerkt geblieben zu sein – Hölderlins
Zusammenfassung des Dramas *Die Bakchen*. Spott, Herzlosigkeit,
Spiel, Gefangennahme des Gottes wie die eines Wilds und schließlich
tödliche Strafe entsprechen dem Drama zwischen Dionysos und Pentheus. Wörtlich sagt der Diener, der den gefangenen Dionysos zu Pentheus bringt: „wir bringen dir das Wild, das wir gejagt haben und auf das
du uns losgelassen hast ... Dieses Tier ist uns gefügig ..." (V.
434 ff.)[15]
Dionysos ist für Hölderlin freilich stets der Halbgott, der seinen Vater
vermittelt. Nur so ist ihm sein menschengestaltetes Auftreten erklär-
lich. Auf dieser Christus-Analogie beruht jegliche Aussage, die Dionysos erläutert. Ohne die vermittelnde stete Abhängigkeit von einem
„reinen", selber nie erscheinenden geistigen Feuer des Vatergottes wäre
die Dionysosgestalt für Hölderlin niemals zu einem Zeichen für seinen
Gesang geworden.
Dieser Gesang überspringt den Unterschied zwischen Unsterbli-
chem und Sterblichem, Geist und Körper, Unsichtbarem und Sichtba-
rem, indem er diese seine paradoxe Seinsweise stets reflektiert, im Ge-

geneinander von Form und Stoff, von Einheit und Verschiedenheit, von
Ewigem und Zeitlichem. Er ist selbst die Metapher im Sinne des Hin-
übertragens vom Unmittelbaren ins Mittelbare.

Das genaue Gegenteil scheint nun Kleists Dionysos zu bedeuten.
Statt die Metapher als den Ort der übergänglichen Vermittlung zu erzeugen, geht Kleists Dionysos von der Metapher aus, um sie in Unmittelbarkeit überzuführen und so aufzulösen. Die Redensart vom „Essen
vor Liebe" wird buchstäblich verstanden und so aus der Mittelbarkeit
der Vergleichsebene („Daß sie vor Liebe gleich ihn essen *könnte*. . .") in
die wirkliche Tat umgesetzt. Und analog werden im Reimspiel einander zugeordnete „Küsse" und „Bisse" zu wirklicher Einheit gebracht,
die auch hier die Ebene der Sprache verläßt. Hölderlins Dionysos bedeutete die Sprachwerdung des Vorsprachlichen, Kleists Dionysos die
Rückverwandlung von Sprache – (und damit Bewußtsein) – Geworde-
nem in vorsprachliche – oder nachsprachliche – Realität. Die Richtung
ist die umgekehrte. Das vermittelnde Wort bürgt hier nicht mehr für
die lebendige Zusammenkunft unmittelbaren Geistes mit den Schranken seiner Festlegung. Nur im Wahn der Penthesilea kann die einheit-
stiftende Natur der dichterischen Sprache neu erweckt werden, aber
außerhalb ihrer selbst: die Sprache gibt die Anleitung zu einer Handlung, die sich von der sprachlichen Ebene lossagt. Freilich beobachtet
das Bewußtsein des Autors diese tödliche Lossagung als dramatischen
Verlauf, dessen Ausgang die Notwendigkeit der Vermittlung um so
stärker einprägt. Kleist interessiert sich nicht für Pentheus' Verkennung des Dionysos. Er will die Gegenwart des Gottes im Menschen
ohne Kontext darstellen, wobei die euripideische Vorlage ihm eine
stoffliche und darstellerische Stütze bietet: sie zeigt ihm, wie man gott-
erfülltes Außersichsein in dramatische Handlung umsetzen kann. Was
für Euripides als begründete und gezielte Strafe gemeint ist, erlangt für
Kleist eine kontextlose Gültigkeit. Was im griechischen Drama als
Identitäts- und Kommunikationsverlust gemeint ist, wird im deutschen Stück zur einzigen verbleibenden Form der Kommunikation. Die
antike Abstreifung der „Humanität" zugunsten einer zugleich bestiali-
schen und antik-göttlichen Unmittelbarkeit wird von Kleist als Absage
an lügenhaft gewordene Formen der Verständigung aufgefaßt. Sein Versuch endet als Selbstmord und stellt so allenfalls das Zerstörte ex negatione wieder her: „Jammer", „Reue", „Hoffnung" sind Penthesileas
letzte Worte. Prothoe beschließt das Stück mit einem Gleichnis, dem
Sturz der „gesunden Eiche", die der Sturm, Zeus, auszeichnet, indem er
sie zerschmettert. Dies entspricht griechischer Auffassung. Eine Art

des Lesens, die sich weiter von dem griechischen Modell entfernt, könnte im Ende der Penthesilea eine Ausweglosigkeit sehen, die sich nicht von ihrer Herausforderung an das Göttliche, sondern von ihrer absoluten Position herschreibt. Für dieses Absolute, das sich die Welt total unterwerfen möchte und keine objektivierenden und damit einschränkenden Instanzen mehr anerkennt, steht im Augenblick des gesteigerten Akts der Gott Dionysos. Seine Form der Ekstase fand Kleist in den *Bakchen* verwirklicht. Aber er handelt nie explizit von Dionysos als einer faßbaren, vom Menschen unterschiedenen Gottheit. Vielmehr läßt er die Amazonen – am meisten Penthesilea selber – sich wie Bacchantinnen gebärden, gestachelt von einem modernen Impuls, dem entgrenzenden, unmäßigen, jeglicher Partialität und Relativität Hohn sprechenden Trieb nach absoluter Verwirklichung der extremen Seiten des Menschen: des Tiers und des Gottes in ihm. Wenn die Griechen abgrenzend den Menschen zwischen diese Ordnungen stellten, so ist für Kleist eine solche Teilexistenz unwirksam geworden. Er findet letztlich keinen Halt an Überlieferungen, an philosophischen Anschauungen, an der von ihm selber vielberufenen Instanz des „Herzens". In der Gestalt der Penthesilea konnte er eine verlorene Urnatur übereinbringen mit der Ganzheit und Unbedingtheit gottähnlichen Anspruchs – aber nur in dem destruktiven Charakter dieser Natur. Das Prinzip der Grenzenlosigkeit ist in seiner Intensität und Größe gegenwärtig, aber nicht mehr mit einer Richtung, mit einem Sinn versehen, sondern blind, desperat, ohne den potentiellen Umschlag in eine bleibende Botschaft, wie sie der Euripideische Dionysos verspricht.

Die Unbestimmtheit des Sinns spiegelt sich in der Richtungslosigkeit der Amazonen, deren unverständliche Strategie die Griechen verwirrt. Die moderne Abwesenheit der Götter drückt sich in den gewaltigen Vergrößerungen aus, die den Hauptgestalten die Erde als ganze ausliefern. Napoleons übermenschliche Statur mochte solchen Szenen totaler Unterwerfung der Erde einen konkreten Ansatz bieten. Die Distanzlosigkeit, die Penthesileas Verhalten kennzeichnet, ist die Folge der Unmöglichkeit, das Drama vom Fixpunkt eines Gottes aus zu relativieren und einzuschränken.

Penthesilea, „diese Jungfrau", die „wie vom Himmel plötzlich, kampfgerüstet, / In unsern Streit fällt" (V. 50–52), wirkt wie eine aus dem Nichts entsprungene Göttin. Es ist auffallend, daß Kleist sie gerade mit Pallas Athene vergleicht, mit der sie im Wesen so wenig gemein hat: aber deren voraussetzungslose Entstehung eignet sich dazu, die Kontextlosigkeit der modernen gottähnlichen Heldin anzudeuten. In ihrer gigantischen Dimension überragt sie die Ebene irdischer Kriege. Kleist nimmt oft die Vorstellung des endzeitlichen Chaos zu Hilfe, in das die Welt ihm wieder zerfällt (z. B. V. 437 f.). Angesichts der Begegnung Penthesileas mit Achill (V. 1077 ff.) zittert die Erde als Ganzes, da sie, deren Totalität nichts Einhalt zu gebieten weiß, das Ganze wurden. Deshalb werden sie auch oft mit den Blitzen und Donnerkeilen verglichen, die in der Antike nur Zeus zu schleudern vermochte (V. 637, 1123, 2437). Die ausdrückliche Verbindung des Dionysos mit Ares, von der schon Euripides spricht, daß nämlich Dionysos eine Armee derart erschreckt, daß sie aus Furcht auseinanderstiebt (V. 302–305), diese Verbindung nimmt Kleist wieder auf, wenn Penthesilea den „Vertilgergott" Ares zur allgemeinen Zerstörung auffordert (V. 2428 f.). Penthesileas an dieser Stelle ertönender Ruf an ihre Hunde (deren Namen Kleist in Hederichs *Gründlichem Mythologischen Lexikon* im Artikel ACTAEON gefunden hat[16]) ist bei Euripides vorbereitet im Botenbericht über Agaues Verhalten ihren Verfolgern gegenüber (V. 731 f.) und in einem Chorlied, wo die Bacchantinnen als „schnelle Hunde des Rasens" zur Rache an Pentheus aufgestachelt werden (V. 977). Die zerklüfteten Täler, die Fichten, die Wildbäche bilden in beiden Stücken die landschaftliche Folie zu den wilden Ereignissen (z. B. Euripides V. 1050 f., 1093 f.). Wenn Euripides in warnender Vorwegnahme an Aktaions Schicksal erinnert (V. 337–340), so läßt Kleist diskreter diesen Bezug in einem homerisierenden Vergleich aufscheinen, der das Ende Achills vorzeichnet:

> Denn wie die Dogg entkoppelt, mit Geheul
> In das Geweih des Hirsches fällt: der Jäger,
> Erfüllt von Sorge, lockt und ruft sie ab;
> Jedoch verbissen in des Prachttiers Nacken,
> Tanzt sie durch Berge neben ihm, und Ströme,
> Fern in des Waldes Nacht hinein ...
>
> (V. 213–218)

In den Versen 2641–2645 wird die Hirschjagd mit den Doggen wieder aufgenommen. In den *Bakchen* wird Aktaions Tod auch V. 1291 erwähnt: Pentheus wird an der gleichen Stelle getötet wie er. In bezug auf die Tötung Achills übernimmt Kleist Details von Euripides: das Opfer versteckt sich in einer Fichte (Eur. 1063 ff., K. 2637 ff.); Achill streichelt Penthesileas Wange wie Pentheus die der Agaue (Eur. 1117 f., K. 2663[17]); schließlich folgt bei beiden auf die Tat eine lange Zeit der Verfinsterung des Geistes.

Warum hält sich Kleist gegen den Schluß seines Werkes hin beson-

ders treu an die antike Vorlage? Es ist die Partie, wo Pentheus von
Agaue und ihren Schwestern getötet wird und eine lange Wahnsinns-
zeit sich auf der Bühne hinzieht. Hier mußte Kleist ein Maß von Außersichsein darstellen, für das die eigene Erfindung nicht ausreichte. Die
Tötung des Geliebten wird aber zu einer weit entsetzlicheren Handlung, wenn sie geschieht ohne das ausdrückliche Eingreifen eines
wahnsinnstiftenden Gottes und ohne das Erwachen aus diesem Wahn
zur Einsicht in die Macht und Größe des Dionysos. Daß hier bei Kleist
keine deutliche Wiederaufnahme *eines* antiken Dramas vorliegt, sondern eine freie Kombination aus verschiedenen Quellen (auch die *Medea* und vor allem der *Hippolytos* des Euripides spielen hinein), das läßt
die moderne grundlegende Veränderung der antiken Schicksalskonstel-
lation in diesem Drama stärker hervortreten.

Die Identifikation der Penthesilea mit ihren Hunden und die Identifikation ihrer Liebe mit dem Mord wird zu einer grund- und ziellosen
Handlung äußerster Verlassenheit. Penthesilea gebraucht ihr geliebtes
Gegenüber so, als ob es kein eigenes Dasein besäße. In ihrem Verschlin-
gen bezeugt sich schrankenlos das Prinzip der Egoität, das die abhanden
gekommene Außenwelt ersetzt. Ob die so Verlassene sich als Tier fühlt
oder als Göttin, wird einerlei: denn die Kriterien, die zwischen dem Seienden zu differenzieren erlauben, sind nicht mehr vorhanden. Ein Rest
an faßbarer Substanz der Menschengemeinschaft erscheint nur noch in
der Schattengestalt einiger Amazonen und Griechen. Dionysos ist für
Kleist der Gott, der alle von der menschlichen Gesellschaft eingeführ-
ten Verträge, die ein Zusammenleben ermöglichen sollen, aufhebt. Er,
der bei Euripides nur den starren Konservativismus Alt-Thebens vernichtet, ist hier als Prinzip genereller Realitätsvernichtung anwesend,
ohne, wie bei Hölderlin, seinen eigenen Kult an die Stelle des vernich-
teten zu setzen.

Hölderlins Gedicht reflektiert das Wesen des bei Euripides erscheinenden Gotts; Kleists Drama stellt die Folgen seiner Rache für sein
menschliches Opfer dar, ohne doch die Notwendigkeit dieser Rache zu
motivieren. Hölderlin identifiziert den Gott mit dem Gesang und
macht ihn sich so in seiner dichterischen Praxis zu eigen. Kleist dichtet
ohne explizite Nennung des Gottes, den er als namenlosen doch erlei-
det. Hölderlin weiß: griechische Götter können nur in der Transforma-
tion modernen Dichtens wieder gegenwärtig werden. Kleist löst sich
von dem Gott als dem ordnungsstiftenden Fixpunkt und unterwirft
seine Heldin dem Chaos. Doch er verschweigt den Sinn dieses Chaos,
indem er uns in sein Drama hineinstürzen läßt, wie die Amazonen den

Griechen ohne Ziel und Sinn entgegenzustürzen scheinen, unbegriffen von ihren Feinden und sich selbst unbegreiflich. Hölderlin macht in Dionysos den unbegreiflichen Gottvater erkennbar. Kleist schneidet der Geschichte der Handlungen des Dionysos den Anfang ab, der das Unbegreifliche des Schlusses erläutern könnte. Sein Gott ist nur noch in der verzerrenden Übernahme durch den Übermenschen anwesend. Penthesilea wird so Agaue und Dionysos zugleich – davor hat Hölderlin sich streng gehütet, indem er den Gesang von seinem Erzeuger abtrennte. Die auch ihm vertraute Versuchung des Titanismus führt Hölderlin zu schützender Abwehr und zur Anerkennung ordnender Institutionen. Kleist verfällt ihr in seiner Identifikation von Mensch und Gott mit dem Ende selbstgewählter Zerstörung. In diesem Entschluß wird Penthesilea der Mündigkeit moderner Einsamkeit teilhaftig. Sie tritt aus der Abhängigkeit des Mythos aus – aber dies zeigt nur, daß er von vorneherein nur als Zeichensprache des Lichtlosen angeeignet worden war.

Anmerkungen

[1] Hölderlin: *Sämtliche Werke*. Hrsg. von Friedrich Beißner – Große Stuttgarter Ausgabe II, 119, 48 f. Alle Hölderlin-Stellen werden nach den Band-, Seiten- und Vers- bzw. Zeilenzahlen dieser Ausgabe zitiert, aber in der modernisierten Orthographie der Kleinen Stuttgarter Ausgabe.

[2] Kleist: *Sämtliche Werke und Briefe*. Hrsg. von Helmut Sembdner. 2. rev. Aufl. Alle Kleist-Zitate folgen dieser Ausgabe: I, 410, 2567–2573.

[3] Hölderlin bezieht diese Stelle (V, 41, 21: „daselbst") auf Theben, während sie auf die zurückliegende Wirkung auf die Städte Kleinasiens bezogen werden muß. "Ekei" heißt „dort", nicht „daselbst".

[4] V. 850–853 nach der Ausgabe von Henri Grégoire: *Euripide: Les Bacchantes*. Société d'Edition „Les Belles Lettres", Paris 1973, S. 276. Die Verszählung der Euripides-Zitate hält sich an diese Ausgabe.

[5] V, 201, 21 f.

[6] V, 41, 1–24.

[7] II, 167, 81.

[8] II, 149, 25.

[9] II, 782, 29.

[10] Beißners Erläuterungen II, 677, 8 ff. und V, 370, 10 ff. Detlev Lüders' Kommentar zu *Wie wenn am Feiertage...* in seiner Studienausgabe zu Hölderlins Sämtlichen Gedichten: Bd. II, S. 273. Am ausführlichsten Momme Mommsen: „Dionysos in der Dichtung Hölderlins," *GRM* N.F. 13 (1963), S. 349 und passim.

[11] II, 91, 51 ff.

[12] II, 146, 146.

[13] V, 268, 28.

[14] II, 47, 34–44.

[15] Mommsen (S. 349) findet im „weichen Wild" Chiron (II, 56, 6) dieselbe Euripides-Stelle wieder.

[16] Die relevante Stelle bringt Helmut Sembdner in seinem Hinweis auf Kleists Quellen, in den „Dokumenten und Zeugnissen", die seinen Faksimile-Druck der Erstausgabe begleiten, Frankfurt a. M. 1967, S. 8. Dort (S. 5–8) auch die von Kleist ebenfalls bei Hederich nachgeschlagenen Artikel *Amazones, Penthesilea, Pentheus.*

[17] Als letzter hat Jochen Schmidt eindringlich über diese Abhängigkeit von den *Bakchen* gehandelt. Mit Recht geht er auf die Bedeutung der *Medea* und vor allem des *Hippolytos* für die *Penthesilea* ein: J. S.: *Heinrich von Kleist. Studien zu seiner Verfahrensweise,* Tübingen 1974, S. 234 ff. Von sonstigen neueren Arbeiten zur *Penthesilea* sei als produktiver, in detaillierten Sprachanalysen sich bewährender Neuansatz, der freilich mit unserm Thema nicht zusammentrifft, hervorgehoben: Horst Turk: *Dramensprache als gesprochene Sprache. Untersuchungen zu Kleists „Penthesilea",* Bonn 1965 (Abhandlungen zur Kunst-, Musik- und Literaturwissenschaft, Bd. 31).

Heinrich Henel

Clemens Brentano: Zwei enigmatische Verse

Das Gedicht *O schweig nur, Herz* umfaßt sechs Strophen zu je sechs Versen (I, 362 f.).[1] Am Ende der vierten Strophe steht der Satz:

> Wein' um die Traube nicht, wein' mit der Rebe!

Aus dem Zusammenhang des Gedichts ist nur zu erkennen, daß der Ausruf eine Ermahnung des Sprechers an das Herz ist, denn alle sechs Strophen beginnen mit der Ermahnung „O schweig nur, Herz", und in jeder wird die Ermahnung auf die eine oder andere Art ausgeführt, abgewandelt oder begründet. Da jedoch die Wörter „Traube", „Rebe" und „weinen" sonst nirgends in dem Gedicht vorkommen, und da der Ausruf scheinbar völlig unvermittelt zwischen den vorhergehenden und folgenden Versen steht, kann er nur mit Hilfe anderer Dichtungen Brentanos verstanden werden.[2]

Was Traube und Rebe bedeuten, zeigt eine Stelle in dem schon 1801 geschriebenen ersten Akt des *Ponce de Leon*,[3] wo Ponce und ein vermeintlicher Nebenbuhler den folgenden, ebenso witzigen wie zweideutig-eindeutigen Wortwechsel führen (IV, 161):

> *Ponce:* Herr Automate, ist sie schlank?
> *Sarmiento:* Wie eine Rebe.
> *Ponce:* Hängen auch Trauben an der Rebe?
> *Sarmiento:* Aber sehr hoch – Herr Reineke.

Die Vergleiche stammen aus dem Hohenlied. Das geht aber erst aus der XIV. *Romanze vom Rosenkranz* (nach 1810 entstanden?) hervor. Der zweite Teil der Romanze, „Biondettas Hohes Lied", ist, wie längst bekannt, eine Paraphrase, die sich gelegentlich wörtlich an Luthers Text anlehnt (vgl. I, 1240). So wird aus den biblischen Versen 7: 6–8 bei Brentano:

> O du Liebe in Wollüsten!
> O du schön und lieblich Schweben!
> Trauben gleichen meine Brüste,
> Trauben wundersüßer Reben!
>
> Einer Palme aufwärts dringend
> Gleichet meines Leibes Länge,
> Wie der Wein hinan sich schlinget
> O, wer sich hinan so schwänge! (I, 892)

Der Vergleich des schlanken, hohen Wuchses des Mädchens mit einer Palme kommt meines Wissens in Brentanos Liebeslyrik sonst nicht vor, und zwar deshalb nicht, weil er das seit Alciati feststehende Emblem des durch ein Gewicht beschwerten Palmbaums als Sinnbild für die Kräftigung durch Widerstand besser in seiner religiösen Dichtung gebrauchen konnte.[4] Nur der Wunsch des Mädchens, der Geliebte möge sich zu ihren „Trauben" hinaufschwingen, ist schon in den *Godwi* verarbeitet. „Ein dünnes, formensaugendes Gewand bedeckt sie", heißt es in dem Roman, und der anfangs von banger Unerfahrenheit Gehemmte zieht schließlich ihr Tuch mit kühner Hand von den Füßen aufwärts und befreit den Busen.[5] Die Enttäuschung, die Entdeckung der Wunde, das Verschmelzen von Wonne und Weh, von Leben und Tod, überhaupt den Zusammenhang der Stelle im *Godwi* lassen wir beiseite und verfolgen nur die erotischen Bilder.

Ihre Wiederkehr in zwei miteinander verwandten, 1834 entstandenen Gedichten ist unverkennbar. In *Vogel, halte* heißt es in Strophe 2:

> Eine feine zarte Rebe
> Und zwei Träublein Feuerwein,
> Drüber Seidenwürmer Gewebe
> Drunter süße Maulbeerlein.   (I, 537)

Und in *Eine feine reine Myrte*, gleichfalls in Strophe 2:

> Süße Rebe schlanker Ranken,
> Weinbeer und Gedanken voll:
> Ob man küssen die Gedanken,
> Ob die Beerlein denken soll?   (I, 541)

Strophe 4 des ersten Gedichts deutet die Rebe ausdrücklich als „ein Liebchen". Dann sind die Träublein die Brüste der Liebsten, das Seidengewebe ist ihr Kleid, und die Maulbeerlein sind die Mamillen, die sich darunter abzeichnen wie in dem „formensaugenden Gewand" im *Godwi*. Auch in dem zweiten Gedicht steht die „süße Rebe" für die Geliebte, die „schlanken Ranken" wohl für ihre Arme, und die „Beerlein" für ihre Brüste. Aber durch das Zeugma „Weinbeer und Gedanken voll" wird die „Rebe" zu einer Frau, die nicht nur erotischen, sondern auch geistigen Reiz besitzt und als Persönlichkeit geachtet sein will. Dieser Forderung sucht sich der Sprecher zunächst zu entziehen durch die scheinbar widersinnigen, ironisch-spielerischen Fragen am Ende der zitierten Strophe, und im weiteren Verlauf des Gedichts spricht er denn auch mehr als deutlich von „süßen Hügeln", „weißen Lämmchen" und

„Himmelsschäfchen". Aber schon in der fünften Strophe wird die Geliebte ein „offnes Rätsel, nie zu lösen" genannt, und in der folgenden Strophe wird sie ausführlich beschrieben:

> Ein beredsam tiefes Schweigen,
> Ein Versteck, der offen liegt,
> Ganz ergossen, sich nur eigen,
> Ein Ergeben, nie besiegt.

Indem hier Goethes Formel für die Natur („Geheimnisvoll-offenbar" in der *Harzreise im Winter*; „Heilig öffentlich Geheimnis" in *Epirrhema*) für die Geliebte gebraucht wird, wird auch sie zu einem Rätsel, das nur durch selbstloses Eingehen auf ihr Wesen gelöst werden kann. Sie ist ganz ergossen vor dem Liebenden, sie ist ihm ganz ergeben, bleibt aber doch der eigenen Art treu und ist durch sinnliches Begehren nicht zu besiegen. Wenn sein Glück mehr als ein „schwüler Traum" (Strophe 13), mehr als ein „Bild nur auf Besuch" (Strophe 33) sein soll, so muß er seine Leidenschaft zügeln. Mit dieser Ermahnung endet das Gedicht.

Die Ermahnung entspricht den Ermahnungen, die der Sprecher in *O schweig nur, Herz* an das Herz richtet, so daß sich der enigmatische Vers des früheren Gedichts durch die Metaphorik des späteren auflösen läßt: das Herz soll nicht *um* die Traube, um den versagten Leib der Geliebten, sondern *mit* der Rebe, mit der Geliebten über seine Sündhaftigkeit weinen. Aber warum über seine Sündhaftigkeit? *Eine feine reine Myrte* definiert das Sich-nur-eigen-Sein der Geliebten, das seiner Werbung widersteht, nur durch den ersten Vers (die Myrte als Bild der Jungfräulichkeit) und ein paar weitere, ganz schwache Andeutungen. Die Liebste in *O schweig nur, Herz* dagegen ist nicht nur züchtig und keusch, sondern gottselig und fromm. Es ist deshalb nötig, neben der erotischen auch die religiöse Ausprägung des Bildkomplexes „Rebe – Traube" heranzuziehen, die sich besonders in Brentanos späteren und späten Gedichten findet.

Um diese Gedichte zu verstehen, muß man erst einen Blick auf einige frühe, wohl zwischen 1801 und 1811 entstandene Gedichte werfen. Es sind vorwiegend Rheinlieder, in denen Weinstock und Weinlaube zunächst einfach zur Szene gehören und nur dadurch einen leichten Symbolsinn annehmen, daß Weinrausch und Liebesrausch Hand in Hand gehen und die Weinlaube zum Ort der Liebesbegegnung wird. *Annonciatens Bild* (1801), ein an Bettina gerichtetes Sonett, beginnt mit den Versen (I, 94):[6] .

Am Hügel sitzt sie, wo von kühlen Reben
Ein Dach sich wölbt durchrankt von bunter Wicke.

Interessant ist hier die Verschiebung des Beiworts „kühl" von dem küh-
lenden Dach der Laube zu der Rebe, denn der Künstler, der das Gemüt
der Schwester fromm malen wollte (wie er im letzten Vers sagt), verhindert dadurch geschickt das Aufkommen der Assoziation von Rebe
und Liebe. Anders in Strophe 7 von *Wo in Gewölben von Schmaragd*
(ca. 1807):

Und weil die Sonne heißer scheint,
Komm in die dunkle Laube,
Wenn gleich die wilde Rebe weint,
Lacht doch die Turteltaube.   (I, 186)

Das Weinen der Rebe und das Lachen der Turteltaube verbildlichen den
Widerstreit von Schamhaftigkeit und Liebesverlangen in dem Mädchen. Die Strophe ist fast wörtlich wiederholt am Anfang des Gedichts
Komm Hexchen, weil die Sonne scheint (1810 oder 1811). Es ist ein
Zwiegespräch zwischen Jüngling und Nixe, in dessen ersten sechs Strophen der Jüngling den Verführer zu spielen glaubt, indem er dem „süßen Hexchen" verfängliche Fragen stellt, aber aus ihren Antworten erfährt, daß sie über den erotischen Sinn von Rebe, Traube, Beere und
Wein besser als er Bescheid weiß. So ist es nicht verwunderlich, daß in
dem zweiten, weit längeren Teil des Gedichts der Verführer zum Ver-
führten, der Betrüger zum Betrogenen wird (I, 231–234). Dieser Teil ist
eine parodistische Nachdichtung von Goethes *Fischer*, in seiner Art
nicht weniger drastisch und gewagt als der erste, aber von dem Gegenstand unserer Untersuchung abführend. Als letztes sei das Gedicht *Wie
klinget die Welle* (nach 1811) genannt, wo das Ranken der Reben zum
Sinnbild für das Festklammern der Gedanken an die Heimat geworden
ist (I, 242 f.). Der Sprecher stilisiert sich als den verlorenen Sohn, der
zum Vater zurückkehrt, aber wenn hier mit dem Vater der Rhein gemeint ist, so ist doch die Rückkehr zum göttlichen Vater schon vorbereitet – und damit auch die Umdeutung des Weinstock-Komplexes ins
Religiöse.[7]
  Der Zusammenhang dieser Gedichte mit der rheinischen Landschaft
erklärt auch das Bild von dem „Weinen" der Reben. „Im übertragenen
Sinne weint die Rebe, da ihr nach dem Schnitt Tropfen entquellen."[8]
Der Ausdruck kommt schon im *Frühlingskranz* vor: „heute haben wir
den 22. März! ... der Frühling ist nicht mehr zu leugnen, die Reben
weinen."[9] Brentano hat die Metapher gewissermaßen potenziert, d. h.

den bildlichen Sinn wörtlich genommen und das Wörtliche zu einer neuen, erotischen Metapher verwandt. So in Frage und Antwort der vierten Strophe von *Komm, Hexchen*:

> *Jüngling:*   Sag Hexchen, warum weinen wohl
> Im Frühling so die Reben?
> *Nixe:*   Weil sich ein Mägdlein sehnen soll
> In ihrem jungen Leben.

Und noch deutlicher in der bereits zitierten XIV. Romanze, Vers 305–308:

> Sieh, dem Feigenbaum entspringen
> Knospen; aus dem Aug' der Reben
> Süße Wollusttränen dringen;
> Also weint mein junges Leben!

So wie die Rebe beschnitten wird, um Trauben zu tragen, so sehnt sich das Mägdlein nach dem befruchtenden „Schnitt", der ihm Tränen des Schmerzes und der Wollust abpreßt. Indem Brentano die Naturbeschreibung durch einen Ausdruck aus dem Weinbau bereichert, gewinnt er zugleich eine Metapher für den Geschlechtsakt, die das unecht Poetische der alten, abgegriffenen Metapher vom Deflorieren vermeidet.

Wie wir gesehen haben, unterscheiden die auf der Metaphorik des Hohenlieds beruhenden Gedichte genau zwischen dem Symbolsinn von Rebe und Traube. Die aus der Landschaftsschilderung hervorgegangenen Gedichte dagegen machen diesen Unterschied nicht. In ihnen kann alles, was mit dem Weinstock zusammenhängt, auch sein Laub und die von ihm gebildete Laube, Erotisches bedeuten oder darauf anspielen. Da sich die religiösen Gedichte an die Landschaftsgedichte anschließen, mußte in ihnen der ganze Bildkomplex, nicht nur dies oder jenes Bild, aus dem Erotischen ins Geistliche übertragen werden. Die Aufgabe ist schon in dem Gedicht *Nicht Muse hat dies Lied befohlen* (vermutlich September 1816) restlos gelöst.[10] Der Sprecher, zweifellos Brentano selbst, bittet den Herrn, die „wilden Zweige" auszuschneiden, denn sonst „schmücken diese üppgen Reben / Mit Laub und Wein kein frommes Haus".[11] Das Beschneiden der Reben verbildlicht nicht mehr den Verlust der Jungfräulichkeit, sondern die Befreiung von der Sinnlichkeit; die Laube, das Haus der Lust, ist zum frommen Haus, zum Gotteshaus geworden; und der Wein, Stimulans und Sinnbild des sexuellen Genusses, ist in der Eucharistie das Blut des Erlösers. Alles,

was die Erde hervorbringt, entsteht auf Gottes Geheiß und ist durch ihn
geheiligt:

> Du rufst die Erde, rufst die Rebe,
> Die Traube und den heilgen Wein.

In zwei Gedichten aus den Jahren 1817 oder 1818 wird der Weinstock
zum Bild des ewigen Seins, der Gottheit, und die Gläubigen werden er-
mahnt, das wahre Leben bei den Reben zu suchen und aus den Trauben
den Wein des Heils zu pressen. So in *Am Communiontage* (GS I, 64):[12]

> Deck' beim Sein uns deinen Tisch,
> Von dem Weinstock selbst gib uns die Trauben,

und in *O Trost in letzten Stunden* (I, 411–413, Strophe 5, 9, 10):

> Den Wein sucht bei den Reben,
> Das Leben bei dem Leben,
> In Heilands Heilhand Heil.
>
> Den Becher hielt der Glaube,
> Die Hoffnung preßt die Traube . . .

Das Bild des Weinstocks für die Gottheit erscheint noch einmal in einem ganz knappen Überblick über Brentanos Leben aus dem Jahre
1837, nämlich dem Gedicht *Am Morgen an das Licht der Welt getreten*.
Das Wüten der Cholera in München im vorhergehenden Jahr faßte
Brentano als gottgewollte Demütigung menschlichen Stolzes und
Selbstbewußtseins auf (vgl. I, 1276). Das mag erklären, warum der Be-
schneider der Reben zum Kelterer, und der Dichter aus einer Rebe zu
einem hilflosen Reblein geworden ist:

> Am Mittag lernt' ich zu dem Keltrer beten,
> Dem wahren, reinen
> Weinstock mich zu einen,
> Weil so allein ein Reblein muß verschmachten!

In einem späten, vermutlich 1835 oder 1836 entstandenen Gedicht
schließlich wird der früher so beliebte Vergleich von Mensch und Wein
ausdrücklich widerrufen und durch den Vergleich mit dem Efeu ersetzt.
Anders als der Weinstock erhebt sich der Efeu nicht aus eigener Kraft
und treibt keine fruchttragenden Reben; aber so wie der Efeu sich lie-
bend an den Stein anrankt, so kann der Mensch (dem Vorbild des Erlösers folgend) durch tätige Nächstenliebe zu Gott, „zum wahren Weinstock" aufstreben (I, 608):

> O wie ist der Epheu treu!
> Kann er sich nicht selbst erheben,
> Kann er gleich dem Wein nicht reben,
> Kann er doch so liebend ranken,
> An den Armen, an den Kranken
> Auf zum wahren Weinstock streben![13]

„Wein' um die Traube nicht, wein' mit der Rebe." Der höchst gedrängte Vers steht in einem Gedicht, worin der Geliebten für die Rettung vor dem „Sünderlos", der ewigen Verdammnis gedankt, aber auch um ihren Besitz als Frau geworben wird. Wegen dieses doppelten Themas war es nötig, sowohl der erotischen wie der religiösen Bedeutung der Bilder „Traube" und „Rebe" nachzugehen, denn nur so ließ sich der Sinn des rätselhaften Verses voll ausschöpfen. Umso kürzer dürfen wir uns fassen bei der Erklärung der Verse 9–10 des Gedichts *Wenn der lahme Weber träumt* (I, 611):[14]

> Träumt die taube Nüchternheit, sie lausche,
> Wie der Traube Schüchternheit berausche.

Die Verse sind das achte und letzte Glied einer Adynatenkette, die gewissermaßen den Aufgesang des Gedichts bildet. Die ersten fünf Impossibilia bestehen darin, daß körperlich Geschädigte oder geistig Behinderte davon „träumen", sie könnten das leisten, was ihnen ihr Gebrechen verwehrt. Beim sechsten und siebten Impossibile dagegen liegt kein Mangel vor, so daß schon die Sache selbst die Verwirklichung des „Traumes" zur Unmöglichkeit macht:

> Träumt das starre Erz, gar linde tau' es,
> Und das Eisenherz, ein Kind vertrau' es.

Erz kann seiner Natur nach nicht tauen, und ein Herz von Eisen kann seinem Wesen nach nicht wie ein Kind vertrauen. Die Illusion, das Unmögliche könne dennoch möglich werden, ist also gesteigert, und die Steigerung kulminiert in dem achten Adynaton.

Wenn der Gedichtzusammenhang verlangt, daß die zitierten enigmatischen Verse die Unmöglichste aller Unmöglichkeiten verbildlichen, so ist damit noch nicht gesagt, was die Bilder bedeuten und welche Unmöglichkeit gemeint ist. Der Gebrauch von „taub" im Sinne von „fühllos, unempfindlich" (vgl. „betäuben") ist Gemeingut der Sprache, aber indem das Beiwort der Nüchternheit zugeordnet wird, wird diese aus einer Tugend zu einer Schwäche, und ihr Gegenteil, der Rausch, aus einer Untugend zu einer Fähigkeit. Schüchternheit gilt im allgemeinen als unanziehend, aber als Eigenschaft der Traube gewinnt sie eine eigentümliche Anziehungskraft. Auf dieser doppelten Umkehrung der Werte beruht der Sinn der beiden Verse. Die Traube ist in allen oben angeführten Gedichten, den erotischen wie den religiösen, Sinnbild der Fruchtbarkeit und Fülle. Wenn sie hier als Metapher für eine Frau zu verstehen ist, so ist an eine Frau gedacht, die nicht durch körperliche Vorzüge die Sinne, sondern durch ihren verborgenen, seelischen Reichtum den Geist berauscht. Auch der Nüchterne und Stumpfe ist für sexuelle Reize empfänglich. Was er nie und nimmermehr empfindet, ist der stille Liebreiz eines schüchternen Mädchens, denn dazu müßte er „lauschen" können.[15] Der Gipfel des Unmöglichen ist deshalb erreicht, wenn der Phantasielose sich einbildet, er sei feinfühlig genug, sich von einem schüchternen Mädchen faszinieren oder berauschen zu lassen.

Zwei rätselhafte Verse sind enträtselt. Viel Lärm um Nichts? Vielleicht doch nicht, denn die Verse stehen in zwei der größten Gedichte nicht nur Brentanos, sondern der deutschen Sprache, weshalb sich denn auch bereits mehrere Interpreten um ihre Erklärung bemüht haben. Beide Gedichte sind von Hans Magnus Enzensberger gedeutet worden, das Weberlied ein zweites Mal und ausführlicher von Rosemarie Hunter,[16] und *O schweig nur, Herz* noch eingehender von Siegfried Sudhof. Enzensberger hat erkannt, daß es in Brentanos Dichtung einen Bildkomplex[17] „Weinstock" gibt, dessen Bestandteile die verschiedensten allegorischen oder symbolischen Bedeutungen annehmen können. Aber die wenigen Beispiele, die er auf S. 85 f. seiner Studie zusammenstellt, sind ohne Zusammenhang und lassen die hier untersuchten Verse unerklärt. Merkwürdigerweise sieht Enzensberger darin geradezu einen Triumph seiner Methode. Das liegt an seinem unglückseligen Begriff der „Destruktion": Je mehr die Dichtersprache die Sprache der Mitteilung „entstellt" und je unverständlicher sie dadurch wird, umso poetischer wird das Gedicht. Das ist die reductio ad absurdum eines an sich richtigen Prinzips. Natürlich spricht der Dichter nicht wie unsereiner, natürlich bereichert er seine Aussagen durch Andeutungen, Anspielungen, Ballung und Steigerung. Aber Dunkelheit ist bloß ein Mittel der Poesie, nicht ein Wertmaßstab für das einzelne Gedicht. Jedenfalls überhebt sie den Leser (und besonders den privilegierten Leser, den Kritiker, der sich Zeit nehmen kann und womöglich dafür bezahlt wird) nicht der Pflicht, dem Dichter auf seinen Wegen zu folgen und das Dunkel zu durchdringen. Dieser Pflicht entzieht sich Enzensberger,

wenn er den Vers in *O schweig nur, Herz* ein „träumerisches Krypto-
gramm" nennt und hinzufügt, „im ganzen poetischen Werk Brentanos . . . findet sich keine Stelle, mit deren Hilfe die vorliegende Zeile zu
entschlüsseln wäre" (S. 37). Ebenso unrichtig ist die Behauptung, im
Weberlied gehörten die Wörter „Traube", „Nüchternheit", „berauschen" einerseits, und „taube", „Schüchternheit" „lauschen" andrerseits zusammen. Kein Wunder also, daß auch hier die apodiktische Erklärung folgt, „die träumerische Verschränkung" der sechs Wörter sei
„soweit getrieben, daß sich über ihren Zusammenhang Schlüssiges
schlechterdings nicht mehr sagen läßt" (S. 46). Enzensberger ist so stolz
auf diese Entdeckungen, daß er sie nochmals ausspricht: in den
„schlechterdings unentwirrbaren Zeilen" der beiden Gedichte sei „die
Entstellung ohne Rest gelungen": „das Gedicht hat seine eigene Sprache gefunden" (S. 86). Sind das nicht bloße Ausflüchte des Interpreten,
der nicht fleißig genug gesucht und nicht genau genug gelesen hat? Und
ist eine Theorie haltbar, die völlige Unverständlichkeit des Gedichts
und völlige Ratlosigkeit des Kritikers zu Kennzeichen des höchsten
poetischen Rangs bzw. des besten exegetischen Verfahrens macht? Was
wüßten wir von Joyces *Ulysses*, was von Eliots *The Waste Land*, was
von Rilkes *Duineser Elegien*, wenn sich die Kritik mit einer solchen
Theorie zufrieden gegeben hätte?

Mrs. Hunter ist „den Ausführungen Enzensbergers . . . für zahlreiche
grundsätzliche Anregungen zu großem Dank verpflichtet" (S. 146,
Anm. 6). In der Tat. Sie übernimmt seine Methode, seine Terminologie,
seine Werturteile – und seine Irrtümer. Zu den letzten Versen des We-
berliedes

> Weh, ohn' Opfer gehn die süßen Wunder,
> Gehn die armen Herzen einsam unter!

bemerkt Enzensberger, die Fügung „ohn' Opfer" sei stark entstellt, so
daß ihre Bedeutung sich nur ahnen lasse. Seine Ahnung: „Niemand op-
fert sich für die ‚süßen Wunder'; ihr Untergang läßt kein Zeugnis zurück" (S. 48). Keine Ahnung, würde ich antworten, oder: umgekehrt
wird ein Schuh daraus. Die süßen Wunder werden für niemand geopfert; die Illusionen der armen Herzen haben keinem geschadet, und mit
ihrer Zerstörung ist keinem gedient. Mrs. Hunter überbietet Enzensberger, statt ihn zu berichtigen. Sie meint, „ein Opfer könnte das Herz
retten, wie das Todesopfer Christi die Menschen zu retten vermag". Sie
findet in dem Ausgang des Gedichts „etwas Beruhigendes und Tröstli-
ches" (S. 150).[18] Ich finde ihn bitter und verzweifelt über die Wahrheits-

fanatiker, die armen Menschen ihren letzten Trost, ihre Illusionen rauben und sie dadurch in den Untergang treiben. Als Entstellungen bezeichnet Enzensberger auch die Vorstellungen, daß die Wahrheit den Traum „schmerzlich übern Haufen" rennt und „Schmerz-Schalmeien" bläst (S. 46 f.). Wieder glaubt Mrs. Hunter, dem Meister zu Hilfe kommen zu müssen. „Schmerz-Schalmeien" sind für sie „eine trostlos widersinnige Wortverbindung" (S. 149), und das schmerzliche Über-den-Haufen-Rennen macht ihr so sehr zu schaffen, daß sie es fünfmal zitiert und uns versichert, „Man kann jemanden vorsätzlich oder versehentlich, nicht aber schmerzlich über den Haufen rennen" (S. 146, 149). Haben denn diese Interpreten nie von der Hypallage, dem Adjektivtausch, dem „transferred epithet" gehört? Den Schmerz empfindet natürlich nicht die Wahrheit, sondern der Traum, die Nacht, das aus seiner tröstlichen Illusion gerissene Herz.[19] Ganz auf Mrs. Hunters eigene Rechnung kommt es, wenn Brentanos

> Und das Eisenherz, ein Kind vertrau' es,

durch die Paraphrase „niemals kann ein Kind dem harten Eisenherz vertrauen" erläutert wird (S. 148).

Die uns beschäftigenden Verse 9/10 möchte Mrs. Hunter als Übergang vom ersten zum zweiten Teil des Gedichts verstehen: „die gefühllose Nüchternheit ist die gleiche glänzende Ratio, die als grelle Wahrheit am Anfang des zweiten Gedichtteiles so schrecklich in die Traumwelt einbricht". Das ist ein geistreicher Einfall, der aber leider entwertet wird, wenn es unmittelbar anschließend heißt: „Am Ende des ersten Teils gelingt es ihr noch, zu träumen, daß sie die Schüchternheit belausche, wie diese unter dem dionysischen Einfluß der Traube berauscht in die Allverbundenheit eines Urgefühls, einer erlösenden Irrationalität einzugehen glaubt" (Hunter, S. 148). Im Text steht unzweideutig, daß die Schüchternheit eine Eigenschaft der Traube ist, so daß jene nicht von dieser beeinflußt werden kann; und ebenso unzweideutig, daß die Nüchternheit sich von der schüchternen Traube berauschen lassen möchte, nicht, daß diese durch sich selbst berauscht wird. Wer nicht mit Gundolf und Enzensberger (S. 33, 50) an Brentanos „Taubheit gegen die Logik" glaubt, wird lieber auf Grammatik und Syntax achten als schwärmen.

Sudhofs kluger und gründlicher Aufsatz ist von unvergleichlich höherem Rang und geht ganz andere Wege als die Arbeiten von Enzensberger und Mrs. Hunter. Seine Interpretation von *O schweig nur, Herz* bedenkt die Lebenslage Brentanos zur Zeit der Abfassung des Gedichts, zieht den Brief an Luise Hensel heran, in den es eingelegt ist, und erklärt seine Sprache und seine Bilder aus verwandten Stellen in der Bibel, bei den Kirchenvätern und in der emblematischen Literatur. Aber so viel von Sudhof zu lernen ist, so kann ich doch seine Überzeugung nicht teilen, das Gedicht beschreibe „den Verzicht auf irdische Liebe zugunsten einer jenseitigen Welt der Seligen" (S. 229).

Brentano lernte Luise Hensel am 10. Oktober 1816 kennen. Aus der kritischen Zeit seines Verhältnisses zu ihr sind sechs Briefe Brentanos und neun Briefe Luises bekannt. Weitere Briefe müssen gewechselt worden sein, denn die erhaltenen sind zum Teil Antworten auf verlorene. Brentanos langer, kurz vor und an Weihnachten in Fortsetzungen geschriebener Brief (GS 8, 204–222) ist nach Schiels ansprechender These der älteste.[20] Er ist deutlich eine Liebeswerbung. Wenige Tage später, also Ende Dezember, hat Brentano um Luises Hand angehalten. Er wurde abgewiesen. Sein vermutlich vierter Brief (GS 8, 222–227) wurde nach Luises viel späterer Mitteilung an Emilie Brentano im Januar 1817 geschrieben. Darin steht das Gedicht *O schweig nur, Herz*. Da das Gedicht nach Sudhofs eigener, begründeter Meinung (Sudhof, S. 215 f.) vor dem Brief entstand, muß es vor der Ablehnung des Heiratsantrags, oder spätestens unmittelbar danach, geschrieben worden sein. Selbst wenn letztere Datierung richtig sein sollte, ist es unwahrscheinlich, daß Brentano sich innerhalb von wenigen Tagen zum „dauernden Verzicht auf irdische Liebe" durchgerungen hat, und daß er sich nun bemühte, „die Geliebte in einer solchen Distanz zu sehen, daß nur der Verzicht das ideale Bild erhalten konnte" (Sudhof, S. 222, 216). In dem Brief beteuert Brentano zwar mehrmals und nachdrücklich, daß er Luise nicht begehre, aber er schreibt auch, „Gott [wird] sich meiner wohl erbarmen und mir die Kraft geben, in Entsagung neben Dir zu leben", und, noch deutlicher, „Es tut mir weh, daß ich Dich verlieren werde, so Du einen Freien liebtest, ... daß ich Dein bin und daß Du doch eines Anderen sein darfst und vielleicht einst auch sein magst" (GS 8, 223, 224). Das ist nicht die Sprache eines Mannes, der völlig entsagt hat, sondern die eines zur Entsagung Gezwungenen und sogar Eifersüchtigen.

Sowohl in diesem Brief wie in den ihm vorausgehenden und folgenden versichert Brentano mit großem Ernst, daß er ein frommer Mensch sei und mit Luises Hilfe noch frömmer werden wolle: „ich muß werden wie Du, ich muß Deiner Huld würdig werden" (GS 8, 225). Das ist ein zweideutiger Satz. An Brentanos religiösem Eifer ist nicht zu zweifeln, aber der Satz bedeutet auch, daß er Luise trotz der Abweisung noch immer zu gewinnen hoffte, nämlich in einer auf die gemeinsame Frömmigkeit gegründeten Ehe. Und noch in seinem fünften Brief, gleichfalls vom Januar 1817, umwebt der Liebende die Geliebte mit einer erotischen Phantasie: er flicht ihr das Haar, er steckt ihr den Kamm hinein, und er beneidet den selig trunknen Mondenschein darum, daß er in ihrer Kammer sein darf (GS 8, 229 f.). Erst in den folgenden Briefen nennt er sie „Schwester" (GS 8, 231, 233).

Genau wann und in welcher Reihenfolge die neun Briefe Luises geschrieben worden sind, scheint noch nicht völlig geklärt zu sein. Klar ist jedenfalls, daß Luise sich einerseits um eine innige Seelengemeinschaft mit Brentano bemühte, andrerseits sein erotisches Verlangen abwehren mußte. Ich zitiere nur die wichtigsten Briefstellen: „ich nehme Dich, bis Du Dich zurücknimmst, und was ich Dir dafür geben kann, geb ich Dir: herzliche Schwesterliebe und Verstehen all Deiner Schmerzen und Freuden." „Aber die Liebe ist ein Vogel, für den wir Beide auf Erden kein Futter mehr haben." (Die Anspielung auf Strophe 5 von *O schweig nur, Herz* zeigt, daß Luise das Gedicht als Liebeswerbung verstand.) „Sieh, ich sah, daß Deine Liebe zu mir sich oft selbst entstellen und entwürdigen wollte, das schnitt mir tief ins Herz, weil ich sie so nicht brauchen, nicht beantworten konnte." „Ach verzeih mir, daß Du mich so lieben und Dich martern mußt." (Schiel, S. 104, 128, 131, 136). Diese und einige weitere Briefstellen (z. B. Schiel, S. 127, 131) bestätigen, daß Brentanos Drängen mindestens den ganzen Januar hindurch anhielt.

Zu erwähnen ist schließlich noch Brentanos Rückkehr in die katholische Kirche. Schiel (S. 36–40) hat an Hand von zuverlässigen Zeugnissen dargetan, daß der Entschluß zu dem Schritt sehr langsam reifte und Schwankungen ausgesetzt war. Schon im März 1815 wollte Brentano die Generalbeichte ablegen (er tat es am 27. Februar 1817), aber in der Not seiner Liebe zu Luise dachte er 1816 vorübergehend sogar daran, zu der Konfession der lutherischen Pfarrerstochter überzutreten. Als geschiedener Katholik, dessen Frau noch lebte (Auguste Bußmann nahm sich erst 1832 das Leben), war Brentano kein „Freier", wie er an einer der oben zitierten Briefstellen andeutet. Da das Gedicht aus eben dieser Notzeit stammt, glaube ich nicht wie Sudhof (S. 229), daß es den endgültigen Entschluß zur Rückkehr in die Kirche schon vorwegnimmt. So wie ich es verstehe, will der Liebende des Gedichts die Geliebte durch seinen Glauben gewinnen, nicht ein unüberwindliches Hindernis daraus machen. Sudhof dagegen versteht es als Ausdruck der völligen Entsagung und der Hoffnung auf Vereinigung mit der Geliebten im Jenseits.

Sudhofs Deutung ist konsequent und wäre überzeugend, wenn das Gedicht im Februar 1817 statt im Dezember 1816 entstanden wäre. Aber auch der Text bereitet ihm ein paar nicht unerhebliche Schwierigkeiten. In der ersten Strophe heißt es, „ein gottselig Kind... weckt dir den Morgenstern auf stummen Hügeln". Für Sudhof bedeutet das, daß die Geliebte dem Angeredeten dereinst, d. h. im Tode, Christus als Symbol des sich ewig erneuernden Lebens aufzeigen wird. Die ursprüngliche Lesart der beiden erhaltenen Autographen, „jenseits den Hügeln", trifft nach Sudhof (S. 220 f.) den Sinn besser als die spätere Lesung. Da aber das Wort „dereinst" nicht im Text steht und die ersten fünf Verse sich zweifellos auf die Gegenwart beziehen, kann auch das Präsens „weckt" nicht futurisch gemeint sein. Ob der Morgenstern auf den Gräbern oder jenseits der Gräber leuchtet, ob er über ihnen oder, noch im Aufgang begriffen, hinter ihnen gesehen wird, berührt den Sinn des Bildes nicht. Er steht am Himmel, in der Ferne, als Verheißung künftiger Erlösung für diejenigen, die noch diesseits der stummen Hügel verweilen. Zudem steht Sudhofs Erklärung im Widerspruch zu der christlichen Lehre, auf die er sich immer wieder durch Zitate aus der Bibel und den Kirchenvätern beruft. „Im Tode" braucht die Geliebte nicht auf Christus zu weisen, denn da thront er allen sichtbar als Weltenrichter. Worauf die Geliebte weist, jetzt, in diesem Leben weist, ist die Venus Urania als Bild der Liebe und Gnade Gottes, auf die auch der Sünder (vgl. „dir fiel kein Sünderlos" in Vers 20) hoffen darf.

Auch der Satz „einsam ist kein Leben, / Kein Grab" in Vers 11/12 macht Sudhof Mühe. Er findet es überraschend, daß die Nähe der Geliebten nicht nur die Einsamkeit des Lebens, sondern auch die des Todes verbannt. Für sich allein gelesen, ist der Satz allerdings rätselhaft, aber er wird durch Vers 17/18 erklärt. Da wird daran erinnert, daß eines der Liebenden zuerst sterben wird, und behauptet, daß der Hinterbliebene sagen wird: „O schönre Lust, halb hier, halb dort zu schlagen!" Das heißt, die Herzen der Liebenden sind so verschmolzen, daß der Überlebende schon mit halbem Herzen an der Seligkeit der Toten teilhat.[21] Da Sudhof auch diesen Satz nicht versteht (er deutet ihn als Folge des Entschlusses, „die Grenzen des Irdischen zu sprengen und zu verlassen"), bleibt es ihm unverständlich, daß und wie die Liebe die Einsamkeit des Grabes überwindet (S. 221 f.).

Sudhofs Auslegung der letzten Strophe entspricht seiner Auslegung der ersten. Zu dem Schluß, „baue / Dein Elend fromm, daß sie dir ganz

vertraue", bemerkt er: „Es geht darum, daß die Geliebte ihm ‚einst',
d. h. nach dem Tode, noch vertraue" (S. 228). Der Gedanke grenzt ans
Absurde. Wem es gelungen ist, die Geliebte von seiner Frömmigkeit zu
überzeugen und dadurch ihr Vertrauen zu gewinnen, kann nicht fürch-
ten, es im Jenseits zu verlieren. Und wem es nicht gelungen ist, kann
nicht hoffen, es im Jenseits zu erwerben. Auch die Behauptung, „Die
diesseitige Welt ist das fremde ‚Elend'", ist unhaltbar, denn im Text
steht „*Dein* Elend", nicht „*das* Elend". Bei dem Elend, dem Land der
Verbannung, ist nicht allgemein an die Welt als Jammertal, sondern
speziell an das Leid des Liebenden gedacht, den die Geliebte abgewiesen
oder, mit dem hyperbolischen Ausdruck des Gedichts, in die Verbannung geschickt hat.

Und nun endlich zu dem uns angehenden Vers, „Wein' um die
Traube nicht, wein' mit der Rebe". Sudhof deutet ihn mit Hilfe des
Gleichnisses vom Weinstock und der Rebe bei Johannes 15: 1–2. Die
Traube ist die Frucht, die Rebe ist noch im Wachstum begriffen. Jene
hat die höchstmögliche Gottnähe erreicht, diese ist noch im Zustand
der Bewährung (S. 224f.). Im biblischen Gleichnis ist aber von der
Traube garnicht die Rede, sondern nur von der unfruchtbaren und der
fruchtbringenden Rebe. Die unfruchtbare wird der Herr, der Weingärt-
ner, wegschneiden; die fruchtbare „wird er reinigen, daß er[22] mehr
Frucht bringe".[23] Einander entgegengesetzt werden also nicht das Streben nach Vollkommenheit und ihr fast völliges Erreichen, sondern völlige Nutzlosigkeit und das Bedürfnis nach Vervollkommnung der Guten. Aber selbst wenn man, wie billig, zugibt, daß Brentano das Gleichnis für seine Zwecke umgedichtet haben könnte, paßt Sudhofs Deutung weder auf den Vers noch auf seinen Zusammenhang in dem Gedicht. Warum soll der Angeredete (das Herz, der Liebende) *um* die
Traube weinen, wenn sie („ein gottselig Kind", Vers 4) bereits die
größte Gottnähe erreicht hat? Und wie kann er *mit* der Rebe weinen, da
er doch (nach Sudhof) selbst die Rebe ist? Die Rebe als Bild des Unvoll-
kommenen, des um Bewährung Ringenden könnte *über* sich weinen,
aber nicht zusammen mit sich über sich selbst.

Interpretationen sind Hypothesen oder Wahrscheinlichkeitsurteile.
Enzensbergers Deutungen beruhen auf dem Glauben, daß Brentano
eine Dichtersprache anstrebte, die, hermetisch nur auf sich selbst bezogen, möglichst vieldeutig ist und bei der Übertragung in die Sprache der
Mitteilung den Sinn der poetischsten Stellen seiner Gedichte höchstens ahnen läßt. Da aber seine eigenen Auslegungen bei manchen Stel-

len nur eine Deutung zulassen, bei anderen mehrere, und bei wieder anderen gar keine, macht er sich zum Richter darüber, wo die Grenzen von Klarheit, partiellem Dunkel und völligem Dunkel des Textes liegen – wo der Interpret mit Zuversicht, wo er mit Vorsicht, und wo er gar nicht deuten darf. Brentano selbst bestand darauf, daß er sich an jeder Stelle seiner Werke, auch bei den für den Uneingeweihten schwierigen, etwas Bestimmtes gedacht hat, und machte sich anheischig, sie zu erklären. Aus Anlaß des sogenannten großen Gockelmärchens schrieb er: „Wie würden Sie die Hände über dem Kopf zusammenschlagen, wenn ich Ihnen so ein Märchen bis in die kleinsten Wendungen erklären könnte!"[24]

Sudhof (S. 228) nimmt an, daß Brentano Luise Hensel die einzelnen Bilder in O schweig nur, Herz persönlich erklärt hat. Damit stellt er sich im Prinzip auf Brentanos Standpunkt und verwirft den Standpunkt Enzensbergers. Die Überzeugung, daß etwas erklärt werden kann, bedeutet jedoch noch nicht, daß man weiß, wie es erklärt werden soll. Wie die meisten Autoren hat Brentano es wohlweislich vermieden, selbst den Ausleger seiner Werke zu spielen. Es scheint mir deshalb unwahrscheinlich, daß er der Geliebten das Gedicht erklärt hat. Was er ihr persönlich zu sagen hatte, sagte er in seinen Briefen oder – eben persönlich, unter vier Augen. In dem Gedicht dagegen spricht er nicht als Clemens zu Luise, sondern als Dichter zu allen, die es hören oder lesen. Es ist ihre Aufgabe, es sich auf solche Weise anzueignen, daß es im Ganzen wie im Einzelnen sinnvoll ist. Sudhof sucht diese Aufgabe zu lösen, indem er die vermutlichen Quellen Brentanos aufsucht und den traditionellen Sinn der Bilder des Gedichts feststellt. Die Methode ist fruchtbar, hat aber auch ihre Gefahren. Was Sudhof auf Seite 218 f. aus der Bibel und den Emblembüchern über Geier und Taube anführt, liegt so weit ab, daß es das Verständnis des Gedichts eher stört als fördert. Peter Szondis Warnung,[25] daß Parallelstellen ihrerseits der Interpretation bedürfen und nur dann beweiskräftig sind, wenn sie in ihrem Zusammenhang denselben Wert haben wie die zu erklärende Stelle in dem vorliegenden, ist von Sudhof wohl kaum genügend beherzigt worden. Mit anderen Worten: Quellen und Vorbilder sind nur Hinweise, nicht Beweise für den Sinn dessen, was der Dichter aus ihnen gemacht hat.

Derselbe Grundsatz gilt aber auch für meinen Versuch. Ich habe meine „Belege" hauptsächlich aus anderen Werken Brentanos gezogen, weil es wahrscheinlicher ist, daß ein Werk das andere erklärt, als daß ein Vorbild das Werk erklärt. Freilich ist auch auf diesem Wege Gewißheit nicht zu erlangen. Sudhof hat das ganze Gedicht O schweig nur,

Herz durchinterpretiert; ich habe nur einen Vers, allerdings den schwierigsten, zu erklären versucht. Meine Interpretation des ganzen Gedichts wird hoffentlich etwa gleichzeitig mit diesem Beitrag erscheinen. Erst wenn sie vorliegt, wird der Leser entscheiden können, ob Sudhofs oder meine Lösung des Enigmas mehr Wahrscheinlichkeit beanspruchen darf. Mein Freund Victor Lange und die Leser seiner Festschrift werden es mir verzeihen, daß hier aus Raumgründen nur Stückwerk geboten worden ist.

Anmerkungen

[1] Wenn nicht anders angegeben, wird zitiert nach Clemens Brentano, *Werke*, 4 Bände, Darmstadt 1963–68. Band I hrsg. von Wolfgang Frühwald, Bernhard Gajek und Friedhelm Kemp. Band II–IV hrsg. von Friedhelm Kemp. Stellenverweise im Text, die nur Band (römisch) und Seite (arabisch) angeben, beziehen sich auf diese Ausgabe. Die Herausgeber der *Werke* haben die Interpunktion ihrer Vorlagen im allgemeinen erhalten, aber gelegentlich der Verständlichkeit zuliebe geändert (vgl. I, 1026). Ich bin darin noch etwas weiter gegangen. Deshalb z. B. die Kommata in den Versen „O schweig nur, Herz" und „Vogel, halte, laß dich fragen".

[2] Professor Ernst Fedor Hoffmann in New York und Professor Krishna Winston in Middletown haben mich durch wertvolle Hinweise und Anregungen in großzügiger Weise unterstützt. Herrn Dr. Hartwig Schultz vom Freien Deutschen Hochstift in Frankfurt danke ich für bereitwilligst gegebene Auskünfte und für Ablichtungen mehrerer Handschriften.

[3] Das Datum nach I, 1269. Im folgenden werden Datierungen nur begründet, wenn sie nicht den *Werken* entnommen sind.

[4] Vgl. Kemps Nachwort, I, 1312. Auch: Dietrich Walter Jöns, *Das „Sinnen-Bild". Studien zur allegorischen Bildlichkeit bei Andreas Gryphius*, Stuttgart 1966, S. 209–213. Abbildung bei Albrecht Schöne, *Emblematik und Drama im Zeitalter des Barock*, München 1964, S. 68.

[5] II, 297. Zitiert in Kemps Nachwort, I, 1317.

[6] Zur Datierung vgl. I, 1048.

[7] In *Rückkehr an den Rhein* (*Brentanos Werke*, hrsg. von Max Preitz, Leipzig und Wien 1914, I, 93 f.; nicht in *Werke*; vermutlich 1802 entstanden) steht die bekannte Apostrophe des Flusses: „Ordensband der deutschen Erde, / Das der Weinstock um sie schlingt". Ich verzichte auf die Anführung weiterer Gedichte, in denen Wein, Weinstock, Rebe und Traube genannt sind, aber geringen oder keinen Symbolsinn tragen. Nur *Nun, gute Nacht! mein Leben, / Du alter, treuer Rhein* (I, 239–241) sei noch erwähnt. Das Gedicht, vermutlich 1811 in Berlin entstanden, ist ein Rückblick auf Brentanos Rhein-Lyrik, der stellenweise den Charakter eines aus früheren Gedichten zusammengeflickten Cento annimmt. Die symbolischen Andeutungen sind schwach.

[8] *Trübners Deutsches Wörterbuch*, VIII (1957), 92. Siegfried Sudhof, „Brentanos Gedicht *O schweig nur Herz!*. Zur Tradition sprachlicher Formen und poetischer Bilder", *ZfdPh* XCII (1973), 225, bemerkt, das Bild der Rebenträne sei bis ins späte 18. Jahrhundert noch ganz allgemein verständlich gewesen, geht aber nur auf die religiös-mystische Bedeutung des Bildes ein.

[9] *Clemens Brentanos Frühlingskranz*, hrsg. von Heinz Amelung, 2. Auflage, Leipzig 1909, I, 10 f. Die Stelle steht im 4. Brief (Bettina an Clemens).

[10] Das Gedicht steht vollständig in der Ausgabe, *Ausgewählte Gedichte*, hrsg. von Sophie Brentano und R. A. Schröder, Berlin 1943, S. 183–195. Nach freundlicher Mitteilung von Hartwig Schultz ist Schröders Druckvorlage inzwischen verschollen. Das Hochstift besitzt jedoch eine Abschrift Emilie Brentanos (Hs. 11 143), wovon mir eine Ablichtung zur Verfügung gestellt worden ist. Strophe 28 der Abschrift, die uns hier angeht, stimmt wörtlich überein mit dem vermutlich Schröders Ausgabe entnommenen Druck in Clemens Brentano, *Gedichte*, ausgewählt von Werner Vordtriede (Insel Bücherei, 1963), S. 43–45. Vordtriede hat das Gedicht von 32 auf 8 Strophen gekürzt. Strophe 28 ist bei ihm Strophe 7.

[11] Wie auch heute noch üblich, gebraucht Brentano das Wort „Rebe" manchmal für den Rebstock oder Weinstock, manchmal für die Ranke, den Schößling oder Zweig des Weinstocks. In dem oben zitierten Vers „Süße Rebe schlanker Ranken" liegt die erste Bedeutung vor, in dem hier zitierten die zweite. Vgl. Gerhard Wahrig, *Deutsches Wörterbuch*, Gütersloh 1968, s. v. „Rebe" und „Weinrebe". Hans Magnus Enzensberger, *Brentanos Poetik*, 2. Aufl., München 1964, S. 85, und Sudhof, S. 224, haben die religiöse Bedeutung des Weinstock-Motivs auf das Gleichnis bei Johannes 15: 1–2 zurückgeführt.

[12] *Clemens Brentanos Gesammelte Schriften*, hrsg. von Christian Brentano, 7 Bände, Frankfurt am Main 1852. Nachweise im Text werden durch die Sigle GS bezeichnet.

[13] Zur Datierung vgl. Hansjörg Holzamer, „Clemens Brentano: *Der Epheu*", *Literaturwissenschaftliches Jb.*, N. F. VI (1965), 133–139. Holzamers Anm. 12 macht darauf aufmerksam, daß das Bild des vom Efeu umwachsenen Steins aus Brentanos Gedicht *Die ummauerte Seele und der Epheu* (GS 1, 79–83) stammt, und daß Luise Hensel die letzte Strophe dieses Gedichts mildernd umgestaltete. Vgl. Hubert Schiel, *Clemens Brentano und Luise Hensel. Mit bisher ungedruckten Briefen*, Aschaffenburg 1956, S. 103. Auch das Motiv, daß sich der Efeu zu Gott hinaufrankt, ist in Luises Briefen an Brentano antizipiert: „bist Du so stark und kühn, so sei Deine eigne Stütze, bist Du es nicht, so ranke Dich an Jesu hinauf . . . Dein Herz weise ich nicht zurück, wollte Gott, ich könnt es Dir heilen und pflegen und still machen" (Schiel, S. 104). Und: „Mir ist nur wohl, wenn ich trösten oder heilen oder pflegen kann; als ich ein Kind war, habe ich mir immer die kranken und schwachen Küchlein und Tauben gewählt, daß ich was zu lindern hatte" (Schiel, S. 112). Luise nimmt häufig Wendungen und Bilder aus Brentanos Gedichten in ihre Briefe auf; so hier das „still machen" und die Taube aus *O schweig nur, Herz*.

[14] Entstehungszeit unsicher, vermutlich ca. 1835. Vgl. I, 1182; III, 1100. Das Gedicht ist in das *Tagebuch der Ahnfrau* eingefügt, ist aber, wie Enzensberger, S. 43 f. überzeugend nachweist, vor dem betreffenden Textteil des *Tagebuchs* entstanden.

[15] „Lauschen" für „sehen" oder „bemerken" ist eine Hypallage. R. A. Lanham, *A Handlist of Rhetorical Terms*, University of California Press 1968, S. 56 zitiert ein amüsantes Beispiel aus *A Midsummer Night's Dream*, V, 1 (in der Schlegelschen Übersetzung ist die Stelle geglättet, der Witz verloren):
I see a voice. Now will I to the chink,
To spy an I can hear my Thisby's face.

[16] Rosemarie Hunter, „Clemens Brentanos *Wenn der lahme Weber träumt* und das Problem der Sprachverfremdung", GRM L (1969), 144–152.

[17] Enzensbergers „Bildkomplex" ist der genauere Ausdruck, Sudhofs „Bilderkette" (S. 219) der schönere. Der englische Ausdruck „image cluster" besitzt beide Tugenden.

[18] Enzensberger (S. 49) hört im letzten Vers ein rhythmisches Diminuendo; nach ihm „scheint das Gedicht zu versickern und zu verstummen". Seite 49, Zeile 4 ist gewiß „Kola" statt „Kommata" zu lesen.

[19] Heinrich Lausberg, *Handbuch der literarischen Rhetorik. Eine Grundlegung der Literaturwissenschaft*, München 1960, I, 343 f.

[20] Die Sigle GS wird auch für die zwei Bände *Gesammelte Briefe* gebraucht, die 1855 als Band 8/9 der *Gesammelten Schriften* erschienen. Luises Briefe sind gedruckt bei Schiel, S. 101–137. Siehe oben, Anm. 13. Daß das achtzehnjährige Mädchen kaum weni-

ger als Brentano von inneren Kämpfen zerrissen war, zeigen die Briefe zur Genüge. Falls, wie Schiel will, Luises Teilnahme an dem fast zwanzig Jahre älteren Mann auch erotische Gefühle einschloß, so waren sie ihr gewiß völlig unbewußt.

[21] Im *Godwi* (II, 46) schreibt Otilie Senne über ihren Vater: „Du glaubst nicht, . . . wie sehr ich mich bemühe, . . . ihn ganz zu umfassen, damit ich die Wunde bedecken muß, die in ihm blutet. Aber auch dies hilft ihm nicht; es scheint mir, als verdopple sich ihm sein Schmerz, wenn er fühlt, daß er in zwei Herzen wohnt." Sowohl das Bild der Wunde – ein eindeutig erotisches Motiv – wie die Vorstellung vom Eingehen eines liebenden Herzens in das geliebte Herz gehören bei Brentano zum ältesten Bestand (vgl. Kemps Nachwort, I, 1314 f.). Die Vorstellung scheint Brentano auf ihm eigentümliche Weise aus verwandten Vorstellungen der Petrarkisten entwickelt zu haben. Der letzte Vers von Paul Flemings *Über seinen Traum* (hrsg. Lappenberg, I, 217 f.) muß hier als Beispiel genügen: „Ach, Schwester, fühlst du nicht, daß du zwo Seelen hast?"

[22] Das Pronomen bezieht sich auf das Maskulinum „der Rebe" der Luther-Bibel.

[23] Schöne, *Emblematik*, S. 67, belegt die Aufnahme des Gleichnisses vom Weinstock in mehrere Emblembücher und, vermutlich von ihnen abhängig, in Gryphius' Trauerspiel *Die Gibeoniter*. Das Beschneiden der Reben ist hier ein Bild für die Züchtigung des Menschen als Wohltat Gottes. Vgl. den Vers, „Schneid, Herr, die wilden Zweige aus!" in dem oben S. 259 besprochenen Gedicht. Schönes Emendation „mit einem milden Ranck" (statt „wilden") ist vielleicht unnötig. Beide Beiwörter kommen vor, und beide sind sinnvoll. – Da „mild", wie Schöne nachweist, auch „freigebig, reiche Frucht bringend" bedeuten kann, könnte selbst die Leseart „ein mildes Kind" (GS II, 197) statt „ein gottselig Kind" (I, 362) in Vers 4 von *O schweig nur, Herz* von dem Weinstock-Gleichnis herrühren. Dann hätte Brentano schon bei Vers 4 an Vers 24 gedacht. Aber das wage ich kaum auch nur zu vermuten. Hartwig Schultz, der die Druckvorlage der Fassung in GS entdeckt hat, wird schon im *Jahrbuch 1976* des Freien Deutschen Hochstifts darüber berichten.

[24] Zitiert in Kemps Nachwort, I, 1316.

[25] Peter Szondi, „Über philologische Erkenntnis", in: *Methodenfragen der deutschen Literaturwissenschaft*, hrsg. von Reinhold Grimm und Jost Hermand, Darmstadt 1973, S. 248 f.

Siegbert S. Prawer

„Ein poetischer Hund": E. T. A. Hoffmann's *Nachrichten von den neuesten Schicksalen des Hundes Berganza* and its Antecedents in European Literature

> Du bist, ich darf es sagen, ein
> poetischer Hund, und da ich selbst
> – du mußt es wissen, da du mich
> kennst – von allem Poetischen hoch
> entflammt bin, wie wäre es, wenn
> du mir deine Freundschaft gönntest. . .?[1]

When the ‚travelling enthusiast', whom we are to imagine as the narrator of all the pieces included in Hoffmann's *Fantasiestücke in Callots Manier*, calls Berganza „a poetic dog", he opens, as so often, a large number of perspectives onto the meaning of the tale; and if we follow out one of these lines of perspective, we arrive at the work of the justly admired writer to whom the very title of Hoffmann's tale, with its explanatory footnote, had drawn attention, and whose importance for German Romanticism it would be hard to exaggerate.[2] *Nachrichten von den neuesten Schicksalen des Hundes Berganza* points back explicitly to one of the subtlest of Cervantes's „novelas ejemplares": the linked tales *The Deceitful Marriage* and *Colloquy of Cipión and Berganza*.[3] Cervantes's double „novela" tells the story of a soldier, Ensign Campuzano, who – himself guilty of the intention to deceive – is tricked into an unfortunate marriage which deprives him at once of his savings and his health. In an effort to sweat out the venereal disease with which his marriage has left him, he enters the Hospital of the Resurrection in Valladolid; and leaving the hospital, not yet fully restored but well on the road to recovery, he meets an old friend, a university graduate called Peralta, to whom he tells the story of his marriage and to whom he then hands a manuscript purporting to contain something he heard with his own ears while he was still in hospital. What he heard, or thought he heard, or pretends to have heard, was a conversation between the two dogs who usually accompanied the almoner of the hospital when he went out to collect charitable contributions. The sceptical

Peralta reads the manuscript purporting to contain the life-story of one of these dogs, Berganza, as told to the other, Cipión; and though he remains unconvinced about the truth-content of Campuzano's strange adventure, he thinks his tale so valuable in form and content that he encourages his friend to write down the tale of Cipión as well. Campuzano agrees, and the reader leaves the two friends departing to refresh their eyes by looking at the crowds in the public esplanade; the ,,novelas ejemplares'' end without giving us Cipión's tale to balance Berganza's.

One need not read far in Hoffmann's work to notice a number of features of Cervantes's tale that were bound to draw his attention. Some of these may be listed as follows:

(i) First and most obvious is the irony of having a dog pass judgment, from his own perspective, on the human world. Hoffmann makes a great deal of this, as we shall see; but what must be particularly noted at the outset is that being a dog *who can speak* makes Cervantes's Berganza an ,outsider' figure, an ,in-between' figure, in the world of dogs and that of men. He may, in fact, be a human male transformed into an animal shape by witchcraft; but whatever the truth of this may be in Cervantes's tale, his Berganza is uncomfortably part, like so many of Hoffmann's artist-heroes, of two worlds without wholly belonging to either.

(ii) Next we must notice Cervantes's complex narrator-pattern. Within the double ,,novela'' we have no less than three first-person narrators, each of whom is given a listener or audience: the witch Cañizares, who also appears in Hoffmann, and who in Cervantes tells her tale to Berganza without receiving any overt response that could not have come from some quite ordinary dog; Berganza himself, who tells his tale to Cipión and is frequently interrupted by critical comments from his canine friend; and, of course, Campuzano, who first tells his own story – a story of mutual deception, we must remember – and then hands the manuscript he purports to have made after hearing Berganza talk, to his sceptical friend Peralta. For each of these narrators the act of narration to a particular audience fulfils an important function; and each of the listeners finds his world-view powerfully affected by what he hears or reads. Add to this that the double ,,novela'' is introduced and ended by an impersonal narrator, and that the whole work appears within the ,,novelas ejemplares'' which Cervantes presents to us with an autobiographical preface – and one sees at once the possibilities of multiple point of view, of irony and counterpoint, which here offer themselves and of which Cervantes has made full use.[4]

(iii) Cervantes shapes the picaresque series of adventures through which his Berganza passes in such a way that mere temporal sequence is transcended. Through anticipations and retrospects the Cañizares episode receives special emphasis – an emphasis increased by the fact that this episode occurs in the very middle of the tale, just after the fifth of Berganza's ten masters has been introduced. Hoffmann rightly latches his own tale onto this episode to which Cervantes had given such structural centrality.

(iv) One aspect of the shape given by Cervantes to the colloquy between the two dogs is bound to recall Hoffmann's social and psychological themes: the way Cervantes's Berganza progresses from characters firmly entrenched in Spanish society to „Randfiguren" (gipsies, Moors, a penniless poet, the social flotsam and jetsam he encounters in the hospital), and the way in which he progresses from masters who work with their hands and bodies or are set to keep order in the state (as beadles or soldiers) to figures that seek to project into the outside world the contents of their imagination: poets, dramatists, theatre-folk and – in the hospital – a group of alchemists, inventors and schemers on the very verge of sanity, or beyond it.

(v) Cervantes's tales of Campuzano and Berganza play constantly on the deceptiveness of surface appearances. Again and again the characters are deceived by what appear to be sure signs of truth; and they themselves, wittingly or unwittingly, deceive others. This uncertainty communicates itself to the reader of the „novelas ejemplares". Is he, he will ask himself, to take Berganza's narration as fact, or is he to take it as a product of the convalescing Campuzano's stimulated imagination? Might it not even be a deliberate hoax by Campuzano, who has, after all, exposed himself as a cheat in the story of his marriage? Peralta is inclined to believe the „stimulated imagination" theory – but in that case (and here we can see Hoffmann sitting up and taking notice) sickness and enforced isolation from the hustle and bustle of everyday living have made Campuzano an artist and have given him a new moral insight to boot. If one takes this together with the autobiographical preface in which Cervantes speaks of his own artistry, one will get some inkling of the interplay of „Schein" and „Sein" in his work which is quite as complex as that in Hoffmann's own.[5]

(vi) We have here approached a theme of great importance in seventeenth-century Spain – the theme of „la vida es sueño", life as a dream, which Hoffmann takes over into his tale of Berganza. This theme is joined, in Cervantes's double „novela", by another, whose connection with the „Schein" and „Sein" theme is as obvious as its importance to Hoffmann: the clash between literature and life, the literary and the real. Born in the slaughterhouse of Sevilla, Cervantes's Berganza escapes from a brutal butcher who had taken him into his service and joins some shepherds, who employ him as a sheepdog. During visits to a young lady fancied by his former master, Berganza had heard readings from pastoral romances which gave a delightfully musical and idyllic impression of the shepherd's life; these are now brought up starkly against a reality that contains no Amaryllises or Galateas or Lisardos or Jacintas but consists wholly of Antóns, Domingos, Pablos and Llorentes' catching fleas, cobbling their clumsy shoes, and cheating their masters. Nor is this the worst discovery Berganza makes. When he joins the shepherds, he thinks he is joining a society protecting the sheep from the wolves. Finding his efforts to guarantee such protection unavailing, he hides behind a bush and finds that the „wolves" which kill the best sheep when the sheepdogs' attention has been distracted are in fact the shepherds themselves, who slaughter their masters' beasts to fill their bellies. In both cases, an ideal picture comes up against reality; in the second case, a dreadful (or at least distressing) truth is spied out by a watcher from a hiding-place. Both these situations, here found in Cervantes, are, of course, pervasive in Hoffmann's writings.

(vii) In Cervantes's double „novela" artistic and moral questions appear in close alliance. Hoffmann makes an issue of this alliance in the concluding part of his own Berganza-story; but we need only follow out the way in which Cipión is always interrupting Cervantes's Berganza to see how important this alliance already is in the „novelas ejemplares". Cipión's interruptions question either Berganza's morality or his narrative skill: they may be summed up in the two injunctions ‚don't slander' and ‚don't digress'. Berganza's tale also plays a part, or seems to play a part, in Campuzano's moral regeneration; and Berganza himself is constantly making moral judgments and organizing his tale around these – he has, after all, to justify his departures from the supreme canine ideal, that of loyal service to a master, by recounting the iniquities of masters he quitted or betrayed.

(viii) As his continuation of the earlier Berganza tale shows, Hoffmann was greatly taken with the open-endedness of Cervantes's double „novela". At sunrise Cervantes's dogs fall silent, the humans depart, and the tale of Scipión, though promised, is left for ever untold.

(ix) The central issues in Cervantes's tale have been summed up by a perceptive critic as „the relation of art to life; the salvation of the artist through his work; the combined involvement of the process of narration and the finished product."[6] All these reappear in Hoffmann's continuation. There are, however, subsidiary motifs too which Hoffmann's „Nachrichten" elaborate: the gestures of submission, for instance, which Cervantes lends his Berganza and which include allowing children to ride on his back. These too are taken over by Hoffmann, who makes something very different, something very Hoffmannesque, out of them.

(x) As one would expect from the author of Don Quixote, Cervantes works a rich vein of humour in his Berganza-story; but as in Don Quixote, so in the double „novela" too the humour arises from something deeply serious, something very closely connected with the central themes I have endeavoured to disengage. In his continuation of Berganza's tale Hoffmann explicitly raises the questions posed by this intimate intermingling of the humorous and serious, and he raised them explicitly in the context of his own world-view and his own troubled times, the context of „der tiefere Ernst. . ., der sich mit der eingetretenen verhängnisvollen Zeit über alle Zweige der Kunst und Literatur verbreitet hat."[7]

(xi) The last point of contact between Hoffmann and Cervantes to which I would like to draw attention returns to my opening one: Berganza's uneasy status as a dog that can speak, a dog gifted with moral insights transcending those of the human world in which he moves – his uneasy status as a dog of this kind in the world of men. Cervantes makes his dogs strike up the „vida es sueño" theme in this connection: „You are right, brother Cipión," he makes his Berganza say, „and you are more intelligent than I thought. What you have said leads me to think and believe that everything which has happened to us so far and is now happening to us, is a dream, and that we are simply dogs." „But that", Berganza adds, „must not keep us from enjoying, as long as we can, the gift of speech with which we are endowed, and the great privilege of possessing human reason."[8] Here we have reached what is perhaps the strongest appeal this tale held for the younger Hoffmann, who was writing, it will be remembered, „in Callots Manier", defined as follows:

Selbst das Gemeinste aus dem Alltagsleben . . . erscheint in dem Schimmer einer gewissen romantischen Originalität, so daß das dem Fantastischen hingegebene Gemüt auf eine wunderbare Weise davon angesprochen wird. – Die Ironie, welche, indem sie das Menschliche mit dem Tier in Konflikt setzt, den Menschen mit seinem ärmlichen Tun und Treiben verhöhnt, wohnt nur in einem tiefen Geiste, und so enthüllen Callots aus

Mensch und Tier geschaffene groteske Gestalten dem ernsten tiefer eindringenden Be-
schauer alle die geheimen Andeutungen, die unter dem Schleier der Skurrilität verborgen
liegen.[9]

What better medium, we may well think, could there be for this kind of
higher or deeper irony, than Cervantes's dog, suddenly gifted with human speech, formulating his impressions of a world peopled and fashioned by human masters whose actions turn out, as often as not, to be
more beastlike than his own?

Hoffmann's very title announces that his tale is based on that of Cervantes; and in the tale itself he introduces so many references back to
characters and events of the earlier Berganza story that Jean Paul, whose
own multitudinous and frequently puzzling references and allusions
are notorious, felt moved to complain, in the somewhat grudging Preface which he contributed to the *Fantasiestücke*, about Hoffmann's
„impolite" failure to explain his allusions in footnotes.[10] I cannot think
that Hoffmann's allusiveness is in fact a drawback. On the contrary: by
indicating generally where to look, Hoffmann deliberately leaves it up
to the reader who has not yet made the acquaintance of Cervantes's
Berganza to repair that omission forthwith. He even recommends a
German translation.[11] If the reader responds to this challenge, he will
not only become acquainted with a great work of European literature,
but he will also deepen – in ways I have tried to indicate – the literary
experience he gains by reading Hoffmann's continuation and variation.
And indeed, that the experience underlying Hoffmann's tale, the experience conveyed in that tale, *mingles literature and life*, is a centrally
important fact about the work. This becomes clear at the very opening:
the „left-branching" sentence with which Hoffmann's story begins
asks the reader to re-experience a common event – a man stepping from
a room filled with tobacco-smoke into the fresh air – by remembering
his reading of Ossian (or, at least, of the quotations from Ossian in *Die
Leiden des jungen Werthers*). Ossian's spirits come first, and only then
– wait for it! the sentence-structure tells us – comes the „I" that leaves
the smoke-filled room: „Wie die Geister Ossians aus dem dicken
Nebel, trat ich aus dem mit Tabaksdampf erfüllten Zimmer hinaus in
das Freie."[12] The effect here is one of incongruity, a clash of worlds,
ironic, humorous juxtaposition; but this opening prepares us for the ir-
ruption into nineteenth-century Germany, in this very same paragraph,
of a character created by Cervantes in seventeenth-century Spain. The
figures of literature step, in Hoffmann's work, into a realistically
evoked natural world, a world that contains recognizable portraits or

part-portraits of Hoffmann's acquaintance, in the same way that „Geisterfürsten" and vegetable-spirits walk, in his writings, among the citizens of a realistically evoked Bamberg or Dresden or Berlin.

Literary counterpoint, and the resemblances and contrasts to which it draws attention, have an important part in the total effect at which Hoffmann aims. He plays on the literary „Bildung" of his public, whose questionable side *Kater Murr* is later to exhibit satirically, and invites readers to see his own words in the context not only of the *life* they know, but also of the *books* they have read, books that have entered their memories, and therefore their lives, in ways that range from mere verbal echoes (which often distort or belie their original context) to the recollection of typical narrative structures and character-constellations. In *Nachrichten von den neuesten Schicksalen des Hundes Berganza* Hoffmann not only draws on existing recollections of this kind, but also invites his readers to extend and deepen their acquaintance with Cervantes's work in order to see more clearly what he himself is trying to do.

In taking Berganza over into the world of his *Fantasiestücke* Hoffmann alters radically not only Berganza's outlook on the human world (which is now formed by his experiences in nineteenth- century Germany and more particularly by his brief sojourn with Johannes Kreisler) but also his mode of storytelling. An obvious comparison offers itself between Cervantes's description of Berganza's first contact with the witch Cañizares and Hoffmann's description of a later encounter with the same witch. What Cervantes's Berganza gives us is a relatively calm, realistic description of a tall old woman and her surroundings; he tells us what she said to him; how she anointed herself with an ointment that caused her to lose consciousness and to experience, in imagination, a witches' coven which is not itself described; and how he dragged her about, first by her heel and then by the slack skin of her belly, in order to show his detestation of witchcraft and expose her hypocrisy to the world.[13] Hoffmann's Berganza, by contrast, tries to whip up the listener's fears, and thereby stirs sympathetic chords of terror in the reader – through grammatical structure, through superlatives, through a heaping-up of sense-impressions (touch, smell, sight and hearing all play their part), through the reproduction of broken, oxymoronic speech, through phrases like ‚mein Atem stockte' which describe the physiology of terror. These descriptions or evocations are then thrown into relief by a deliberately contrasting passage in which a more complex sentence-structure imposes a quite different tempo onto the narrative and

combines with ironic statement to bring down the emotional tempera-
ture. But this contrasting section is then itself followed by another passage illustrating the rhetoric of terror: the evocation of a coven that
culminates in the appearance of the witch Montiela, Berganza's puta-
tive mother – an appearance characteristically unlike that of the warning maternal spirits which populate the „Trivialroman" of the time and
which have found their most celebrated embodiment in the
„Wolfsschlucht" scene of *Der Freischütz*. Here the preterite changes
to the narrative present as hypotactic sentence-structure gives way to
parataxis and broken utterances separated by dashes:

> Auf einer Eule herab kommt ein altes graues Mütterlein, ganz anders wie die übrigen
> gestaltet. Das verglaste Auge lacht gespenstisch in mich hinein. Montiela! kreischen die
> Sieben – ein Schlag zuckt durch meine Nerven – ich lasse den Kater los. Ächzend und
> schreiend fährt er davon auf einem blutroten Lichtstrahl. Dicker Dampf umquillt mich –
> ich verliere Atem – Besinnung – ich sinke hin.[14]

Cervantes never plays on his readers' nerves to anything like this extent; nor does he make Berganza see his own „Doppelgänger", as Hoffmann does, or look on the sixteenth and seventeenth centuries as a kind
of Golden Age. The harsh picture Cervantes draws of the world through
which his Berganza moves makes it hard to understand how Hoffmann
could let *his* Berganza speak of Cervantes's own time in a way reminiscent of Novalis or Wackenroder's *Klosterbruder:*

> Damals glühte noch in der Brust der Berufenen das innige heilige Bestreben, das im In-
> nersten Empfundene in herrlichen Worten auszusprechen, und selbst die, welche nicht
> berufen waren, hatten Glauben und Andacht; sie ehrten die Dichter wie Propheten, die
> von einer herrlichen unbekannten Welt voll glänzenden Reichtums weissagten, und
> wähnten nicht, auch unberufen in das Heiligtum treten zu dürfen, von dem ihnen die Po-
> esie die ferne Kunde gab.[15]

The nineteenth-century Berganza, that Wandering Jew of the canine
world, would have had to be afflicted with amnesia to recognize *that* as
a description of the Spain through which Cervantes followed his for-
tunes.

The overall structure of Hoffmann's tale is undoubtedly reminiscent
of Cervantes: a series of narrated ‚scenes' (seven, in Hoffmann's case, if
one counts the initial encounter between the narrator and Berganza)
linked and succeeded by conversational comment.[16] But here too
Hoffmann makes some significant changes. In Cervantes, we have a
conversation between two human beings, one of whom thinks he has
overheard a colloquy between two dogs of which he has written an ac-

count that he now asks a friend to read. After the friend has read the manuscript, he comments on it, and his comments lead to a further brief conversation between the two men. Dog talks only with dog, man with man, and when man talks *to* dog he receives no more than a canine response. In this respect, though in no other, Gogol's *Diary of a Madman* is closer to Cervantes than to Hoffmann's *Nachrichten von den neuesten Schicksalen des Hundes Berganza*; for in Hoffmann's tale, the principal conversation is conducted between a man and a talking dog. After a narrative opening, Hoffmann's *Nachrichten* proceeds to an exchange between a first-person narrator, designated as „Ich" and frequently ironized, and another character, an outsider figure who shows the somewhat naive „Ich" something of the seamy side of society – a picture of society, be it noted, that does not reproduce the great span of Cervantes's, where we are taken not only into the theatre, the poet's garret and the lady's boudoir, but also to the abattoirs of Sevilla, the shepherd's hut, the police-cell, the prostitute's hired room, the army-bivouac, the gipsy-encampment and a hospital for the sick and the mad. Hoffmann's Berganza keeps us in the narrow circle of fashionable bourgeois and artistic society in and around a German town that the initiated will easily recognize as nineteenth-century Bamberg. The most important scenes take place within the orbit of one family, whose formidable female head (the male head does not count) has a „salon" in which she sets herself up as a patroness of the arts.

In making this change Hoffmann deliberately recalls another work, of enormous significance for him and for his whole generation, which is actually twice quoted in *Nachrichten von den neuesten Schicksalen des Hundes Berganza*: Diderot's *Le Neveu de Rameau*.[17] There too an ironically presented first-person narrator encounters an outsider figure who tells him something of the seamy side of the artistic and musical beau-monde of the day; there too the events recounted take place, for the most part, in the confines of one particular social circle, one particular „salon"; there too we have a narrative introduction, narrative interludes and a narrative conclusion embellishing what is in the main a conversation between an „I" and a „He"; there too the arguments of „I" and the Other converge towards the end, though their characters remain distinct; there too we have conversations within conversations, though only Hoffmann comments on the typographical problems this presents and has his Berganza suggest, and his „Ich" elaborate, instructions to the printer; there too we have constant reflections on the place of *art*, especially the art of music, in the social order or disorder presented by the work; there too the musician is depicted as an artist who comes into contact with the world of the „salon" through being forced to eke out his living by teaching the piano, or singing, to the children of the rich.

These are clear and obvious links between *Nachrichten von den neuesten Schicksalen des Hundes Berganza* and *Le Neveu de Rameau*. If we look more closely, however, at the argument about the place of genius in society from which both Hoffmann's allusions to Diderot's dialogue are taken, we will notice a significant difference between the two works. *Le Neveu de Rameau* suggests that there is a conflict between a great artist's work and his life; that the great artist is likely to be a morally unsatisfactory human being. Both speakers in *Le Neveu de Rameau* accept this conflict, though they seek to draw different conclusions from it. The „Ich" of Hoffmann's story initially agrees with Diderot's „Lui": „Was tut aber das Privatleben, wenn der Dichter nur Dichter ist und bleibt! – Aufrichtig gesprochen, ich halte es mit Rameaus Neffen, der den Dichter der *Athalia* dem guten Hausvater vorzieht."[18] Hoffmann's Berganza, however, emphatically disagrees, and his view is allowed to prevail – for „Ich" opposes no further argument to it. To be an artist, in Hoffmann's world, is to be more truly, more fully, human than to be a non-artistic „Bürger": the whole drift of the *Nachrichten* reinforces this view. It is therefore quite unjustifiable, Berganza tells us, to abstract the artist from the man, to make a distinction between an „official" persona and a genuine „private" human being. The genuine artist, as Berganza sees him, must not show anything like that nineteenth-century division of functions which Dickens was soon to portray so perfectly in the figure of Wemmick in *Great Expectations:*

Mir ist schon fatal, daß man bei dem Dichter, als sei er eine diplomatische Person oder nur überhaupt ein Geschäftsmann, immer das Privatleben – und von welchem Leben denn? – absondert. – Niemals werde ich mich davon überzeugen, daß der, dessen ganzes Leben die Poesie nicht über das Gemeine, über die kleinlichen Erbärmlichkeiten der konventionellen Welt erhebt, der nicht zu gleicher Zeit gutmütig und grandios ist, ein wahrhafter aus innerem Beruf, aus der tiefsten Anregung des Gemüts hervorgegangener Dichter sei.[19]

„Ich möchte immer", Berganza adds, in words that must send a shiver down the spine of recent critics who have warned us, repeatedly, against the „personal heresy" and the „intentional fallacy", „etwas aufsuchen, wodurch erklärt würde" (,,erklärt"! has not the School of Dilthey taught us that „erklären" is for the natural scientist while „verstehen" becomes the humanist?) ,,wie das, was er verkündet, von außen

hineingegangen sei und den Samen gestreut habe, den nun der lebhafte
Geist, das regbare Gemüt, zu Blüte und Frucht reifen läßt. Mehrteils
verrät auch irgend eine Sünde, sei es auch nur eine Geschmacklosigkeit
von dem Zwange des fremdartigen Schmuckes erzeugt, den Mangel an
innerer Wahrheit."[20] The conversation ends with Berganza's warning
against what he calls „speckled" characters, writers like Zacharias
Werner, the failings of whose private and public life are reflected in the
flaws that appear in his talented writings. The „Ich" of the dialogue
concurs; I am glad, Berganza tells him without fear of contradiction,
„daß du meinen Zorn, meine Verachtung gegen eure falschen Prophe-
ten – so will ich die nennen, die der wahren Poesie zum Hohn sich nur
im Falschen, Angeeigneten bewegen – so gut aufgenommen oder vielmehr für gerecht erkannt hast. – Ich sage dir, Freund, traue nicht den
Gesprenkelten!"[21] The ideal, the opposite of the „speckled", is what
Hoffmann's dialogue calls „der reine, einfarbige Charakter": the
character of those who differ at once from the soi-disant patrons of art
depicted in Hoffmann's tale (,,geleckt[e] Männlein", „gebildet[e],
gemüt- und herzlos[e] Weiber") and from types like Zacharias Werner,
„die von innen und außen gesprenkelt sind, und in mehreren Farben
schillern, ja bisweilen wie das Chamäleon die Farben wechseln können."[22] In the world of German literature, we are to believe, that ideal,
the ideal of the „reine, einfarbige Charakter", was attained by Novalis,
whose life and work are celebrated by Kreisler in terms reminiscent of
Christian hagiography, „weil er in der Poesie, so wie im Leben, das
Höchste, das Heiligste wollte."[23]

    The connection of all this with the body of Hoffmann's *Nachrichten
von den neuesten Schicksalen des Hundes Berganza* is not difficult to
see. His fiction is not straightforward autobiography:[24] while the out-
lines of his Bamberg experiences are clearly visible, he has also made revisions designed to render the identity of some of his real-life models
less obvious,[25] and he has introduced at least *four* characters that can
serve as partial representations of himself or as mouthpieces for his
views: Berganza; the „travelling enthusiast" who tells the tale; the
musician in love with Cäcilie; and, of course, Johannes Kreisler. The
professor of philosophy too, though greatly ironized, speaks on occasions with Hoffmann's own voice. Hoffmann's writings *do* have, as
Wulf Segebrecht has notably shown, an autobiographical impulse
which he himself challenges us not to overlook. He is writing, not *Con-
fessions* (though Rousseau's book of that name seems to have been his
favourite reading)[26] but fiction rooted as deeply in his own particular

and peculiar experience of life as *Die Lehrlinge von Sais* and *Heinrich von Ofterdingen* were in that of Novalis.

If we follow out this line of thought we will arrive, once again, at a significant contrast. „Wie Johannes sagte", Berganza says of Novalis, „leuchteten in seinem kindlichen Gemüte die reinsten Strahlen der Poesie, und sein frommes Leben war ein Hymnus, den er dem höchsten Wesen und den heiligen Wundern der Natur in herrlichen Tönen sang."[27] Who could say *that* of Hoffmann's Berganza-tale, despite its praise of the elevating and hallowing power of music and the arts? Who cannot feel the deep suspicion of sex, the misogyny, the murderous hatred that animate the episodes from his life recounted by Berganza? Who cannot feel, and shudder at, the fantasy-gratification offered by what Berganza himself designates as the central and all-important episode, the scene in which the dog acts as a Peeping Tom during Cäcilie's wedding-night and then makes a murderous attack on the husband who is about to deflower his beloved young mistress? Berganza is made to defend that attack with an allegory directed against those who object that Cäcilie might have evolved into a splendid „Hausfrau"; that she might have made her beastly husband become, through her influence, „ein ganz ordentlicher, ehrenfester Ehemann".

Es besitzt jemand ein Stück Land, das die Natur mit ganz besonderem Wohlgefallen im Schoße der Erde mit allerlei wunderbaren farbigen Schichten und metallischen Ölen, vom Himmel herab aber mit duftigen Dünsten und feurigen Strahlen nährte, daß die schönsten Blumen ihre bunten glänzenden Häupter über das gesegnete Land erheben, und ihre mannigfaltigen Wohlgerüche, wie in *einem* jubelnden Choral zum Himmel aufatmend, die gütige Natur preisen. Nun will er das herrliche Stückchen Erde verkaufen, und es fänden sich auch wohl viele, die die holden Blumen lieben, hegen und pflegen würden; aber er selbst denkt: Blumen sind nur zum Putz und ihr Duft ist eitel, und schlägt das Land an einen los, der die Blumen ausrupft und dafür tüchtiges Gemüse, Kartoffeln und Rüben anpflanzte, das nun zwar nützlich ist, weil man satt davon werden kann, aber die holden duftenden Blumen sind untergegangen auf immer. – Was würdest du zu diesem Besitzer, zu diesem Gemüsegärtner sagen?

Ich: O daß der Teufel den verfluchten Gemüsegärtner tausendmal mit seinen Krallen zerrisse!

Berganza: Recht so, mein Freund! Nun sind wir einig, und so ist mein Grimm in der verrufenen Hochzeitsnacht, die mir ewig unvergeßlich bleiben wird, hinlänglich entschuldigt![28]

The argument is that of Eichendorff's *Taugenichts*; but nothing could be further from the sunny wish-dream atmosphere of that delightful tale than the overcharged, overheated, adjectivally insistent bedroom-scene of *Nachrichten von den neuesten Schicksalen des Hundes Berganza*, where (at the end of the passage just quoted) even the „travelling enthusiast" is made to contribute his mite to the pervasive images of tearing a human body to pieces.

The reverse side of this coin is the sentimentality with which Hoffmann's Berganza suffuses some of the scenes that have Cäcilie as their central figure; notably the scene in which she reproduces, in a „tableau vivant", a painting by that Carlo Dolci whom Richard Muther has rightly ranged among the „Zuckerbäcker der Kunstgeschichte": „Seine Charakteristik", Muther says of Dolci, „ist in seinem Namen enthalten. Er wirkt unangenehm süß."[29] Here is Berganza's account of that „tableau vivant" and its effect on a professor of philosophy who had been presented to us, only just before, as an ironic character given to practical jokes:

Cäciliens gen Himmel gerichtete Augen erglänzten in heiliger Verzückung, und unwillkürlich sank der Philosoph mit emporgehobenen Händen auf die Knie, indem er tief aus dem Innersten heraus rief: „Sancta Caecilia, ora pro nobis." Viele aus dem Zirkel folgten in wahrhafter Begeisterung seinem Beispiel, und als der Vorhang zurauschte, war alles, selbst manches junge Mädchen nicht ausgenommen, in stille Andacht versunken, bis eine laute allgemeine Bewunderung dem Drange des innern Gefühls Luft machte.[30]

The uncertainty of taste revealed in passages such as these betrays itself in other respects too – one need only mention the over-estimation of de la Motte Fouqué's dramatized Northern tales in which Hoffmann makes his two protagonists concur in the final pages of *Nachrichten von den neuesten Schicksalen des Hundes Berganza*.[31]

All this, I suppose, is merely to say that Hoffmann is no Novalis; and it would be a pity if he were, for in the difference lies the source of his strength, originality, power and truth. His tale of Berganza has the seriousness its eponymous hero demands of works published during the time of the Napoleonic wars and the struggles for liberation associated with them. This fundamental seriousness only throws into relief, however, the delightful and quite un-Novalis like humour that pervades the story – one need mention only that splendid passage of social satire in which the speaking dog is made to detail what it means, in the bourgeois society of nineteenth-century Germany, to be turned from a dog into a man.[32]

Nachrichten von den neuesten Schicksalen des Hundes Berganza ends with a reverse metamorphosis, with the dog losing the power of human speech, though his barking, heard from increasing distance, still suggests German words, German imperatives and exclamations: „Trau – Hau – Hau – Au – Au" and „Trau – Hau – Hau – Hau – Hau – Hau –".

Here we are meant to recall the beginning of the tale, where Berganza had struck up a theme which recurs again and again: the theme of the inadequacy of human language when it comes to speaking of man's deepest and most vital concerns.

> Wenn ich denn nun reden darf, so tut es mir wohl, mich über meine Leiden und Freuden in menschlichen Tönen auszuschwatzen, weil eure Sprache doch recht dazu geeignet scheint, durch die für so manche Gegenstände und Erscheinungen in der Welt erfundenen Wörter, die Begebenheiten recht deutlich darzulegen; wiewohl, was die innern Zustände und allerlei dadurch entstehende Beziehungen und Verknüpfungen mit den äußern Dingen betrifft, es mir vorkommt, als sei, um diese auszudrücken, mein in tausend Arten und Abstufungen gemodeltes Knurren, Brummen und Bellen ebenso hinreichend, vielleicht noch hinreichender, als eure Worte. . .[33]

Berganza here points, in fact, to another of the great strengths of the tale, as of Hoffmann's work generally: its ability to speak of the intimate commingling of inner state and outer event, of ambiguous relationships between an inner life and the outer life in which it is encapsulated, which it affects, and in which it finds expression. Hoffmann conveys psychological truths well worth heeding, not so much through interpolated comment (good as that very often is) as through the stories he tells and the way he tells them – truths about social interactions in a given society, truths, above all, about obscure compulsions, resentments and longings. The last sounds Berganza makes in the story turn out to be, if one takes them as German words, an invitation to „beat" or „hit out"! Such compulsions, resentments and longings come out strongly in the scenes which show Berganza ridden (*literally* ridden) first by a hideous hag and then by a beautiful young girl. The central scenes of the tale in fact confront him with the three ages of Woman: the beautiful young girl (Cäcilie), the expansive matron (Cäcilie's mother), the witch-like old woman (Cañizares); they say much for Hoffmann's power of psychopathological portraiture and positively invite a psychoanalytical – not, I would stress, solely a Freudian – interpretation. No-one has ever been more successful than Hoffmann in mingling the realistic and the fantastic. He even gives us, through his narrator, a reasoned account of some of the impulses that may predispose men to welcome the fantastic when it terrifies:

> Unwillkürlich stand ich still – mich durchflog die frohe Ahnung, es könne mir wohl etwas ganz Besonderes begegnen, was in diesem ordinären, hausbacknen Leben immer mein Wunsch und Gebet ist. . .[34]

Berganza constantly suggests that what makes life „ordinär" and

„hausbacken" in this way is a pursuit of money which leads to a neglect
of the decencies of life and to a devaluation of art. Despite the compara-
tive slackness of the pages that follow the climactic bedroom scene,
Nachrichten von den neuesten Schicksalen des Hundes Berganza im-
presses as a work that successfully combines – as do so many of Hoffmann's works – essayistic and narrative elements; that tells a story
while reflecting, at the same time, on modes of telling that story, and
even on modes of setting it up in print; that suggests natural human
speech in carefully composed, stylized sentences which break, not in-
frequently, into excellent parody. Here is the „travelling enthusiast"
addressing what may be a dangerous dog:

> „Mein Herr", fing ich an, „Sie befanden sich soeben etwas übel; Sie waren, sozusagen,
> ganz auf den Hund gekommen, unerachtet Sie selbst einer scheinen zu wollen belie-
> ben."[35]

Though the Berganza-tale by no means represents the highest point
Hoffmann's art was to reach, it takes a significant step along the road
which was to lead to the more celebrated confrontation of man and
humanized beast in what most competent judges now regard as his
masterpiece: *Kater Murr*.

What, then, did Hoffmann gain by taking Berganza out of a tale by
Cervantes and involving him in a dialogue with a fictional „I" like Diderot's *Neveu de Rameau*? My analysis should have suggested at least
five ways in which Hoffmann made this constellation effective. (i) He
achieves, as I have tried to show, all sorts of counterpoint effects by re-
minding his readers of Cervantes's double „novela" or, through his references and allusions, indirectly urging them to read Cervantes's tale if
they want to get the most out of *Nachrichten von den neuesten Schicksalen des Hundes Berganza*. Hoffmann is not, as Herman Meyer has
shown,[36] the subtlest user of literary allusions for his own purposes; but
his art does depend on such use, does appeal to a readership that has at
least a nodding acquaintance with a good deal of literature as well as
with ordinary life. When, therefore, the „travelling enthusiast" calls
Berganza „ein poetischer Hund", he does so with triple justification: (a)
because Berganza was invented by a poet, Cervantes; (b) because we are
meeting him in a work of art, Hoffmann's own *Nachrichten von den
neuesten Schicksalen des Hundes Berganza*; (c) because he takes a
poet's view of the society in which he finds himself.

(ii) During his brief association with Berganza, Johannes Kreisler ap-
plies some characteristic logic to their relationship: since the human

world in which Kreisler finds himself is obviously not fit to hear his
music, he will play it to the dog.[37] But however bright and understanding Berganza may show himself to be, he is, when all is said and done, a
dog and not a man; and Hoffmann constantly exploits, therefore, the
humorous effects which arise from our seeing the exalted thoughts and
feelings we associate with men confined within an animal body. Here,
for instance, are the Schillerian virtues expressed in doggy fashion:
„Adel der Seele – Hoheit – Stärke – Anmut und Grazie", Berganza tells
us, „sprechen sich bei uns aus in dem Tragen des Schweifes." I need
hardly point out how serious is the background of such humorous effects; how painfully Hoffmann was aware of the conflicts that arise
from man's animal nature and spiritual aspirations.

(iii) As animal, as dog, Berganza is constantly used, by Hoffmann, to
Parody the men among whom he lives. The professor of philosophy
does *in* the story what Hoffmann does *with* the story: in the first „tableau vivant" episode he ridicules a human character – Cäcilie's mother,
got up as a sphinx – by confronting her with a dog in the same get-up and
holding the same pose as her own. In much the same way Berganza is
used to parody moonlit dedications to friendship à la Göttinger Hain,
the cult of „Biederkeit" rife in Germany on the eve of the Wars of Liberation (a cult with a cutting edge directed against French „politesse"), re-
forms calculated to make German a stronger and more „masculine"
language (why, Berganza asks, couldn't one say „der Tatz" instead of
„die Tatze"?), as well as certain brands of misanthropy and misogyny.[38]

(iv) Hoffmann takes over from Cervantes, as we have seen, the irony
that lies in the contemplation of human animality by a humanized – or
‚poeticized' – dog. Berganza is a doubly privileged observer. He is the ultimate Peeping Tom, able to see what men will hide, if they can, from
their fellow-men but don't bother to hide from their dogs – in that sense
he has a worm's eye view of human imperfections. Since, however,
Hoffmann has transformed him into a canine Wandering Jew, he is also
endowed with an understanding of life which is based on an experience
necessarily transcending that of the human beings around him – in that
sense he can take a bird's eye view. It is this doubly privileged vision
which makes Hoffmann's Berganza what we see him to be at the very
outset: ‚der Hund Timon.'[39] Here, however, we have more than just
parody; here Berganza can give expression to a misanthropic – and,
more especially, misogynistic – streak in Hoffmann himself.[40] Such
misogyny goes together with, is indeed the reverse side of, adulation of

the exalting, inspiring, upward-drawing power of „das Ewig-Weibliche'
when it incarnates itself in musically gifted young women.

(v) There are two great differences between Hoffmann's Berganza and
the Timon to whom the „travelling enthusiast" compares him – even if
we disregard for the moment the fact (underlined by the phrase „der
Hund Timon") that one is a man and the other a dog. Timon is Timon of
Athens in the age of Alcibiades; the experiences that make him a mis-
anthropist befall him among his own compatriots and his own immediate contemporaries. In both these respects Berganza is as unlike
Timon as he is unlike his original in the „novelas ejemplares" and unlike the central figure of Le Neveu de Rameau. He is, as he several times
reminds his interlocutor, a Spaniard in the German world and a dog of
the seventeenth century miraculously preserved to walk among men of
the nineteenth. He is thus doubly an outsider in the human world into
which Hoffmann has chosen to inject him; and as a talking dog as well a
superannuated one, he is an outsider in the canine world too. By reason
of these differences, coupled with the superior insight that derives from
them, Berganza is thus supremely well fitted to become „ein poetischer
Hund" in the wider sense already suggested: a symbol, that is, of the
Romantic poet, the being that lives in divided and distinguished worlds
without being fully at home in any of them. This makes him a
heightened version of the „Ich", the „travelling enthusiast" who acts as
his interlocutor, who ventures some mild objections occasionally but
who is always persuaded, in the end, that Berganza is right. And how
should he not be so persuaded? For Berganza says nothing that does not
come from his own deepest consciousness. May not the whole conversation, we ask ourselves at the end, be the product of the „travelling enthusiast's" heightened imagination, the state in which we meet him at
the beginning, with his head full of „Gedanken, Ideen, Entwürfe" and
his powers stimulated and liberated by wine? A question not to be answered in any straightforward way; but the „travelling enthusiast" too is
the creation of E. T. A. Hoffmann. One of the delights Hoffmann's work
offers its readers is precisely the way in which this author exploits the
aesthetic distance and the emotional involvement characteristic of our
response to art, in order to stimulate, to suppress, and then to stimulate
again questions of this kind.

(vi) Lastly, however, we must remind ourselves of that deeper, more
hidden reason which made Hoffmann fix on Cervantes's Berganza as his
main protagonist. As a dog gifted with human sensibilities he offered
himself as a persona particularly well fitted for the acting out of certain

fantasies: that of submitting himself to being ridden by a pretty young woman (with the complementary fear of being forced between the shanks of an old one); that of watching, from the double hiding-place of a concealed corner and a canine shape, how a depraved sensualist seeks to deflower a pure, a saintly, young maiden; and that of being able to rush at one's rivals and adversaries and, plunging sharp teeth into their flesh, tear them to ribbons.[41] The expression of such sado-masochistic, sexual impulses in Hoffmann's art is in constant tension with his belief – expressed within his tales as well as outside them – that art transports man to a higher realm, a realm towards which language can adequately gesture only by using religious terms. Berganza eloquently proclaims the virtue of being whole and sane, of being harmonious and pure; but he acts out something very different. It is this tension which gives enduring life, enduring appeal, to Hoffmann's stories, however preposterous their plot may seem; it is this tension which informs the texture and structure of his work; it is this tension which determines much of the humour, as well as much of the terror, of his fiction. He has played many variations on it, but not even in *Die Elixiere des Teufels* has he depicted it more fully than in his tale of the „poetic dog" Berganza.

Anmerkungen

[1] E. T. A. Hoffmann, *Fantasie- und Nachtstücke*, ed. W. Müller-Seidel, Munich 1960, p. 93. This book, part of the Winkler Verlag's edition of Hoffmann *(Sämtliche Werke in Einzelbänden)* is henceforth referred to as *FN*.

[2] Cf. J.-J. A. Bertrand, *Cervantes et le Romantisme allemand*, Paris 1914.

[3] *El casamiento engañoso* and *Novela y coloquio que pasó entre Cipión y Berganza . . .* (*Novelas ejemplares*, ed. F. Rodríguez Marín, Madrid 1965, Vol. II, pp. 175–340).

[4] Cf. Ruth S. El Saffar, *Novel to Romance. A Study of Cervantes's Novelas ejemplares*, Baltimore and London 1974, pp. 62–85. My view of Cervantes's tale is greatly indebted to this excellent study. I am also grateful to my colleague J. D. Rutherford for helping me understand the wording, and the Spanish background, of the *Novelas ejemplares*.

[5] How complicated these things are in Hoffmann's work has been notably well demonstrated by J. M. Ellis in „E. T. A. Hoffmann's *Das Fräulein von Scuderi"* (MLR 64, 1969, pp. 340–50) and „Hoffmann: *Rat Krespel"* (*Narration in the German Novelle. Theory and Interpretation*, Cambridge [England] 1974, pp. 94–112).

[6] Ruth S. El Saffar, p. 82.

[7] *FN*, p. 112.

[8] *Novelas ejemplares*, p. 312: „Digo que tienes razón Cipión, hermano, y que erés más discreto de lo que pensaba; y de lo que has dicho vengo a pensar y creer que todo lo que hasta aquí hemos pasado, y lo que estamos pasando, es sueño, y que somos perros; pero no por esto dejemos de gozar deste bien de la habla que tenemos y de la excelencia tan grande de tener discurso humano todo el tiempo que pudiéremos. . ."

[9] *FN*, p. 12.

[10] Ibid., pp. 10–11.

[11] Ibid., p. 79.

[12] Ibid.

[13] *Novelas ejemplares*, pp. 305–9.

[14] *FN*, p. 89.

[15] Ibid., pp. 95–6.

[16] (1) The narrator encounters Berganza. (2) Berganza tells of his encounter with Cañizares and his experiences at a witches' coven. (3) Berganza tells of his sojourn in Kreisler's house, from which he is driven by a mob that thinks him mad. (4) Berganza tells of his introduction to the patrician German household and his first encounter with Cäcilie and her mother. (5) Berganza describes the „tableau vivant" entertainments in the household to which he now belongs and his baleful part in one of them. (6) Berganza describes Cäcilie's appearance, in another „tableau vivant", as the saint whose name she bears. (7) Berganza describes Cäcilie's engagement to a wealthy lecher and how he came to Cäcilie's „rescue" during her wedding-night. – After that he finds refuge with a German theatre-troupe; his adventures there are not detailed in elaborated scenes, but are used to colour a conversation between Berganza and the „travelling enthusiast" about the state of the theatre in nineteenth century Germany and the relation of art to life. The tale ends with the completion of what Scene 1 has started: Berganza loses his power of human speech as day dawns, and he and the narrator part company.

[17] *FN*, pp. 83 and 138. Hoffmann clearly read Diderot's dialogue in Goethe's translation.

[18] *FN*, p. 138.

[19] Ibid.

[20] Ibid.

[21] Ibid., 139.

[22] Ibid., p. 136.

[23] Ibid.

[24] Cf. Wulf Segebrecht, *Autobiographie und Dichtung. Eine Studie zum Werk E. T. A. Hoffmanns*, Stuttgart 1967.

[25] The changes Hoffmann made can be seen clearly in the apparatus of *E. T. A. Hoffmanns Sämtliche Werke, Historisch-kritische Ausgabe mit Einleitungen, Anmerkungen und Lesarten von C. G. von Maaßen*, Vol. I, Munich 1908, p. 456 ff.

[26] „Ich lese Rousseaus *Bekenntnisse* vielleicht zum 30sten mahl. . .", Hoffmann writes in his diary on 13 February 1804 (*Tagebücher*, ed. F. Schnapp, Munich 1971, p. 73).

[27] *FN*, p. 136.

[28] *FN*, p. 125. In a letter of 1 May 1820, Hoffmann looks back on the period in which Berganza was written and recalls „wie ich in dem Schmerz eigener Verletzung andere zu verletzen strebte." (*Briefwechsel*, Ed. F. Schnapp, Vol. II, p. 249).

[29] *Geschichte der Malerei*, Second edition, Berlin 1912, Vol. II, p. 333.

[30] *FN*, p. 118.

[31] *FN*, p. 137, By 1818 Hoffmann had come to take a cooler view of Fouqué's art: see *Briefwechsel*, Vol. II, p. 160.

[32] *FN*, pp. 92–3.

[33] Ibid., p. 81.

[34] Ibid., p. 79.

[35] Ibid., p. 80.

[36] *Das Zitat in der Erzählkunst*, Second (revised) edition, Stuttgart 1967, pp. 114–134.

[37] *FN*, p. 97.

[38] Eg. *FN*, p. 83: „Ich versprach das, ihm die rechte Hand hinreichend, in die er seine kräftige rechte Vorderpfote legte, die ich auf biedere deutsche Weise drückte und schüttelte. Eins der schönsten Freundschaftsbündnisse, die der Mond je beschienen, war geschlossen. . ."

³⁹ *FN*, p. 81.

⁴⁰ Hoffmann's woman-readers felt this strongly: „Durch die Fantasiestücke", he writes to Kunz from Berlin on 28 September 1814, „bin ich hier ganz bekannt geworden, und ich kan [sic] auch sagen *merkwürdig* denn der Berganza ist ein Fehdehund geworden der unt[er] die *Damen* gefahren, wogegen der Magnetiseur ganz nach der *Frauen* Wunsch gerathen." (*Briefwechsel*, Vol. II, p. 24). It may be due to the fact that women became more and more important consumers of his fiction that Hoffmann never again gave such overt expression to his misogyny as he did in *Berganza*.

⁴¹ *FN*, p. 123, Cf. Cervantes, *Novelas ejemplares*, ed. cit., p. 258 („en un instante le hice pedazos toda la camisa y le arranqué un pedazo de muslo") and the Cañizares episode p. 304 ff.

Jost Schillemeit

Der Geometer und die Dichtung

Philologische Arabeske über eine literarische Anekdote

In dem kleinen Aufsatz zur „Entstehung der biographischen Annalen" (1823) führt Goethe – nicht ganz ohne einen Unterton von Selbstironie – die Maxime des Cellini an, ein Mann, der ein bedeutendes Leben geführt zu haben glaube, müsse, wenn er in seinem vierzigsten
Jahre stehe, „seine Lebensbeschreibung beginnen". Cellini habe ganz
recht – fährt Goethe fort – zumal auch folgender Umstand dabei „wohl
zu beachten" sei: wir müßten eigentlich „noch nah genug an unsern Irr-
thümern und Fehlern stehn, um sie liebenswürdig und in dem Grade
reizend zu finden, daß wir uns lebhaft damit abgeben, jene Zustände
wieder in uns hervorrufen, unsere Mängel mit Nachsicht betrachten
und mancher Fehler uns nicht schämen mögen. Rücken wir weiter in's
Leben hinein, so gewinnt das alles ein anderes Ansehen und man
kommt zuletzt beinahe in den Fall, wie jener Geometer nach Endigung
eines Theaterstücks auszurufen: was soll denn das aber beweisen?"[1] –
Welcher Geometer? Welches Theaterstück? Aus welcher Zeit stammt
die Anekdote, auf die Goethe hier offenbar anspielt, in einem Ton, der
anzudeuten scheint, daß es sich um eine – zumindest damals – nicht
ganz unbekannte Geschichte handelt? Die Goethe-Ausgaben, auch die
ausführlicher kommentierten, schweigen sich aus. Eine von ihnen, die
Festausgabe von Robert Petsch – der einschlägige Band stammt von
Fritz Bergemann – vermerkt lakonisch: „Anspielung auf ein unbekann-
tes Theaterstück".[2]

Um dieselbe Zeit, etwa drei Jahre vor der Entstehung von Goethes
Aufsatz, notiert sich Grillparzer in seinen Studienheften: „Anekdote
von jenem französischen Mathematiker, der nach der Durchlesung von
Racines Iphigenia achselzuckend fragte: *qu'est-ce que cela prouve?*"[3]
Die Anekdote scheint einen starken und nach haltigen Eindruck auf
den jungen Grillparzer gemacht zu haben: sie begegnet noch 1848/49 in
dem Gedicht *Gründlichkeit*, das den literarischen Zeitgeschmack des
damaligen Deutschland durch die Erinnerung an jenen französischen
Mathematiker charakterisiert: der arme Mann sei zu früh gekommen
und nicht am rechten Ort gewesen. Wenn damals „Gelächter rings um-

her" auf seinen Ausspruch hin ertönt sei – „Und ein Jahrhundert oder
mehr / Lacht sich die Welt nicht satt" – so sei man jetzt, „in unsers
Deutschlands Angst und Müh", mit der in ihm ausgedrückten Denk-
weise ganz einverstanden: „Wo man Ideen nur begehrt / Von Glut und
Reiz entfernt, / Man, bis zum Halse schon gelehrt, / Noch im Theater
lernt – // Dort ruft ein jeder Kritikus, / Was auch der Dichter schuf. /
Wie jener Mathematikus: / ‚Mais qu'est ce que cela prouve?' "[4]

Der Kommentar zu diesem Gedicht in der Kritischen Grillparzer-
Ausgabe verzeichnet zwei weitere Belege. Auf der Suche nach dem Mathematiker – so heißt es dort – habe Adolf Hoffmann seinerzeit dieselbe
Anekdote bei J. K. Wezel im Tobias Knaut[5] und in K. J. Webers Lachen-
dem Demokritos[6], einer Anekdotensammlung des 19. Jahrhunderts,
gefunden. Und weiterhin: „Auch Schopenhauer soll die Anekdote ver-
wertet haben." Er hat es in der Tat getan, und Text und Kontext bei
Grillparzer und Schopenhauer lassen keinen Zweifel daran, daß Grillparzer sich die Anekdote aus Schopenhauers Welt als Wille und Vorstellung – während seiner intensiven Beschäftigung mit diesem Werk
um das Jahr 1820, sogleich nach seinem Erscheinen (1819) – geradezu
abgeschrieben hat; daß also auch sie zu den ersten Beispielen für die
Ausstrahlungen eines Buches gehört, dessen Wirkungsgeschichte man
gern erst viel später, erst gegen Mitte oder Ende des 19. Jahrhunderts,
beginnen läßt. Unmittelbar auf die gerade zitierte Notiz: „Anekdote
von jenem französischen Mathematiker..." folgt in Grillparzers Studienheften die lange Eintragung über die „wissenschaftliche" und die
„beschauende" oder „kontemplative" Art, die Welt zu betrachten, er-
stere „von Wahrnehmungen zu Begriffen, und von diesen zu Urtheilen
und Schlüßen" emporsteigend und ausgezeichnet durch die „Beweis-
barkeit ihrer Ansprüche", letztere durch eine Vereinigung aller Ge-
mütskräfte zustandekommend, vermöge deren sie „wie in einem
Brennpunkte auf einen Gegenstand geheftet werden" und deren Ergebnis, insofern sie sich bestrebt, das derart Geschaute „in einem Bilde
darzustellen", die Kunst ist. Es sind Gedanken, mit denen sich Grillparzer auf seine Weise zurechtlegt und weiterdenkt, was er gerade bei
Schopenhauer gelesen hat[7], besonders in den Ausführungen über die
„Platonische Idee" als „Objekt der Kunst" im dritten Buch des Schopenhauerschen Hauptwerkes. Die platonische Idee erscheint dort, im
Zusammenhang von Schopenhauers metaphysischem System, als die
„Vorstellung", wie sie sich „unabhängig vom Satze des Grundes" darbietet, faßbar allein für die „geniale Erkenntnis", welches diejenige ist,
die „dem Satz vom Grunde nicht folgt", wohingegen „die, welche ihm

folgt, im Leben Klugheit und Vernünftigkeit ertheilt und die Wissen-schaften zu Stande bringt"[8]. Eine Äußerungsform der genialen Er-kenntnisweise ist für Schopenhauer die „Abneigung genialer Individu-en, die Aufmerksamkeit auf den Inhalt des Satzes vom Grunde zu rich-ten", ein Spezialfall dieser Abneigung wiederum die „Abneigung gegen Mathematik, deren Betrachtung auf die allgemeinsten Formen der Er-scheinung, Raum und Zeit, welche selbst nur Gestaltungen des Satzes vom Grunde sind, geht und daher ganz das Gegentheil derjenigen Be-trachtung ist, die gerade nur den Inhalt der Erscheinung, die sich darin aussprechende Idee, aufsucht, von allen Relationen absehend." So habe Alfieri, nach seiner eigenen Erzählung, „sogar nie nur den vierten Lehr-satz des Eukleides begreifen gekonnt", und so sei Goethen „der Mangel mathematischer Kenntniß", besonders von den Gegnern seiner Farben-lehre, „zur Genüge vorgeworfen worden". Aus demselben Grunde er-kläre sich aber auch – so heißt es dann weiter bei Schopenhauer – „die eben so bekannte Thatsache, daß umgekehrt, ausgezeichnete Mathe-matiker wenig Empfänglichkeit für die Werke der schönen Kunst ha-ben, was sich besonders naiv ausspricht in der bekannten Anekdote von jenem französischen Mathematiker, der nach Durchlesung der Iphige-nia des Racine achselzuckend fragte: *Qu'est-ce que cela prouve?*"[9]

Innerhalb der Geschichte eines vergessenen literaturkritischen To-pos, mit der wir es hier offenbar zu tun haben, scheint diese Stelle aus Schopenhauers Hauptwerk in mancher Hinsicht ein Höhepunkt oder doch so etwas wie ein Aussichtspunkt zu sein, von dem aus man ein ziemliches Stück vor- und zurückblicken kann. Ob auch die eingangs zitierte Goethesche Äußerung von hier aus vermittelt ist – sei es auch nur in dem Sinne, daß Goethe durch Schopenhauers Buch an die Anek-dote erinnert wurde – wird dahingestellt bleiben müssen. Möglich ist es, denn bekanntlich hat er es von Schopenhauer selbst zugeschickt er-halten und es mit einem Interesse zur Kenntnis genommen, das seinem persönlichen Verhältnis zu dem jugendlichen Autor (der zudem ein Anhänger seiner Farbenlehre war) durchaus entsprach.[10] Mit Sicherheit ist Grillparzer, wie die eben vorgeführten Passagen zeigen, auch in die-ser Beziehung, wie in mancher anderen, Schopenhauers Schuldner, und dies nicht nur im Hinblick auf seine Kenntnis der Anekdote, sondern auch im Hinblick auf die Bedeutung, die sie für ihn hatte. Mit fast gleich hoher Sicherheit dürfte eine andere, spätere Verwendung derselben An-ekdote in Schopenhauers Hauptwerk zumindest eine ihrer Quellen ha-ben: der Gebrauch, den Nietzsche in einem Aphorismus der *Fröhlichen Wissenschaft* (Nr. 81 des 2. Buches) von ihr gemacht hat:

Griechischer Geschmack. – „Was ist Schönes daran?" – sagte jener Feldmesser nach einer Aufführung der Iphigenie – „es wird Nichts darin bewiesen!" Sollten die Griechen so fern von diesem Geschmacke gewesen sein? Bei Sophokles wenigstens wird „Alles bewiesen".[11]

Die alte Anekdote erscheint hier auf eine Weise umgedeutet und umformuliert, die höchst charakteristisch für Nietzsches eigene ästhetische Anschauungen ist und zugleich ein Verblassen der Tradition, in der sowohl Schopenhauer als auch Grillparzer standen, erkennen läßt. Aus der „Iphigenia des Racine" ist für Nietzsches offenbar etwas undeutliche Erinnerung die „Iphigenie" schlechthin geworden, und man hat Grund zu der Annahme, daß Nietzsche nicht an die Racinesche, sondern an die Goethesche *Iphigenie* denkt, die inzwischen längst zu einem Stück „klassischer" deutscher Dichtung geworden war. Mehr noch: es stehen sich nicht mehr, wie bei Schopenhauer und Grillparzer, zwei allgemeinmenschliche Denk- und Urteilsweisen gegenüber, eine künstlerische und eine unkünstlerische, wissenschaftliche, sondern zwei Arten von Kunst, zwei Arten von Künstlertum und von künstlerischem „Geschmack". Auch hier wird man daran erinnert, wie sehr das Interesse dieses Philosophen, in einer vorher kaum denkbaren Weise, ein ästhetisches war, wie sehr sich die alten Themen und Probleme für ihn zum Ästhetischen hin verschoben, wie sehr sein ganzes Denken eine Künstlerphilosophie und eine Philosophie für Künstler, ein „Artistenevangelium", gewesen ist. Wie ihm schließlich das Dasein überhaupt (um eine seiner überspitztesten und aufschlußreichsten Formulierungen zu zitieren) allein als ästhetisches Phänomen „gerechtfertigt" schien, so erscheint hier die Pointe unserer Anekdote umgedeutet zu einer ästhetischen Antithese: zur Entgegensetzung einer Kunst, in der „alles bewiesen", und einer solchen, in der „nichts bewiesen" wird, wobei sich die Verteilung der Wertakzente sehr zugunsten der „geometrischen" Einstellung verschoben hat. Das große Beispiel für sie, das Nietzsche im Sinn hat, ist die griechische Kunst, insbesondere die Kunst der griechischen Tragödiendichter, von der er im vorausgehenden Aphorismus ein entschieden antiaristotelisches Bild entwarf: die Griechen hätten „eben nicht Furcht und Mitleid" gewollt, „ – Aristoteles in Ehren und höchsten Ehren!" Was am meisten den Fleiß, die Erfindsamkeit, den Wetteifer ihrer Tragödiendichter erregt habe, sei gewiß nicht die Absicht auf „Überwältigung des Zuschauers durch Affecte" gewesen! „Der Athener" – schreibt Nietzsche – „gieng in's Theater, um schöne Reden zu hören!"[12] Ganz im Gegensatz zur modernen Oper, deren Meister es sich geradezu angelegen sein lassen, „zu verhüten, daß man ihre Personen verstehe" ... Hier soll den *dramatis personae* „eben nicht ‚auf's Wort' geglaubt werden, sondern auf den Ton!" Nietzsche denkt an Rossini, aber auch an Wagner, und er gibt zu bedenken, ob man nicht „Wort und Musik seiner Schöpfungen vor der Aufführung auswendig gelernt haben" müsse, da man ohne dies weder das eine noch das andere höre. Hinter diesen Gedanken werden die Züge einer Kunst sichtbar, die Nietzsche einst auf den Namen der „dionysischen" getauft hatte. Gleichzeitig freilich werden die Korrekturen erkennbar, die dieses Bild inzwischen erfahren hat; Korrekturen, die allerdings in der späteren Wirkungsgeschichte Nietzsches kaum durchgedrungen sind. Vor allem erscheint die griechische Tragödie jetzt unter sehr anderen Aspekten als in der bekannten Frühschrift, kaum noch zurechenbar zum „Dionysischen" und sehr weit entfernt vom modernen Musikdrama. „Die Griechen sind in allem ihrem Denken unbeschreiblich logisch und schlicht", heißt es am Anfang des 82. Aphorismus. Dazwischen aber steht der soeben zitierte über den „griechischen Geschmack", in dem Goethes *Iphigenie* auf ebenso überraschende wie unausgesprochene Weise mit dem modernen Musikdrama, mit der Oper, in denselben Zusammenhang gerückt und dem griechisch-antiken Drama entgegengesetzt wird, ohne daß man sagen könnte, wie weit diese Zuordnung – die weiter auszuspinnen, schon angesichts der vorgoethischen Iphigenie-Opern, reizvoll sein könnte – eigentlich vom Autor, von Nietzsche selbst beabsichtigt wurde.

Nietzsches Aphorismus gehört bereits zur Nachgeschichte unseres Topos, ebenso wie zur Nachgeschichte der Goethezeit. Was ihn von den früheren Belegen, den Belegen aus der Zeit Goethes und Schopenhauers, auf die gleich noch näher einzugehen sein wird, scharf unterscheidet, ist vor allem die Umdeutung der Position des Mathematikers, die zugleich eine Umwertung ist. Sie erscheint keineswegs als die allein mögliche, geschweige als die allein erlaubte, aber doch als eine mögliche und unter gewissen Bedingungen sogar legitime, auch und nicht zuletzt in Fragen der Kunst, des Kunsturteils und des „Geschmacks". Kunst und das Bedürfnis nach Beweisen und Bewiesenem erscheinen nicht mehr als unvereinbar. Das verbindet Nietzsches Ausformung der Anekdote mit einer anderen, wiederum späteren Fassung desselben Motivs, die allein ihres Autors wegen interessant genug ist und deshalb hier wenigstens erwähnt werden soll, bevor wir uns endgültig der eigentlichen Geschichte und Vorgeschichte des Motivs zuwenden. Sie stammt von Bertolt Brecht und steht in einem Prosastück, das in den Dreißiger Jahren entstand und in den neueren Ausgaben seiner Prosa-

schriften unter dem Sammeltitel *Lyrik und Logik* zu finden ist. Die
Quellenlage im ganzen, die Nennung der Goetheschen *Iphigenie* am
Anfang und die eben angedeuteten inneren Gemeinsamkeiten lassen,
was die Herkunft betrifft, am ehesten an eine Nietzsche-Reminiszenz
denken, so ungewohnt eine solche Verbindung – wohl vor allem infolge
unserer mangelhaften Kenntnis von Brechts Lektüre – zunächst auch
scheinen mag. Der kleine Aufsatz, der offenbar durch die Notwendigkeit veranlaßt wurde, sich über größere Mengen lyrischer Gedichte kritisch zu äußern, beginnt mit den Worten: „Ein Mathematiker sagte, als
er Goethes *Iphigenie* gesehen hatte: Gut, aber was beweist das? Der
Satz war nicht am Platz, aber er ist es gegenüber Tausenden und Tausenden von Gedichten. Aufgefordert, solche Gedichte zu kritisieren,
gerät man in Verlegenheit, da ist sozusagen nichts zum Kritisieren da,
höchstens: daß sie geschrieben und daß sie gedruckt wurden. Man kann
die Ansprüche unseres Mathematikers nicht vollständig ablehnen, nur
weil er sie an ein Werk gestellt hat, das sie befriedigen kann" – womit
wir die einzige Abweichung der Brechtschen Version gegenüber derjenigen in Nietzsches Aphorismus vor uns haben: die günstigere Einstellung gegenüber Goethes *Iphigenie*, die sich in der Behauptung ausspricht, daß sie gerade vor den Maßstäben des Mathematikers durchaus
bestehen könne. „Man kann ihm sagen" – schreibt Brecht weiter –
„was die *Iphigenie* beweist, und wenn man es von irgendeinem Werk
nicht sagen kann, dann ist es kein bedeutendes Werk. Es ist kein bedeutendes Werk, weil es nichts bedeutet."[13]

„Man kann ihm sagen, was die *Iphigenie* beweist" – das ist nicht nur
die prägnante und höchst handliche Formulierung einer Aufgabe für
Lehrer und Erklärer der deutschen Literatur. Es ist zugleich ein Ausdruck für die Rehabilitation des Didaktischen in der Literatur, auch der
didaktischen Dichtung im speziellen Sinn des Wortes, für die gerade die
Figur und das Werk Brechts repräsentativ sind. Auch an sein Interesse
für naturwissenschaftliche Fragen und Entdeckungen, seine Vorliebe
für Bücher wie Bacons *Novum Organon* und Galileis *Discorsi* oder auch
an Brechtsche Texte wie das *Kleine Organon*, das bekanntlich nach
dem Baconschen Vorbild benannt ist, wird man hierbei denken dürfen,
so sehr auch immer wieder ein gewisser Spieltrieb und ein Moment des
ästhetischen Vergnügens an der reinen Form des naturwissenschaftli-
chen Denkens, an seinem „Stil" und seiner kühlen, trockenen Atmo-
sphäre, an diesen Interessen und Vorlieben beteiligt sind. Mit alledem
ist ziemlich genau die Umkehrung dessen erreicht, was einmal der Sinn
unserer Anekdote und zugleich die Gesinnung war, aus der sie geboren

wurde. Wovon sie handelte und was sie exemplifizierte, das war die Unzulänglichkeit und Fremdheit des mathematischen Denkens gegenüber allen Ansprüchen der schönen Künste und Wissenschaften, was auch immer dabei unter dem „Schönen" und unter „Kunst" und „Wissenschaft" verstanden wurde. Etwas vom Inhalt dieser Begriffe und ihrer Geschichte spiegelt sich auch in den älteren Belegen unserer Anekdote, auf die nun einzugehen ist.

Sie scheinen sich, was ihre zeitliche Verteilung betrifft, vor allem um zwei Zentren zu gruppieren. Eines von ihnen ist etwa auf das Jahr 1820 datierbar; hier liegen in ziemlich dichter Folge die eingangs zitierten Belege von Schopenhauer, Grillparzer und Goethe. Das andere liegt ein rundes halbes Jahrhundert früher, am Beginn dessen, was man die Goethezeit genannt hat, also etwa um 1770. Ein Beleg aus dieser Zeit ist uns bereits begegnet: die Verwendung der Anekdote in Johann Karl Wezels Roman *Tobias Knaut* von 1773. Sie findet sich in den Anfangskapiteln des Romans, wo der Erzähler, in komischer Auseinandersetzung mit nicht vorhandenen Vorgängern, die ersten Wahrheiten über seinen Helden aus dem Gewirr angeblicher Verdrehungen und Entstellungen zu retten sucht.[14] Eine dieser fatalen, den Autor zur Raserei bringenden Verdrehungen ist die Behauptung, Knaut habe in seiner frühesten Kindheit auf seine Mutter und sogar auf das bloße Wort Mutter einen „so starken Haß" geworfen, „daß er sich eine freiwillige harte Buße auferlegt, wenn er es unversehener Weise nur gedacht habe; und dieses wollen diese unbilligen Verläumder daher beweisen, daß es einer seiner Hauptgrundsätze gewesen sey, wer die Menschen eine probate Methode lehrte, ohne Mutter geboren zu werden, sey ein größrer und für das menschliche Geschlecht nützlicher Mann, als wer sie zuerst den Samen in die Erde zu streuen, und aus Körnern Brod zu bereiten gelehrt hat…"[15] Gegen diese Unwahrheiten, welche die „schwärzeste Bosheit" nicht strafbarer aussinnen konnte, führt nun der Autor zwei „Beweise" ins Feld, zunächst einen „historischen" – bestehend in der Versicherung, er könne aus „geheimen und ungedruckten Tagebüchern" des Helden unwiderleglich dartun, daß seit seiner Entfernung aus dem väterlichen Hause niemals der Gedanke: *meine Mutter!* sich unter den Ideen des Helden aufgehalten habe – und einen sehr viel kürzeren, der darin besteht, daß die Erklärung: „Mir ist es unbegreiflich", einmal, zweimal „und so ins unendliche fort" vorgebracht wird. Worauf nun wieder, in typischer dialogischer Verkettung, der mögliche Einwand folgt: vielleicht könnten einige „schwergläubige Leute" bei der vorhergehenden Deduktion „gravitätisch sich beym Kinne fassen, und mit einer verachtenden vielbedeutenden Mine denken oder sagen: *Qu'est ce que celà prouve?*" Ein Einwand, der natürlich wieder mit neuen Argumenten (auch in gelehrten Dissertationen etc. werde kein anderes Beweisverfahren gebraucht) zurückgeschlagen, gleichzeitig aber mit der bereits angeführten Fußnote kommentiert wird: „Dies sagte bekanntermaßen der ehrwürdige Pater Malebranche bey Erblickung eines damals berühmten Gedichts."[16] Man sieht: weiter kann die Skepsis gegen das „beweisende" Denken und Reden nicht gut getrieben werden. Es ist als solches, als gelehrter Usus und wissenschaftliche Technik noch durchaus bekannt, sehr gut sogar, spielt auch eine gewisse Rolle im Zusammenhang des Romans, aber diese Rolle ist die eines Gegenstandes für Parodie und Satire.

Ungefähr gleichzeitig schreibt Diderot seine *Satire I* über „les caractères et les mots de caractère de profession, etc.", in der er, nach dem Vorbild horazischer Satiren und zugleich in der Tradition antiker und moderner Traktate über die „Charaktere", eine Reihe von moralisch-professionellen Typen vorführt, wie man sie im gesellschaftlichen Leben findet, jede mit ihren charakteristischen Lebensäußerungen, ihren „cris de nature", ganz wie die verschiedenen Arten im Tierreich. Da ist der Satiriker, der eine anonyme Satire auf einen seiner Freunde veröffentlicht und in einer Gesellschaft, in der das Opfer sich über die Bosheit der Satire beklagt, sich als ihr Autor zu erkennen gibt und dem Opfer die Zunge herausstreckt. Da ist der Historiker, vor den der daraus resultierende Ehrenhandel gebracht wird und von dem keine andere Entscheidung zu erhalten ist als die, „que c'était un usage chez les anciens Gaulois de tirer la langue...". Ist er ein Schwachkopf („un sot")? Diderot bestreitet es. Der Mann, dessen Name übrigens genannt wird – es ist der Abbé Fénel, Mitglied der ‚Academie des inscriptions' – sei nichts als ein Mensch gewesen, der sein Leben und seine Augen in gelehrten Untersuchungen verbraucht habe und der nichts von Bedeutung mehr in der Welt sehe als die Wiederherstellung einer Textstelle oder die Entdeckung eines alten „usage". Und er fährt fort: „C'est le pendant du géomètre, qui, fatigué des éloges dont la capitale retentissait lorsque Racine donna son *Iphigénie*, voulut lire cette *Iphigénie* si vantée. Il prend la pièce; il se retire dans un coin; il lit une scène, deux scènes; à la troisième, il jette le livre en disant: ‚Qu'est-ce que cela prouve! ...‘ C'est le jugement et le mot d'un homme accoutumé dès ses jeunes ans à écrire à chaque bout de page: ‚Ce qu'il fallait démontrer'."[17] Das ist alles mit einer gewissen Mäßigung gesagt, ganz im Stil und Ton der horazischen Satire: leicht und urban, mit verhaltenem Spott, lächelnd, getreu dem Horazischen „ridentem dicere verum". Diderot hat aber dieselbe Anekdote geraume Zeit vorher schon einmal erzählt, in einem Brief an Sophie Volland vom 30. August 1760, und hier hat er sein Urteil und sein Empfinden sehr viel vehementer und direkter ausgesprochen, gleichsam seinen eigenen „cri de nature" ausgestoßen. Er gibt auch dort zunächst die Geschichte selbst, bis zu der skandalösen Frage: „... qu'est-ce que cela prouve?" und fährt dann fort: „Si j'avois été là, je lui aurois répondu: ,Que tu ne sens rien, grosse souche.' "[18]

Damit fällt das Wort, das wie kaum ein anderes geeignet ist, die Situation zu beleuchten, in der Diderot die Anekdote erzählt, und zugleich ihren Stellenwert im kunsttheoretischen Denken Diderots und seiner literarischen Zeitgenossen anzudeuten: das Wort „sentir". Was den Geometer von Diderot und seinesgleichen trennt und zugleich seine Geschichte erzählenswert macht für Diderot und seinesgleichen, das ist eben das, was er selbst durch seine Frage beweist: daß er nichts „fühlt". Das Gefühl („sentiment") als das Organ anzusehen, das vorzugsweise für die Aufnahme und Beurteilung von Kunstwerken zuständig ist, entspricht einer Kunstauffassung, die charakteristisch für Diderot und seine Epoche, wenn auch keineswegs eine Erfindung oder ein Produkt dieser Epoche ist. Offensichtlich handelt es sich um das Ergebnis eines geschichtlichen Vorgangs, der sich nicht in die Grenzen eines Jahrzehnts oder einer Generation, oder auch nicht in die Grenzen einer Nationalliteratur einschließen läßt. (Manches in den germanistischen Diskussionen um „Sturm und Drang" und „Empfindsamkeit" scheint eher dazu angetan, das Wesentliche dieses Vorgangs und seine europäischen Ausmaße aus dem Blick geraten zu lassen.) Höchst sprechende und eindeutige Belege für die eben charakterisierte Auffassung finden sich bereits beim Abbé Dubos (1719), der überhaupt einer ihrer wichtigsten theoretischen Wegbereiter gewesen sein dürfte. Typisch und, gerade in unserem Zusammenhang, sehr aufschlußreich ist etwa seine Reflexion über den fragwürdigen Wert einer „évaluation Geometrique" poetischer Verdienste, wie sie von einem zeitgenössischen französischen Autor mit Bezug auf Ariosts Orlando furioso eben versucht worden war; eine Reflexion, die auch deshalb hier erwähnt zu werden verdient, weil Dubos mit dem Beispiel Racines operiert (ohne allerdings die Anekdote zu erzählen, die man hier erwarten könnte): ein großer Band in Folioformat – schreibt Dubos – würde kaum genügen „pour contenir l'analyse exacte de la Phédre de Monsieur Racine faite suivant cette methode & pour appretier ainsi cette piece par voye d'examen". Eine solche Erörterung aber wäre dem Irrtum ebenso unterworfen wie ermüdend für den Autor und abstoßend („dégoutant") für den Leser, schreibt Dubos weiter, und schließlich: „Ce que l'analyse ne sçauroit trouver, le sentiment le saisit d'abord."[19] Und es folgt eine genauere Beschreibung dieses „sentiment" und der verschiedenen Grade seiner Ausbildung: „Le sentiment dont je parle est dans tous les hommes, mais comme ils n'ont pas tous les oreilles & les yeux également bons, de même ils n'ont pas tous le sentiment également parfait. Les uns l'ont meilleur que les autres, ou bien parce que leurs organnes sont naturellement mieux composés, ou bien parce qu'ils l'ont perfectionné par l'usage frequent qu'ils en ont fait & par l'experience. Ceux-cy doivent s'apercevoir plûtot que les autres du merite ou du peu de valeur d'un ouvrage."[20]

Man wird diese Sätze von 1719 in gewissem Sinne auch als Kommentar zu Diderots scharfer brieflicher Äußerung von 1760 ansehen können, aber auch als Kommentar zu der Art, wie dann derselbe Geometer in der rund anderthalb Jahrzehnte späteren *Satire I* charakterisiert wird: als ein Mann, der von Jugend auf gewohnt ist, am Ende jeder Seite zu schreiben: „Was zu beweisen war", und der eben deshalb ohne Sinn, ohne „Organ" für die Vorzüge eines poetischen Werkes ist. Freilich, die *Reflexions critiques* des Abbé Dubos waren innerhalb des „Emanzipationsprozesses", der zur Ausgliederung der schönen Künste aus dem System der Wissenschaften und schließlich zur Erklärung ihrer Autonomie gegenüber Wissenschaft und Philosophie geführt hat, ein ungewöhnlich fortschrittliches Buch. Die Diskussion war auch um 1770 noch keineswegs abgeschlossen, auch in Frankreich nicht, wie die eben angeführten Belege zeigen, und erst recht nicht in Deutschland, wie ein weiterer Beleg zeigt, der aus derselben Zeit stammt – und zugleich mitten aus dem deutschen Sturm und Drang, nämlich aus den *Briefen über die Moralität der Leiden des jungen Werthers* von J. M. R. Lenz.

„Sie halten ihn" – nämlich den *Werther* – „für eine subtile Verteidigung des Selbstmordes", schreibt Lenz an seinen fiktiven Korrespondenzpartner. „Das gemahnt mich, als ob man Homers Iliade für eine subtile Aufmunterung zu Zorn, Hader und Feindschaft ausgeben wollte. Warum legt man dem Dichter doch immer moralische Endzwecke unter, an die er nie gedacht. Genug hat man über den französischen Meßkünstler gelacht, der bei jedem Gedicht frug: *Qu'est ce que cela prouve?* und täglich verfällt man doch in seinen Fehler. Als ob der Dichter sich auf seinen Dreifuß setzte, um einen Satz aus der Philosophie zu beweisen."[21] Wie für Diderot, so ist auch für Lenz das Schöne ein Gegenstand des „Gefühls". Das ist die Basis und der Ausgangspunkt seiner Argumentation, so sehr, daß er dieselbe Auffassung und dasselbe Verhältnis zum Schönen auch bei seinem imaginären Partner voraussetzt. Er weiß – schreibt er im ersten Brief – daß auch für den anderen die schönen Künste den höchsten Reiz seines Lebens ausmachen und daß er mit ihm, dem Schreiber, einig ist, „daß alle Glückseligkeit des menschlichen Lebens in dem Gefühl des Schönen besteht", und er fordert ihn auf, *Werthers Leiden* nur als „Produkt des Schönen" anzusehen, „für das Sie es selbst erkennen müssen – und wagen es noch einmal einen so ungerechten Urteilsspruch mit Ihrem Namen zu unterschreiben"! Hinzu kommt freilich eine besondere polemische Komponente, die typisch für den engeren Kontext dieser Briefe, für die Diskussion um Goethes *Werther* und für Lenz selber ist: die Auseinandersetzung mit der Vorstellung, ein Werk der Dichtkunst müsse einen allgemeinen moralischen „Satz" den Lesern oder Zuschauern *ad oculos* demonstrieren; eine Vorstellung, die man etwa in Gottscheds *Critischer Dichtkunst* in aller Deutlichkeit und mit der Autorität eines der renommiertesten Lehrer seines Faches ausgesprochen fand. Dagegen plädiert nun Lenz für eine Kunst, die nichts will als „Darstellung", eine „Darstellung" freilich, die das Gefühl des Lesers oder Zuschauers anspricht, sein „Herz" zu „fesseln", sein „Interesse" zu erregen vermag. „Nichts mehr und nichts weniger als die Leiden des jungen Werthers wollt' er darstellen", schreibt er im *Zweiten Brief* über Goethe: „Und das große Ganze sollte so wenig Eindruck auf Sie gemacht haben, daß Sie noch am Ende nach der Moral fragen können." Was Lenz hier im Blick hat, gemahnt bereits an das, was später einmal – bei Friedrich Schlegel – Darstellung interessanter Individualität heißen wird. Aber es unterscheidet sich davon durch den Gedanken der Wirkung, vor allem dadurch, wie diese Wirkung als eine bessernde und gesellschaftlich nützliche, kurz: als moralische verstanden wird, nicht wesentlich anders als bei Lessing und bei den beiden wichtigsten französischen Theoretikern des bürgerlichen Trauerspiels: bei Diderot und bei Mercier, dessen Bedeutung für den Kreis um den jungen Goethe schon durch die Übersetzung von Heinrich Leopold Wagner hinlänglich bezeugt ist. Ähnlich wie Lenz in seiner Verteidigung des *Werther* es für ausgemacht hält, daß „jeder Roman, der das Herz in seinen verborgensten Schlupfwinkeln anzufassen und zu rühren weiß, auch das Herz bessern muß"[22], heißt es bei Mercier, gleich zu Anfang seines *Nouvel Essai* (1773), über die Schauspielkunst – in Wagners Übersetzung (1776) – sie sei „diejenige, welche vorzüglich vor allen andern unsre ganze Empfindbarkeit[23] rege macht, diese reichhaltige Vermögenskräfte, die wir von der Natur erhalten haben, in Bewegung setzt, die Schätze des menschlichen Herzens offen darlegt, sein Mitleiden, seine Theilnehmung befruchtet, uns redlich und tugendhaft seyn lehrt; denn auch die Tugend lernt sich und so gar mit einiger Mühe".[24] Auf der Linie dieser Zweckbestimmung liegt die polemische Auseinandersetzung, die die ersten Kapitel von Merciers *Essai* beherrscht und auch später immer wieder hervorbricht: die Polemik gegen ein Theater, das seine Stoffe in entlegenen und fragwürdigen, angeblich historischen Überlieferungen suchte, die „Asche der Könige aufrütteln" wollte und „in der weiten Welt nichts als gekrönte Häupter zu schildern"[25] wußte, ein Theater, das „Gemälde ohne Gegenstände" darbot, die Einbildungskraft ergötzte, aber moralisch und politisch folgenlos blieb. Und in diesem Zusammenhang finden wir auch unsere Anekdote wieder, diesmal mit einer zustimmenden, wohlwollenden Nuance erzählt: „Der Feldmesser, welcher, nachdem er eine Tragödie gelesen hatte, fragte, was beweist das? gieng freilich zu weit; aber (wie die Ephemérides du citoïen gar wohl bemerken) es ist ein tiefer Sinn unter diesen Worten verborgen; er fühlte verwirrt, daß kein bestimmter Zweck in dieser entsezlichen Verschwendung von Witz und Talenten herrschte; er drückte sich lächerlich aus, aber er fühlte als Philosoph."[26]

Der Beleg führt uns offensichtlich noch einen Schritt weiter in die eigentliche Diskussion hinein, der die Anekdote wenn nicht ihre Existenz, so doch ihre Bekanntheit und ihre literarische Bedeutung verdankt. Noch einen Schritt weiter zurück gelangt man mit der von Mercier herangezogenen Stelle in den *Ephémérides du citoyen*, einer prärevolutionären, vorwiegend ökonomisch, aber auch literarisch und philosophisch interessierten Zeitschrift, die von 1767 bis 1772 erschien und seit 1768 von Dupont de Nemours herausgegeben wurde. Die Stelle steht in einem Aufsatz über die Poesie im allgemeinen und die dramatische im besonderen, der von Dupont selbst stammt, und lautet: „Chacun sait l'histoire de ce Géometre qui, après avoir écouté avec attention une tragédie, disoit en sortant, *qu'est-ce que cela prouve?* On s'est moqué de lui, & on le dénonce aux petits enfants pour qu'ils s'en moquent par écho. Il est bien surprenant qu'il ne se soit pas encore trouvé un homme qui eût la tête assez forte & l'ame assez chaude pour se moquer à son tour des rieurs, qui n'ont pas eu l'esprit de traduire en langue vulgaire un mot plein de finesse & de sens, que ce Géometre exprimoit dans sa langue. Traduisez donc, Messieurs, puisque vous ne sentez pas le prix d'une expression détournée; traduisez littéralement: au lieu de *qu'est-ce que cela prouve?* mettez, *a quoi cela est-il bon?* & riez, si vous l'osez."[27] Die Diskussion, in die man damit hineingeführt wird, ist offenbar die Kontroverse um Nutzen und Nachteil des Theaters, „la querelle des spectacles", die nach einer langen, wechselvollen Geschichte[28] ihren letzten mächtigen Auftrieb durch Rousseaus *Lettre à d'Alembert* (1758) erhalten hatte. Dupont steht mit seinem richterlichen Ernst, mit dem kritischen Grundsatz, in den er das Wort des Geometers übersetzt, und den daran anschließenden Bedenken gegen eine „poésie corruptrice et frivole" deutlich in der Tradition Rousseaus, und Merciers eben zitierter respektvoller Hinweis auf das in den *Ephémérides du citoyen* sehr gut („fort bien") Bemerkte ist eine weitere Fortsetzung derselben Tradition, die zugleich ein Licht auf Merciers eigene historische Position wirft, namentlich auf die Filiationen, die ihn mit Rousseau verbinden.

Die dichtgedrängte Reihe der Belege bei Wezel, Lenz, Diderot, Mercier und Dupont – denen man noch einen weiteren aus der literarischen Korrespondenz des Baron Grimm[29] hinzufügen könnte – legt die Frage nahe, ob es nicht in dem durch sie abgesteckten literarischen Bereich, aber zeitlich ihnen vorausgehend, einen „Hauptbeleg" geben könnte, von dem die späteren oder doch einige von ihnen mehr oder weniger direkt abhängen würden, der also innerhalb der Überlieferungsgeschichte unserer Anekdote die Rolle eines „Archetypus" (im handschriftenkundlichen Sinne des Wortes) gespielt hätte. Ein solcher Beleg oder genauer: ein Beleg von einer gewissen, zweifellos begrenzten „archetypischen" Bedeutung, ist nun in der Tat nachweisbar, und zwar in einem der aufsehenerregendsten Bücher der Zeit, einem Buch, das 1758 erschien, noch im selben Jahr in einer ganzen Reihe von Ausgaben verbreitet war und trotz – oder auch wegen – seiner Verfolgung durch die staatlichen und kirchlichen Zensurbehörden eine sehr große Zahl von Lesern erreichte: in Helvétius' Buch *De l'esprit*, im 6. Kapitel des vierten Diskurses, das vom „Schöngeist", vom „bel esprit" handelt. Bevor wir auf die Verwandtschaftsverhältnisse mit den vorher erwähnten späteren Belegen eingehen, von denen einige direkt auf Helvétius zurückführbar sind, zunächst eine kurze Wiedergabe des Belegs bei Helvétius selbst. Worum es ihm geht, ist eine Definition des „bel esprit" und seiner Verdienste, im Vergleich zu den Verdiensten der Philosophen und Gelehrten, und eine Kritik der Vorurteile, mit denen beide Seiten, das „genre philosophique" und das Geschlecht der Schöngeister, einander nicht selten betrachten: unter den Schöngeistern gibt es solche, die geheime Feinde der Philosophie sind und zu vergessen scheinen, daß die Kunst, gut zu reden, notwendigerweise voraussetzt, daß man etwas zu sagen habe; umgekehrt sind die Gelehrten und Philosophen, in ihrer Hingabe an die Erforschung der Fakten oder der Ideen, oft ohne Blick für die Schönheiten und Schwierigkeiten der Kunst des Schreibens: „Ils font, en conséquence, peu de cas du bel esprit: & leur mépris injuste pour ce genre d'esprit est principalement fondé sur une grande insensibilité pour l'espece d'idées qui entrent dans la composition des ouvrages de bel esprit. Ils sont presque tous, plus ou moins, semblables à ce géometre devant qui l'on faisoit un grand éloge de la tragédie d'Iphigénie. Cet éloge pique sa curiosité; il la demande, on la lui prête, il en lit quelques scenes, & la rend, en disant: *Pour moi, je ne sais ce qu'on trouve de si beau dans cet ouvrage; il ne prouve rien.*"[30]

Kontext, Sinn und Funktion der Anekdote, wie sie hier erzählt wird, bedürfen kaum einer weiteren Erläuterung. Der Gegensatz zweier Arten des „Geistes", ihr Bezug auf verschiedene Arten des Interesses und der Betätigung und auf verschiedene Rollen in der Gesellschaft, die wechselseitige Verständnislosigkeit des einen „Genres" für das andere – all das sind Züge, die uns schon aus den späteren Versionen bekannt sind, die freilich hier in einer besonders klaren und überzeugenden Weise ausgeprägt erscheinen. Bemerkenswerter sind gewisse Beziehungen, die sich bei einem vergleichenden Blick auf einige der späteren Belege ergeben. Auffällig ist zunächst die außerordentliche Nähe zu Diderot. Seine Art, die Geschichte zu erzählen, ist bis in Einzelheiten des Aufbaus hinein unverkennbar dieselbe – von der ersten Veranlassung zur Lektüre des Racineschen Stückes bis zu ihrem Abbruch nach den ersten paar Szenen – wozu man noch die Beweise hinzunehmen muß, die Diderot selbst für seine intensive Beschäftigung mit Helvétius' berühmtestem Buch gegeben hat, vor allem durch die einläßliche, Punkt für Punkt vorgehende Studie, die er ihm gewidmet hat.[31] Natürlich läßt diese Nähe verschiedene Interpretationen zu; am einfachsten und plausibelsten scheint es mir, auch angesichts der chronologischen Daten, an eine Lesefrucht bei Diderot zu denken. Ähnlich steht es mit den anderen eben genannten Autoren derselben Epoche. Für sie alle kommt Helvétius als Quelle zumindest in Frage, denn bei ihnen allen kann eine Kenntnis von Helvétius' Hauptwerk – wenn auch eine Kenntnis von wechselnder Intensität – vorausgesetzt werden, nicht nur bei den französischen, sondern auch bei den deutschen Autoren. Namentlich bei Wezel würde die Annahme einer solchen, sei es direkten oder indirekten, Filiation vorzüglich passen zu dem, was wir über die Beziehungen dieses Autors zur französischen Aufklärungsphilosophie, besonders zu Helvétius, bereits wissen.[32] Mit noch größerer Sicherheit aber kann von Schopenhauer behauptet werden, daß er seine Kenntnis der Anekdote hierher bezog. Helvétius' Buch *De l'esprit* befand sich in Schopenhauers Bibliothek, und er hat es, gerade in den Jahren vor dem Erscheinen seines eigenen Hauptwerks, mehrfach gelesen, mit einem besonderen Maß von Zustimmung und Interesse, wie die handschriftlichen Eintragungen und die zahlreichen, oft zwei- oder dreifachen Anstreichungen und Unterstreichungen in seinem Exemplar zeigen.[33] („Cet excellent ouvrage a été condamné au feu par arrêt du parlament (...)", heißt es gleich auf dem Vorsatzblatt in einer eigenhändigen Eintragung Schopenhauers.[34]) Schließlich aber spricht auch einiges dafür, daß Helvétius – außer der schon genannten, so viel näher liegenden Beziehung zu Schopenhauer – eine Quelle für Nietzsches Kenntnis der Anekdote, und sogar die wichtigere, gewesen ist. Um Punkt für Punkt vorzugehen: 1) wie Helvétius, aber abweichend von allen anderen Fassungen der Anekdote, läßt Nietzsche den Geometer zunächst ausdrücklich feststellen, daß für ihn nichts Schönes in dem Stück zu finden sei, und darauf erst, als Begründung, die Pointe folgen, und zwar (2) nicht in der üblichen Frageform, sondern – ebenfalls wie Helvétius – in der Form eines Aussagesatzes: „... es wird nichts darin bewiesen!" (Helvétius: „... il ne prouve rien.") 3) Nietzsche kannte und schätzte Helvétius, den „best beschimpften aller guten Moralisten und guten Menschen" – wie er ihn nannte[35] – so daß die Vorstellung, die Anekdote könnte ihm von seiner Lektüre dieses fernen Vorgängers her im Ohr geblieben sein, jedenfalls nichts Abwegiges hat. 4) Der Ausdruck „Feldmesser" statt „Geometer", um 1880 einigermaßen ungewöhnlich, überrascht in Nietzsches Aphorismus und läßt an eine ältere Quelle, etwa eine zeitgenössische deutsche Übersetzung von Helvétius' *De l'esprit*, denken. Eine solche ist in der Tat unmittelbar nach dem ersten Erscheinen des französischen Originals von einem gewissen Forkert verfaßt und 1760 mit einer Vorrede von Gottsched publiziert worden, und der Wortlaut der betreffenden Stelle scheint mir kaum einen Zweifel daran zu lassen, daß sie von Nietzsche in dieser Übersetzung gelesen wurde: „Sie sind fast alle" – heißt es bei Forkert – „dem Feldmesser mehr oder weniger gleich, in dessen Gegenwart man dem Trauerspiele *Iphigenia* ein großes Lob beylegte. Dieses Lob erregt seine Neugierde; er verlanget sie, man leihet sie ihm auch, er liest einige Auftritte darinnen, und giebt sie wieder zurück, sagend: *ich meines Theils kann nicht begreifen, was man in diesem Werke so schönes findet; da doch nichts in demselben bewiesen wird.*"[36] Auf Nietzsche weist hier nicht nur der Ausdruck „Feldmesser", diese etwas sonderbare Wiedergabe des französischen „géometre", sondern auch die passive Formulierung des Schlusses, die sich nur hier findet – hier und wiederum bei Nietzsche.[37] Schließlich aber (5) findet sich, zu allem Überfluß, im gedruckten Verzeichnis von Nietzsches Bibliothek der Nachweis, daß Nietzsche das Buch des Helvétius in eben dieser Übersetzung – und übrigens nur in dieser Übersetzung – besaß.[38]

Bleibt die Frage schlichter historischer Neugier: wer war es? Wer war jener Mathematiker, wenn es ihn überhaupt jemals gab? Dazu wenigstens einige knappe, abschließende Bemerkungen, auf die Gefahr hin, eine Reaktion, ähnlich der nun schon so oft zitierten, hervorzurufen. Die Geschichte der Mathematik weiß in der Tat von einem berühmten Geometer der Zeit Ludwigs XIV. und Racines zu berichten, dem die Antwort, um die es sich handelt, zumindest zugeschrieben wurde. Er hieß Gilles Personne Roberval, war Professor der Mathematik am ‚Collège royal de France' und Mitglied der ‚Académie des sciences', Freund von Fermat und Gassendi und erbitterter Gegner des Descartes, wurde geboren im Jahr 1602 und starb 1675, ein Jahr nach der Uraufführung von Racines *Iphigénie*. Zu den Leistungen, die ihn berühmt machten – in der zeitgenössischen Gelehrtenwelt und darüber hinaus – gehören Arbeiten zur Theorie der Zykloiden und zur Methode der Flächenberechnung. Über ihn heißt es in der *Histoire des mathématiques* von J. F. Montucla, der umfassendsten mathematikgeschichtlichen Darstellung des 18. Jahrhunderts: „C'est à Roberval qu'on attribue une réponse, dont les détracteurs des sciences exactes ont fait quelquefois usage, pour prouver que ces sciences dessèchent l'esprit et anéantissent le goût. On dit, je ne sais sur quel fondement, qu'assistant à une tragédie, il fut questionné sur l'impression qu'il en recevoit, et qu'il dit: *qu'est-ce que cela prouve.*"[39] Worauf der Verfasser zur Verteidigung seines Kollegen aus dem 17. Jahrhundert ansetzt: die Geschichte könne eine boshafte Erfindung oder aber das Theaterstück wirklich „pitoyable" gewesen sein, so daß Roberval nur eine Probe seines „Geschmacks" gegeben hätte, indem er es entsprechend beurteilte, noch dazu in einer witzigen, scherzhaften Form, einer Art von „plaisanterie géométrique". Im übrigen scheint von und über Roberval, außer seinen eigenen mathematischen, teils von ihm selbst, teils posthum veröffentlichten Arbeiten, wenig mehr bekannt geworden zu sein als eine Fragment gebliebene, späte Niederschrift zur Grundlegung der Geometrie, die Victor Cousin in den Archiven der Pariser Akademie entdeckte und 1845 unter dem Titel *Roberval philosophe*[40] publizierte, zusammen mit einleitenden Bemerkungen von Robervals Freund und Nachlaßverwalter Lahire; eine Publikation, die, wie zu erwarten, nichts Konkretes zu unserem Thema bietet, aber doch auch nicht ganz ohne Beziehung zu ihm ist. Nach der Vorrede des Freundes war es das Ziel Robervals und das charakteristische Merkmal seiner Methode, so wenig Annahmen wie möglich zu machen und durchwegs, „universellement", alles zu beweisen, was bewiesen werden kann, indem er es für ein unerschütterliches Prinzip in der Mathematik erachtete, „que rien n'y doit passer pour vrai qui ne soit démontré, s'il le peut être". In der konsequenten Anwendung dieses Grundsatzes, die man abergläubisch („superstitieuse") hätte nennen können, habe er tausend Dinge beweisen wollen, die die anderen ohne Bedenken als Prinzipien („principes") zugaben. Entsprechend, freilich in maßvollerer, vorsichtigerer Form, heißt es bei Roberval selbst, in den „Regeln", die seiner Grundlegung vorausgehen sollten: „Tout ce qui peut être démontré doit être démontré...".

Anmerkungen

[1] W. A., 1. Abth., 36. Bd., Weimar 1893, S. 288 f.

[2] *Goethes Werke (Festausgabe)*, 16. Bd., Leipzig o. J., S. 588.

[3] *Grillparzers Werke*, hsg. v. A. Sauer, 2. Abth., 7. Bd., Wien u. Leipzig 1914, S. 333.

[4] *Sämtl. Werke*, 1. Abt., 10. Bd., S. 22 f. – Vgl. auch den Kommentar hierzu (ebd., S. 341 f.).

[5] S. 19 des 1. Bandes der Erstausgabe (1773); vgl. Johann Karl Wezel: *Lebensgeschichte Tobias Knauts, des Weisen, sonst der Stammler genannt.* Faksimiledruck nach der Ausgabe von 1773. Mit einem Nachwort von Victor Lange. (Deutsche Neudrucke). Stuttgart 1971. – Wezel zitiert den Ausspruch und bemerkt dazu in einer Fußnote: „Dies sagte bekanntermaßen der ehrwürdige Pater Malebranche bey Erblickung eines damals berühmten Gedichts." (Über die wenig glaubwürdige und nur hier vorkommende Zuschreibung siehe das weiter unten Gesagte.)

[6] 8. Auflage, Stuttgart 1868, XI 73: „Jener Mathematiker, den man mit Mühe ins Theater brachte, fragte am Ende des Stücks ganz trocken: ‚Aber was soll das beweisen?‘ " (Nachweis im 10. Bd. der 1. Abt. der Kritischen Grillparzer-Ausgabe, S. 342.)

[7] Eine ausführliche Darstellung dieser Abhängigkeitsverhältnisse hat Fritz Strich in seiner Dissertation *(Grillparzers Ästhetik,* Berlin 1905) gegeben.

[8] *Die Welt als Wille und Vorstellung* (= *Sämtl. Werke,* ed. P. Deussen, 1. Bd.), München 1911, S. 222.

[9] *Die Welt als Wille und Vorstellung,* S. 223.

[10] Vgl. außer den Briefen Goethes und Schopenhauers auch die Tagebucheintragungen Goethes vom 18. bis 24. Januar 1819 über Lektüre des Schopenhauerschen Werkes und entsprechende Tischunterhaltungen. Daß gerade die uns hier beschäftigende Partie seine Beachtung fand, wird allein durch die Rolle der Goetheschen Farbenlehre im selben Zusammenhang und die Polemik gegen ihre mathematischen Verächter höchst wahrscheinlich.

[11] Nietzsche: *Werke, Kritische Gesamtausgabe,* hsg. v. G. Colli u. M. Montinari, 5. Abt., 2. Bd., Berlin/New York 1973, S. 113.

[12] *Werke* 5, 2, S. 112.

[13] Bertolt Brecht: *Schriften zur Literatur und Kunst* 3 (1934–1956), Frankfurt 1967, S. 7.

[14] Über die Eigenart dieses „rednerischen Verfahrens, in dem nicht so sehr die Wahrheit als der Vorgang der Wahrheitssuche demonstriert werden soll", und seinen historischen Ort vgl. das Nachwort Victor Langes in der bereits angegebenen Neuedition des Romans (Stuttgart, 1971).

[15] *Tobias Knaut*, 1. Bd., S. 16.

[16] *Tobias Knaut*, 1. Bd., S. 19. Daß Malebranche den Ausspruch getan haben soll, ist, wie bereits angedeutet, höchst unwahrscheinlich. Dagegen spricht schon die sonst – in allen Belegen – regelmäßig wiederkehrende Bezeichnung „Geometer" oder „Mathematiker" für den Urheber des Wortes, aber auch das Fehlen einer entsprechenden Überlieferung in der biographischen Malebranche-Literatur, schließlich auch das Ansehen des Philosophen unter seinen Zeitgenossen, von dem auch in Wezels Art der Apostrophierung noch etwas nachklingt (und das schlecht paßt zu der Rolle, Mittelpunkt eines so allgemeinen Gelächters zu sein, wie es von unserer Anekdote, als Geräuschkulisse gleichsam, vorausgesetzt wird).

[17] *Œuvres complètes de Diderot*, ed. J. Assézat, T. 7 , Paris 1875, p. 307 sq.

[18] *Lettres à Sophie Volland*, ed. A. Babelon, T. I, Paris 1950, p. 157.

[19] *Reflexions critiques sur la poésie et la peinture*, 2nd partie, Paris 1719, p. 332.

[20] *Reflexions critiques*, p. 332.

[21] J. M. R. Lenz: *Werke und Schriften* I, hsg. v. B. Tittel u. H. Haug, Stuttgart 1966, S. 384. Die kleine Schrift, die 1776 im Straßburger Freundeskreis vorgelesen wurde, nachdem sie vorher bereits Goethe mitgeteilt worden war, erschien erst 1918 im Druck. Über die Herkunft der Anekdote bei Lenz heißt es in der hier zitierten, verdienstvollen Ausgabe befremdlicherweise: „Gestalt aus einem Lustspiel?", trotz des Lenz sehr nahestehenden und von ihm sicherlich gekannten Belegs, auf den gleich einzugehen sein wird.

[22] *Werke und Schriften* I, S. 393.

[23] Wagners Übersetzung für „sensibilité"; vgl. den originalen Wortlaut in: *Du théatre, ou nouvel essai sur l'art dramatique*. Amsterdam 1773, p. 7.

[24] *Neuer Versuch über die Schauspielkunst. Aus dem Französischen. Mit einem Anhang aus Goethes Brieftasche*. Leipzig 1776 (Faksimiledruck in: Deutsche Neudrucke, Heidelberg 1967), S. 10.

[25] *Neuer Versuch*, S. 21.

[26] *Neuer Versuch*, S. 60. „. . . er fühlte verwirrt" ist eine nicht ganz glückliche Übersetzung für „. . . il sentoit confusément", womit – der Erkenntnislehre der Zeit gemäß – eine Vorstellung gemeint ist, die nicht zu vollständiger Deutlichkeit gediehen ist. (Vgl. den Beleg bei Mercier selbst, *Du théatre*, p. 46.)

[27] „Idées sur la Poésie en général, et la Poésie dramatique en particulier, par l'Auteur des Ephémérides." In: *Ephémérides du citoyen ou bibliothèque raisonnée des morales et politiques*. 1771, t. 12me, p. 130 sq.

[28] Vgl. M. Barras: *The Stage Controversy in France from Corneille to Rousseau*, New York 1933.

[29] *Correspondance littéraire, philosophique et critique par Grimm, Diderot, Raynal, Meister, etc.,* ed. M. Tourneux, t. 10me, Paris 1879, p. 30 (August 1772).

[30] *De l'esprit*, Paris 1758, p. 535.

[31] „Réflexions sur le livre de l'esprit par M. Helvétius (1758)." *Œuvres*, ed. Assézat, T. II, p. 263 sq.. Die Studie beginnt mit dem Satz: „Aucun ouvrage n'a fait autant de bruit."

[32] Vgl. auch hierzu das Nachwort zur Neuausgabe des *Tobias Knaut* in: Deutsche Neudrucke (Bd. 4, S. 13 f.).

[33] Vgl. Arthur Schopenhauer: *Der handschriftliche Nachlaß*, 5. Bd.: *Randschriften zu Büchern*, hsg. v. A. Hübscher, Frankfurt am Main 1968, S. 65–67.

[34] *Der handschriftliche Nachlaß*, S. 65.

[35] *Menschliches, Allzumenschliches* II *(Der Wanderer und sein Schatten)*, Nr. 216; *Krit. Gesamtausgabe*, ed. G. Colli u. M. Montinari, 4. Abt., 3. Bd., S. 290. (Vgl. auch die Bemerkungen über den „ehrenwerten Helvetius" in *Jenseits von Gut und Böse; Werke*, ed. Schlechta, Bd. 2, S. 692.)

[36] *Discurs über den Geist des Menschen* [. . .]. *Aus dem Französischen des Herrn Helvetius* [. . .]. *Mit einer Vorrede Herrn Joh. Christoph Gottscheds* [. . .] Leipzig und Liegnitz 1760.

[37] Wobei daran zu erinnern ist, daß gerade dieses Passiv von entscheidender Bedeutung für die Wendung ist, die Nietzsche dem Motiv gegeben hat: worauf es ihm ankommt, ist nicht, daß das Stück „nichts beweist", sondern daß „in" ihm, also im Verlauf des Stückes, „nichts bewiesen" wird, im Gegensatz zu anderen Stücken, wie denen des Sophokles, in denen „alles bewiesen" wird.

[38] *Nietzsches Bibliothek. 14. Jahresgabe der Gesellschaft der Freunde des Nietzsche-Archivs 1942*, S. 19.

[39] J. F. Montucla: *Histoire des mathématiques, Nouv. éd.*, Paris an VII, T. II, p. 51. Ähnlich, offenbar Montucla folgend, die großen biographischen Nachschlagewerke des 19. Jahrhunderts, Artikel „Roberval" (z. B. *Biographie universelle*, T. 38, Paris 1824, p. 231).

[40] *Journal des savants*, Mars 1845, p. 129–149.

John Osborne
J. M. R. Lenz · The Renunciation of Heroism
1975. 173 Seiten, engl. broschiert. (Palaestra 262)

**Walter H. Bruford · Kultur und Gesellschaft
im klassischen Weimar 1775–1806**
Aus dem Englischen übersetzt von Karin McPherson. 1967. 425 Seiten mit
10 Bildtafeln, Leinen; Paperback-Ausgabe in der Sammlung Vandenhoeck

Gerhard Kaiser · Wandrer und Idylle
Goethe und die Phänomenologie der Natur in der deutschen Dichtung von
Geßner bis Gottfried Keller. 1977. 301 Seiten, Paperback

Deutsche Literatur und Französische Revolution
Mit Beiträgen von Richard Brinkmann, Claude David, Gonthier-Louis Fink,
Gerhard Kaiser, Walter Müller-Seidel, Lawrence Ryan, Kurt Wölfel. 1974. 191
Seiten, kartoniert. (Kleine Vandenhoeck-Reihe 1395)

**Heidi Gidion · Zur Darstellungsweise
von Goethes „Wilhelm Meisters Wanderjahre"**
1969. 140 Seiten, engl. broschiert. (Palaestra 256)

Peter Horst Neumann · Jean Pauls „Flegeljahre"
1966. 119 Seiten, broschiert. (Palaestra 245)

**Bernhard Böschenstein
Konkordanz zu Hölderlins Gedichten nach 1800**
Auf Grund des zweiten Bandes der Großen Stuttgarter Ausgabe. 1964. 95 Sei-
ten, engl. broschiert

Oskar Seidlin · Klassische und moderne Klassiker
Goethe – Brentano – Eichendorff – Gerhart Hauptmann – Thomas Mann. 1972.
152 Seiten, kartoniert. (Kleine Vandenhoeck-Reihe 355 S)

Oskar Seidlin · Von Goethe zu Thomas Mann
Zwölf Versuche. 2., durchgesehene Auflage 1969. 246 Seiten, engl. broschiert.
(Kleine Vandenhoeck-Reihe 170 S)

VANDENHOECK & RUPRECHT IN GÖTTINGEN UND ZÜRICH